LE TESTAMENT DE NOSTRADAMUS

Dans la collection
« Documents-Rocher »

Maurice Bessy, *Mort, où est ton visage ?*
James Cluny, *Astrologie pratique simplifiée.*
Jacques Depret, *Aujourd'hui la guerre. Le dossier de la Troisième Guerre mondiale.*
Charles Hapgood, *Les cartes des anciens rois des mers.*
Révérend Père Martin, *Le livre des compagnons secrets.*
Nicolas Mélot, *Qui a peur des années 80 ?*
Simone de Tervagne, *Le collier magique.*
Gabriel de la Varende, *Une demeure alchimique, le château du Chastenay.*

DANIEL RUZO

LE TESTAMENT DE NOSTRADAMUS

« *Documents-Rocher* »

PRESSES DE LA CITÉ

9797 rue Tolhurst, Montréal H3L 2Z7 - Tél.: 387-7316

ISBN 2-268-00-173

ISBN-2-89116-159-9

SOMMAIRE

PREMIÈRE PARTIE

LE TESTAMENT

DEUXIÈME PARTIE

LA CHRONOLOGIE

TROISIÈME PARTIE

LA CRYPTOGRAPHIE DE NOSTRADAMUS

QUATRIÈME PARTIE

BIBLIOGRAPHIE

PREMIÈRE PARTIE

LE TESTAMENT

I

PROPHÉTIE

Limités par notre conception primaire, presque animale, de l'espace, du temps et de la causalité, nous vivons dans un seul « monde ». Le temps humain – passé, présent et à venir – est pour nous une muraille infranchissable. Seul celui qui peut centrer sa conscience hors du monde physique atteint la libération de cette servitude. C'est un processus difficilement acceptable pour notre « faible entendement ». Celui qui est totalement libéré ne peut « appartenir » à notre monde, mais il devient possible que deux ou trois « mondes » vivent et s'expriment dans sa conscience et dans son « union ».

Les prophètes sont une réalité humaine. Il ne sert à rien de nier ou de discuter un million de prophéties. Le fait qu'une seule ait été possible signifie qu'il existe, dans la conscience, un degré supérieur, à partir duquel il est possible de contempler, « unies » à l'intérieur d'une autre dimension, les trois étapes de notre temps. La « Science » accepte maintenant que, dans certaines conditions, l'homme et les animaux puissent connaître ou pressentir des faits qui ne se sont pas encore produits.

Il y a des lois que nous ne connaissons pas : la prophétie n'aide jamais à changer le cours des événements et il n'est possible de la comprendre pleinement qu'une fois qu'elle s'est réalisée. Mais elle prouve à l'homme combien ses moyens de compréhension sont misérables et combien relative est la valeur de sa vie sur cette planète. Elle lui démontre que son existence et son « monde » ne sont que le reflet imparfait de quelque chose de réel, et qu'il est donc impérieusement nécessaire de renaître à cette réalité supérieure.

Beaucoup d'entre nous vivent certainement « poussés » par un souvenir. Nous « savons » que nous sommes venus d'une autre conscience, d'une conscience dans laquelle existait une « mémoire » de ce que nous allons vivre. Nous connaissons certaines personnes, certains lieux, certains événements avant qu'ils ne surgissent dans notre vie, comme s'il nous était déjà arrivé de les laisser derrière nous, comme lorsqu'on revoit pour la énième fois un film qui « est » déjà, que nous ne pouvons pas changer, mais dont la relation avec notre moi le plus intime a changé et se modifie à chaque instant.

La vie humaine est notre « éternel retour ». Pour les astres de notre système planétaire, il se produit toutes les 25 824 années solaires. Pour nous, il est la répétition de « notre unique vie », celle que nous vivons en ce moment, et que nous pouvons parcourir des millions de fois pour en épuiser toutes les possibilités. C'est que, par rapport à celui de ces astres, notre « temps » est autre, tout comme celui des atomes qui constituent notre corps physique est différent du nôtre.

Nous formons, nous qui nous nous « souvenons », une grande famille. Les autres, ceux qui ne se « souviennent » pas, restent emprisonnés dans les limites du temps des horloges, qui ne peut pas expliquer la prophétie, dans la limite de la géométrie d'Euclide, qui ne peut pas expliquer les géométries non euclidiennes, et dans le corset de fer de la causalité, qui ne peut pas expliquer « l'éventualité » ou « l'accident ».

Cette possibilité humaine de consciences différentes n'est ni une illusion, ni une élaboration mentale de l'esprit. Nous avons parfois expérimenté en nous-même un tel changement de conscience. Malheureusement, il n'a duré que quelques heures. Celui qui vit une telle expérience est certain qu'il s'agit d'une véritable conscience, supérieure à celle que nous appelons normale; 1° en raison du bonheur spécial qui nous inonde; 2° parce qu'il semble impossible de quitter cet état pour retourner à la conscience quotidienne; 3° à cause de l'assurance qu'elle nous donne qu'il s'agit bien là de la véritable conscience humaine; 4° parce qu'elle nous écarte de toutes nos préoccupations du monde physique. Ce processus est expliqué dans le livre le plus diffusé dans toutes les langues de la Terre. C'est saint Paul qui divise les hommes en trois niveaux de conscience, d'après leur « sagesse » : celui des princes de ce Monde, celui des « parfaits », et celui des « véritables adorateurs ». C'est ce même saint Paul qui dit encore : « Nous ne dormons plus mais nous ne serons pas tous transformés. » Il existe donc les « princes de ce Monde » qui sont endormis, les « parfaits » qui parlent de sagesse et qui ne dorment plus, et les « véritables adorateurs » qui, sans vaines paroles, témoignent de la vertu et du pouvoir de Dieu parce qu'ils ont été « transformés ». Il y a donc trois consciences pour l'homme sur la Terre.

Cette possibilité de rendre conscient, dans notre « Monde », l'éternel retour, de parvenir, par la connaissance directe, à nous unir à cet « au-delà » que les mathématiques et la physique de ce siècle nous aident à accepter, naît en nous le jour où l'accomplissement indiscutable d'une prophétie éveille notre « humilité ». Nous ne sommes pas les « Rois de la Création », nous sommes seulement des âmes vivantes, qui ont oublié la « parole perdue », la « parole du pouvoir », la « parole vivante », le « Verbe de Dieu », qui nous donne cette vie humaine et qui peut nous donner d'autres vies dans d'autres temps. Nous utilisons la parole morte pour les événements courants de notre vie, nous employons imparfaitement cinq sens, et nous sommes conditionnés par un espace, un temps et une causalité que nous avons « inventés » tout au long de quelques millénaires. S'il n'y avait en nous cette intime conviction de l'existence d'un « au-delà », que nous commençons à imaginer aujourd'hui en laissant notre fantaisie nous parler de « mondes parallèles » et « d'anti-matière », s'il n'y avait la possibilité prophétique, que nous acceptons tous au plus profond de nous-mêmes, ce que nous appelons la « voie spirituelle » serait fermée pour nous et notre humanité n'aurait plus de sens et serait condamnée à disparaître comme ont disparu les dinosaures. S'il n'y avait parmi nous quelques hommes, un seul même, capables de suivre cette « voie spirituelle » jusqu'à dépasser leur humanité, jusqu'à se transformer, d'âmes vivantes en esprits vivifiants, notre planète tout entière devrait se consumer en une flambée subite. La possibilité prophétique est la torche qui nous rappelle en permanence notre présent insignifiant et notre véritable avenir.

Voilà ce qui fait pour l'humanité l'immense valeur des prophètes de Dieu. C'est pour cette raison que les Saintes Écritures les ont défendus et autorisés. C'est pour cette raison que les peuples se sont prosternés sur leur passage. Le fait que la réaction brutale de l'animalité humaine les ait souvent conduits au sacrifice ne doit pas nous étonner : l'homme qui tient farouchement à sa vie éphémère hait profondément celui qui lui rappelle qu'il y a une autre vie et une autre conscience, celui qui le secoue dans son « sommeil » et lui fait voir qu'il n'est qu'une « ombre ».

En dehors de la Bible, aucun ensemble de prophéties ne présente dans les vingt derniers siècles, un intérêt comparable à celui que renferme l'œuvre de Maître Michel Nostradamus dont le contenu n'a été dévoilé que dans une proportion minime. L'objet de cette première publication – et de celles que nous nous proposons de réaliser postérieurement – est de faire parvenir à tous ceux qui devront s'en occuper dans un futur très proche, son œuvre originale (sous forme de fac-similé) et toute la contribution que nous pouvons apporter à la parfaite compréhension de sa prophétie. Tel est le but de nos travaux bibliographiques et de nos études chronologiques.

L'œuvre de Nostradamus est apocalyptique et prophétise, pour l'année 2137, la fin du Cinquième Age qui a commencé après le déluge de Noé et qui prendra fin par une catastrophe provoquée par l'élément « air ». Elle est toujours d'accord avec la chronologie de l'humanité antérieure à ce déluge, dont l'héritage a été recueilli par tous les peuples anciens et dont nous nous sommes déjà occupé [1].

Nostradamus prédit l'histoire de France. Il s'occupe dans le détail des personnages et des événements futurs, dans le seul but de piquer la curiosité humaine et de mettre à profit, pour assurer la diffusion de son œuvre qui cèle son véritable message, l'insatiable désir de connaître l'avenir pour échapper au destin. Il a ainsi obtenu que son œuvre prophétique, et tous les mécanismes cryptographiques qu'elle renferme, traverse quatre siècles et nous parvienne presque intacte. Seuls, treize quatrains ont été perdus sur un total de mille quatre-vingt-cinq.

Le véritable objet de l'œuvre prophétique de Nostradamus est d'exposer la chronologie traditionnelle des Ages et d'annoncer, en accord avec l'Apocalypse, la fin de notre période zodiacale – qui est celle des Poissons –, la fin de notre Cinquième Age, qui se terminera au bout de quatre-vingt-six siècles, et le commencement, à la fois, de la période zodiacale du Verseau et du Sixième Age. Sa cryptographie renferme certainement un message très important, que l'humanité doit recevoir dans le courant du siècle prochain, et qui contribuera à sauver quelques groupes humains pendant la catastrophe qui aura lieu au début du XXIIe siècle. Les « arches » de pierre dans lesquelles furent sauvés les hommes, les semences et les animaux domestiques à l'époque de Noé sont intactes et seront utilisées une fois de plus.

NOTE

1. RUZO (Daniel), *Les derniers jours de l'Apocalypse*, Edicion Iztaccihuatl, Mexico, 1970 ; Editorial record, Rio de Janeiro, 1971; les Éditions Payot, 1973. Dans ce livre nous nous occupons de façon plus détaillée de prophétie, de mystique et de chronologie, et pour ne pas se voir obligé à le citer très souvent dans les pages qui viennent, on en donne ici la référence, en le recommandant à tout lecteur qui désire une plus ample information sur les thèmes indiqués.

II

LE TESTAMENT

Le 17 juin 1566, Nostradamus recevait, en sa maison de Salon de Craux, en Provence, quelques-uns de ses amis et le notaire de la ville, Joseph Roche. Ce dernier coucha sur son registre l'acte du Testament que nous allons analyser, testament dont les détails avaient sûrement été étudiés avec la plus grande minutie, par le testateur.

Treize jours plus tard, le 30 juin 1566, et avec les mêmes formalités, le même notaire enregistrait un codicille. Le notaire devait retranscrire plus tard ces deux documents – dans son registre, en seconde rédaction, sans abréviations et en y ajoutant les clauses et formules juridiques pertinentes. Le second jour après la dictée du codicille venait de commencer quand, à l'aube du 2 juillet 1566, le testateur mourut.

Ces quatre pièces manuscrites se trouvent actuellement dans les Archives départementales des Bouches-du-Rhône à Marseille, aux Fonds 375 E, sous le sigle : Salon 2 – 675 et 676. Dans le registre 675, in-folio, non numéroté, le Testament couvre 12 pages. Les deux pages du Codicille se trouvent cinq folios plus loin. Dans le registre 676 – cahier de copies du notaire – on peut relire les deux documents : le Testament occupe 11 pages et 11 feuilles plus loin, sur 2 pages, on trouve le Codicille. Ces documents inédits, que nous avons comparés dans leurs deux rédactions, ont été étudiés par trois investigateurs. Le premier fut Pierre d'Hozier, seigneur de La Garde, généalogiste, mort en 1660. A la section « Nostradamus » de l'archive d'Hozier, à la Bibliothèque Nationale de Paris, à la cote 256 Int. 6808, se trouve une copie annotée en marge : « Testament de Michel Nostradamus, communiqué par monsieur

Bérard (?) 1659. » La lecture du texte nous permet de reconnaître le nom complet de Pison Bernard, notaire de Salon. Ce document reproduit une copie, disparue, du Testament et du Codicille, authentifiée par le notaire Bernard, par un autre notaire et enfin par Jean de Barros, juge de la ville de Salon, diocèse d'Arles.

Nous avons également trouvé à la Bibliothèque Nationale de Paris un autre document manuscrit, qui reproduit la copie collationnée et authentifiée par Pison Bernard. Il se trouve au Fonds Français, à la cote : f.f.4332,23571 et dans les folios 77 à 86 de cette collection de documents. Cette copie postérieure porte en note : « Collationné par nous, conseiller secrétaire du Roy Controlleur en la Chancellerie de Provence, signé : Pison. »

Au cours de la seconde moitié du XVIIIe siècle, l'abbé Laurent Bonnement, bibliothécaire de Monseigneur Dulau, dernier archevêque d'Arles, fit une nouvelle copie manuscrite du Testament et du Codicille. Cette copie se trouve actuellement à la bibliothèque d'Arles, dans la collection 298. Finalement, en 1920, pour soutenir sa thèse à l'Université Harvard, Eugene F. Parker écrivit un ouvrage intitulé : *Michel Nostradamus, prophète.* Il y cite la copie du Testament et du Codicille qu'il a découverte à la bibliothèque d'Arles et transcrit la copie dactylographiée pour lui par Henry Daire, archiviste-bibliothécaire de la ville d'Arles. Ces investigateurs, et les rares commentateurs qui ont cité le Testament, en tiennent compte du point de vue biographique. Mais au cours des quatre siècles écoulés, personne n'a émis la moindre supposition quant au fait que cette pièce pourrait avoir un rapport avec l'œuvre prophétique, au point de constituer un document inséparable de celle-ci. Nous avons rendu compte de cette découverte dans le numéro 97, de mars-avril 1962, des *Cahiers Astrologiques,* à Nice, André Volguine éditeur.

Notre étude nous a conduit à la conclusion que les nombres du Testament constituent autant de clefs pour déterminer les quatrains de l'œuvre prophétique publiés du vivant de l'auteur dont nous traiterons dans l'étude bibliographique pertinente. Ils constituent également des clefs pour une première remise en ordre des Quatrains, qui diffère de l'ordre dans lequel ils ont été publiés dans les Centuries et dans les Almanachs, remise en ordre qui englobe les Centuries et la plupart des Présages dans une seule et même œuvre.

Nous pouvons, dès maintenant, avancer que cette première remise en ordre, nécessaire, n'est pas définitive. D'autres clefs permettront un nouvel agencement, impossible sans cette première remise en ordre. Nostradamus a créé toutes ces difficultés pour être sûr que son véritable message apocalyptique ne soit pas découvert par ses contemporains. Il redoutait, à juste titre, les hommes de son siècle, capables de découvrir ses anagrammes et les clefs du cryptogramme sous la garde duquel il plaçait sa prophétie. Quatre siècles devaient s'écouler avant que, dans ces

« derniers jours » du Cinquième Âge signalé par l'Apocalypse et auxquels Nostradamus se réfère également de manière très claire, nous commencions à exposer la clef contenue dans son Testament.

Signalons en passant une donnée biographique très intéressante, portée dans le Testament : au moment de dicter ses dernières volontés, Nostradamus ordonna que sa tombe soit placée dans l'église collégiale de Saint-Laurens, dans la chapelle de Notre-Dame. Il changea d'avis et biffa les paroles pertinentes pour ordonner cette fois l'érection de sa tombe dans l'église Conventuelle de Saint-François, de cette même ville de Salon entre la grande porte et l'autel de Sainte Marthe. A la fin du XVIIIe siècle, pendant la Révolution, cette dernière église et la tombe du prophète furent détruites. Ses restes profanés furent, peu de temps après, sauvés de la dispersion totale et placés dans une nouvelle tombe. Celle-ci, conformément à la première rédaction du Testament, qui avait été tout d'abord biffée par le prophète, se trouve dans l'église Saint-Laurens et dans la chapelle de Notre-Dame. Elle y est encore aujourd'hui et c'est là que nous l'avons visitée à l'occasion de chacun de nos voyages à Salon de Craux, en Provence.

Et, pour finir, une dernière observation biographique. Sans insister sur le fait que Nostradamus connaissait la date de sa mort, nous devons rappeler que, selon Chavigny, il avait écrit en marge de son exemplaire des *Ephémérides* de Jean Stadius et à la dernière page de juin : « Hic propre mort est. » Nous devons rappeler également que depuis le Présage de juillet 1563, il dit : « La fin de juin, le fil coupé du fus. » Or sa mort s'est produite pendant les dernières heures du 1er juillet ou les premières heures du 2.

Si, comme le démontrent nos études, Testament et Codicille forment un tout indispensable pour la mise en ordre des prophéties, ces deux documents avaient une grande importance et leur inscription dans le Registre Notarial, avec treize jours d'intervalle, devait se faire avant la mort du testateur. Il est très remarquable que tout cela ait été conclu le 30 juin et que la mort soit intervenue à l'aube du 2 juillet, moins de quarante-huit heures plus tard. Si Nostradamus ne connaissait pas la date de sa mort, le « hasard » a joué en ce cas un rôle hors série en lui permettant d'achever son problème cryptographique et le compléter quelques heures avant sa mort. Nous croyons que le « hasard » n'existe pas. Nostradamus n'a vécu que pour son œuvre prophétique qui, comme le démontre son Testament, était son seul véritable héritage. Il connaissait la date de sa mort et deux jours avant, il signa le document public qui, en complétant les données nécessaires pour connaître sa prophétie, en rendaient la révélation possible dans un lointain avenir. Nous croyons que ces pages parviendront à celui qui a été signalé pour cette révélation. La prophétie de Nostradamus parviendra, sans voile, à l'époque qui doit la recevoir.

Au chapitre suivant, nous transcrivons intégralement le texte du Testament, emprunté aux Archives départementales des Bouches-du-Rhône, à Marseille, auquel nous nous sommes référé, d'après une copie authentique réalisée en 1962 par notre ami, Monsieur Edouard Baratier, conservateur de ces Archives, document qui œuvre en notre pouvoir.

Nous y joignons également la copie photographique du Testament dans sa première version, tel qu'il fut signé par Michel Nostradamus, le notaire Roche et les témoins.

III

TEXTE DU TESTAMENT ET DU CODICILLE

Testement pour Monsieur Maistre Michel Nostradamus
docteur en médecine, astrophille,
conselhier et médecin ordinaire du Roy [1].

(Extrait des archives départementales des Bouches-du-Rhône. Fonds 375 E n° 2 (Giraud) des notaires de Salon, registres 676, f° 507 à 512 et 675 non folioté.)

L'an *à la Nativité nostre Seigneur* mil cinq cens soixante six et le dix septiesme jour du moys de juing, *saichent toutz présentz et advenir qui ces présentes verront.* Comme ne soyt chose plus certaine qu'est la mort ne chose plus incertaine qu'est l'heure d'ycelle, pour ce est-il que *par-devant et* en la présance de moy *Joseph Roche notaire royal et tabellion juré de la présente ville de Sallon diocèse d'Arles soubzigné et des tesmoings cy après nommés,* feust présent en sa personne *maistre* Michel Nostradamus, docteur en médecine et astrophille de la dicte ville de Sallon, conselhier et médecin ordinaire du roy, lequel considérant et estant en son bon entendement, bien parlant voyant et entendant, combien que en tout ce soyt affoybly causant certaine malladie corporelle et ancien eaige [2] de laquelle il est à présent debtenu, voullant prouvoyr cepandent qu'il est en vye de *ses* biens que Dieu le créateur luy a donnés et prestés en ce mortel monde, à celle fin [3] que après son décepz et trespas sur iceulx *biens* n'y aye question procès ne différant; pour ce le dict *maistre* Michel Nostradamus *de son bon gré pure et franche vollanté propre mouvement délibération et vollanté a faict ordonné et estably et par ces présentes faict ordonne et establist son testement nuncupatif disposition et ordonnance finalle et extrême vollanté de toutz et ungs chescungs des biens que Dieu le créateur luy a donnés et prestés en ce mortel monde à la forme de manière que sansuyt :*
et premièrement ledict maistre Michel Nostradamus testateur comme bon,

vray crestien et fidèlle a recommandé et *recommande* son âme à Dieu le créateur [4] priant *icelluy créateur* que *à son diffinement* et quant sera son bon plaisir de l'appeller *en aye pitié compassion et miséricorde* et [5] collocquer son âme au royaulme éternel de paradis; et pour ce que après l'âme le corps est la chose plus digne de ce siècle, *pour ce* icelluy maistre Michel Nostradamus [6] testateur a vouleu *et ordonné que après que l'hame de son corps sera aspirée icelluy estre porté honnorablement* [7] en sépulture dans l'église du convent de Saint Françoys dudict Sallon et entre la grant porte d'icelle et l'authel de Saincte Marthe là où a vouleu estre faicte une tombe ou monument contre la murailhe [8]; et *ay* a vouleu *et ordonné* son dict corps estre accompaigné avecques quatre cierges d'une livre la pièsse; et aussi a vouleu *et ordonné le dict testateur* toutes ses obséques et funèrailhes estre faictes à la discrétion de ses gagiers cy après nommés;

et aussi a légué vouleu et ordonné *ledict testateur* que soyt bailhé à treze pouvres six soulx pour chescung une foys tant seulement *poyables* [9] après son déceps et *trespas*, lesquelz pouvres seront esleüx à la discrétion de ses gagiers *cy après nommès*; et aussi a lègué et *laisse ledict maistre Michel Nostradamus testateur* aux fraires de l'Observance de Sainct Pierre de Canèn ung escu une foye tant seulement poyable incontinent après son trespas; et aussi a lègué *et laisse ledict testateur à* la chapelle de Nostre Dame des Pénitents blancs dudict Sallon ung escu poyable une foys tant seulement incontinent après son déceps et *trespas*;

et parelhement [10] a lègué et lègue aux Fraires Mineurs du convent de Sainct Françoys *dudict Sallon* deux escus une foys tant seulement poyables incontinent après son déceps et *trespas*;

et parelhement [10] a lègué *et laisse ledict testateur* à *honneste filhe* Magdeleyne Besaudine, filhe de Loys Beszaudin son germain, la somme de dix escus d'or pistolletz, lesquels a vouleu luy estre bailhé quant *elle* sera collocquée en mariage et non aultrement, tellement que sy ladicte Magdaleyne venoyt à mourir avant que estre colloquée en mariage a vouleu et *veult* ledict testateur le présent légat estre nul;

et parelhement a légué *et laisse ledict Maistre Michel* [11] Nostradamus testateur à damoyselle Magdaleyne Nostradamus sa filhe légitime et naturelle et de damoyselle Anne Ponsarde sa femme commune la somme de six centz escutz d'or sol poyables une foys tant seulement le jour qu'elle sera collocquée en mariage; et parelhement a légué et lègue *ledit maistre Michel Nostradamus testateur* à damoyselles Anne et Diane de Nostradamus ses filhes légitimes et naturelles et de la dicte damoyselle Anne Ponsarde sa femme communes et à chescune d'elles la somme de cinq cens escuz d'or pistolletz poyables à chescunes d'elles le jour que seront collocquées en mariage et, quas advenant, que les dictes damoyselles Magdaleyne Anne et Diane *seurs* ou une d'elles vinsent à mourir en pupillarité ou aultrement sans hoirs légitimes et naturelz, audict cas a substitué à chescune desdictes Magdaleyne Anne et Diane ses héritiers ci après nommés;

et aussi a légué et laisse *ledict maistre Michel Nostradamus testateur* à la dicte damoyselle Anne Ponsarde sa femme bien aymée la somme de quatre centz escutz d'or pistolletz, lesquels ledict testateur a vouleu estre expédiés à ladicte Ponsarde sa femme incontinent après la fin et trespas dudict testateur, et desquelz quatre centz escutz ladicte Ponsarde en jouyra tant qu'elle vivra vefve et en son non dudict testateur, et, cas advenant que ladicte Ponsarde vienne à se remarier, audict cas ledict testateur a vouleu lesdits quatre centz escus estre restitués à ses hoirs cy après nommés; et si ladicte Ponsarde ne vient à soy remarier, audict cas ledict testateur a vouleu qu'elle puisse léguer et laysser lesdicts quatre centz escus à ung de ses enffans dudict testateur tel ou telz que bon luy semblera, prouveu touteffoys que ne les puisse laisser à aultre que à sesdicts enffans dudict testateur; et parelhement a légué et lègue *ledict testateur* à ladicte *damoyselle Anne* Ponsarde sa femme le usaige et habitation de la tierce partie de toute la meyson dudict testateur, laquelle tierce partie ladicte Ponsarde prandra à son choiz de laquelle en jouyra tant que vivra et vefve en son non dudict testateur; et aussi a légué et *laysse* à ladicte damoyselle Ponsarde une caysse de noyer dicte la grand caysse estant à la salle de la meyson dudict testateur, ensemble l'aultre petite joignant icelle près du lict, et aussi le lict estant à la dicte salle avecques sa bassacque, mathellas, *cousière* [12] traversier, couverte de tappicerie, les cortines et rideaulx estans audict lict, et aussi six linseulx, quatre touailhes, douze *cervittes* [13], demy douzeine de platz, demy douzeine d'aciettes, demy douzeine d'escuelles, deux pichières, une grande et une petite, une aiguedière et une sallière, le tout d'estaing, et d'aultre meuble de meyson que luy sera nécessaire sellon sa qualité, troys bouttes pour tenir son vin et une petite pille carrée estans dans la cave; lequel meuble, après la fin de la dicte Ponsarde ou cas advenant qu'elle vinse à se remarier, a vouleu *ledict testateur* torner à ses hoirs sy après nommés; et parelhement a légué et laisse ledict testateur à ladicte damoyselle Anne Ponsarde sa femme toutes ses robbes, habilhementz, bagues et joyaulx pour d'iceulx en faire à tous ses plaisirs et vollantés [14], et aussy a prélégué et prélègue ledict Maistre Michel de Nostradamus testateur toutz et ungs chescungs ses livres qu'il a à celluy de ses filz qui proffitera plus à l'estude et qui aura plus beu de la fumée de la lucerne, lesquels livres ensemble toutes les lectres missives que se treuveront dans sa maison dudict testateur ledict testateur n'a vouleu aulcunement estre invantarizées ne mis par description ains estre serrés en paquetz et banastes jusques ad ce que celluy qui les doybt avoyr soyt de l'eaige de les prandre et mis et serrés dans ungne chambre de la meyson dudict testateur;

et aussy a prélégué *et prélègue ledict testateur* à César de Nostradamus son filz légitime et naturel et de ladicte damoyselle Ponsarde sa femme commung sa meyson où ledict testateur habite *de présent*; item luy a prélégué *et prélègue ledict testateur* sa coppo que ledict testateur *a* d'argent surdourée et aussy les grosses cadières de boys et de fer *estant dans ladicte maison* [15]; demeurant touteffoys le légat faict à la dicte Anne Ponsarde sa femme en sa force et vertu tant qu'elle vivra vefve et en son non dudict testateur; et laquelle maison demeurera par commung et indivis quant pour regard de l'usaige entre lesdits César Charles et André ses fraires jusques ad ce que toutz lesdicts fraires ses enffans dudict testateur soyent de l'eaige de vingt cinq ans, après lequel temps toute ladicte maison sera entièrement dudict César pour en fere à son plaisir et vollanté; demeurant touteffoys tousjours le légat faict à ladicte Ponsarde sa mère pour le regard de ladicte maison en sa force et vertu; *et parelhement a ledict testeur prélégué et prélègue* [16] audict Charles de Nostradamus son filz légitime et naturel et de ladicte *damoyselle Anne* Ponsarde *sa femme* commung la somme de centz escuz d'or pistolletz une foys tant seulement, lesquelz centz escus ledict Charles pourra prandre sur tout l'héritaige avant que partir quant sera de l'eaige de vingt cinq ans; *et parelhement a prélégué et prélègue ledict testateur* [15] audict André de Nostradamus son filz légitime et naturelz et de ladicte *damoyselle Anne* Ponsarde commung la somme de cent escus d'or pistolletz une foys tant seulement, lesquelz cent escus ledict André pourra prandre *et lever* sur tout l'héritaige avant que partir quant sera *comme dict est* de l'eaige de vingt cinq ans.

Et pour ce que la institution d'héritier est le chief et fondement de ung chescung testament sans laquelle tout testement est randu et faict nul et invalable; pour ce, icelluy dict maistre Michel de Nostradamus testateur, de son bon gré, pure et franche vollanté, certaine science, propre mouvement, délibération et vollanté, en toutz et ungs chescung ses aultres biens meubles et immeubles présentz et advenir droictz noms *raisons et* actions debtes *quelzconques, où qu'ilz soyent nommés scitués et assiz et soubz quelque spéce nom et qualité que se soyent,* a faict *créé ordonné et estably, et par ces présentes faict crée ordonne et establist, et* a nommé et *nomme* de sa *propre* bouche par leurs nons et surnoms ses héritiers universelz *et particuliers : à ssavoyr est,* lesdicts César Charles et André de Nostradamus ses effans légitimes et naturelz et de la dicte damoyselle *Anne* Ponsarde commungs par esgalles partyes pourtions [17], en les substituantz de l'ung à l'aultre s'ilz viennent à mourir en pupillarité ou aultrement sans hoirs légitimes [18] et naturelz; et sy la dicte damoyselle Anne Ponsarde sa femme estoyt enceingte et fist ung filz ou deux les a faictz héritiers esgallement comme les aultres avec semblable substitution; et sy elle faisoyt une ou deux filhes, leur a légué *et laisse* ledict testateur à icelle et à chescune d'ycelles la somme de cinq cens escutz pistolletz à mesmes payes et substitutions que les aultres;

et sy a vouleu *et veult* ledict testateur que ses dicts enffans et filhes ne se puissent collocquer en mariage que ne soyt du consentement et bon vouloyr de la dicte *Anne* Ponsarde leur mère et des plus proches parens dudict testateur [19]; et cas advenant que toutz [20] vinsent à mourir sans hoirs légitimes et naturelz, a substitué *et substitue ledict testateur* au dernier d'yceulx lesdictes damoyselles Magdaleyne Anne et Diane de Nostradamus ses seurs *et filhes dudict testateur;*

et pour ce que ledict testateur voyt son héritaige consister la plus part en argent comptant et debtes, a vouleu ledict testateur ledict argent comptant et debtes quant seront exhigés estre mis entre les mains de deux ou troys marchantz solvables à gaing et proffict honneste; et aussy pour ce qu'il a veu ses enffans estre en bas eaige et pupillarité constitués, leur a prouveu de tuteresse et administreresse testamentaire de leurs personnes et biens *à ssavoyr* : ladicte damoyselle Anne Ponsarde sa femme, de laquelle spéciallement se confie prouveu qu'elle soyt tenue de fere bon et loyal inventaire; ne voullant touteffoys qu'elle puisse entre constraincte de vendre aulcung meuble ne utensilles de maison dudict héritaige et ce tant qu'elle vivra vefve et en son non dudict testateur, déffandant toute alliénation de meuble en quelle sorte que ce soyt ains que soyt gardé et puis divisé ausdits enffans *et héritiers* quant seront *comme dict est de l'eaige de vingt cinq ans* [21]; laquelle tuteresse prandra et recouvrera le proffict *et gain* dudict argent que sera esté mis entre mains desdicts marchantz pour dudict proffict s'en nourrir elle avec sesdicts enffans chausser et vestir et prouvoyr de ce que sera néccessaire sellon leur qualité, sans que desdicts fruictz elle soyt tenue d'en rendre aulcung compte ains seullement prouvoyr sesdicts enffans comme dict est; déffandant expressément ledict testateur que sesdicts héritiers ne puissent demander leur part de leur dict héritaige en ce que concervera en argent qu'ilz ne soyent de l'eaige de vingt cinq ans, et touchant aux légatz faictz esdictes filhes se prandront sur le fondz de l'argent que sera esté mis entre les mains desdicts marchants [22] quant elles viendront soy collocquent en mariage suyvant les susdicts légatz; voullant en oultre ledict testateur que aulcung de ses fraires dudict testateur aye ne puisse avoyr aulcung manyement et charge dudict héritaige ains en a laissé le toutal régiment et gouvernement d'ycelluy et de la personne de sesdicts enffans à la susdicte damoyselle Anne Ponsarde sa femme;

et à celle fin que ce présent son testament puisse mieulx estre exécuté mesmemant en ce que touche et concerne les laysses pitoyables et de son âme; pour ce, ledict maistre Michel de Nostradamus testateur a faict *et ordonné* ses gaigiers et exécuteurs de ce présent son testement *assavoyr est :* Palamides Marc escuyer sieur de Chasteauneuf et sieur Jacques Suffren bourgeoys dudict Sallon; ausquelz *et à chescung d'eulx a donné et donne ledict testateur plain povoyr puissance et auctorité de exécuter ce présent son testement et pour ce faire prandre de ses biens et fere tout ainsy que vrays exécuteurs de testement sont tenus et ont acoustumé de faire;*
lequel présent son testement a vouleu et veult ledict maistre Michel Nostradamus testateur estre et debvoyr estre son dernier testement nuncupatif disposition et ordonnance finalle de toutz et ungz chescungs ses biens lequel entend valloyr pour tiltre et non de testement codicil donnation pour cause de mort et en toute aultre manière et fasson qu'il pourroyt valloyr, en cassant *révocant et adnullant toutz aultres testemens codicilz donnations pour cause de mort et aultres dernières vollantés par luy aultreffoys par cy devant faictes et passées, ceste présente demeurant en sa force et vertu; ainsy a requis et requiert moydict et soubzsigné notaire et tesmoings soubz nommés estre recordz de son dict présent testement et choses contenues en icelluy lesquelz tesmoings il a bien cogneus et nommés par leurs noms et lesquelz tesmoings ont parelhement congneu ledict testateur, et que je dessusdict notaire rédige et mette par escript le présent son testement pour servir à sesdicts héritiers et aultres qu'il appartiendra en temps et lieu comme de raison.* Et tout incontinent ledict *maistre Michel* Nostradamus *testateur* a dict et déclaire en présence des tesmoings cy après nommés avoyr en *argent* content la somme de troys mille quatre centz quarante quatre escutz et dix soulx, lesquelz a exhibés et monstrés réalement en présence des tesmoings soubz nommés ès espèces cy après espécifflées : premièrement en trente six nobles à la rose [23], ducatz simples cent et ung, angelotz septante neuf, doubles ducatz cent vingt six, escuz vieulx quatre, lions d'or en forme d'escus vieulx deux, ung escu du roi Loys, une médailhe d'or vallant deux escus, florins d'Allamaigne huict, imperialles dix, marionnettes dix sept, demy escutz sol huict escus sol mille quatre centz dix neuf, escutz pistolletz douze centz [24], troys pièsses d'or dictes portugalenses vallans trente six escutz, que reviennent toutes les susdictes sommes d'argent comptant reduictes ensemble ladicte somme de troys mille quatre centz quarante quatre escutz et dix soulx; et aussy a faict aparoyr *ledict testateur* tant par son livre que par obligés et cédulles que *par* gaiges qu'il a de debtes à la somme de mille centz escutz; lesquelles sommes d'argent comptant sont esté mises dans troys coffres sive caysses estans dans la maison dudict de Nostradamus; les clefz desquelles sont estés bailhées l'une à Palamides Marc sieur de Chasteauneuf, l'aultre à sieur Martin Mianson consul et l'aultre à sieur Jacques Suffren bourgeoys dudict Sallon qu'ilz ont receues réalement, après avoyr esté mis l'argent dans lesdictes caysses par iceulx mesmes. Faict, passé *et publié* audict Sallon *et* en l'estude de la maison dudict monsieur *maistre Michel* Nostradamus testateur ez présences sieur Joseph Raynaud bourgeoys, Martin Mianson conseulz, Jehan Allegret trésaurier,

Palamides Marcq escuyer sieur de Chasteauneuf, Guilhaume Girad nobles Arnaud Damisane, Jaumet Viguier escuyer et fraire Vidal de Vidal gardien du convent de Sainct Françoys dudict Sallon, tesmoings ad ce *requis et* appellés; *lesquelz testateur et tesmoings je dict notaire ay requis soy signer, suyvant l'ordonnance du Roy,* qui se sont soubzignés *excepté ledict Reynaud tesmoing qui a dict ne savoyr escripre.*
Ainsi signés à son premier originel : Michel Nostradamus, Martin Mianson conseul, Jehan Allegret trézorier, Vidal de Vidal gardien, Barthésard Damysane tesmoing, P. Marc tesmoing, J. Viguier, Guilhaume Giraud.

(Signum du notaire Roche.)

Codicil pour mon sieur Maistre Michel de Nostradamus
docteur en médecine, astrophille,
conselhier et médecin
ordinaire du Roy[25].

(*Ibidem,* reg. 676 f° 523 verso et 524, et reg. 675, non folioté).

L'an à la Nativité nostre Seigneur *mil cinq cens soixante six* [26] et le dernier jour du moys de Juing, *saichent tous présentz et advenir qui ces présentes verront que, par devant et en la présence de moy Joseph Roche notaire royal et tabellion juré de la présente ville de Sallon diocèze d'Arles soubzigné et des tesmoings cy après nomméz, feust présent en sa personne* [27] monsieur maistre Michel Nostradamus docteur en médecine artrophille conselhier et médecin ordinaire du roy, lequel considérant *et rédvisant en sa mémoyre comme il a dict* avoyr faict *son dernier nuncupatif*[28], prins et receu par moy*dict et* soubszigné notayre *sur l'an présent et le présent et le dix-septiesme jour du présent moys de Juing,* auquel entre aultres choses *contenues en icelluy* auroyt faict ses héritiers Cézar Charles et André *de Nostradamus* ses enffans;
et pour ce que à ung chescung est *licite* et permis *de droict codicilles et* faire ses codicilz *après son testement* par lesquels à son dict testement puisse adjouster ou diminuer *ou aultrement de tout en tout abollir* pour ce *ledict Maistre Michel de Nostradamus voullant faire ses codicilz et de présent codicillant et adjoustant à sondict testement* [29], a légué et *lègue* audict Cézar de Nostradamus son filz *bien aymé* et cohéritier son astralabe de leton ensamble son gros aneau d'or avec la *pierre* cornelline y enchassée, *et ce oultre et par dessus le prélégat à luy faict par ledict de Nostradamus son père à son dict testement;*
et aussy a légué et lègue à damoyselle Magdaleyne de Nostradamus sa filhe *légitime et naturelle* oultre ce que luy a esté légué par sondict testement scavoyr est : deux coffres de baut noyer estans dans l'estude dudict codicillant, ensambles les habilhements bagues et joyeaulx que ladicte damoyselle Magdalleyne aura dans lesdicts coffres, sans que nul puisse veoyr ne regarder ce que sera dans iceulx ains dudict légat l'en a faicte mestresse incontinant après le décepz dudict codicillant, lequel légat ladicte damoyselle pourra prandre de son aucthorité sans quelle soyt tenue de le prandre par main d'autre ny consentiment d'aulcun;
et en toutes et chescunes les aultres choses contenues et déclairées [30] à son dict testement *ledict maistre Michel de Nostradamus codicillant a apprové*

ratiffié et confirmé et a voleu et veult icelles valloyr et avoyr tousjours perpétuelle valleur et fermesse et aussy a voleu [31] *icelluy dict codicillant ce présent codicil et tout le contenu en icelluy avoyr vertu et fermesse par droict de codicil ou eppitre et par droict de toute aultre dernière volanté et pour la melheur forme et manière que fere se pourra; et a requis et requiert moydict et soubzigné notaire et tesmoings cy après nomméz estre recordz de son dict présent codicil, lesquels tesmoings il a bien cogneuz et nommés par leurs noms et lesquelz tesmoings ont aussy cogneu ledict codicillant, dont et de quoy ledict maistre Michel de Nostradamus codicillant a voleu acte en estre faict à ceulx à qui de droict apartiendra par moydict et soubzsigné notaire.*
Faict *passé et publié* audict Sallon *et* dans la maison dudict codicillant èz presences de sieur Jehan Allegret trézorier, Maistre Anthoine Paris docteur en médecine, Jehan Giraud dict [32] Bessonne, Guilhen Heyraud appothicquaire et maistre Gervais Berard cirurgien dudict Sallon, tesmoings *requis et appellés; lesquelz codicillant et tesmoings jedict notaire ay requis soy signer suyvant l'ordonnance du roy qui se sont soubzsignés excepté ledict Giraud tesmoing qui a dict ne scavoyr scripre ainsy signés à son premier originel.* M. Nostradamus, Jehan Allegret, Gervais Berard, A. Paris, Guilhen Heyraud tesmoings.

(Signum du notaire Roche.)

NOTES

1. Conventions au sujet de l'édition du Testament et du Codicille de Nostradamus.

Le texte transcrit en pleine page est celui des actes tels qu'ils sont inscrits sur l'extensoire du notaire Joseph Roche de Salon (registre 676). L'orthographe d'époque a été respectée mais ponctuation et accentuation ont été ajoutées pour faciliter la compréhension du texte.

Les mots et phrases qui ressortent en italique ne figurent pas sur le registre de notes brèves du même notaire (registre 675) qui ne comprend que l'essentiel des testament et codicille sans les formules et clauses juridiques, mais où sont inscrites les signatures autographes du testateur et des témoins.

Lorsque le texte plus concis des notes brèves présente des variantes avec la teneur de l'extensoire ces variantes sont indiquées en note. Mais nous n'avons pas tenu compte de simples variantes orthographiques de peu d'intérêt comme « moys » ou « mois », « testement » ou « testament », « entendent » ou « entandant », « poyable » ou « paiable », « meyson » ou « maison », etc. Sont indiqués également en notes les mots barrés avec la mention du registre (extensoire ou brèves) où ils sont renfermés.

2. Causant son ancien eage et certaine maladie corporelle.
3. Affin.
4. Le.
5. Que luy plaise.
6. Le dict.
7. Quand son âme sera séparée de son corps que icelluy soit porté.

8. Depuis « en sépulture dans »... jusqu'à « murailhe », le registre de brèves (675) porte ce texte en renvoi; il y avait à la place un autre texte concellé qui est le suivant : « dans l'esglise colégié de Sainct Laurens du dict Sallon et dans la chappelle de Nostre Dame à la muralhe de laquelle a voulu estre faict ung monument dans lequel son dict corps soit ensevely et pour la dicte plaxe a légué au chappitre et chanoines de la dicte esglise deux escus paiables une foys tant seullement incontinent après son décès. »

9. Soullementz incontinentz.

10. Aussi.

11. Et lègue le dict de.

12. Coultre.

13. Serviettes.

14. Ce legs des robes et joyaux se trouve dans le registre de brèves (675) à suite d'un renvoi deux folios plus loin.

15. Ce prélégat de la coupe et des cadières est inscrit dans un renvoi en bas de page dans le registre de brèves (675).

16. Et aussi a prélégué.

17. Partz et portions.

18. De leurs corps – ces trois mots barrés dans le registre de brèves (675).

19. Toute cette clause concernant des enfants à naître est inscrite dans le registre de brèves (675) sous un renvoi situé deux folios plus loin à la fin de l'acte avant le lieu et témoins, et la clause sur le consentement de la mère nécessaire pour le mariage des enfants tout à fait à la fin de l'acte.

20. Le mot troys barré.

21. En eage – cette clause défendant l'aliénation du mobilier est ajoutée en bas de page dans le registre de brèves (675) de la propre main du notaire avec sa signature.

22. Et.

23. Vallans unze flourins pièces, mots barrés dans le registre de brèves (675).

24. Suit ici dans le registre de brèves (675) un assez long passage cancellé : tout réduict revenant à la dicte somme de troys mille quatre centz quarante quatre et dix soulz; et en oultre dig avoir en debtes trois pièces d'or dictes portugalenses vallans trente six escus pistoletz et aussi a dig avoir en debtes tant par obligez que comme a faig par son livre de raison cedulles que argent bailhé sur gaiges la somme de mille et six cens escus.

25. Dans la marge des deux registres est inscrit le mot « grossoye » et au dessous, seulement sur le registre de brèves, « vide à la man du brolhard qu'es estendut ».

26. Le dict an.

27. Comme soyt que.

28. Ces jours passés son testement. L'extensoire porte ces trois mots barrés « et disposition finalle » (676).

29. Est-il feust présent en sa personne le susdit de Nostradamus lequel codicillant at adjostant à son dict testement de son bon gré, propre mouvemant délibération et volunté a faict ses codiciliz et de présent codicillant.

30. Ratiffiant tout le demeurant qui est contenu.

31. Et veult, deux mots barrés dans l'extensoire (676).

32. De.

IV

LES PERSONNES QUI INTERVIENNENT DANS LE TESTAMENT

Une lecture attentive du Testament et du Codicille met en évidence le fait que Nostradamus fit intervenir 13 témoins et exécuteurs testamentaires, ordonna de verser des aumônes à 13 pauvres et nomma, dans les deux documents, 13 personnes dont 3 étaient des personnes juridiques. Nous reproduisons la liste de ces noms, avec l'orthographe qui est la leur dans les documents dont ils sont extraits et qui varie parfois pour le même mot, entre deux documents ou même dans un seul.

Les 13 témoins et exécuteurs testamentaires étaient, dans les deux documents :

Pallamides Marcq, escuyer, sieur de Chasteauneuf.

Jacques Suffren, sieur, bourgeoys de Sallon.

Martin Mianson, sire, conseul.

Joseph Raynaud, bourgeoys.

Jean Allégret, trézaurier.

Guilhaume Giraud.

Arnaud Barthesard Damisane, noble.

Jaumet Viguier, escuyer.

Fraire Vidal de Vidal, gardien du couvent de Sainct François du dict Sallon.

Anthoine Paris, Maistre, docteur en médécine.

Jehan Giraud, dict de Bessonne.

Guilhen Heyraud, appothicquaire.

Gervais Bérard, Maistre, chirurgien de Sallon.

Les 13 personnes qui interviennent dans le Testament et dans le Codicille, notaire, testateurs, héritiers et bénéficiaires, sont les suivantes :

Joseph Roche, notaire.
Maître Michel Nostradamus, docteur, testateur.
Frères de l'Observance de Sainct Pierre de Canon.
Chapelle de Notre Dame des Pénitents Blancs.
Magdeleyne Besaudine.
Anne Ponsarde, femme de Nostradamus.
César de Nostradamus, son filz.
Charles de Nostradamus, son filz.
André de Nostradamus, son filz.
Magdeleyne de Nostradamus, sa filhe.
Anne de Nostradamus, sa filhe.
Diane de Nostradamus, sa filhe.

V

LES CHIFFRES DU TESTAMENT

Date du Testament : 17.VI.1566	
Jours écoulés entre le Testament et le Codicille	13
Date du Codicille : 30.VI.1566	
Pauvres qui doivent recevoir l'aumône	13
Témoins et exécuteurs testamentaires dans les deux documents	13
Testateur, notaire et 11 personnes (3 juridiques et 8 naturelles) héritiers et bénéficiaires	13

PIÈCES D'OR

Nobles à la Rose qui valent onze florins chacun d'après les termes biffés du testament, inscrit au Registre Notarial	36
Ducatz	101
Angelotz	79
Doubles Ducatz	126
Écus vieulx	4
Lions d'or en forme de vieux écus	2
Écu du Roi Louis	1
Médaille d'or qui vaut deux écus	1
Florins d'Allemagne	8
Impériales	10
Marionnettes	17
Demis écus sol	8
Écus sol	1 419
Écus Pistoles	1 200
Pièces d'or appelées portugaises qui valent 36 écus pistoles d'après les paroles biffées du Registre Notarial	3
Total des pièces d'or :	3 015

VALEUR DE L'HÉRITAGE SELON LE TESTAMENT

Valeur totale des pièces d'or (évaluée en écus)	3 444 et 10 sous
Valeur totale, d'après les livres, des sommes prêtées contre intérêt	1 600
Total en écus :	5 044 et 10 sous

FRAIS ET ORDRES A ACCOMPLIR IMMÉDIATEMENT

	Quatre cierges de une livre	1 écu 30 sous
13	Treize pauvres, à 6 sous pour chacun	1 écu 28 sous
1	Frères Observants	1 écu
1	Chapelle de Notre-Dame	1 écu
1	Frères Mineurs du Couvent de Saint-François ..	2 écus
1	Pour Anne, sa veuve	400 écus

LÉGATS A PAYER POSTÉRIEUREMENT

11	A sa fille Magdeleyne	Écus sol	600
1	A Magdeleyne Besaudin	Écus pistoles	10
1	A sa fille Anne	Écus pistoles	500
1	A sa fille Diane	Écus pistoles	500
1	A son fils Charles	Écus pistoles	100
1	A son fils André	Écus pistoles	100
23	personnes.		

Étaient ordonnés de cette manière 23 mandats et légats en argent effectif, au bénéfice de 23 personnes : 17 devant être payées immédiatement après la mort du testateur et 6 soumis à des délais et à des conditions. Dans l'œuvre prophétique, ce nombre 23 divisé en 17 et 6 est cité dans la Centurie II, Quatrain 51; « de vingt trois les six » (de 23,6).

Les frais et les mandats devaient être payés avec les pièces d'or, et les légats, avec les sommes prêtées contre intérêt.

IMMEUBLES

1 maison léguée à son fils César et dont la jouissance était divisée en trois parties : l'une pour sa veuve et l'autre pour ses fils et filles, à l'exception de César qui recevait une troisième partie.

MEUBLES ET OBJETS

Pour Anne, sa veuve :

3 coffres avec trois clefs	3 coffres
1 grande caisse	
1 petite caisse	

1 lit		3 meubles
7 items pour le lit		7 items
6 draps		
4 serviettes		
12 serviettes de table	22 pièces de toiles	
6 grands plats		
6 petits plats		
6 tasses		
1 grand broc		
1 petit broc		
1 aiguière		
1 salière	22 pièces d'étain	
3 outres pour le vin		4 pièces pour le vin
1 petite auge carrée		
Pour César, son fils :		
1 coupe en argent doré (dans le Testament)		
1 astrolabe de laiton (dans le Codicille)		
1 anneau d'or avec cornaline (dans le Codicille)		3 objets
Pour Magdeleyne, sa fille:		
2 caisses de bois de noyer avec leur contenu (dans le Codicille)		2 caisses
		22 pièces

Si nous ajoutons les 3 coffres dans lesquels l'or est gardé, les 14 meubles et objets dont hérite Anne, les 3 objets dont hérite César et les 2 caisses dont hérite Magdeleyne, nous obtenons pour la troisième fois, un total de 22. La mention faite dans le Testament de 22 pièces de toile, 22 pièces d'étain et de 22 objets divers, ne peut être due au hasard. Nous sommes donc en droit de considérer, pour notre travail ultérieur de cryptographie, qu'il s'agit bien du nombre le plus important de la Kabbale, le 22 et de sa traditionnelle division en 3, 7 et 12.

LES HÉRITIERS

3 héritiers : César, Charles et André, ses trois enfants mâles. 3 héritiers suppléants : Magdeleine, Anne et Diane de Nostradamus, ses trois filles.

Les pièces d'or furent enfermées dans trois coffres, à l'aide de trois clefs dont chacune fut remise à l'un des trois exécuteurs testamentaires. La maison d'habitation, léguée en propriété au fils aîné fut divisée, du point de vue de la jouissance, en trois parties : la première revenant au propriétaire, la seconde accordée à la mère à titre viager, et la troisième mise à la disposition des autres enfants, les fils jusqu'à leur majorité et les filles jusqu'à leur établissement par mariage. Les institutions qui bénéficient d'un legs sont au nombre de trois; les objets meubles sont répartis entre trois personnes : le veuve, le fils et la fille aînés. Les héritiers sont trois : César, Charles et André; en cas de mort, ils seraient substitués par trois héritières substituts : Magdeleine, Anne et Diane de Nostradamus. Nous devons maintenant rappeler que les Centuries furent, lors de leur publication, divisées en trois parties et qu'elles sont aujourd'hui réparties en deux livres auxquels nous ajoutons les Présages : la mise en relation de ces faits avec les données antérieures nous permet d'établir un indice de la volonté du testateur. Le véritable héritage de celui-ci étant sa prophétie, elle devra être divisée en trois parties comme il le fait lui-même pour ses biens : l'or déposé en trois coffres, l'usage de la maison divisé en trois, les meubles attribués à trois personnages, et le solde final de toutes ces valeurs partagé entre ses trois héritiers [1].

NOTE

1. La valeur des pièces de monnaie a été calculée d'après l'Ordonnance Royale de 1561 qui est restée en vigueur jusqu'en 1573 et qui fixait la valeur de l'écu à cinquante sous, soit deux livres et demie de vingt sous chacune.

VI

PREMIÈRES OBSERVATIONS

Le premier fait qui attira notre attention fut l'existence de treize jours de distance entre les deux documents, l'un étant daté du dix-sept et l'autre du trente du sixième mois de 1566. Or, treize est aussi le nombre des Présages de chaque année, et les Almanachs contenant des vers prophétiques pour les années écoulées entre 1555 et 1567, publiés par Nostradamus sont au nombre de 13. Tout au long de son œuvre, Nostradamus joue beaucoup avec ce nombre 13. Nous remarquons immédiatement la répétition de ce nombre dans les documents testamentaires : treize pauvres devaient recevoir une aumône, les témoins et exécuteurs testamentaires étaient treize et en ajoutant, au testateur et au notaire les onze personnes (trois juridiques et huit naturelles) entre lesquelles se trouvent partagés tous les biens dudit testateur, on obtient encore le nombre treize.

Remarquons encore que le Codicille a très peu d'importance et ne s'explique pas, étant donné la minutie avec laquelle Nostradamus procède. Ceux qui, comme nous le connaissent bien, ne peuvent parvenir à croire que Nostradamus ait oublié, dans son inventaire testamentaire « son astrolabe de leton ensemble son gros anneau d'or avecques la cornaline y enchâssée ». Pas plus que nous ne pouvons nous convaincre qu'il ait pu omettre de léguer à sa fille aînée « deux coffres de bois de noyer » avec leur contenu non spécifié. Nous pouvons encore moins croire qu'il était nécessaire de recourir au codicille testamentaire et à la présence du notaire et de cinq témoins pour décider ces legs de quatre objets meubles de peu d'importance, legs pour lesquels il eut suffi d'une réunion de famille et de l'expression de sa volonté auprès de parents proches. Les bénéficiaires de cet étrange document sont un garçonnet de douze ans et une fillette qui ne pouvait en avoir plus de onze. En réalité, le Codicille et le nombre treize ont eu l'effet désiré, en nous faisant faire un deuxième pas dans la voie de la découverte.

A la lecture de la liste des pièces de monnaie, notre attention fut attirée par les cent un ducats simples et les cent vingt-six ducats doubles. L'ensemble constituait une somme de trois cent cinquante-trois ducats : or les Centuries, dans leur première édition, se composent de trois cent cinquante-trois quatrains. Le second nombre qui nous sauta aux yeux fut l'avant-dernier : mille deux cents écus pistoles. Le lecteur sait que la troisième partie de l'œuvre de Nostradamus est constituée par trois cents quatrains exactement, de quatre vers chacun. Les mille deux cents écus pistoles signifiaient certainement les mille deux cents vers de cette troisième partie de l'œuvre.

Nous avons donc considéré que les mille quatre cent dix-neuf écus sols devaient se référer à la seconde partie et toutes les monnaies restantes, que nous énumérons ci-après, aux Présages :

Nobles à la rose	36
Angelots	79
Vieux écus	4
Lions d'or en forme de vieux écus	2
Écu du Roi Louis	1
Médaille d'or qui vaut deux écus	1
Florins d'Allemagne	8
Impériales	10
Marionnettes	17
Demi Écus sols	8
Pièces d'or portugaises	3
Total des pièces de monnaies	169

Effectivement, toutes les pièces de monnaie restantes sont au nombre de cent soixante-neuf. Les quatrains publiés sous le titre de « Présages » ont paru pendant treize ans à raison de treize par an, soit un nombre total de cent soixante-neuf.

Il ne nous resta plus qu'à découvrir le rapport existant entre les mille quatre cent dix-neuf écus sol et la deuxième partie de l'œuvre.

Il n'y avait plus de doute possible. Le Testament et le Codicille renfermaient bien la première clef nostradamique, clef qui devait permettre de déterminer le nombre exact des quatrains des Centuries et des Présages dont il faut tenir compte dans l'œuvre prophétique, pour procéder à une première mise en ordre de ces quatrains.

VII

LES PRÉSAGES

Il est maintenant nécessaire d'ouvrir une parenthèse pour déterminer avec exactitude lesquels des quatrains intitulés Présages doivent être ajoutés à ceux des Centuries – pour compléter l'œuvre prophétique – et quels sont ceux qui doivent en être exclus. Le nombre ainsi déterminé devra être corroboré par les chiffres du cryptogramme.

Nous appelons *Présages* les 169 quatrains qui ne font pas partie des Centuries et qui furent publiés dans les Pronostics ou Almanachs des treize années écoulées entre 1555 et 1567, à raison de 13 par an. A ce sujet, nous renvoyons le lecteur aux notes bibliographiques. Ce qui nous intéresse, pour le moment, est d'étudier ici ces quatrains à la lumière des déclarations textuelles de leur auteur, afin de déterminer exactement quels sont ceux qui complètent l'œuvre prophétique, les autres devant être écartés. Si les déductions que nous allons faire ici sont correctes, l'étude cryptographique ne pourra que les confirmer.

Le but que nous nous assignons est, en premier lieu, de démontrer que nous sommes autorisé à considérer les Présages comme des quatrains nostradamiques, dont la plupart viennent compléter l'œuvre prophétique. Il nous faudra ensuite démontrer qu'il y a lieu de supprimer de cet ensemble de quatrains les 13 qui, dans les 13 Almanachs ou Pronostics cités, correspondent aux « années », et, enfin, qu'il ne faut pas tenir compte des douze quatrains restants pour 1567, ainsi que des quatre derniers de 1566.

Avant tout, nous pouvons assurer, sur la foi de la copieuse documentation que nous avons réunie et des œuvres de Jean Aimé de Chavigny, que les Présages ont bien été écrits par Nostradamus et font partie de son œuvre prophétique; nous sommes, de plus, en mesure de démontrer qu'ils ont été publiés sous la signature de Nostradamus, de 1555 à 1567 y compris, à raison de treize chaque année. Chaque Almanach annuel comportait un quatrain correspondant à l'année et un pour chacun des douze mois, soit treize quatrains par an. De ces treize almanachs, le seul qui ne nous soit pas parvenu ou dont les vers n'ont pas été, en totalité ou en partie, transcrits par Chavigny, est celui de 1556. Il a disparu et nous ne connaissons pas les treize Présages qu'il contenait, mais cela ne nous autorise pas pour autant à en nier l'existence. Au contraire, dans la dédicace de l'almanach intitulé : *Les Presages Merveilleux pour l'An 1557*, adressée à Henri II, Nostradamus dit lui-même textuellement : « Ne me feut possible si *amplement* especifier les faicts et predictions futures de l'an cinq cens cinquante et six... » Cette déclaration confirme une affirmation du même ordre contenue dans la lettre de dédicace adressée au Monarque en 1558.

Il s'agit de la dédicace à Henri Second [1], datée du 27 juin 1558, qui sert de préface à un livre qui ne pouvait manquer de parvenir aux mains du Roi et à la connaissance de Catherine de Médicis. A cette occasion, Nostradamus déclare qu'il dédie au Roi ces « trois centuries du restant de mes Prophéties, parachevant la milliade ». C'est donc bien Nostradamus, lui-même, qui nous dit que ces trois Centuries, VIII, IX, et X, complètent parfaitement les quatrains, qui sont ainsi au nombre de 1 000.

Il est absurde d'imaginer que cette édition de juin 1558 n'a pas existé et qu'un imprimeur a osé éditer, après le décès du souverain, mort des suites d'une blessure reçue dans un tournoi, un livre qui s'ouvre sur une longue dédicace adressée au Roi. Qui émet une telle supposition n'a pas la moindre idée de ce qu'était la cour de Catherine de Médicis et n'imagine même pas la surveillance que ses représentants exerçaient sur toutes les villes de France, menacées par la Réforme [2].

A la date citée, et selon les déclarations de Nostradamus lui-même, mille quatrains avaient déjà été écrits et donnés à imprimer. Ce n'est possible que si nous comptons parmi ces quatrains les treize de l'année 1556. En effet, les sept premières Centuries ne comptaient à ce moment-là que 640 quatrains. En y joignant les 300 quatrains dédiés à Henri II, on n'obtient que le nombre de 940. C'est donc parmi les Présages annuels que nous devons trouver les 60 quatrains qui nous manquent encore pour « parachever la milliade », c'est-à-dire compléter exactement le millier.

En juin 1558, les treize quatrains correspondant à chacune des années 1555, 1556, 1557 et 1558 devaient avoir été publiés, et dans le courant des premiers mois de l'année 1558, l'éditeur devait déjà avoir reçu les treize quatrains pour 1559. Les quatrains de ces cinq années – que nous appelons Présages – sont au nombre de 65. En les ajoutant aux 940 quatrains des Centuries, nous dépassons, cette fois, le millier : 1 005.

Le fait de prendre en considération, en juin 1558, les quatrains ou Présages de 1559 ne peut pas susciter des objections. Nous pouvons prouver entièrement que Nostradamus faisait toujours la dédicace des quatrains, déjà terminés, dans les premiers mois de l'année antérieure. Les faits suivants l'établissent : il s'agit des dates des dédicaces et des faciebat des huit Almanachs complets – avec vers – qui nous sont parvenus, et d'un almanach, sans vers, dédié à Henri II.

1555, dédié à Mons. Joseph des Panisses, au 27 janvier 1554.
1557, à Catherine, Reine, au 13 janvier 1556.
1557, à Henri II, au 13 janvier 1556; celui-ci ne contient pas de vers.
1560, à Claude de Savoie, au 10 mars 1559; le faciebat est du 7 février de la même année.
1562, au Pape Pie IV, au 17 mars 1561.
1563, à Fabrizio de Serbelloni, au 20 juillet 1562; le faciebat du 7 mai 1562.
1565, à Charles IX, au 14 avril 1564; le faciebat est du 1er mai 1564.
1566, à Honorat de Savoie, au 16 octobre 1565, faciebat daté du 21 avril 1565.
1567, à Monseigneur de Biragne, au 15 juin 1566, le faciebat étant du 22 avril 1566.

Nous expliquons tous ces faits dans notre Bibliographie Nostradamique. Pour le moment, il nous suffit d'en retenir qu'ils prouvent que les Présages – 13 quatrains par an pendant 13 ans – sont une réalité bibliographique et que Nostradamus a toujours considéré la plupart d'entre eux comme faisant partie de son œuvre prophétique. Ils prouvent également qu'au mois de juin 1558 les 65 Présages correspondant aux années 1555 à 1559 inclus, étaient déjà écrits et livrés à l'éditeur. Le nombre de quatrains publiés par Nostradamus à cette date s'élevait donc à 1 005. Il faudrait donc croire que la phrase « parachevant la milliade » n'est pas exacte. Mais nous savons que Nostradamus s'occupe d'un cryptogramme : ses données doivent donc être absolument *exactes*. Comment, alors, réduire ce nombre à 1 000? Nostradamus dit : « Ces trois centuries du restant de mes Prophéties. » Son insistance indique qu'il veut laisser solidement établi que ses quatrains *prophétiques*, à cette date, sont au nombre de 1 000 seulement. Les cinq quatrains restants ne sont pas prophétiques ou n'appartiennent pas, en tout cas, à l'œuvre prophétique. Ce sont ceux qui, dans chaque Almanach, sont consacrés à l'année. De 1555 à 1559, il y a cinq années, donc cinq quatrains non prophétiques. Cette fois, le compte est juste : à la date du mois de juin 1558, l'œuvre prophétique comprend bien 1 000 quatrains, comme l'auteur l'a déclaré, au lieu de 1 005.

En vertu de cette déclaration de Nostradamus, nous avons été obligé de rechercher, parmi les Présages annuels, les quatrains qui devaient « parachever la milliade », en n'en retenant que 60, c'est-à-dire douze Présages par an, et en excluant celui qui, dans chacun de ces Almanachs, correspond au Présage pour l'ensemble de l'année. Nous avons ainsi obtenu, non seulement la preuve de ce que mille quatrains avaient bien été écrits et publiés à la date considérée, mais également le nombre de Présages par année dont il nous faudra tenir compte désormais.

Du même coup, le nombre total des Présages se trouve réduit de 169 à 156. Nous devons donc soustraire 13 monnaies de la liste de 169 pièces que nous avions établie au chapitre précédent. Les treize quatrains Présages correspondant chacun à l'une des treize années des Almanachs sont représentés dans la liste par deux chiffres : celui des Portugaises et celui des Impériales. Il faudra donc tenir compte de ces treize pièces de monnaie pour l'étude cryptographique de la seconde partie des Centuries, en les ajoutant à cette fin aux 1 419 écus Sol.

La liste des pièces de monnaie restantes est la suivante :

Nobles à la rose	36
Angellotz	79
Escuz vieulx	4
Lions d'or en forme d'escus vieulx	2
Escu du Roy Loys	1
Medailhe d'or vallant deux escus	1
Florins d'Alemaigne	8
Marionnettes	17
Demy escutz sol	8
Total des monnaies	156

Tous les calculs que nous avons réalisés sur la base des 1 419 escutz sol et des 13 monnaies n'ayant fait apparaître aucune correspondance avec le nombre de quatrains de la Seconde partie des Centuries, nous avons été obligé de revenir à la liste des Présages. Nous y avons trouvé seize monnaies dont la valeur était exprimée en « escutz ». Il s'agit des suivantes :

Escuz vieulx	4
Lions d'or en forme d'escuz vieulx	2
Escu du Roy Loys	1
Medailhe d'or vallant deux escus	1
Demy escutz sol	8
Total des monnaies	16

L'étude des 156 Présages qui restaient après avoir supprimé les 13 quatrains correspondant aux années, nous a conduit à examiner avec plus de détail le quatrain de septembre 1566 :

Armes, playes, cesser mort de séditieux,
Le père Liber grand non trop abondera

Malins seront saisis par plus malicieux
France plus que jamais victrix triomphera.

Ce Présage prophétise le futur dévoilement de la prophétie et semble bien constituer la limite finale de l'œuvre.

Nous avons alors compté le nombre de quatrains qu'il aurait fallu exclure de la prophétie pour que cette conclusion soit exacte. Nous avons trouvé : les quatre restants de 1566 – septembre, octobre, novembre et décembre – et les douze de 1567 publiés après la mort du prophète. Cette fois aussi, nous obtenions un total de 16. Le quatrain de septembre 1566 marquait donc la limite de l'œuvre prophétique et n'en faisait lui-même pas partie.

Cette fois, les quatrains prophétiques étaient réduits au nombre de 140 et les monnaies qui les représentaient aussi :

Nobles à la rose	36
Angellotz	79
Florins d'Alemaigne	8
Marionnettes	17
Total des monnaies	140

Il fallait donc unir les 16 monnaies, ainsi soustraites de la liste, aux 13 que nous en avions retiré antérieurement et aux 1 419 escutz sol, et sur cette base nouvelle, reprendre une fois de plus l'étude de la Seconde partie des Centuries, armé de tous ces éléments cryptographiques extraits des Présages.

NOTES

1. Voir la note 4 du chapitre I de « La chronologie ». L'édition de 1558 est dédicacée à « Henry, Roy de France, Second ». L'Almanach pour 1567 à « Henry, Second de ce nom » : Henri II.

2. Nostradamus s'était rendu à la Cour pendant cette même année 1555 et non en 1556 comme l'ont assuré, sans la moindre preuve et par simple mimétisme, plusieurs auteurs parmi lesquels le Dr Parker. De ce fait, comme du reste de la biographie et de la bibliographie nostradamique, nous possédons une preuve documentaire : le prophète le dit lui-même textuellement dans la dédicace à Henri II de ses Présages pour 1557, datée du 13 janvier 1556, dans laquelle il rappelle la visite à la Cour qu'il a réalisée l'année précédente. En effet, la dédicace commence ainsi :

Estant retourné de voustre court o Serenissime
et Invictissime roy non saus ample remuneration de vostre maieste,...

Nous corrigeons ainsi l'une des erreurs commises par le savant M. Eugene F. Parker, Docteur de l'Université Harvard : « Doctoral Dissertation », Harvard University, 1920, Typewritten Thesis. « La légende de Nostradamus et sa vie réelle », *Revue du Seizième Siècle,* tome X, 1923.

VIII

LA SECONDE PARTIE DES CENTURIES

I. *D'après les éditions antérieures à 1558*

Nous avons vu que les ducatz représentent les quatrains de la Première partie publiée en 1555; les escutz pistolletz figurent ceux de la Troisième partie publiée en 1558 et les monnaies restantes représentent les quatrains intitulés Présages, parus dans les 13 almanachs annuels publiés par le prophète provençal. Nous avons vu également que, de ces 169 Présages, 140 seulement appartiennent à l'œuvre prophétique et que, par conséquent, les 29 pièces de monnaie restantes peuvent être ajoutées aux 1 419 escutz sol pour représenter la Seconde partie des Centuries.

C'est le moment de rappeler que le nombre des quatrains de la Première partie n'a jamais changé : dans toutes les éditions, il est de 353. Il en est de même pour la Troisième partie qui, quelle que soit l'édition, comporte toujours 300 quatrains. Quant aux Présages, ils étaient 169, répartis dans les 13 Almanachs qui n'ont jamais été réédités au XVIe siècle après 1567. Par contre, la Seconde partie, qui va être représentée par les « escutz sol » et par les autres 29 pièces de monnaie, soustraites des Présages, a souffert bien des changements dans les éditions de Lyon et les éditions d'Avignon, avant et après 1558. Nous avons étudié toutes ces modifications dans notre Bibliographie. La clef devrait donc aussi exprimer ces changements dans le nombre des quatrains au fil des diverses éditions.

L'édition de Lyon, réalisée par Antoine du Rosne [1] en 1557 (bibliothèque de Moscou) parut avec le sous-titre suivant : « Dont il y en a trois cents qui n'ont encores jamais esté imprimées ». Elle donnait la Seconde partie des Centuries, composée de 286 quatrains, dans l'ordre suivant :

Reste de la Centurie IV	47
Centurie V	100
Centurie VI	99
Centurie VII	40
Total des quatrains	286

Les premières éditions d'Avignon ne sont pas parvenues jusqu'à nous, mais tout ce que nous en connaissons nous permet de supposer que la Seconde partie se composait également d'un total de 286 quatrains. En effet, si la Centurie VII ne comptait probablement que 39 quatrains au lieu de 40, la Centurie VI, par contre, en comptait probablement 100.

Reste de la Centurie IV	47
Centurie V	100
Centurie VI	100
Centurie VII	39
Total des quatrains	286

Entre 1556 et 1557, Nostradamus aurait donc donné deux versions différentes de la deuxième partie. C'est une supposition que nous avançons, mais nous la considérons démontrée bibliographiquement par l'édition de Lyon de 1557, que nous avons citée, par l'œuvre de Jean Aimé de Chavigny, *la Première Face de Janus* (Lyon, 1594) qui reproduit le quatrain VI-100 en le reprenant très certainement d'une édition d'Avignon aujourd'hui disparue, et par les cinq copies apparues en 1588 et 1589 de l'édition de Paris, réalisée par Barbe Regnault entre 1560 et 1561. La copie de la page de titre de cette édition de Barbe Regnault, aujourd'hui disparue, dit : « Reveues et additionnees par l'Autheur pour l'An mil cinq cens soyxante et un, de trente neuf articles à la derniere Centurie. » Cette « dernière Centurie » est la Septième. Ce titre se retrouve dans les cinq éditions.

La clef devait nous donner ces 286 quatrains, que compte chacune des deux versions, et les 287 quatrains que contiennent les deux versions réunies.

Aucun des calculs effectués à partir des 1 419 « escutz sol » n'ayant donné le moindre résultat, nous y avons ajouté les 16 pièces de monnaie, dont la valeur nous est donnée en « escutz », parmi la liste des 169 pièces que nous avons citées au chapitre V. Il s'agit des pièces suivantes :

Escuz vieulx	4
Lions d'or en forme d'escus vieulx	2
Escu du Roy Loys	1

Médailhe d'or vallant deux escus	1
Demy escutz sol	8
Total des pièces	16

Nous avons poursuivi nos recherches en ajoutant la valeur en écus de ces pièces de monnaies aux 1 419 « escutz sol » :

1 419 escutz sol	1 419 escutz
8 demy escutz sol	4
4 escutz vieulx	4
2 Lions d'or	2
1 escu du Roy Loys	1
Total en escutz	1 430

La valeur totale des pièces, exprimée en escutz est donc 1 430 escutz, soit 2 860 demy-escutz. De cette manière, Nostradamus nous donne le nombre des quatrains contenus dans la Seconde partie de ses Centuries : 286. La médaille, qui complète la liste des 16 pièces d'or que nous avons utilisée pour ce dernier calcul, et qui vaut deux escutz, représenterait donc le quatrain VI-100 des éditions d'Avignon, qui ne se retrouve pas dans les éditions de Lyon et le quatrain VII-40 de ces dernières qui ne figurent pas dans l'édition d'Avignon. Ainsi se trouveraient représentés les 287 quatrains de la Seconde partie que nous retrouvons en unissant les deux versions.

On peut arriver au même résultat en additionnant les pièces d'or sans tenir compte de leur valeur :

1 419	escutz sol
8	Demy escutz sol
4	Escutz Vieulx
2	Lions d'or
1	escu du Roy Loys
1	Medailhe
1 435	

En multipliant ce nombre par deux on obtient 2 870, indiquant ainsi les 287 quatrains de la Seconde partie, en réunissant les deux éditions auxquelles nous nous sommes référé.

Il faut noter ici une donnée bibliographique : les deux premières parties des Centuries ont toujours été publiées en un seul livre, avec un seul et même numérotage des pages. Il en est ainsi, même dans le cas de certaines éditions qui séparèrent les deux parties de la Centurie IV en inscrivant, devant le quatrain IV-54, le titre suivant : « Prophéties de M. Nostradamus, adioustées outres les précédentes impressions. » Au cours du XVIe siècle et pendant les premières années du XVIIe, la Troisième partie des Centuries s'est toujours publiée dans un livre à part, avec un numérotage différent des pages, même quand les trois parties étaient réunies en un seul volume.

Le frontispice disait : « Qui n'ont encore iamais esté imprimées. » En utilisant ce procédé, Nostradamus a voulu nous faire comprendre que les Centuries réunissent deux des parties de son œuvre prophétique, et que nous devons rechercher la Troisième partie en dehors des Centuries, c'est-à-dire dans les quatrains des Présages.

2. *D'après les éditions postérieures à 1557*

Michel Nostradamus fut trouvé mort à l'aube du 2 juillet 1566, deux jours après la signature du Codicille de son Testament. Il avait prévu la date de sa mort et, par conséquent, avait certainement établi des contrats pour la publication de son œuvre. En ce qui concerne les éditions de Lyon, nous possédons une preuve bibliographique indiscutable de l'existence de l'un de ces contrats : en 1568, Benoist Rigaud édite les trois parties des Centuries en un seul volume sous le titre : *Les Prophéties de M. Michel Nostradamus.* Les deux premières parties sont présentées ensemble, sans aucune séparation, sous le même frontispice et avec le même numérotage des pages. La Troisième partie est présentée à part, avec une page de titre et un numérotage différents. Nous connaissons très bien cet ouvrage, dont nous possédons trois exemplaires originaux, et nous avons eu l'occasion d'en étudier de nombreuses éditions qui se distinguent les unes des autres par la typographie et les vignettes. Benoist Rigaud réédita ce livre pendant trente ans. Et jusqu'à 1588, c'est-à-dire pendant vingt ans, il est le seul éditeur connu des œuvres de Nostradamus. Pendant vingt-six ans, Rigaud date ses éditions de 1568, ou bien il ne les date pas du tout. La dernière porte deux dates : 1594 et 1596. La première édition – réalisée par ses héritiers – date probablement de 1597. Les trois éditions postérieures, œuvre de son fils Pierre Rigaud, ne sont pas datées mais nous pouvons affirmer en toute sécurité qu'elles sont des premières années du XVIIe siècle. Toutes ces éditions, sans exception, reproduisent exactement le texte auquel nous nous sommes référé sous le nom « d'édition de Lyon ».

En ce qui concerne les éditions d'Avignon, nous n'en possédons aucun exemplaire authentique, ni aucune copie antérieure à 1588. A cette date, Rafaël du Petit Val, publiait à Rouen, sous le titre : *Les Grandes et Merveilleuses Prédictions de M. Michel Nostradamus*, une copie des 353 premiers quatrains. En 1589, le même éditeur publie une copie des sept premières centuries : *Les Grandes et Merveilleuses Prédictions de M. Michel Nostradamus.* Malheureusement, l'exemplaire que nous possédons, unique de cette date, a perdu ses dernières pages, les plus importantes pour la présente étude. Le texte s'interrompt après le quatrain 96 de la Sixième Centurie.

En 1590, François de Sainct Jaure livrait une copie mutilée de l'édition réalisée en Avignon en 1555 par Pierre Roux, édition totalement disparue, sous le titre : *Les Grandes et Merveilleuses Prédictions de M. Michel Nostradamus* (bibliothèque de l'Arsenal). La préface, qui est constituée par une lettre de dédicace à son fils César, est datée, dans toutes ces copies de l'édition d'Avignon, du 22 juin 1555, alors que dans les éditions de Lyon, la date est le 1er mars de cette même année.

C'est tout ce que nous connaissons des éditions d'Avignon. Nous sommes donc obligé de nous baser, pour nos conclusions, sur l'œuvre de Chavigny déjà citée qui date de 1594, et sur les éditions du XVIIe siècle qui copient les éditions d'Avignon. La plupart de ces éditions furent réalisées dans un but politique en 1630, 1643 et en 1649, datées arbitrairement, et comportent un certain nombre de vers apocryphes.

Les éditions de Lyon postérieures à 1566 comportent, en plus des 286 quatrains de la Seconde partie, deux quatrains supplémentaires à la fin de la Septième Centurie, incomplète, numérotés 41 et 42 et un en latin. Nous avons donc la preuve complète de l'existence dans ces éditions d'un total de 289 quatrains dans la Seconde partie des Centuries. L'un de ces quatrains supplémentaires est en latin et n'est pas numéroté [2].

Par contre, les éditions d'Avignon devaient comporter le quatrain VI-100, cité par Chavigny en 1594. Si l'on en croit les copies du XVIIe siècle, elles devaient comporter aussi, à la Septième Centurie, outre les quatrains 41 et 42, deux autres quatrains numérotés 43 et 44. Malheureusement, la première édition datée que nous connaissions et qui comporte ces deux quatrains, date seulement de 1627. Encore cette date est-elle contestable. Nous la supposons, en réalité, de 1630.

Pour nous, les éditions des vers prophétiques réalisées au cours du XVIIe siècle ont seulement une importance bibliographique. L'œuvre prophétique complète de Nostradamus avait été publiée au XVIe siècle et se trouve parfaitement éclairée par la cryptographie du Testament du Prophète. Et c'est seulement parce qu'ils s'inscrivent dans cette cryptographie que nous acceptons de considérer les quatrains VII-43 et VII-44 comme faisant partie de l'œuvre prophétique. Si la cryptographie dont nous poursuivons l'étude ne confirmait pas leur authenticité, nous considérerions que ces quatrains, publiés non pas en 1630 mais en 1643 entre la mort de Richelieu et celle de Louis XIII, sont des vers apocryphes qui visaient à indisposer le Roi de France à l'égard du neveu de Richelieu.

Ainsi, et pour nous résumer, nous avons établi que les éditions de Lyon des Centuries se composent de 942 quatrains, dont 289 pour la Seconde partie, l'un de ces derniers, non numéroté, en latin. Les éditions d'Avignon se composaient très probablement de 945 quatrains, dont 291 pour la Seconde partie, en y incluant le quatrain latin, et le quatrain VI-100.

Revenons maintenant au cryptogramme. Nous avons ajouté aux 1 435 monnaies ou « escutz » qui correspondent à la Seconde partie les dix « impériales ». Nous obtenons le résultat suivant :

1 419 escutz sol	1 419
8 demy escutz sol	8
4 escutz vieulx	4
2 Lions d'or	2
1 escu du Roy Loys	1
1 medailhe	1
	1 435
10 Impériales	10
Total des monnaies	1 445

En multipliant ce nombre par deux, nous obtenons 2 890, nombre qui indique les 289 quatrains qui forment, avec le quatrain latin, la Seconde partie de l'œuvre dans les éditions de Lyon de 1568.

Cette multiplication par deux peut paraître arbitraire et cependant nous parvenons au même résultat en additionnant les valeurs des pièces de monnaie en demi-écus. En effet :

1 419 escutz sol	1 419
8 demy escutz	4
4 escutz vieulx	4
2 Lions d'or	2
1 escu du Roy Loys	1
	1 430
10 Impériales	10
Total des valeurs ..	1 440

En demi-écus cela fait : 2 880. Nostradamus nous signale donc de cette manière le nombre (288) des quatrains de la Seconde partie de son œuvre dans les éditions de Lyon postérieures à 1557. La médaille, qui complète la liste des 16 monnaies représenterait ici, comme dans le cas antérieur, le quatrain en latin. Nous obtenons donc à nouveau le total, que nous connaissons déjà : 289 quatrains.

Il nous reste encore à extraire une dernière conséquence de ce problème posé par les 1 419 monnaies, 16 et 13 pièces. En effet, nous n'avons pas encore utilisé les 3 « piesses d'or dictes portugalenses ». Si nous ajoutons ces trois pièces au nombre de 289, qui est celui des quatrains de la Seconde partie dans les éditions de Lyon postérieures à la mort de l'auteur, nous obtenons 292, soit très exactement le nombre de quatrains que cette même Seconde partie devait comporter dans les éditions d'Avignon, puisqu'elles incluaient les quatrains VI-100 et VII-43 et 44.

En ajoutant maintenant les 140 Présages, le cryptogramme du Testament signale, pour l'ensemble de l'œuvre prophétique, un total de 1 082 quatrains, suivant les éditions de Lyon ou de 1 085 d'après les éditions d'Avignon, en comptant, dans les deux cas, le quatrain en latin.

Le cryptogramme du Testament de Nostradamus nous donne le total exact des quatrains de l'œuvre prophétique. Il exclut toute interpolation future, mais, par contre, confirme deux totaux différents : 1 082 et 1 085 quatrains.

Pour dissiper tout sujet de doute, treize jours après la rédaction de son Testament, Nostradamus fait quatre legs à deux de ses enfants, par un Codicille bien peu nécessaire. Il s'agit de deux legs à son fils César : son anneau d'or qui porte une cornaline enchâssée et son astrolabe de laiton. Deux legs sont attribués à sa fille aînée : deux caisses de noyer et leur contenu non spécifié. Nous nous sommes déjà référé à cet étrange document, mais nous insistons sur un fait : ces legs sont attribués à un enfant de douze ans et une fillette qui devait en avoir, tout au plus, onze. Cela nous permet de voir dans l'existence de ce Codicille l'authentification, par Nostradamus des quatre quatrains ajoutés à son œuvre peu de temps avant ou après sa mort. Il s'agit des quatrains 41 et 42 de la Centurie VII des éditions de Lyon, et des quatrains 43 et 44 de la même Centurie dans les éditions d'Avignon.

NOTES

1. Antoine du Rosne, 1557, semble copier l'édition disparue de Sixte Denyse, 1556. Il existait un exemplaire de cette édition à la bibliothèque de Munich. Le comte Klinckowstroëm nous avait fait parvenir une copie de son frontispice. Cet ouvrage a disparu pendant la guerre et peut-être se trouve-t-il parmi les livres de Hitler. Nous possédons une copie du seul exemplaire dont l'existence soit connue à cette date et qui se trouve à la bibliothèque de Moscou.

2. Le quatrain en latin peut avoir été publié entre la Sixième et la Septième Centurie dans des éditions antérieures à 1566, qui ne nous sont pas parvenues, de même que le quatrain VI-100. Les quatre legs du Codicille doivent se référer aux quatre quatrains ajoutés à la Septième Centurie et numérotés 41, 42, 43, 44.

IX

LA PREMIÈRE CLEF TESTAMENTAIRE

L'œuvre du prophète se compose de 1 085 quatrains. Les chapitres précédents ont été consacrés à établir ce nombre, sur la base de la bibliographie nostradamique et de l'étude du Testament et de son Codicille.

Cette étude nous a également permis d'établir qu'il faut compter au nombre des quatrains prophétiques les cent quarante Présages, publiés dans les Almanachs parus entre janvier 1555 et août 1566. Cent vingt-sept seulement de ces Présages sont parvenus jusqu'à nous. Treize ont disparu : il s'agit des 19 quatrains correspondant à l'année 1556 et du quatrain de janvier 1561. Pour ce qui est des cent vingt-sept quatrains connus, nous en avons emprunté le texte, en ce qui concerne quatre-vingts d'entre eux, aux Almanachs authentiques, publiés du vivant de leur auteur; quarante et un quatrains sont repris de l'œuvre de Chavigny, éditée en 1594; deux autres quatrains ont été copiés par l'abbé Rigaux dans l'Almanach de 1558 qui figurait dans sa bibliothèque, et quatre sont repris d'une édition de 1561, reproduite dans des publications de 1588. Chavigny a commenté la plupart des Présages. D'autre part, un très grand nombre de ces quatrains ont fait l'objet de très nombreuses traductions, si bien que nous avons eu la possibilité, dans la plupart des cas, d'établir des comparaisons entre les textes de ces quatrains dans au moins deux éditions du XVIe siècle. Étant donné que tous les quatrains de l'Almanach pour 1558 ont été étudiés par l'abbé Rigaux dans leur édition originale, les douze Présages de 1564 sont les seuls à nous être parvenus sous l'autorité du seul Chavigny.

D'après la Bibliographie, les quatrains des Centuries, publiés du vivant de leur auteur ou dans les deux années qui suivirent sa mort, et qui figurent dans les éditions authentiques qui sont parvenues jusqu'à nous, sont les suivants :

La Première partie des Centuries, publiée par Macé Bonhomme, à Lyon, en 1555 et qui comprend 353 quatrains 353

La Seconde partie des Centuries publiée par Antoine de Rosne à Lyon en 1557, et qui se compose de 286 quatrains 286

La Troisième partie des Centuries dont les trois cents quatrains ont certainement été publiés en 1558, comme en témoignent la dédicace à « Henry, Second », les relations entretenues par Nostradamus avec Catherine de Médicis et avec la Maison Royale jusqu'à sa mort, sa visite à la Cour en 1555, les dédicaces à Catherine de Médicis et à Henri II des Almanachs et pronostics pour 1557, datées de février 1556, la visite du Roi Charles à Salon-de-Provence et les éditions réalisées par Benoist Rigaud à Lyon, datées de 1568, qui circulèrent en France pendant plus de trente ans et qui comportent la réimpression de la Troisième partie et la dédicace déjà citée . 300

Il faut encore ajouter les trois quatrains publiés pour la première fois par Benoist Rigaud à Lyon en 1568 : le quatrain en latin et les quatrains VII-41 et VII-42, qui figurent à la fin de la Septième Centurie, incomplète 3

Le nombre total des quatrains des Centuries, d'après les éditions de Lyon est donc 942

Enfin, il reste encore trois quatrains qui figuraient très probablement dans les éditions d'Avignon aujourd'hui disparues. Il s'agit du quatrain VI-100, dont le texte nous est donné par Chavigny dans son œuvre de 1594, et des quatrains VII-43 et VII-44 qui apparaissent pour la première fois dans les quatre éditions des Centuries, qui portent la date de 1627. Il s'agit en réalité d'une seule édition, bien que chaque frontispice porte le nom de l'un des quatre imprimeurs de Lyon : Jean Didier, Claude Castellard, Pierre Marniolles et Étienne Tantillon. Ces éditions sont, possiblement, postérieures à 1627. Aucune des éditions de Troyes, que nous supposons datées de 1630, ne reproduit ces quatrains. Nous pensons que ces éditions de Lyon pourraient dater de 1643 3

Le nombre des quatrains des éditions d'Avignon est donc . . . 945

Il faut encore ajouter à ce total les 140 Présages appartenant à l'œuvre prophétique dont nous avons démontré antérieurement l'authenticité : d'après le chapitre VI 140

Le total des quatrains est 1 085

Nous nous sommes heurté à certaines difficultés pour ranger les quatrains d'après la première clef. Les 140 Présages devaient se diviser en trois parties de trente-six, soixante-dix-neuf et vingt-cinq quatrains respectivement. Les trois cent cinquante-trois quatrains de la Première partie des Centuries devaient se partager comme suit : cent un, cent vingt-six et cent vingt-six quatrains. La Seconde partie des Centuries, composée de deux cent quatre-vingt-six quatrains dans les éditions de Lyon et des trois cents quatrains des trois dernières Centuries, ne devait pas être divisée. Les quatre quatrains restants devaient garder leur place : le quatrain en latin, le quatrain VI-100 et les quatrains VII-43 et 44.

En étudiant le texte, nous trouvons les mots « divin verbe » répétés aux quatrains II-27 et III-2. En modifiant l'ordre des Centuries, on obtient : cent quatrains de la Première Centurie et un de la Troisième, soit cent un : quatre-vingt-dix-neuf quatrains de la Troisième Centurie qui, ajoutés aux vingt-sept restants de la Seconde Centurie font cent vingt-six. Enfin, les soixante-treize quatrains restants de la Seconde Centurie, ajoutés aux cinquante-trois de la Quatrième Centurie, font cent vingt-six. Le partage de la Première partie des Centuries se trouvait ainsi réalisée et chaque division est marquée, dans le texte par les mots : « divin verbe » [1].

Centurie I	100	
Centurie III	1	101
Centurie III	99	
Centurie II	27	126
Centurie II	73	
Centurie IV	53	126
Total des quatrains		353

Le texte des cent quarante Présages fait apparaître, au quatrain vingt-cinq (correspondant à janvier 1557) la phrase : « Grand bas du monde », c'est-à-dire, le plus bas du monde. Ce quatrain devait donc être le dernier des cent quarante. Cette conclusion faisait du groupe de vingt-cinq quatrains que termine celui-ci la fin des Présages. Nous avons donc accepté cette phrase comme étant une indication cryptographique. Les trente quatrains suivants se terminent, avec le quatrain soixante et un, de janvier 1560, dans lequel nous trouvons deux indications : « changer ciel » et « fin de Congé », c'est-à-dire fin d'une période. Nous savons que Nostradamus divise son œuvre en trois cercles ou ciels. Ce quatrain marquait donc bien la fin du groupe de trente-six Présages, et, pour les suivants, il y avait un changement de ciel, c'est-à-dire un changement de situation dans l'ordre de la prophétie. La présence du mot FIN confirmait cette détermination : en effet le reste des quatrains, jusqu'à cent quarante, est au nombre de soixante-dix-neuf. Les Présages se trouvent ainsi répartis dans les trois groupes cryptographiques : le premier comptant trente-six Présages : de février 1557 à janvier 1560; le second en comportant soixante-dix-neuf, de février 1560 à août 1566 et le troisième, vingt-cinq, de janvier 1555 à janvier 1557.

Février 1557 à janvier 1560	36 quatrains
Février 1560 à août 1566	79

Janvier 1555 à janvier 1557	25
Total des Présages	140 quatrains

En suivant cette première clef cryptographique testamentaire, les 1 085 quatrains se trouvent rangés dans l'ordre suivant :

Monnaies, d'après le Testament	*Demy escuz*	*Quatrains d'après les chapitres antérieurs*
36 nobles à la rose		36 Présages, de février 1557 à janvier 1560.
101 ducatz		101 Quatrains de la Première partie des Centuries, 100 de la Centurie I et 1 de la Centurie III.
79 angellotz		79 Présages, de février 1560 à août 1566.
126 double ducatz		126 Quatrains de la Première partie des Centuries, 99 de la Centurie III et 27 de la Centurie II.
		126 Quatrains de la Première partie des Centuries, 73 de la Centurie II et 53 de la Centurie IV.
1 Medailhe		1 Le quatrain en latin.
8 florins d'Allemaigne		8 Présages, de janvier 1555 à août de la même année.
17 Marionnettes		17 Présages, de septembre 1555 à janvier 1557.
4 escuz vieulx	8	
2 Lions d'or	4	
1 Escu du Roy Loys .	2	
10 Imperialles	20	
8 Demy escuz Sol . .	8	
1 419 Escuz Sol	2 838	
	2 880	
		288 Quatrains de la Seconde partie des Centuries selon les éditions de Lyon, sans le quatrain en latin.
1 200 Escuz pistolletz		300 Quatrains ou 1 200 vers de la Troisième partie des Centuries.
3 Monnaies portugalenses		3 Quatrains qui doivent compléter la Seconde partie des éditions d'Avignon : VI-100, VII-43 et VII-44.
3 015 monnaies		1 085 quatrains

Ces 1 085 quatrains mis en ordre en suivant la première clef testamentaire constituent, sans erreur possible, l'ensemble de l'œuvre prophétique de Nostradamus.

La cryptographie de Nostradamus nous permet d'assurer que, bien qu'ayant été écrits par lui, les quatrains restés à l'état de brouillon et dont treize ont été publiés par Chavigny et dix par Pierre Rollet, n'appartiennent pas à son œuvre prophétique. Pas plus, d'ailleurs, que les six publiés en 1561 comme appartenant à la Huitième Centurie, ni les vingt-neuf publiés dans les Almanachs et Pronostics annuels mais dont la première clef n'a pas tenu compte. Notre étude bibliographique nous permet d'affirmer que les quatrains et sizains publiés sous le nom de Nostradamus pendant la première moitié du XVIIe siècle, n'ont pas été écrits par lui. La cryptographie de Nostradamus nous donne raison et ne tient compte d'aucune de ces publications.

L'objet de la première clef testamentaire est donc d'établir les limites exactes de l'œuvre prophétique, rendant impossible toute interpolation; et de guider les chercheurs vers la découverte de la seconde clef testamentaire, en leur communiquant la certitude de l'existence d'un message secret et en les obligeant à constater d'eux-mêmes la nécessité de cette seconde clef.

Parvenu à ce point de notre étude, nous pouvons considérer comme établie la véritable division en trois parties de l'œuvre prophétique de Nostradamus : jusque dans le partage de son œuvre, celui-ci a agi avec la malice qui lui est coutumière. Nous avons déjà vu avec quelle fréquence le chiffre trois se trouve répété dans le Testament; Nostradamus a lui-même donné l'idée de cette division en trois parties en faisant publier en trois parties les Centuries qui ne constituent en réalité que deux livres, le Premier allant jusqu'à la Septième Centurie, incomplète, et le Second comprenant jusqu'à la Dixième Centurie. Les Présages tombèrent dans l'oubli. Certains d'entre eux furent commentés par Chavigny en 1594 et ajoutés aux éditions des Centuries réalisées au XVIIe siècle par les auteurs de vers apocryphes. Mais quatre siècles se sont écoulés avant qu'il soit possible d'établir clairement quelles sont les trois parties de la Prophétie de Nostradamus. Il a fait croire que ces trois parties correspondaient aux trois parties des Centuries, afin de faire oublier les Présages. En réalité les sept premières Centuries constituent une unité, les Présages en sont une autre, et la troisième se compose des Centuries VIII, IX et X. La Première partie, qui comprend sept Centuries, dont la Septième est incomplète, a été publiée en 1555 et 1556. La Seconde partie, les Présages, parut de 1554 à 1566, et la Troisième partie, trois centuries de plus, fit l'objet, en 1558, d'une édition dédiée à « Henry, Second ».

	Lyon	*Avignon*
Première partie : sept Centuries comprenant le quatrain en latin et le quatrain VI-100	642	645
Seconde parties : les Présages	140	140
Troisième partie : les trois dernières centuries	300	300
Total des quatrains	1 082	1 085

Il est fort probable que cette division en trois parties soit elle-même une malice supplémentaire et serve seulement à insister sur la nécessité de diviser l'œuvre prophétique en trois parties, cercles ou « ciels », une fois terminée la mise en ordre définitive des quatrains. Les Sept clefs découvertes jusqu'ici – en plus des clefs testamentaires – nous inclinent à supposer que les 1 080 quatrains doivent être situés autour de trois cercles de trois cent soixante degrés. L'œuvre serait ainsi définitivement divisée en trois parties « égales ». C'est également la seule disposition des quatrains qui permette le mouvement, à l'intérieur du cercle, des trois paires de pentagones dont se compose la dernière clef que nous avons découverte. Chaque paire de pentagones, avec ses dix sommets, signalerait à chacun de ses passages 10 quatrains, les liant entre eux et les inscrivant simultanément dans le temps, d'après le dodécagone chronologique dont nous expliquerons le fonctionnement au chapitre qui y est consacré.

Une autre hypothèse est encore possible : Nostradamus aurait pu envisager quatre cercles pour chaque « ciel ». En ce cas, les sommets des pentagones, au lieu de signaler chacun un quatrain désigneraient chacun un vers. Cependant, cette solution nous semble impossible : dans la plupart des quatrains, les quatre vers sont parfaitement liés entre eux et constituent un tout. Par contre, il est d'autres quatrains où la division semble nécessaire.

Quel que soit l'agencement définitif à appliquer aux quatrains pour permettre l'utilisation de la clef des pentagones, les chiffres sont très significatifs : le nombre des quatrains est le même que celui qui divise l'écliptique, non pas en années solaires, mais en « années de l'écliptique ». Si nous multiplions 1 080 par deux, nous obtenons 2 160, soit une période zodiacale ; 1 080 quatrains, multipliés par les quatre vers que comporte chacun, nous donnent 4 320, soit deux périodes zodiacales. Et si chaque vers comportait inexorablement six mots latins, selon la théorie de Piobb, nous obtiendrions comme résultat les douze périodes zodiacales, c'est-à-dire l'écliptique tout entier avec ses 25 920 secteurs, nombre égal au total des mots de l'œuvre prophétique, qui serait ainsi liée à l'écliptique, au « chemin du Soleil ».

NOTE

1. Dans une édition aussi soignée que la première édition des Centuries, il est incroyable que la vignette de la Troisième Centurie soit inversée. Cette « erreur » typographique confirme notre interprétation de « divin verbe » et de la nécessité de placer la Troisième Centurie entre la première et la seconde.

X

LA DEUXIÈME CLEF TESTAMENTAIRE

L'interprétation du Testament ne pouvait se limiter à l'étude des pièces d'or. Il fallait tenir compte des crédits documentaires, des mandats et des legs, et des résultats que devaient produire, après la mort du testateur, les clauses que nous connaissons.

La dernière liste de monnaies, c'est-à-dire la somme finale résultant de l'exécution du Testament devait revêtir une particulière importance. En effet, c'est cette somme qui constitue, à proprement parler, l'héritage à partager entre les trois héritiers.

Après les funérailles, le montant de l'héritage fut réduit : quatre écus furent remis aux trois communautés religieuses, soixante-dix-huit sous furent donnés à treize pauvres et on consacra quatre livres à l'achat de quatre cierges, comme l'ordonne le testament. Les quatre cents écus attribués à la veuve de Nostradamus lui furent remis et la somme de mille deux cents écus pistoles se trouva réduite à huit cents.

Il fallut ensuite procéder à la mise en réserve de la quantité nécessaire pour le paiement des legs : six cents écus sol pour la dot de sa fille Magdaleyne, mille deux cent dix écus pistoles destinés à doter ses filles, Anne et Diane, sa nièce Magdeleyne Besaudine, ainsi que ses deux fils, Charles et André, au moment où ces derniers quitteraient la maison, à l'âge de vingt-cinq ans. Soit une nouvelle ponction de mille huit cent dix écus sur la somme de l'héritage. En admettant que les intérêts produits subviennent aux frais normaux de la famille, le solde final se trouve réduit à deux mille huit cent vingt-sept écus et deux sous.

Ces deux mille huit cent vingt-sept écus et deux sous, valeur définitive de l'héritage, partagés entre les trois héritiers, attribuent à chacun neuf cent quarante-deux écus, en laissant un solde de un écu et deux sous.

Une fois de plus, toutes ces quantités correspondent au nombre des quatrains qui composent l'œuvre prophétique.

En monnaies	3 444 écus	10 s.		
En crédits	1 600 écus			
Valeur de la somme héritée	5 044 écus	10 s.	5 044 écus	10 s.
Paiements immédiats	407 écus	8 s.		
Dépôts en écus sol	600 écus			
Dépôts en écus pistoles	1 210 écus			
Paiements et dépôts	2 217 écus	8 s.	2 217 écus	8 s.
Valeur définitive de l'héritage			2 827 écus	2 s.
Montant de la tierce part de chacun des trois héritiers			942 écus	
Solde à répartir			1 écu	2 s.

Chaque héritier recevra 942 écus. 942 est aussi le nombre total des quatrains dans les éditions de Lyon. Le solde d'un écu et deux sous représente donc les trois quatrains qui sont probablement publiés dans l'édition d'Avignon : VI-100, VII-43 et 44.

Les 1 810 écus placés en dépôt, divisés par 13, donnent un quotient de 139,23, indiquant ainsi les 140 Présages, parmi lesquels celui d'Avril 1564 est incomplet.

La somme totale prélevée sur l'héritage afin de subvenir aux différents frais et legs s'élève à 2 217 écus et 8 sous. Le tiers de cette somme, soit 739 écus deux sous, représente la quantité prélevée sur la part de chacun des trois héritiers, et il reste deux sous à répartir. De cette somme, Charles et André recevront cent écus lorsqu'ils atteindront l'âge de vingt-cinq ans. L'apport de chacun d'eux est donc réellement de 639 écus 2 sous, plus ce qui correspond à chacun du solde des 2 derniers sous.

On peut donc exprimer cet apport des deux frères par le nombre : 639.2.2. Or, 639 est le nombre des quatrains des deux premières parties des Centuries dans leurs premières éditions de Lyon, qui ne comportent pas le quatrain en latin, ni le quatrain VI-100. En tenant compte de ces deux quatrains et des deux derniers quatrains de la Centurie VII, VII-41 et 42, ajoutés postérieurement, dans les éditions de Lyon, on obtient le même nombre : 639.2.2.

On peut donc constater que tous les chiffres du Testament se réfèrent, directement ou indirectement, à l'œuvre prophétique et établissent définitivement, pour chaque cas, le nombre exact des quatrains. La première clef établit le nombre total des quatrains de l'œuvre prophétique : mille quatre-vingt-cinq. 942 + 3 + 140. De ce fait, toute extrapolation ultérieure est fausse.

Avant de déchiffrer la deuxième clef testamentaire nous devons revenir une fois de plus au Testament, non pas tel qu'il apparaît dans sa rédaction définitive, mais dans sa première version, dictée et signée par Nostradamus lui-même. Dans ce « brouillon » nous découvrons deux phrases qui se rapportent aux pièces de monnaie rayées. Sans valeur légale, ces phrases nous intéressent cependant du fait qu'elles figurent dans cette première rédaction.

La première de ces deux phrases porte sur les 36 nobles à la rose et ajoute : « Valant onze florins pièce. » Les trente-six nobles à la rose se trouvaient ainsi convertis en trois cent quatre-vingt-seize florins d'argent.

La deuxième des phrases rayées par Nostradamus se réfère aux monnaies portugaises et dit : « trois pièsses d'or dictes portugalenses vallant trente et six escutz pistolletz. » Les trois monnaies se convertissent ainsi en trente-six écus pistoles.

Cette même phrase unit d'ailleurs les trois monnaies portugaises aux autres mille six cents écus pistoles, nous permettant ainsi d'établir que tout le solde dont nous allons disposer pour cette dernière partie du cryptogramme doit être considéré comme composé d'écus pistoles.

La division utilisée pour cette seconde clef testamentaire n'est plus, comme dans le cas de la première, la division, en trois parties, des Centuries. Il s'agit cette fois des trois parties de l'œuvre prophétique elle-même; conclusion qui sera confirmée ensuite par les autres clefs. C'est donc en fonction de cette division que nous établissons la deuxième clef. Selon cette division, la première partie de l'œuvre est composée de 642 quatrains, la seconde, de 140 quatrains, que nous intitulons « Présages » et la troisième se réduit à 298 quatrains. la seconde clef ne se limite pas à nous fournir un nouvel ordre pour l'agencement des quatrains : elle va encore réduire à 1 080 leur nombre total, laissant sans numéro le quatrain en latin et hors de l'œuvre prophétique les deux premiers quatrains de la Première Centurie et deux quatrains de la Troisième partie.

Quatrains	
Première partie de l'œuvre prophétique	642
Seconde partie : Présages	140
Troisième partie de l'œuvre prophétique ...	298
Total	1 080

Les changements réalisés selon les mesures dictées par le Testament, les phrases rayées dans la première rédaction de celui-ci, les chiffres fournis par les clefs et le développement cryptographique postérieur nous ont amené à établir une nouvelle liste des pièces de monnaie, exprimant la valeur de l'héritage effectif, c'est-à-dire, de celui qui devait être réellement partagé entre les trois héritiers. Cette liste, comme le lecteur pourra le constater, est très différente de la première, qui servait de texte cryptographique pour la découverte de la première clef. Nous avons déjà indiqué que la valeur totale de ces monnaies est de 2 827 écus et huit sous.

Liste des monnaies dans laquelle se trouve enfermée la seconde clef testamentaire :

396 florins d'argent, valeur des 36 nobles à la rose
101 ducatz
79 angellotz
126 double ducatz
4 escutz vieulx

Les deux lions d'or et six écus pistoles sont employés pour couvrir les dépenses immédiates : quatre écus pour les communautés religieuses, quatre livres pour les quatre cierges et soixante-dix-huit sous pour treize pauvres. L'ensemble de ces dépenses est de sept écus et huit sous, ce qui laisse un solde de deux livres et deux sous.

2 livres
2 sous
1 escu du Roy Loys
1 médailhe
8 Florins d'Allamaigne
10 impérialles
17 marionnettes
8 demy escuz sol
819 escuz sol, dont 600 placés en dépôt pour constituer la dot de la fille aînée.

Détail des écus pistoles : les « 1200 escutz pistolletz » qui figurent, en monnaie, dans le testament, ont été réduits à 800 après le paiement de 400 écus à la veuve de Nostradamus. En y ajoutant les 36 écus pistoles qui représentent la valeur des « trois pièces d'or dictes portugalenses » on obtient 836 écus. De cette somme, 10 écus sont déposés pour constituer la dot de Magdeleyne Besaudine et 6 sont consacrés à de petits frais immédiats ordonnés par le testateur. Reste un solde de 820 écus partagé en 2, 1, 25 et 792 soit :

2 escutz pistolletz
1 escu pistollet
25 escutz pistolletz
792 escutz pistolletz

Aux 1 600 écus figurant sur des documents concernant des sommes prêtées contre intérêt on ajouta 10 écus. 1 210 furent déposés afin de constituer les dots matrimoniales de Anne et de Diane, de remettre à Charles et à André les 100 écus qui doivent leur revenir une fois atteinte la majorité et de constituer la dote de Magdeleyne Besaudine. Il reste donc 400 écus.

Liste définitive des monnaies et des quatrains d'après la deuxième clef testamentaire chiffrée :

MONNAIES	QUATRAINS
396 florins d'argent, 396 vers :	99 Première partie de l'œuvre
101 ducatz :	101 Première partie de l'œuvre
79 angellotz :	79 Présages. Seconde partie de l'œuvre
126 doubles ducatz :	252 Première partie de l'œuvre
4 escuz vieulx :	4 Première partie de l'œuvre
2 livres :	2 Première partie de l'œuvre
2 sous :	2 Première partie de l'œuvre
1 escu du Roy Loys :	1 Première partie de l'œuvre
	540
1 médailhe :	le quatrain en latin
8 Florins d'Allemagne :	8 Première partie de l'œuvre
10 Impérialles :	10 Présages Seconde partie de l'œuvre
17 Marionnettes :	17 Présages Seconde partie de l'œuvre
8 demy escuz sol :	8 Première partie de l'œuvre
9 escuz sol :	9 Présages Seconde partie de l'œuvre
810 escuz sol = 1 620 demy escuz :	162 Première partie de l'œuvre
2 escuz pistolletz :	2 VII-43 et 44 Première partie de l'œuvre
1 escu pistollet :	1 VI-100 Première partie de l'œuvre
25 escutz pistolletz :	25 Présages Seconde partie de l'œuvre
792 escutz pistolletz, 792 vers :	198 Troisième partie de l'œuvre
400 escutz, 400 vers :	100 Troisième partie de l'œuvre
	540

Ces mêmes nombres permettent un nouvel arrangement, en trois groupes de 360 quatrains chacun, qui peuvent constituer les trois « ciels » nostradamiques :

Première partie de l'œuvre	99		
Première partie de l'œuvre	252		
Première partie de l'œuvre	4		
Première partie de l'œuvre	2		
Première partie de l'œuvre	2		
Première partie de l'œuvre	1	360	
Première partie de l'œuvre	101		
Seconde partie de l'œuvre	79		180
Une médaille : le quatrain en latin .			
Première partie de l'œuvre	8		
Première partie de l'œuvre	8		
Première partie de l'œuvre	162		

Première partie de l'œuvre	2	180	360
Présages Seconde partie de l'œuvre .	10		
Présages Seconde partie de l'œuvre .	17		
Présages Seconde partie de l'œuvre .	9		
Première partie de l'œuvre	1		
Présages Seconde partie de l'œuvre .	25		
Troisième partie de l'œuvre	198		
Troisième partie de l'œuvre	100	360	

Il a donc été nécessaire de déduire des 1 085 quatrains les deux premiers de la Première Centurie, et deux des 300 quatrains dont se compose la Troisième partie de l'œuvre, en laissant au milieu, entre les deux parties du cryptogramme, le quatrain en latin non numéroté et représenté par la médaille. Le quatrain en question est unique et différent de tous les autres, non seulement parce qu'il est écrit en latin et ne porte pas de numéro, mais encore parce qu'il est précédé d'un texte. De même, la médaille qui le représente est unique parmi toutes les pièces de monnaie qui composent l'héritage. Comme nous le verrons plus tard, la clef « des Planètes » qui règle la Troisième partie de l'œuvre indique pour cette partie 298 quatrains au lieu de 300. Les clefs du « verbe divin » et des « ducats » ne tiennent pas compte non plus de deux premiers quatrains qui sont en réalité l'exposé de deux rites de prophétie classiques.

Cette nouvelle clef testamentaire, comme toutes celles que nous exposons dans cet ouvrage, sera confirmée quand elle aura servi au déchiffrage d'un texte secret. Notre exposé ne fait que prouver l'existence d'un système très compliqué de clefs qui confirme l'importance de ce texte et occulte son message jusqu'à la période 2047 ou 2057 de notre ère, période durant laquelle, selon la prophétie de Nostradamus, son contenu nous sera dévoilé. A cette date, soit cinq cents ans après la première édition imprimée des Centuries, 1555, ou cinq siècles après le commencement de la prophétie, 1547 à 1557, celui qui sera « l'ornement de son temps » accomplira la double mission de rendre public le message et de veiller à son exécution. C'est du moins ce que nous assure Nostradamus dans le quatrain 94 de sa Troisième Centurie, comme nous le verrons au chapitre suivant.

Sans la connaissance de ces quatre documents authentiques que sont le Testament et le Codicille dans leurs deux versions successives : celle du registre des brouillons et celle du registre notarial, il aurait été impossible de découvrir la deuxième clef testamentaire, qui réduit le nombre des quatrains de l'œuvre prophétique à 1 080 et introduit des changements dans leur mise en ordre. Les copies anciennes du Testament qui se trouvent à Paris et en Arles auraient suffi pour établir la première clef, mais pour la deuxième, les éclaircissements qu'apporte le registre des brouillons du notaire étaient indispensables : en effet les phrases qui apportent ces précisions ont bien été dictées par Nostradamus mais ne figurent plus dans la version définitive.

Ce travail cryptographique extrêmement compliqué confirme l'existence d'un message secret d'une énorme valeur pour l'humanité. D'après l'Apocalypse, ce message concerne les redoutables catastrophes que connaîtra l'ensemble de la planète au cours de la première moitié du XXIIe siècle et a pour but de permettre le salut de quelques groupes humains.

XI

L'HÉRITAGE DU PÈRE

Les travaux exposés au cours des chapitres précédents et portant sur l'étude du Testament de Nostradamus et des divisions de son œuvre prophétique, démontrent l'existence et le fonctionnement de deux clefs testamentaires, qui établissent les limites de cette œuvre et effectuent un premier classement de ses mille quatre-vingts quatrains. Ces clefs ont été construites en se servant des nombres contenus dans ce Testament, qui fait partie de l'œuvre prophétique elle-même, dont il est inséparable. Sans ce document et le petit trésor que Nostradamus décrit pour le léguer aux membres de sa famille, l'héritage véritable, qui est constitué par un message destiné à toute l'humanité, aurait été perdu, irrémédiablement.

Anticipant de quatre siècles, Nostradamus prophétise le dévoilement qui commence aujourd'hui. En effet, il dit textuellement dans le quatrain de juin de l'Almanach de 1567, livré par lui à l'éditeur mais qui paraîtra immédiatement après sa mort :

Par le thrésor trouvé l'héritage du père.

Il avait écrit la dédicace de cet Almanach en avril 1566 et connaissait avec beaucoup de précision la date approximative et les circonstances de sa mort prochaine. Dans le présage de juin 1563, il écrivait déjà : « La fin de juin le fil coupé du fus. » Le mois de juin auquel il se référait n'était pas celui de l'année en cours mais un futur mois de juin. Sans cette sécurité absolue quant à la date exacte de sa mort, Nostradamus n'aurait pu différer jusqu'au dernier moment la rédaction de son testament, puis, treize jours plus tard, celle du Codicille, qui constitue un tout avec le premier document. En réalité il le termina légalement le 30 juin 1566. Il mourut à l'aube du jour suivant.

Les quatrains pour 1567, rédigés début 1566, contiennent des références, non seulement aux circonstances de son décès, mais également à la cérémonie de l'enterrement. Nous sommes confirmé dans cette opinion par le fait que Nostradamus envoya les originaux de ces quatrains à son imprimeur, puis en fit parvenir une copie manuscrite à Monseigneur de Biragne, membre du Conseil privé du Roi de France, à qui il les avait dédicacés. La dédicace est d'avril. Les quatrains ont dû parvenir à leur destinataire dans le courant de ce même mois. Le vers que nous reproduisons plus haut nous assure que le véritable héritage de Nostradamus n'est pas le petit trésor qu'il léguait à ses enfants mais son œuvre prophétique. Ce vers assure en même temps que cet héritage ne pourra être découvert qu'à l'aide des chiffres de ce trésor, consignés dans des documents testamentaires, signés par le notaire et les témoins et conservés dans les archives officielles.

Bien qu'ils paraissent chaque année, à raison d'un quatrain par mois, les Présages ne se rapportent jamais à des événements devant avoir lieu dans le courant du mois en question.

Qu'ils fassent ou non partie de l'œuvre prophétique, les Présages doivent être considérés comme des prédictions sans date certaine, tout comme les quatrains des Centuries. Les Présages que Nostradamus envoie à son imprimeur pour 1567 se réfèrent à sa mort en 1566. Le fait que la prophétie se termine par le quatrain d'août 1566, livré à l'imprimeur au début de 1565 – fait que nous avons démontré antérieurement – et le fait que Nostradamus ait inclu dans ce même Almanach sa troisième chronologie arbitraire, démontrent qu'à partir de cette date, Nostradamus considérait comme terminée sa mission prophétique. Il se réservait d'écrire son Testament en juin, date qu'il avait prophétisée depuis 1563 comme devant être celle de sa mort. Il l'avait d'ailleurs signalée en marge de l'exemplaire qu'il possédait des *Éphémérides* de Jean Stadius, par ces mots latins : « Hic Prope mors est. » (Ici, ma mort est prochaine).

L'histoire détaillée de la vie du prophète et, après sa mort, celle de sa famille, s'est diluée dans le temps qui détruit inexorablement les corps humains et jusqu'à leur souvenir. Mais il fait disparaître plus lentement certains documents. C'est ainsi que nous savons que de la vie de ses enfants disparurent progressivement les objets qui les avaient entourés et l'or accumulé. La maison changea de propriétaires. César meurt le dernier et, comme ses frères, il meurt sans descendance. Par sa correspondance et son testament, nous savons qu'il est mort pauvre, à l'âge de soixante-seize ans en 1630. Au cours des soixante-quatre ans qui se sont écoulés depuis la mort de Nostradamus, tout ce que celui-ci avait construit tout au long de sa vie a été détruit et est retourné au néant. Il ne reste, pour la postérité, que son œuvre prophétique, son véritable héritage, qui nous parvient à travers les orages des intérêts politiques du XVIIe siècle. Par les soins de son secrétaire qui s'attribue la qualité de disciple, Jean Aimé de Chavigny, cette œuvre s'est enrichie de quatrains que Nostradamus avait écartés et laissés à l'état de brouillons. Postérieurement, des poètes courtisans, utilisant le nom et la renommée du prophète y ajouteront plus de trois cent cinquante vers pour aduler et tromper Louis XIII.

Heureusement, le Testament, le Codicille et la liste du trésor qu'ils contiennent furent sauvés par les archives officielles de France. Avec ces documents, c'est l'énumération détaillée du trésor qui nous est connue et, avec elle, la composition exacte du véritable héritage, c'est-à-dire l'œuvre prophétique et le message qu'elle contient. Ce message secret n'était légué par Nostradamus ni à sa famille, ni à son fameux disciple, ni à aucun de ses commentateurs : il l'a légué à la France et à l'humanité.

Nostradamus a parfaitement le droit d'intituler, comme il le fait, son œuvre : « Escript Capitolin. » (Écrit du Capitole). En effet, c'est au Capitole qu'on gardait, à Rome, les vers prophétiques des Sibylles. Il dit textuellement (IX-32) que ses vers sont « dessouz la laz ». (Sous la pierre tombale). Il prophétise même que cette œuvre sera « trouvée » sous la pierre tombale. Et c'est bien ce que nous faisons actuellement : soulever « la laze », afin que tout le monde sache que le message secret se trouve là, qu'il est toujours gardé pour celui qui doit venir, au milieu du XXIe siècle, et dont Nostradamus a prophétisé l'avènement puisque son testament était nécessaire pour déterminer lesquels des quatrains font partie de son œuvre prophétique. Et pour procéder à un premier classement, Nostradamus avait raison d'affirmer que son message serait découvert sous une pierre tombale. Il avait également tout à fait le droit de dire que cette prophétie constitue son véritable héritage et de l'intituler : « Escript Capitolin. »

Il répète ces détails dans un autre quatrain prophétique (VIII-56) : « Tombe pres D. nébro descouverts les escripts » (Seront découverts ses écrits dans une tombe). C'est ainsi que Nostradamus parle symboliquement de sa tombe et de son testament. Il répète une fois de plus (VIII-66) : « Quand l'escriture D.M. trouvée. »

DOM (Deo Optimo Maximo) est la formule qui s'emploie comme en-tête dans les épitaphes. On pouvait aussi la réduire à D.M. (Deo Maximo). Nostradamus se réfère donc, dans ces vers, à une épitaphe qui sera découverte. L' « escriture D.M. », c'est ce qu'il désire écrire librement sur sa tombe, comme on le fait pour une épitaphe; en ce cas, il s'agit de son testament et du legs qu'il y fait de son véritable héritage, document qui nous autorise, en tant que représentants de l'humanité, à ouvrir sa « tombe » et à remettre à la postérité son « trésor », c'est-à-dire son œuvre prophétique dans laquelle se trouve, occulte l' « escriture D.M. », le message secret qui un jour sera découvert.

Ce legs prophétise l'histoire de l'Europe et reste constamment en vigueur pendant des siècles. Chaque guerre, le surgissement d'un personnage important, suscitent de nouvelles éditions et de nouveaux commentaires des prophéties de Nostradamus. En elles et dans le Testament, est gardé, sous une série de clefs qui le cachent, un message secret qui ne pourra être connu que cinq cents ans après le commencement de la prophétie, c'est-à-dire aux environs de la moitié du XXIe siècle (1557 + 500 = 2057) ou (1547 + 500 = 2047).

III-94. *De cinq cens ans plus compte l'on tiendra*
Celuy qu'estait l'ornement de son temps :
Puis à un coup grande clarté donera
Que par ce siècle les rendra tres contents.

Il est possible qu'il s'agisse de l'année 2055, parce que ce quatrain de la Troisième Centurie a été publié en 1555 avec la Première partie des Prophéties. En tout cas, cette date se situe entre 2047 et 2057 de notre ère, d'après le commencement de sa prophétie qui nous est connue par les éditions de Lyon et d'Avignon.

Tous les commentateurs ont d'abord pensé, et Nostradamus a contribué malicieusement à ancrer cette idée dans leurs têtes, que les quatrains ne sont pas à leur place, et qu'il faut les ranger d'après l'ordre des événements humains auxquels ils se réfèrent. Tous ont également pensé à l'existence d'une clef cryptographique extérieure, en quelque sorte, à l'œuvre prophétique elle-même. Les clefs testamentaires pourraient remplir ces conditions.

Mais l'ensemble de clefs que nous allons exposer maintenant et que Nostradamus a inventé, à l'intérieur et à l'extérieur de l'œuvre elle-même, pose de nouveaux problèmes. Certaines strophes et beaucoup de vers s'occupent exclusivement des clefs et n'ont rien à voir avec la prophétie. Mais l'auteur était obligé de les rédiger de telle manière qu'ils paraissent prophétiques, il a donc dû les remplir de mots et de phrases qui ne signifient rien. Et pour cela, il invente des nouvelles. Il nous le dit textuellement dans le quatrain de mai 1555. Il donne d'abord une série de chiffres, à utiliser dans la clef de la grande horloge de bronze, puis il met un point et termine la strophe par deux mots au sujet desquels nous attirons l'attention du lecteur : « Nouvelles inventées. »

Cela nous conduit à ne plus considérer l'œuvre nostradamique comme une succession intéressante et ininterrompue de prophéties, c'est-à-dire une anticipation de l'histoire de France et des autres pays d'Europe qui ont eu des rapports avec elle : c'est un document dont le but est infiniment supérieur à ce genre de préoccupation. Ses prophéties se regroupent autour de personnages historiques déterminés, comme si Nostradamus avait eu la vision parfaite des scènes les plus importantes des événements qui allaient déterminer leurs vies. Il nous parle de ces scènes avec des détails que l'histoire n'a pas pu conserver. Mais de simples scènes, même par centaines, n'ont pas suffi à lui donner une compréhension profonde de l'histoire humaine. Le prophète peut voir la cité détruite sans pouvoir pour autant nous expliquer la série d'erreurs qui a conduit à cette destruction. Il a pu retenir certaines dates, il a pu arriver à la conviction de certains faits historiques et les mettre en relation avec le cheminement du soleil au long de l'écliptique. Son témoignage peut être très utile pour l'humanité au moment où celle-ci doit affronter une catastrophe, mais il ne peut pas nous fournir un récit journalistique des événements futurs. Il n'a pas pu s'expliquer la Seconde guerre du XXe siècle et encore moins l'expliquer à ses contemporains du XVIe siècle. Mais il a eu la vision d'une scène et il a pu dire de Hitler : « Qu'on ne sçaura qu'il sera devenu » (III-58), car c'est bien le seul personnage historique dont on puisse dire une chose aussi extraordinaire [1].

Il avait un message important à nous communiquer, il était obligé de le cacher afin que nous puissions le trouver cinq siècles après. Ce message aurait été incompréhensible pour les hommes de son temps. Il pouvait parler d'un roi d'Angleterre mort sur l'échafaud et, de manière plus voilée, du supplice de Louis XVI, parce que personne ne prenait au sérieux ces prophéties jusqu'à leur réalisation. Il pouvait parler des persécutions subies par l'Église catholique. Mais il ne pouvait pas, sans mettre en danger et sa vie et son œuvre, assurer dans ses écrits la disparition du pouvoir politique de la Monarchie et de l'Église, devenues depuis un fait acquis.

Son message apocalyptique sera bien reçu quand les peuples d'Europe commenceront à vivre et à comprendre la catastrophe qui à ce moment-là, se rapprochera de plus en plus. Si un astre se rapproche dangereusement de la terre, c'est à ce moment que l'humanité pourra comprendre et mettre à profit le message du prophète. Si le texte secret est dévoilé en 2055, il pourra, sans changer le cours du destin, guider quelques hommes dans la réalisation d'un travail préparatoire qui améliorera la situation des survivants et les aidera à remplir leur terrible tâche sur une planète dévastée, après 2137.

Nostradamus prévoit une catastrophe cosmique qui ne sera pas la fin du monde, mais la fin de notre AGE. Il nous donne la date approximative de cette catastrophe avec une marge d'erreur de dix ans autour de la date centrale : entre 2127 et 2137 de notre ère, et il fait de son testament la pierre angulaire de sa prophétie.

En commençant par les clefs contenues dans le Testament lui-même, Nostradamus consigne dans son œuvre prophétique le travail cryptographique le plus important qui nous soit connu à cette date. Pour nous guider dans le déchiffrage il utilise tous les concepts capables d'évoquer un testament : la mort, le cercueil, la tombe, le monument funéraire, l'épitaphe, l'héritage, le trésor...

Un fait est évident : malgré le désordre apparent des quatrains, on a pu retrouver, dans les prophéties nostradamiques, tous les personnages importants de l'histoire européenne et tous les changements fondamentaux de cette histoire, de caractère politique ou religieux. Cela a éveillé, dans le public, un intérêt qu'on mesure dans la bibliographie sur le prophète. Pour parvenir à ce résultat, les commentateurs n'ont eu nul besoin de réaliser une recherche cryptographique. En réunissant les « thèmes », en s'appuyant sur les expressions que le prophète a inventées pour chacun d'entre eux, et sur l'exactitude philologique de ses phrases, on peut découvrir l'événement, une fois que celui-ci s'est réalisé.

Le seul but possible d'une cryptographie aussi exceptionnelle est de cacher un message très important, qui ne pourra être connu qu'à l'époque immédiatement antérieure à la catastrophe. Dans le quatrain III-94, Nostradamus nous révèle la date à laquelle le message sera découvert, avec la même approximation de dix ans dans le cas de la catastrophe, comme nous le verrons plus loin.

Dans la tradition judéo-chrétienne, l'idée de TESTAMENT est unie à la Révélation traditionnelle. L'Ancien Testament, c'est la Révélation faite à Abraham à travers le Pacte, l'Alliance, et la Circoncision pour la période zodiacale du Bélier. Moïse a renouvelé et codifié cette Alliance. Le Nouveau Testament est, dans son essence, la Révélation de Jésus-Christ pour la période zodiacale des Poissons. Le « Novisimo » Testament contiendra la révélation traditionnelle sous la forme que lui donnera l'Élu pour la période zodiacale du Verseau. Le message, qui ne pourra être connu qu'à travers le Testament de Nostradamus doit être nécessairement apocalyptique, pour la fin des Poissons et le commencement du Verseau. Il doit porter sur la catastrophe et sur la Révélation.

NOTE

1. Psychologiquement, l'homme ne peut pas trouver ce en quoi il ne croit pas, et encore moins ce dont on lui a appris à douter. Or, on a appris à l'homme à douter de la prophétie. Nostradamus a écrit et publié en 1555 :

III-13. *Quand submergée la classe nagera,* (Nager, du latin navigare, naviguer).

La prophétie ne s'est pas encore complètement accomplie, bien que des centaines de bateaux parcourent, submergés, de longues distances. Mais nous sommes sûr qu'elle s'accomplira : toute une escadre naviguera submergée. La mécanique mentale de notre époque est si terriblement dominatrice que le lecteur pense sans doute : « Jules Verne a bien prophétisé le sous-marin. » Et personne ne se souvient que si Jules Verne a prophétisé, au XIXe siècle, un sous-marin exceptionnel, Nostradamus, lui, prédit l'existence d'une escadre de sous-marins soixante-dix ans après la découverte de l'Amérique, exploit réalisé à bord de trois coquilles de noix qui mesuraient moins de cinquante mètres, de la proue à la poupe.

DEUXIÈME PARTIE

LA CHRONOLOGIE

I

LA CHRONOLOGIE TRADITIONNELLE

Pendant le déluge de Noé, les groupes épars qui sauvèrent, dans des cavernes, le trésor sacré de notre planète, le sang de l'humanité, sauvèrent aussi les connaissances qu'ils considéraient comme les plus importantes. Ils avaient vu leurs cités réduites en boue, ils avaient assisté à la disparition de leurs archives et de leurs instruments, ils se retrouvaient acculés à une lutte désespérée pour la survie; il est donc facile d'imaginer quelles étaient, pour eux, les connaissances qui ne devaient pas disparaître : celles qui étaient liées étroitement à leur propre salut et à l'avenir de la nouvelle humanité à laquelle ils avaient permis d'être.

Pendant des siècles, les relations entre ces groupes isolés furent impossibles. Mais ils n'eurent pas besoin de se mettre d'accord pour parvenir à une même conclusion : les connaissances et les techniques que l'homme développe dans le cours de sa lutte contre la nature finissent par l'absorber complètement et par stratifier la communauté humaine en fonction d'une certaine échelle de valeurs. Par ses conquêtes, donc, l'humanité s'écarte de son véritable destin, alors que les connaissances astronomiques et chronologiques rendent possible la prévision de la catastrophe. Ces connaissances constituaient la science qu'il fallait conserver jalousement et transmettre en héritage d'une génération à l'autre. Une élite devait veiller sur cette science. Mais le sauvetage physique de l'humanité ne servirait à rien sans l'accomplissement de la finalité humaine authentique, qui est le salut spirituel. Il fallait donc préserver et léguer également aux générations futures la Révélation, et tous les mythes, symboles et légendes qui permettent à l'âme de l'homme de parvenir à sa réalité éternelle.

L'ensemble des connaissances astronomiques, et du même coup la possibilité de pousser plus avant la science des astres, fut perdue dans la catastrophe. Les groupes humains qui échappèrent à la mort durent lutter pour survivre dans un milieu hostile. Ils conservèrent certains des résultats de la science ancienne et, surtout, continuèrent à diviser leurs jours selon les coutumes de leurs pères.

L'élite savait déjà que tous les matériaux se détruisent, que les idiomes s'oublient et que ce qui fait la base même de la manière de penser des groupes humains change d'un AGE à l'autre. Ils savaient que seuls les personnages fabuleux, les mythes, les légendes et les ensembles symboliques sont capables de traverser les siècles et les millénaires sous forme de chants et de contes et d'arriver jusqu'à nous.

Les hommes peuvent oublier que le héros doit détruire la personnalité d'un seul coup, et qu'il n'est pas possible de couper une des têtes de ce monstre sans qu'il lui en pousse immédiatement d'autres, mais Hercule continuera à écraser l'Hydre avec sa massue. La vérité qu'il symbolise pourra alors éclater, des siècles plus tard, dans le cœur d'un homme qui, en recherchant son Dieu, rencontre en chemin le mythe d'Hercule.

Dans tous les continents, cette élite nous a légué, en différentes versions, et revêtues de symboles, les connaissances nécessaires pour assurer l'accomplissement des deux finalités de l'humanité : son salut face au danger cosmique qui revient à la fin de chaque cycle et le salut spirituel du héros [1].

Beaucoup de légendes qui sont parvenues jusqu'à nous se réfèrent au « Trésor ». Ce sont les légendes qui traîtent du salut de l'humanité dans des cavernes préparées à cet effet. Elles nous donnent tous les éléments nécessaires pour découvrir ces cavernes et les utiliser quand viendra la catastrophe prophétisée. Ces traditions et ces légendes parlent aussi du salut du Héros. L'humanité doit se sauver dans le monde physique et le Héros, représentant de l'Humanité, doit traverser le monde magique pour se sauver dans le monde spirituel.

Il n'était pas nécessaire d'écrire l'histoire de toutes les humanités qui sont nées, ont vécu et sont mortes sur la terre. Sur la planète constamment agitée de convulsions et soumise à des catastrophes périodiques, le temps et les éléments réalisent, jour après jour, leur œuvre de destruction. Une telle histoire serait, d'ailleurs, complètement inutile : si une humanité antérieure avait atteint, pour ses membres, un degré de conscience supérieur, nous en aurions hérité, ils nous aurait été transmis par notre sang.

Beaucoup d'humanités doivent se succéder. Au cours de ce processus, les sociétés humaines serviront de terrain d'expérimentation d'où émergera l'homme d'abord, puis le surhomme. Ce qui rend possible toute la violence criminelle qui a lieu autour de nous, c'est que, malgré le petit nombre d'hommes qui peuvent prétendre légitimement à ce nom, le royaume « hominal » de la terre n'est qu'une possibilité, qui ne s'est pas encore réalisée. Nous pouvons être certain de cette conclusion, et le mouvement de recul qu'aura le lecteur en la lisant ne fait que confirmer la vérité de cette affirmation.

Les hommes supérieurs de l'humanité qui a précédé la nôtre durent s'occuper du passé de la terre de manière symbolique. Nous sommes convaincu que leurs connaissances dépassaient celles de l'astronomie européenne du XIXe siècle. C'est avec les données que leur fournissait cette astronomie qu'ils établirent la chronologie. Cette chronologie, nous l'utilisons encore aujourd'hui dans notre vie familiale et sociale : l'année, le mois, le jour, la succession des heures, la semaine de sept jours, la mathématique sexagésimale des minutes et des secondes qui est la même pour le temps et pour les degrés du cercle. Mais nous n'utilisons plus la période astronomique de six cents ans que Flavius Joseph attribue aux patriarches qui l'avaient eux-mêmes certainement héritée. Nous avons également oublié les conceptions cosmiques. Mais, heureusement quelques hommes exceptionnels ont conservé et transmis les idées fondamentales de cette chronologie mystique que nous avons intitulée chronologie traditionnelle, et traitée dans des chapitres de notre livre précédent [2].

Cette chronologie se fonde sur les mêmes connaissances astronomiques que la science officielle de nos jours et ne peut être niée. Personne ne peut prétendre non plus que nous l'avons composée. Nous l'avons retrouvée dans les traditions, les légendes, les livres sacrés de tous les peuples, dans tous les mythes et dans tous les ensembles symboliques, de la même façon que nous la trouvons dans les écrits de Trithème et de Nostradamus. Elle a été savamment occultée pour lui permettre de parvenir jusqu'à nos jours. Bien évidemment, elle n'a été expliquée en totalité dans aucune œuvre érudite.

Nous n'avons pas la prétention d'avoir dévoilé l'ancienne science, mais nous sommes sûr d'avoir commencé à soulever le voile qui cache la chronologie la plus ancienne. Nous croyons que ce travail, et celui des chercheurs qui le poursuivront, sera considéré comme très important au siècle prochain.

Nous avons commencé notre étude selon une conception de la Très Saincte Trinité, Cause Première, guidé en cela par deux prophètes : Jean Trithème et Michel Nostradamus. Avec eux, nous sommes parvenu jusqu'aux sept planètes, représentations des Sept Archanges, Causes Secondes après Dieu, selon Trithème. Nous avons poussé plus loin et nous établissons ici le rapport profond existant entre les humanités qui se succèdent sur notre planète et les Douze Possibilités, parfaitement différenciées, représentées par les douze constellations zodiacales qui régissent inexorablement, l'une après l'autre, la marche et le destin des hommes. Ces Douze Possibilités sont les Causes Troisièmes après Dieu.

Dans le Zodiaque, que nous parcourons en sens rétrograde, chaque humanité subit l'influence des quatre possibilités qui président les quatre secteurs du Zodiaque que notre système solaire parcourt pendant la durée d'un AGE. L'humanité du Verseau, soumise à l'influence de la onzième possibilité, sera très différente de la nôtre, dominée par la possibilité des Poissons.

L'influence générale exercée par notre système solaire sur notre petite planète et sur l'humanité est indéniable. Il existe un rapport évident entre les forces telluriques, leurs déplacements à la surface de la terre où nous habitons et sous cette surface, et les cycles historiques. A chaque instant de sa vie éphémère, l'homme est confronté à des situations inattendues. Sa mort elle-même est un accident imprévisible. Par-dessous tout le conscient, les vagues d'un destin l'entraînent, lui, son peuple et son humanité. Plus le cadre historique de référence est vaste et ancien, plus les grandes lignes de forces, qui ont rendu le résultat inévitable, apparaissent clairement.

L'existence de ce rapport entre l'homme et son milieu, entre la planète et le reste du système solaire, nous oblige à reconnaître l'existence d'un rapport entre ce système solaire et les autres groupes d'étoiles de notre galaxie, qui l'entourent, et au milieu desquels se développe la spirale de l'écliptique, la route cyclique du Soleil.

Les bases astronomiques de la chronologie traditionnelle ont été : la marche rétrograde du système solaire sur la courbe ouverte de l'écliptique qui constitue la seule horloge qui reste exacte à travers les siècles et les millénaires; et la marche de la Terre et de la Lune autour du Soleil, pour les courtes périodes de la vie humaine.

Nous voyageons à la surface d'une planète qui nous emporte à plus de mille six cents kilomètres/heure dans son mouvement de rotation et qui se déplace avec nous à travers l'espace, autour du Soleil, à plus de cent mille kilomètres/heure. Essayons d'imaginer les dimensions de la courbe écliptique que nous parcourons pendant une période de 25 824 années solaires environ.

Mais l'aire immense dont le soleil a fait le tour quand il revient à ce que nous pourrions appeler « son point de départ », n'est elle-même qu'un point dans l'espace, enfermé dans le cercle infiniment plus grand formé par les constellations du Zodiaque : douze groupes d'étoiles, tellement éloignés de nous que nous pouvons les considérer comme « fixes » dans le ciel. Et en faisant cette description, nous sommes resté dans les limites de notre galaxie, alors que les télescopes modernes découvrent des millions de galaxies!

Nous ne pouvons nier les connaissances astronomiques des hommes d'avant Noé. C'est seulement depuis ce dernier siècle que nous pouvons parler de millions de galaxies, et que nous savons que toutes s'éloignent, à des vitesses qu'il nous est impossible de concevoir, d'un centre qui nous est inconnu.

Il y a plus de six mille ans que les Hindous considèrent l'univers comme la manifestation, ou le souffle, de Dieu. Selon eux, c'est l'expiration de ce souffle qui a lieu actuellement et qui va donner lieu à des espaces de plus en plus grands, jusqu'au moment où devra commencer l'énorme période de l'inspiration, au cours de laquelle toute la Création retournera à Dieu, d'où elle était partie.

Cette conception grandiose réunit dans le plus haut des systèmes symboliques les trois principes de la Trinité, Causes Premières; les sept planètes, représentant les sept Causes Secondes, qui après Dieu, dirigent le monde, selon Trithème, et les douze constellations zodiacales, représentations des Douze Possibilités de la Manifestation, ou Causes Troisièmes après Dieu, comme la Science ancienne nous autorise à les intituler. La Kabbale expose ce système dans le nombre vingt-deux, divisé, comme les lettres hébraïques, en trois, sept et douze.

La courbe ouverte de l'écliptique a été divisée en vingt-sept mille secteurs. Sa projection sur un cercle idéal fut réduite de quatre pour cent et à vingt-cinq mille neuf cent vingt secteurs. Le temps de révolution du système solaire sur ce cercle a été fixé auparavant à environ vingt-cinq mille huit cent vingt-quatre années solaires. Les trois valeurs de l'écliptique – et par conséquent de chacune de ses divisions ou périodes, se trouvent ainsi établies de par ces trois nombres.

L'écliptique était divisé en trois AGES, chacun terminé par un cataclysme. Chaque révolution du Soleil sur l'écliptique s'accompagnait donc de l'anéantissement de trois humanités. Les trois points de rupture étaient signalés dans le Zodiaque : un entre Scorpion et Balance, un autre entre Cancer et Gémeaux, et le troisième entre Poissons et Verseau.

L'ancienne science a symbolisé trois AGES du passé de l'humanité sur la terre par une révolution du Soleil (fig. 1). Cette première révolution finissait avec l'apparition du deuxième Adam, apparition qui signale le commencement de la protohistoire. Au cours de cette révolution, trois AGES se sont succédé : celui des Anges, qui correspond aux secteurs zodiacaux de la Balance, de la Vierge, du Lion et du Cancer; l'Age des Enfants de Dieu, sous les Gémeaux, le Taureau, le Bélier et les Poissons, et l'AGE adamique du Paradis, et du Premier Adam, sous les signes du Verseau, du Capricorne, du Sagittaire et du Scorpion, qui sont la partie la plus haute du cercle zodiacal et correspondent, pour cette raison, au Paradis. Les Anges sont tombés dans l'Air, les Fils de Dieu sur la Terre et une catastrophe de Feu : l'épée de feu, qui se tordait dans toutes les directions, obligea Adam à suivre sur la terre la marche rétrograde du Soleil [3]. A trente degrés de la Balance commence le premier AGE de notre humanité, l'Age des patriarches hébreux et des rois

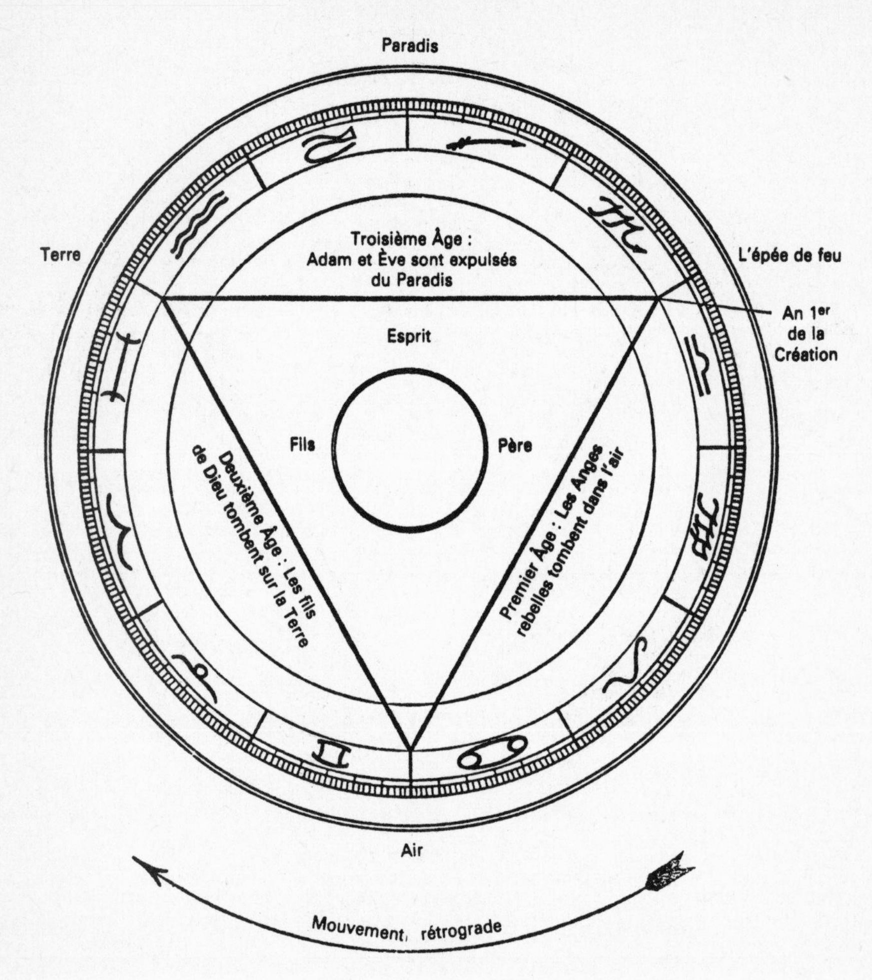

Fig. 1

chaldéens, qui disparaissent, à la fin du Cancer, dans un cataclysme provoqué par l'élément Eau. Noé commence à trente degrés des Gémeaux la marche rétrograde de notre Cinquième AGE. Notre humanité parcourt les Gémeaux avec Sem; le Taureau avec Phaleg; le Bélier avec Abraham, Père des Hébreux et des Arabes, et Père de l'Alliance. Sa révélation est mise en code par Moïse. Avec Jésus-Christ et le Nouveau Testament, notre humanité parcourt les Poissons (fig. 2).

D'après l'Apocalypse, notre humanité prendra fin dans la première moitié du XXIIe siècle, par une catastrophe produite par l'Air.

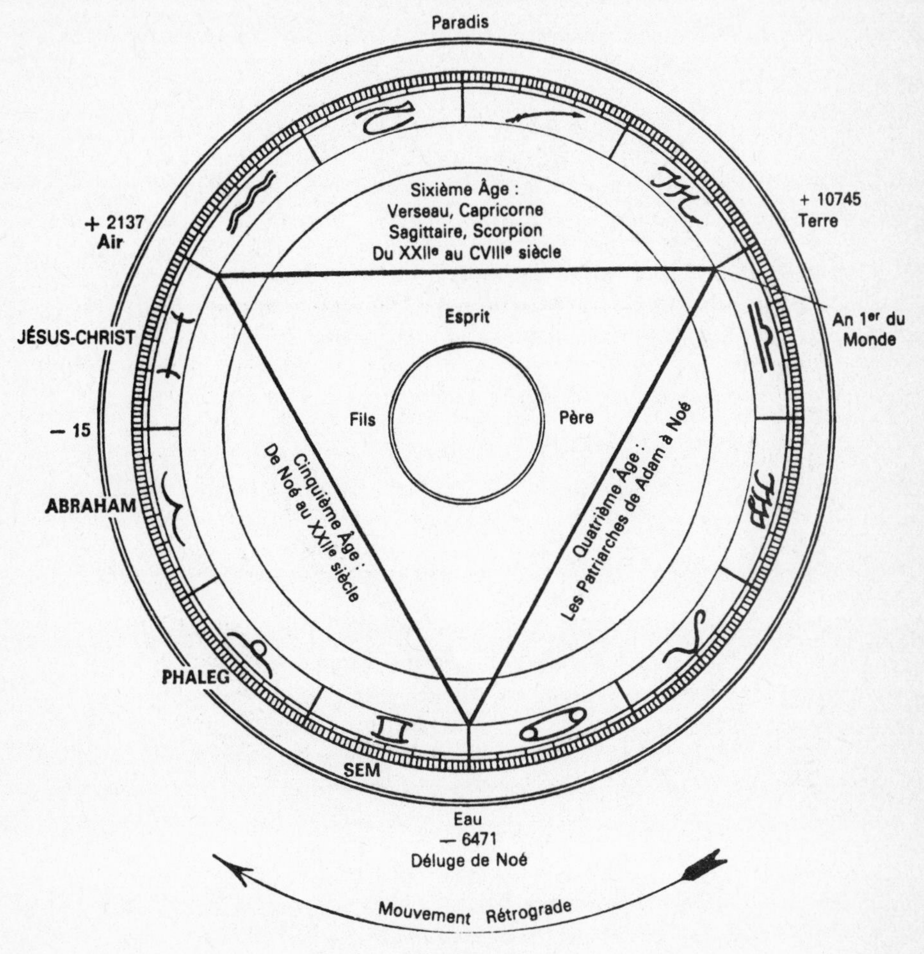

Fig. 2

A ce moment le Soleil, après avoir parcouru le secteur des Poissons, commencera sa course à travers le Verseau.

Telle est la succession rétrograde des éléments, que nous retrouvons dans la succession des catastrophes cosmiques ou telluriques de la planète : FEU, EAU, AIR, TERRE. L'ordre des éléments, en sens direct, est : Terre, Air, Eau et Feu. Les données numériques de cette chronologie antérieure au Déluge sont nombreuses et ont été établies de manière à ce que le problème astronomique reste incompris et occulte. Les prophéties assurent que pendant les « derniers jours », que nous vivons actuellement et qui sont les

180 années apocalyptiques avant la catastrophe, tout ce qui a été caché sera révélé pour que l'humanité puisse se préparer pour la terrible épreuve qui a été, elle aussi, prophétisée.

Les principaux éléments pour cette occultation de la chronologie traditionnelle ont été fournis par trois séries de nombres différentes et par la mise en place chronologique des années solaires ou écliptiques tout autour du cercle de 360 degrés. La courbe ouverte que le Soleil trace dans le cours de sa marche rétrograde jusqu'à son « point de départ » par rapport aux étoiles « fixes », pendant 25 824 années solaires, est la seule horloge exacte pour l'histoire de l'humanité. Immense pour l'homme, le cadran de cette horloge n'est qu'un point de l'espace stellaire, et nous en prenons conscience en le comparant à la distance incommensurable de l'anneau d'étoiles qui constitue le cercle zodiacal, sur lequel nous mesurons les angles de la marche rétrograde du soleil.

Trois nombres différents pour l'écliptique signifiaient également trois nombres pour chaque AGE, qui représente le tiers de l'ensemble de la courbe; pour chaque période du Zodiaque, douzième partie de celle-ci; pour chaque millénaire et pour chaque année, degré ou secteur. La place occupée sur le cercle de 360 degrés d'une section quelconque de l'écliptique, constituait une clef parce qu'il était nécessaire pour la déchiffrer de connaître l'année solaire et le degré qui avaient été choisis pour commencer cette section.

En établissant un tableau des subdivisions de l'écliptique et des trois valeurs de chacune de ces subdivisions, nous obtiendrons les mêmes nombres que nous retrouvons dans les diverses chronologies, suivis quelquefois d'un ou de plusieurs zéros [4].

En utilisant indistinctement ces trois séries de nombres sans les expliquer, en plaçant les périodes astronomiques sur le cercle de trois cent soixante degrés sans dire quel degré était choisi comme point de départ des calculs, et en exigeant le respect du secret initiatique sous peine des plus sévères châtiments, les collèges sacerdotaux ont conservé jalousement leurs secrets chronologiques, qui ne disparurent qu'avec eux. Mais ils nous ont légué, à travers les légendes, les contes et les livres sacrés, suffisamment de données pour qu'il nous soit possible de reconstituer la science des temps, base des prophéties, qui signale les grandes tragédies humaines, à la fin de chaque AGE d'une durée de quatre périodes zodiacales.

Une autre science a conservé ses secrets jusqu'à nos jours en utilisant les mêmes méthodes : l'Alchimie. De nombreux véritables alchimistes ont laissé un rapport de leurs travaux, mais aucun n'a fait un récit complet : aucun n'a laissé établi à quelle partie du Grand Œuvre se réfèrent ses travaux; aucun non plus n'a nommé par son nom la première matière alchimique que tout alchimiste doit découvrir.

L'existence de la chronologie traditionnelle est pleinement

	Nombres des secteurs de la courbe ouverte	*Nombres des secteurs de la projection circulaire*	*Années solaires*
1 Écliptique	27 000	25 920	25 824
1/2 Moitié de l'écliptique	13 500	12 960	12 912
1/3 Un tiers : un AGE ..	9 000	8 640	8 608
2/3 Deux tiers	18 000	17 280	17 216
1/6 Un sixième : moitié d'AGE	4 500	4 320	4 304
1/12 Une période zodiacale de l'écliptique ...	2 250	2 160	2 152
1/18 Dix-huitième de l'écliptique	1 500	1 440	1 434/8 m
1/24 Demi-période zodiacale = période du Phénix	1 125	1 080	1 076
1/36 Tiers de la période zodiacale	750	720	717/4 m
1/48 Quart de période zodiacale	562 a 6 m	540	538
1/60 Cinquième de période zodiacale	450	432	430/4 m
1/72 Sixième de période zodiacale	375	360	358/8 m

démontrée, ainsi que son utilisation par deux prophètes qui sont en même temps deux personnages de la Renaissance : Jean Trithème et Michel Nostradamus. Ce dernier a même osé nous donner, de manière occulte, les principaux éléments de cette chronologie. Son but était de prophétiser la catastrophe tellurique ou cosmique qui détruira notre humanité au début du XXIIe siècle, en la situant dans le temps avec la plus grande exactitude possible. Il a également prophétisé la venue du personnage qui, au milieu du XXIe siècle, recevrait son héritage : le message chiffré caché dans son œuvre prophétique et qui, certainement, complétera et expliquera sa prophétie apocalyptique.

Voyons d'abord de quelle manière Nostradamus prophétise le personnage auquel nous nous sommes référé et qu'il appelle le César, le Grand Monarque, et comment il fixe la date de son action. D'ailleurs, nous ne pensons pas que ce personnage soit appelé à dominer le monde et à apporter le bonheur physique à la planète. Nous ne croyons pas possible, pour un gouvernant, d'arrêter l'explosion démographique, la pollution de l'eau et de l'air, ni d'éviter l'extinction des ressources naturelles, gaspillées par les ignorants qui les ont crues et les croient encore inépuisables.

La seule action digne de ce Grand Monarque sera de sauver quelques groupes humains de la catastrophe. Seul ce motif explique que sa venue soit prophétisée dans des messages dont le caractère apocalyptique est clair. Nous avons déjà vu, au chapitre précédent, le quatrain par lequel Nostradamus prophétise à la fois le personnage et la date de son apparition :

III-94. *De cinq cens ans plus compte l'on tiendra*
Celuy qu'estoit l'aornement de son temps :
Puis à vn coup grande clarté donra,
Que par ce siecle les rendra trescontents.

Le premier vers publié en 1555 situe la date de l'accomplissement de cette prophétie à 500 ans plus tard, c'est-à-dire 2055. Le second vers dit de qui il s'agit : celui qui sera l'ornement de son temps. Le premier mot du troisième vers nous fait penser que 2055 sera l'année de la naissance de ce Prince. Son action vient plus tard : « puis » ; et tout à coup, en un instant, éclairant tout et donnant le bonheur à son siècle. Il s'agit du bonheur du millénaire.

Beaucoup de commentateurs ont trouvé dans Nostradamus des affirmations très claires en ce qui concerne le Grand Monarque à venir. Leurs désirs et leurs espoirs personnels ont rendu ces commentateurs incapables de fixer la date exacte de sa venue, alors qu'elle est clairement indiquée dans le quatrain que nous commentons. Chacun a cru trouver son Grand Monarque.

Dans un autre chapitre, nous verrons que Trithème dédie ses deux principales œuvres à l'empereur Maximilien Premier sous le titre de César, et qu'il s'adresse à lui en disant : « Très sage César ». Nous verrons aussi que Nostradamus a baptisé du nom de César son premier fils et qu'il lui dédie la première publication des Centuries, unissant ainsi son œuvre à celle de Trithème pour le décryptage futur des messages secrets que contiennent les deux œuvres. Nostradamus dédicace la première publication des Centuries : « Ad Cesarem Nostradamum Filium ». Plus tard, en 1558, il dédie les trois dernières Centuries de son œuvre prophétique à « Henry, Roy de France, Second », le Grand Monarque [5].

Une fois déterminée la courbe de l'écliptique et la valeur de ses secteurs en années solaires, le plus important à déterminer était la date exacte de la fin d'un signe zodiacal et du commencement du signe suivant. Nostradamus l'a donnée dans le quatrain VI-2 que nous avons déjà mis en relation avec les deux dates du commencement de ses prophéties, 1557 selon les éditions de Lyon et 1547 selon les éditions d'Avignon [6].

VI-2. *En l'an cinq cens octante plus & moins,*
On attendra le siècle bien estrange :
en l'an sept cens, & trois cieux en tesmoings
Que plusieurs regnes un à cinq feront change.

Les deux nombres de ce quatrain sont en rapport, le premier avec 1557 et le second avec 1547 : tous deux marquent la fin des Poissons, la fin de notre Cinquième AGE et la fin du Kali Yuga. C'est en même temps le commencement du signe du Verseau.

En ajoutant 580 ans à 1557, on obtient 2137, début historique de la période zodiacale du Verseau. En ajoutant 703 ans à 1547, on obtient 2250; soit, comme on peut le vérifier dans notre tableau, la douzième partie de l'écliptique ouvert, c'est-à-dire la durée d'une période zodiacale. Nostradamus nous indique qu'il s'agit, en 2137, de la fin de notre Cinquième Royaume ou AGE.

La date finale de notre AGE, du signe des Poissons et de la catastrophe, est de la plus grande importance dans l'œuvre apocalyptique de Nostradamus. Le prophète nous la donne à plusieurs reprises, sous une forme occulte. Non seulement il s'y réfère deux fois dans le quatrain VI-2, mais il la cite encore au quatrain III-56 qui dit : « Depuis six cents et sept vingts trois pars. » Il s'agit de l'année 1607 qui se termine, pour lui, d'après la chronologie des Hébreux, le 14 mars 1608. Nostradamus a fixé le commencement de sa prophétie, selon les éditions de Lyon, au 14 mars 1557. Si nous ajoutons 23 fois 23 ans, soit 529, à 1608, nous arrivons à la date cyclique de 2137 de notre ère (1608 + 529 = 2137).

Au quatrain suivant, III-57, Nostradamus dit encore : « Taintz en sang en deux cens nonante *an*. » Étant donné que 290 est la moitié de 580, ce quatrain répète la donnée de VI-2. En effet, 1557 étant l'année de commencement de la prophétie, en y ajoutant deux fois 290, soit 580, nous obtenons une fois de plus 2137, c'est-à-dire « l'*an* teint de sang » (1557 + 290 + 290 = 2137). C'est le mot *an* écrit au singulier comme pour indiquer la dernière année, celle qui se teindra de sang, qui a attiré notre attention.

Nostradamus nous a donné trois fois de manière occulte les données de la chronologie mystique nécessaire pour fixer dans le temps, d'après le cheminement du soleil sur l'écliptique, la date de la catastrophe qu'il prophétise. Cette date signale la fin de notre humanité et le début du Sixième AGE.

NOTES

1. Pour le salut physique de l'humanité, l' « Arche » qui protégeait le groupe humain de la mort immédiate ne suffisait pas. Il fallait encore les semences et les animaux domestiques qui assurent la survie. Quand nous lisons la Bible, nous ne nous apercevons pas que le blé, le maïs, le riz, le soja, la pomme de terre, et tous les autres tubercules et céréales, ont exigé des siècles de travail intelligent pour passer de l'état sauvage à leur état actuel. Jusqu'à ces derniers siècles, ils restent les seuls aliments de base. Nous n'en avons pas transformé d'autres. Avant ces conquêtes, et la

domestication et l'amélioration des espèces animales qui nous aident ou nous nourrissent, la subsistance des groupes humains était très précaire. La domestication des animaux a requis, elle aussi, un processus qui a duré des siècles. Nous n'avons pas non plus domestiqué d'autres animaux dans toute la période historique.

2. D. Ruzo, *op. cit.*

3. Adam suit « le chemin de la terre », la route rétrograde vers l'Orient, vers le levant. Les cycles du zodiaque et l'influence des étoiles sur la terre et sur l'humanité se succèdent suivant ce cheminement rétrograde : Verseau après Poissons. Le chemin historique, de domination de chaque nation et de chaque continent, se développe en sens inverse. Nous nous souvenons de la prédominance asiatique, puis de la prédominance européenne qui lui succéda. Nous sommes témoins de la prédominance américaine actuelle. L'importance de chaque nation dans le monde physique va en sens inverse du cheminement spirituel de l'humanité. C'est pourquoi le « bonheur » du millénaire coïncide avec la « catastrophe ». Les cycles chronologiques de Trithème suivent, sur le zodiaque, le sens inverse de la série de la semaine : Vénus, Jupiter, Mercure, Mars, Lune, Soleil, Saturne. Par contre, la marche historique à laquelle nous nous sommes référé, suit l'ordre de la semaine en sens direct, de Saturne jusqu'à Vénus.

4. Le nombre 720 est celui de la valeur d'un des temps de la prophétie de Daniel, qui s'accomplit exactement, non pas en périodes écliptiques, mais en années solaires. Les nombres 144, 108, 1 296, 1 728, 720, 8 640, 432, 360, sont les nombres de la chronologie hindoue en années de l'écliptique. D'autres nombres, qui n'apparaissent pas dans notre tableau, comme 216 et 288, sont en relation cependant avec nos nombres de l'écliptique : 216 est la cent-vingtième partie, et 288 la quatre-vingt-dixième partie, de 25 920.

5. La dédicace apparemment à Henri II, est adressée, conformément à la rédaction qui apparaît dans toutes les éditions de Lyon, à « Henry, Roy de France Second », c'est-à-dire à Henry, Roy de France favorable au « Grand Monarque ». Telle est bien en effet la rédaction utilisée, mais personne n'a apporté jusqu'ici de preuve documentée sur le fait que tel était bien le sens véritable que Nostradamus donnait à cette expression dans la dédicace de ses trois dernières Centuries. Nous possédons, dans notre bibliothèque, le seul exemplaire connu de : « Les Présages / Merveilleux / pour l'an 1557. Dédiés / au Roy treschretien / Henri deuxiesme / de ce nom, / Composez par maistre Michel Nostra / damus, docteur en medecine de Salo / de Craux en Provence. / Contre ceulx qui tant de foys / m'ont fait mort. / Immortalis era vivus, moriesq; magisq; / Post morté nome vivet in orbe meum / A Paris, / Par Iacques Kerver, rue S. Iaques / aux deux Cochetz. / 1557. / Avec privilege du Roy. » Dédié cette fois très clairement à Henri Second. La dédicace dit textuellement : « Au Trés-Invin-/cible, & tres puissant Roy, / Henry, second de ce nom, / Michel de Nostradamus sou-/haite victoire et félicité. » Quand il s'adresse au Grand Monarque en 1558, Nostradamus emploie une rédaction différente : « A L'Invinctissime, / tres puissant, & tres-chretien Henry / Roy de France *second :* Michel No-/stradamus son tres-humble, tres- / obeissant serviteur & sub- / iect, victoire & / felicité. » Il est donc prouvé, bibliographiquement, que Nostradamus n'emploie cette forme pour s'adresser au Roi que dans la dédicace de ses trois dernières Centuries et dans les éditions de Lyon. Ceci, ajouté à la dédicace de la première édition, « ad Caesarem Nostradamum Filium », nous

conduit à admettre que Nostradamus a dédié toute son œuvre prophétique, comme l'Abbé Trithème l'avait fait de son œuvre mystique, à César, au Grand Monarque.

5. D. Ruzo, *op. cit.*

II

TEXTE DE LA LETTRE-PRÉFACE DANS SON ADAPTATION EN FRANÇAIS MODERNE DE FRANÇOIS DE PIERREFEU DIVISÉE EN TRENTE-SIX PARAGRAPHES

La première édition des Prophéties de M. Michel de Nostradamus par Macé Bonhomme, en la ville de Lyon, fut achevée le 4 mai 1555. Elle se composait d'une lettre-préface et de quatre Centuries dont la quatrième était incomplète, soit 353 quatrains. En 1554 déjà, Nostradamus avait publié son premier Almanach contenant des vers prophétiques pour 1555 sous le titre de : *Pronostication Nouvelle et Prediction Portenteuse.* Cet Almanach contenait treize quatrains, un pour l'année et douze pour les douze mois de l'année. Aucun de ces quatrains ne se référait à l'année 1555. Les efforts du premier commentateur du prophète pour établir un rapport entre ces quatrains et les événements de l'année en question n'ont pu convaincre personne.

La lettre-préface, que nous avons citée, était adressée par l'auteur à son fils César, né le 18 décembre 1553, et qui n'avait donc pas encore quinze mois au 1er mars 1555, date à laquelle fut rédigé ce document. Ces circonstances, et une phrase de la dédicace elle-même, qui donne lieu à des interprétations, ont conduit certains commentateurs à assurer qu'elle était adressée, non pas à son fils César, mais à un fils spirituel du prophète. Il ne peut s'agir que du personnage futur dont la venue est prophétisée pour le milieu du XXIe siècle. Ce personnage sera dirigé, ou aidé, dans la mission historique qu'il doit accomplir, par l'œuvre prophétique à laquelle la lettre sert de préface.

L'étude de François de Pierrefeu [1], que nous avons connu à Aix-en-Provence en 1947, et qui nous a dédié la transcription en français moderne de la lettre-préface, est une démonstration de la profondeur philosophique de l'œuvre de Nostradamus. Celui-ci précise tous les aspects du rapport existant entre le prophète et le monde spirituel. En lisant cette lettre avec le souci d'en comprendre le sens, au-delà de la dogmatique et de l'astrologie dont il devait l'habiller, nous restons admiratifs devant la haute métaphysique de Nostradamus, qui analyse et reconnaît les états de conscience dont il a lui-même fait l'expérience, par les différents degrés d' « union » en dehors des lois du monde physique. Non moins digne d'admiration nous paraît la puissante capacité du traducteur, qui a su transcrire l'œuvre sans la trahir.

Ni François de Pierrefeu, ni nous-même, n'étions parvenus, en 1947, à découvrir dans les quelques phrases de cette lettre, les conceptions astronomiques et chronologiques de Nostradamus. Conceptions qui auraient été inaccessibles à Copernic et à tous les astronomes européens du XVIe siècle. La chronologie cyclique traditionnelle, antérieure au Déluge et qui permet de prophétiser la prochaine catastrophe que souffrira notre humanité et d'en fixer la date exacte avec une approximation de dix années solaires, appartient bien à la science d'une humanité disparue.

Vingt-cinq ans après cette première rencontre, nous sommes en mesure d'offrir au public la traduction de Pierrefeu et nos études de l'œuvre de Nostradamus qui démontrent que celui-ci était bien le dépositaire de connaissances astronomiques et chronologiques, héritées des Égyptiens et de Moïse-prophète. Nous avons retrouvé ces connaissances secrètes, cachées dans les nombres de la Grande Pyramide et de l'Ancien Testament, qui sont les documents dignes de foi les plus anciens que nous ayons pu consulter.

PRÉFACE DE M. MICHEL NOSTRADAMUS À SES PROPHÉTIES

A César NOSTRADAMUS, mon fils, Vie et Félicité.

1. Ton avènement tardif en ce monde, CÉSAR NOSTRADAMUS, mon fils, m'incite à mettre par écrit, afin de t'en laisser mémoire après mon extinction corporelle, ce que l'Avenir de la Divine Essence m'a donné de connaître par le moyen des révolutions Astronomiques. C'est au commun profit des humains que je te dédie cet ouvrage, fruit d'une suite jamais interrompue de veilles nocturnes au cours d'une vie déjà longue.
2. Et puisqu'il a plu au Dieu immortel que, présentement, tu ne sois pas encore éveillé aux lumières naturelles dont il a pourvu cette terrienne plage, parcourant seul et sous le signe de Mars les mois de ta première enfance, et non pas déjà des années plus robustes et qui se prêteraient à ma compagnie, et qu'ainsi, ton entendement, trop débile à cette heure, ne saurait rien recevoir des produits d'une quête, laquelle, et par la force des choses, avec mes jours prendra fin.

3. Et vu que, par écrit, je ne pourrais te transmettre ce qui est fait pour la tradition orale : ces paroles, chez les nôtres héréditaires, qui t'ouvriraient à ton tour la voie de l'occulte prédiction, car, sous l'écriture, le temps les viderait de leur efficace, celle-ci demeurant enclose en mon estomac.
4. Considérant aussi que, pour l'homme, les événements futurs restent en définitive toujours incertains, comme étant, éminemment, régis et gouvernés par la puissance inestimable de Dieu; lequel, cependant, ne laisse pas de vouloir nous inspirer, et cela, non pas au travers de transports dyonisiaques ni de mouvements issus du délire, mais, à la vérité, par les figures Astronomiques qu'Il nous propose : « *Hors l'assentiment divin, nul ne peut présager justement des événements fortuits et particuliers, ni sans avoir été touché par le souffle de l'esprit prophétique.* »
5. Rappelant par ailleurs que, dès longtemps et à maintes reprises, j'ai prédit, fort à l'avance et en précisant les lieux, des événements qui se produisirent effectivement en ces lieux, prescience que je ne manquai jamais d'attribuer à la vertu de l'inspiration divine; que, de plus, j'ai annoncé comme imminents certains fléaux ou prospérités qui, bientôt, vinrent affecter les zones que j'avais désignées, parmi toutes celles qui s'étendent sous les différentes latitudes; que, par la suite, j'ai préféré taire au monde mes prédictions, renonçant même à les mettre par écrit, tant j'avais appris à redouter pour elles l'injure du temps, et pas seulement du temps qui court, mais, aussi et surtout, de la plupart des époques qui suivront : parce que les royaumes de l'avenir se montreront sous des formes tellement insolites, parce que leurs lois, leurs doctrines et leurs mœurs seront tellement changées par rapport aux présentes, au point même qu'on les pourrait dire diamétralement opposées à celles-ci, que, si j'eusse tenté de décrire ces royaumes tels qu'ils seront en fait, les générations futures, j'entends celles qui, tenant encore à l'ordre en vigueur, se sentiront toujours assurées dans leurs frontières, dans leurs sociétés, dans leurs modes de vie et dans leur foi, ces générations, dis-je, n'en eussent pas voulu croire leurs oreilles et en fussent venues à condamner une description pourtant véridique, ainsi que, trop tard, en eussent convenu les siècles.
6. Me référant enfin à la toute vérité de cette parole du Sauveur : « *Ne donnez pas aux chiens ce qui relève de la sainteté, ne jetez pas les perles aux cochons, de peur qu'ils ne les foulent aux pieds, et, se retournant ensemble contre vous, qu'ils ne vous mettent en pièces.* »
7. Pour toutes ces raisons, je m'étais résolu à retirer ma langue au populaire et ma plume au papier.
8. Puis je me ravisai, et je pris un parti tout autre : celui d'étendre l'emploi de mes clartés à l'ensemble des cas futurs, aussi loin que je les apercevrais, y compris ceux dont le jugement m'apparaîtrait comme le plus urgent, et de m'adresser, non plus à quelques-uns, mais au peuple entier des hommes et à l'époque qui aura vu son accession à la chose publique. En outre, sachant l'auriculaire fragilité des hommes, et ne voulant risquer de la jamais scandaliser, quelque mutation qui s'opère dans les mentalités, je décidai de m'exprimer en sentences courtes, *tressées les unes parmi les autres*, et dont le sens serait défendu par de sévères obstacles : le tout devant être rédigé sous figure nébuleuse, ainsi qu'il convient tout particulièrement à ces prophéties dont il est écrit : « *Tu as caché ces choses aux savants et aux prudents, savoir aux*

puissants et aux rois, mais tu les a tendues comme des fruits débarrassés de leurs noyaux à ceux qui pèsent peu sur le sol et qui n'encombrent pas l'espace. »

9. Les Prophètes d'autrefois, qui virent les choses lointaines et qui prévirent les événements futurs, avaient reçu de Dieu et de ses Anges cet *esprit de vaticination* sans lequel nulle œuvre ne se peut parachever. Tant que cet esprit de vaticination demeurait chez les Prophètes, la puissance qu'il leur communiquait était immense, et ils répandaient leurs bienfaits sur tout ce qui leur était soumis. Or il existe d'autres réalisations possibles que les réalisations sublimes des Prophètes, et, par raison d'analogie entre leurs objets respectifs, celles-ci dépendront de notre *bon Génie* exactement comme celles-là dépendaient de Dieu. Afin de nous permettre ces moins hautes réalisations, l'esprit de vaticination rapproche de nous sa chaleur et sa puissance, ainsi que fait le soleil envers nos personnes physiques quand, ayant jeté ses rayons sur les quatre éléments, il laisse son influence, renvoyée par ces éléments, s'épandre aussi sur des corps non-élémentaires, comme sont les nôtres. Quant à nous, en tant que purs humains, nous ne sommes capables de rien pénétrer, par le seul exercice de nos facultés et talents naturels, des secrets insondables de Dieu créant l'Univers : « *Car il ne nous est pas donné de connaître des temps, ni des moments, etc.* »
10. Ce n'est pas qu'à notre époque, il ne puisse exister ou survenir certains personnages comme il en fut dans le passé, à qui Dieu le Créateur veuille révéler, par le moyen d'images imprimées par Lui en leur esprit, quelques secrets de l'avenir en harmonieux accord avec les jugements Astrologiques. A cet effet, une sorte de flamme vient en ces personnages, exaltant leur faculté volontaire, les inspirant, et leur faisant discerner dans les choses futures ce qui sera du fait de l'homme et ce qui sera du fait de Dieu. Car l'œuvre divine, si elle est absolue dans son total, ne l'est pas dans ses parties. Or, ces parties sont trois : les Anges, les Mauvais, et, entre les deux, l'homme et ses pouvoirs : ce qui laisse à Dieu tout le champ possible pour parachever son œuvre comme il l'entend.
11. Mais il me semble, mon fils, que je te parle ici un langage un peu trop ardu.
12. Pour revenir à mon propos, je te dirai qu'il existe une autre sorte de prédiction occulte, qui nous vient oralement et sous forme poétique du *subtil esprit du feu.* La chose advient parfois quand, à la faveur d'une plus haute contemplation de ce que sont en vérité les Astres, ce subtil esprit du feu s'empare de notre entendement. Alors notre attention se fait plus vigilante, et spécialement aux perceptions de l'ouïe : nous commençons à entendre des phrases cadencées, et voici que nous nous surprenons récitant tout d'un trait, sans nulle crainte et toute vergogne oubliée, de longues suites de sentences déjà prêtes pour l'écriture. Mais quoi! Cela ne relève-t-il pas aussi du don de divination, et ne procède-t-il pas de Dieu, du Dieu qui transcende le temps, et dont procèdent tous les autres dons?
13. Encore, mon fils, que j'aie mis en avant le terme de Prophète, ne crois point que je me veuille attribuer titre de si haute sublimité, surtout au regard du temps présent. N'est-il pas écrit : « *Celui qu'aujourd'hui on qualifie de Prophète, autrefois on l'eût nommé un Voyant* » ? Prophète, en effet, c'est, proprement, celui qui voit des choses situées tout à fait hors de la portée de la connaissance naturelle, et je ne dis pas seulement de

l'homme, mais de tout être créé. Que si tu pensais que le Prophète puisse, moyennant la lumière prophétique la plus parfaite, saisir le *tout* d'une chose, ou divine, ou même humaine, je te répondrais que cela n'est pas possible, vu que cette chose étend dans toutes directions des ramifications indéfinies.

14. Oui, mon fils, les secrets de Dieu sont incompréhensibles; et si la vertu productrice des causes futures peut bien cheminer sur un long parcours en étroit contact avec la connaissance naturelle, les causes qui naîtront d'elle échapperont pourtant à cette connaissance naturelle : elles prendront en effet une autre de leurs origines, l'ultime et la plus déterminante de toutes, dans le *libre arbitre*; ce qui fait qu'elles ne sauraient acquérir aucune condition capable de les faire connaître à l'avance, ni par d'humains augures, ni par nulle intelligence surhumaine ou occulte puissance comprises sous la concavité du Ciel. Et cela résulte aussi de ce fait suprême : une Éternité Totale, qui vient en soi embrasser tous les temps.

15. Mais par cela même que cette Éternité est indivisible, les impulsions continuelles qui en émanent ne peuvent que s'inscrire, et avec rigueur bien que de façon symbolique, dans le mouvement des Astres : d'où la possibilité d'atteindre les causes pour qui possède la connaissance de ce mouvement.

16. Je ne dis pas, mon fils, et vous m'entendrez un jour, encore que toute notion en ces matières soit aujourd'hui interdite à ton débile cerveau, je ne dis pas que bien des causes futures, et même de fort lointaines, se trouvent hors de l'atteinte de la créature raisonnable. Il n'en est rien chaque fois que ces causes futures seront tout bonnement engendrées par l'âme intellectuelle des choses présentes. Pour lointaines qu'elles soient, ces causes futures ne sont alors ni trop occultes ni trop difficiles à situer dans leur chaîne causale.

17. Mais ce qui jamais ne se pourra acquérir hors l'inspiration divine, c'est la connaissance *complète* des causes : celle-ci exige impérieusement l'inspiration, ce moteur primordial dont le principe est Dieu le Créateur; instinct et science auguraux ne viennent qu'après. Ces derniers cependant ne sont pas sans efficace en ce qui concerne les causes *indifférentes*, c'est-à-dire celles qui sont indifféremment produites ou non-produites : dans ce cas, le présage se réalise régulièrement, et au lieu prévu, mais en partie seulement.

18. Car l'entendement, créé pour la connaissance rationnelle, est, de lui-même, inapte à la *vision occulte* : cette faculté ne s'éveille qu'à la faveur du *limbe divinatoire* et de la *voix* qui s'y fait entendre, celle-ci traduisant les mouvements d'une *flamme exiguë, exacte et agie du dehors*, en qui les causes futures se viennent incliner.

19. A ce propos, mon fils, je te supplie de ne jamais vouloir employer ton entendement à telles rêveries et vanités qui sèchent le corps et qui mettent l'âme en perdition, en troublant le jugement chez qui ne l'a pas très fort, et, surtout, de te garder de la magie, cette vanité plus qu'exécrable, réprouvée jadis par les Écritures sacrées et par les divins canons; à l'exception toutefois de l'Astrologie judiciaire, laquelle échappe à cette condamnation, et qui fut la matière même de mes continuelles supputations. C'est par l'Astrologie, et moyennant inspiration et révélation divine que j'ai rédigé les présentes Prophéties.

20. Et bien que cette branche de la Philosophie secrète ne soit, quant à elle, aucunement réprouvée, je me suis gardé de la jamais pousser à ce

qu'elle pourrait présenter de présomptueux et d'effréné dans ses spéculations extrêmes; encore que plusieurs ouvrages traitant de ces spéculations, et qui étaient restés cachés pendant de longs siècles, me fussent venus entre les mains. Mais, comme je me méfiais de ce qui en pourrait advenir après moi, j'en ai fait, les ayant lus, présent à Vulcain. Et cependant que le feu les détruisait, la flamme léchant l'air rendait une clarté insolite, plus forte que toutes celles qu'eût pu produire une flamme ordinaire, et, pareille à un éclair de foudre, elle illumina tout à coup la maison comme si celle-ci allait *subtilement* s'embraser. C'est pourquoi, afin que vous ne risquiez un jour d'être abusé par ces livres, poursuivant et vérifiant soigneusement la parfaite transformation de ce qui, en eux, relevait de la Lune, comme aussi de ce qui relevait du Soleil, et de telle façon que, sous terre, les éléments solaires fussent remis aux substances incorruptibles et les lunaires aux ondes occultes, je les ai finalement en cendres convertis.

21. Mais rejetons au loin ces imaginations fantastiques!

22. Ce que j'ai voulu manifester à tes yeux, c'est l'essence intime de cette connaissance qui, se modelant sur la connaissance céleste, nous permet de juger des causes qui interviendront en tel lieu bien défini, des lieux eux-mêmes et d'une partie du temps, à savoir : de celle qui sera douée de propriétés occultes; le tout par inspiration divine, et en accord avec les figures célestes envisagées sous un jour supernaturel. Ce jugement s'assure sur les vertu et puissance divines, et sur cette qualité propre à l'Éternité de comprendre en Soi les trois temps; grâce à quoi nous est révélée la cause future, aussi bien que la cause présente ou que la cause passée : « *Parce que toutes choses sont nues et ouvertes devant Elle, etc.* »

23. Ainsi, mon fils, tu pourras bientôt comprendre, nonobstant ton tendre cerveau, que les choses à venir se peuvent prophétiser par les nocturnes et célestes lumières, qui sont naturelles, et par l'esprit de prophétie. Non pas, je le répète, que je me veuille attribuer nom et puissance prophétiques lorsque je dis avoir reçu des inspirations et des révélations. Non, je ne suis qu'un homme mortel, et qui touche du Ciel par l'esprit non moins que des pieds à la terre : « *Je puis ne pas errer, et pourtant j'ai failli et je fus indifèle.* » Pécheur je suis, autant que quiconque en ce monde, et sujet à toutes les humaines afflictions.

24. Mais, néanmoins, comme, plusieurs fois la semaine, je me surprenais interrogeant un miroir liquide et y recevant d'hallucinantes images, je voulus rendre ces visions dignes de la bienveillance divine en les soumettant, pendant de longues nuits, à l'épreuve de l'étude et du calcul. C'est ainsi que je composai les présents Livres de Prophéties. Ils contiennent chacun cent quatrains accordés à l'Astronomie. Quant aux Prophéties elles-mêmes, je les ai volontairement obscurcies quelque peu *par la façon dont je les mettais bout à bout :* elles constituent une perpétuelle vaticination d'ici à l'année 3797.

25. A lire ce chiffre, j'en vois quelques-uns qui retireront leur front de mon ouvrage, mesurant la durée qu'il prétend embrasser et, aussi, l'extension de sa matière à *tout* ce qui aura lieu et signification sous la concavité de la Lune, je veux dire à toutes les causes, universellement et par toute la terre, comme bien tu l'entends, mon fils. Que si tu vis jusqu'à son terme l'âge naturel à l'homme, tu verras se préfigurer, sous la latitude de ta demeure et au propre Ciel de ta nativité, les événements que je prévois dans l'avenir.

26. Certes, le Dieu Éternel est seul à connaître l'Éternité de sa lumière, laquelle procède de Lui et résume en soi tous les temps. Mais, à tel personnage qu'elle veut bien choisir, sa Majesté sans mesure et incompréhensible dispense ses révélations, au prix, je l'avoue bien franchement, d'une longue, studieuse et mélancolique réponse. Ce personnage entre alors en relation avec une *puissance occulte* dont Dieu permet qu'elle se manifeste à lui. Et quand il se met à prophétiser sous le souffle de l'inspiration, deux causes efficientes, je cite les deux principales, se présentent à son entendement et déterminent ensemble sa prophétie : la première est cette inspiration elle-même, qui n'est rien d'autre qu'une certaine participation à l'Éternité divine; elle lui rend plus intelligible la lumière supernaturelle des Astres, et elle lui permet de juger, comme par le moyen de Dieu le Créateur, de tout ce que son *divin esprit* apporte à son jugement. La seconde est une considération purement rationnelle mais de nature, elle aussi, à encourager le Voyant, à savoir : que ce qu'il prédit est vrai, comme ayant déjà pris son origine dans le monde de l'éther. Et c'est ici que telle *flamme exiguë, exacte et agie de l'extérieur* se montre de toute efficace; sa dignité, par ailleurs, paraît aussi incontestable que celle de la lumière naturelle, dont on sait qu'elle éclaire et qu'elle assure si bien les Philosophes que ceux-ci ont pu atteindre grâce à elle, à partir du principe de la cause première, les plus profonds abîmes des plus hautes doctrines.
27. Mais à quoi servirait de vaguer à telles profondeurs que la capacité future de ton intelligence ne te permette plus de m'y suivre?
28. Ne vois-je pas d'ailleurs se préparer pour l'avenir une immense régression des lettres, sans exemple dans le passé? Cependant que le monde, à l'approche de l'universelle conflagration, souffrira tant de déluges et d'inondations qu'il n'y aura guère de terroirs que l'eau n'ait recouverts. Et si longue sera cette période de calamités que tout aura péri par l'eau, hormis ce qui restera inscrit dans l'inconscient des êtres et dans la figure des lieux.
29. Outre ces inondations, et dans leurs intervalles, certaines contrées seront à ce point privées de pluie, sauf toutefois d'une pluie de feu, qui tombera du Ciel en grande abondance, et de pierres chauffées à blanc, que rien n'y demeurera qui ne soit consumé. Et cela adviendra en bref et avant la dernière conflagration.
30. La planète de Mars, en ce moment, est en voie d'achever son « siècle », avant de le reprendre à la fin de son dernier période; mais alors, les différentes planètes seront assemblées, les unes en Aquarius pour plusieurs années, et les autres en Cancer pour de plus nombreuses années et d'une façon plus continue. Que si, présentement, nous sommes conduits par la Lune, de par la volonté de Dieu Éternel, avant qu'elle ait achevé son total circuit, le Soleil viendra et puis Saturne. Et quand le règne de Saturne sera de retour, les signes célestes nous montrent, tout bien calculé, que le monde s'approchera d'une « anaragonique » révolution.
31. Et avant 177 ans, 3 mois et 11 jours, à compter de la date où j'écris ceci, par pestilence, longue famine et guerres, et plus encore, par inondations, lesquelles surviendront plusieurs fois avant et après le terme que je viens de fixer, le monde se trouvera si diminué et il lui restera si peu de population que l'on ne trouvera personne qui veuille prendre les champs, ceux-ci devenant libres pour un temps aussi long que fut le

temps de leur servitude. Voilà ce qu'il appert du jugement du Ciel visible.

32. Or nous sommes présentement au septième nombre de mille qui parachève le tout, nous approchant du huitième où est le firmament de la huitième sphère, laquelle se trouve, en dimension latitudinaire, en la position fixée par le grand Dieu pour parachever la révolution. Alors recommencera le mouvement des images célestes, ce mouvement supérieur qui nous rend la terre stable et ferme : « *Elle ne s'inclinera pas pendant le siècle du siècle* ». Voilà comment en a décidé la volonté de Dieu et comment il en sera si cette volonté demeure, quelque opinion plus ou moins ambiguë et sans rapport avec les lois naturelles que puissent professer à ce sujet certains personnages en proie à des songes Mahométiques.

33. Aussi, parfois, Dieu le Créateur, par le ministère de ses messagers de feu, vient-il proposer aux organes extérieurs de nos sens, et principalement à nos yeux, une missive de flamme, significatrice des événements futurs qu'Il veut nous manifester, cette *flamme missive* constituant la cause matérielle de notre prédiction. Car il va de soi que tout présage qui se doit tirer de la *lumière extérieure* exigera, en tant que facteur partiel, un *luminaire lui-même extérieur.* Et comme l'autre facteur du présage se montre devant ce que j'appellerai l'*œil de l'entendement,* et que, à la vérité, la vision dont il s'agit ici ne saurait être confondue avec la sorte de vision que produirait une lésion du sens imaginatif, il apparaît évident que l'ensemble de la prédiction, lumière extérieure et vision intérieure, provient d'une seule et même *émanation de divinité.* C'est par elle qu'un esprit Angélique est inspiré à l'homme qui prophétise; car elle qui revêt d'une onction sacrée ses foudroyantes vaticinations; c'est elle aussi qui émeut le devant de sa fantaisie par diverses apparitions nocturnes : le tout devant être soumis, à la clarté du jour, au ministère de l'Astronomie, et recevoir d'elle cette certitude qu'elle dispense régulièrement quand elle se conjoint à la très sainte Prophétie, laquelle ne prend en considération que la vérité seule et ne relève que du courage libre.

34. Viens à cette heure entendre, mon fils, ce que je trouve par mes révolutions Astronomiques, lesquelles s'accordent en tous points avec ce que m'a révélé l'inspiration : je trouve que le mortel glaive s'approche de nous maintenant, sous forme de peste, de guerre plus horrible qu'on n'en a vu en trois vies d'homme, et de famine; je trouve que ce glaive tombera sur la terre et y retombera souvent. Car les Astres inclinent au retour périodique de telles calamités; car il est dit aussi : « *J'éprouverai leurs iniquités avec une baguette de fer et je les châtierai à coups de verges.* »

35. Oui, mon fils, la miséricorde de Dieu ne se répandra plus sur les hommes pendant le temps qui s'écoulera avant que la plupart de mes prophéties ne soient accomplies, et consommées par l'effet de leur accomplissement. Alors, par plusieurs fois, durant ce temps de sinistres tempêtes : « *Donc je broierai,* dira le Seigneur, *et je briserai et je n'aurai pas de pitié.* »

36. Je trouve aussi mille autres aventures qui adviendront par le moyen d'eaux et de pluies continuelles. Je les décris tout au long, *bien qu'en propositions disjointes entre elles,* en ces quatrains, précisant les lieux, les dates et le terme fixé. Et les hommes, après moi, connaîtront la vérité de mon dire pour avoir vu se réaliser quelques-unes de ces

Prophéties, ainsi que certains l'ont déjà connu, comme je l'ai noté à propos de miennes prédictions vérifiées naguère. Il est vrai qu'alors je parlais en langage clair, tandis que, présentement, je cache les significations sous quelques nuées : « *mais quand sera écarté le voile de l'ignorance* », le sens de ma prédiction s'éclaircira davantage.

J'en finis, mon fils; prends ce don de ton Père, MICHEL NOSTRADAMUS, qui espère avoir le temps sur cette terre de t'expliquer chacune des Prophéties des quatrains ici mis; et qui prie le Dieu immortel qu'Il te veuille prêter longue vie, en bonne et prospère félicité.

De SALON, ce 1er de Mars 1555.

NOTE

1. C'est le hasard de nos recherches à la bibliothèque Mojanes, d'Aix-en-Provence, qui nous a permis de connaître François de Pierrefeu, grand seigneur, penseur profond, marin, par goût pour les choses de la mer, aimable compagnon de pétanque, ami de Le Corbusier, amoureux de la Provence et investigateur de l'œuvre de Maître Michel Nostradamus. Puisque le hasard n'existe pas, nous avons accordé une très grande importance à cette amitié, rencontrée au détour de nos voyages et sur le milieu de nos vies. Nous n'avons jamais manqué de lui rendre visite à Paris. Il était l'une des rares personnes à savoir que Nostradamus n'a pas seulement été un personnage de la Renaissance et un grand savant, mais également le dépositaire des plus anciennes et des plus secrètes traditions de sa race. Nous avons fréquenté François pendant les neuf dernières années de sa vie à Paris, à l'Hôtel Ritz, où il se consacrait totalement à son œuvre, une grandiose synthèse philosophique. Il avait découvert, dans le cercle de six cents degrés, le rapport qui unit deux à deux les six cents premiers nombres : en les plaçant successivement autour du cercle et en ajoutant chaque paire en sens horizontal, la somme était : 601. Représentés par leur nom en hébreu. Chaque couple représentait les concepts extrêmes et opposés de la même idée. De la même façon que le dauphin ne dispose que de soixante mots, l'homme n'arrive pas à plus de trois cents idées fondamentales.

Le Dr Prosper Azoulay visitait périodiquement François en qualité de professeur d'hébreu. Il était lui-même fondateur à Paris du « Club de la Décade », et se consacrait à l'étude de la Kabbale et des nombres comme une expression philosophique. Nous sommes restés en correspondance jusqu'en 1961. Notre dernière lettre à Azoulay, envoyée de Djakarta en juin 1961, est restée sans réponse. La mort de François de Pierrefeu, notre long voyage en Asie, nous ont maintenu éloigné de Paris. Nous conservons encore aujourd'hui quelques pages écrites par François lors de notre dernière visite. Azoulay était avec nous et François nous montra l'original de la première partie de son œuvre, terminée et corrigée, et nous a dit que la seconde partie serait immédiatement dactylographiée. Il nous parla avec enthousiasme de l'œuvre, qu'il considérait comme terminée, comme si l'achèvement de ce travail lui donnait droit au repos. Les pages que nous conservons en souvenir ont été remplies par lui de nombres et de notes, tandis qu'il fixait certaines explications. Après sa mort, son œuvre a disparu. Nous prions sa famille, qui doit l'avoir en sa possession, d'en déposer une copie à la Bibliothèque Nationale de Paris.

III

LES DONNÉES PROPHÉTIQUES ET CHRONOLOGIQUES DE LA LETTRE-PRÉFACE

Dans le chapitre précédent, nous avons reproduit la copie photographique du texte authentique de la lettre-préface dans l'édition de 1555 et, afin que l'exposé métaphysique de Nostradamus puisse être compris malgré les difficultés dues à sa rédaction dans le français du XVIe siècle, nous avons joint à cette copie le travail de transcription en français moderne réalisé par notre défunt ami, François de Pierrefeu. Celui-ci avait divisé son ouvrage en trente-six paragraphes. C'est à cette division, et aux numéros qu'y portent les différents paragraphes, que nous nous référerons au cours de notre étude des données chronologiques et prophétiques contenues dans le document.

Nostradamus prophétise clairement une catastrophe cosmique qui affectera l'humanité au cours de la première moitié du XXIIe siècle. Cette catastrophe ne sera pas la fin du monde, mais seulement la fin d'un AGE et d'une humanité. Il dit textuellement qu'après cette catastrophe, les images célestes recommenceront à se mouvoir : il prophétise ainsi l'avènement d'une nouvelle humanité.

Une prophétie ne doit jamais se limiter à exposer ce qui arrivera dans un avenir totalement inconnu. Le prophète indique toujours, d'une manière plus ou moins obscure, la situation de sa prophétie dans le temps historique. Pour procéder à cette localisation, il a besoin d'une chronologie et, comme il s'agit de longues périodes, celle-ci ne peut être que la chronologie traditionnelle, que nous avons étudiée. Les données exactes de la lettre démontrent que Nostradamus connaît et utilise cette chronologie traditionnelle à laquelle nous nous sommes longuement référé.

Nous sommes parvenu à retrouver certains rapports chronologiques dans les Prophéties, mais nous devons rappeler que les prophètes hébreux appartenaient à un Collège, connu du temps de Moïse et de Aaron (*Nombres*, chap. XI), mais qui fut ensuite supplanté par le pouvoir politique du sacerdoce lévitique. Le Collège a certainement, à partir d'alors, occulté son existence et les prophètes se sont présentés individuellement devant les Rois comme porteurs de la parole de Dieu. Mais il est facile de discerner une profonde parenté entre les prophéties. Toutes semblent avoir la même origine, toutes semblent se situer par rapport à une chronologie unique, que les prophètes occultent soigneusement, mais que tous connaissent. Tous les prophètes présentent encore un trait commun qui nous oblige à tenir compte de la possibilité de l'existence d'un collège secret : ils s'adressent aux Rois avec une autorité que ceux-ci respectent! Or il ne saurait suffire qu'un homme quelconque se dise l'envoyé de Dieu pour que David accepte sa censure et sa condamnation. (*Rois*, livre 2, XII.) Les clefs sont perdues et la parole des prophètes nous apparaît aujourd'hui hors de toute chronologie, mais quelquefois la chronologie traditionnelle est suffisante pour que nous puissions, à notre plus grand étonnement, situer dans le temps le fait prophétisé. Pour d'autres prophéties, il ne nous est pas possible de les situer par rapport à la chronologie traditionnelle, mais en ce cas, elles obéissent à des périodes qui nous donnent l'assurance de l'existence d'un système de clefs.

Nous avons découvert dans la Genèse les données exactes de cette chronologie traditionnelle et nous sommes sûr de l'existence, dans la Bible, de clefs qui seront très bientôt découvertes.

Nostradamus fait, au paragraphe 24 de la lettre, une déclaration décisive :

« *C'est ainsi que je composai les présents Livres de Prophéties. Ils contiennent chacun cent quatrains accordés à l'Astronomie. Quant aux Prophéties elles-mêmes, je les ai volontairement obscurcies quelque peu* par la façon dont je les mettais bout à bout : *elles constituent une perpétuelle vaticination d'ici l'année 3797.* »

Le Testament et les clefs que nous y avons découvertes et notre propre étude bibliographique démontrent qu'il a tenu l'engagement de sa déclaration : Nostradamus a écrit son œuvre prophétique exclusivement en *quatrains* et il l'a présentée sous forme de livres de quatrains, à raison de cent chacun, sauf le septième, incomplet. Les Présages en vers de ses Almanachs sont également rédigés en *quatrains*. On ne peut pas alléguer que cette déclaration est de 1555 : son merveilleux cryptogramme – et par conséquent, son œuvre prophétique – était terminé en 1555, et sur les 1 085 quatrains, 1 000 étaient imprimés vers le milieu de 1558. En ce qui concerne la seconde déclaration de Nostradamus, il faut tenir compte du texte des éditions d'Avignon qui dit : « d'ici à 3767. » Les deux nombres – 3797 et 3767 – sont nécessaires, comme nous le verrons plus loin, pour l'exposé chronologique et cryptographique. Aux paragraphes 28 et 29, Nostradamus dit :

28. « *(...) Cependant que le monde, à l'approche de l'universelle conflagration, souffrira tant de déluges et d'inondations qu'il n'y aura guère de terroirs que l'eau n'ait recouvert. Et si longue sera cette période de calamités que tout aura péri par l'eau, hormis ce qui restera inscrit dans l'inconscient des êtres et dans la figure des lieux.* »

29. « *Outre ces inondations, et dans leurs intervalles, certaines contrées seront à ce point privées de pluie, sauf toutefois d'une pluie de feu, qui tombera du Ciel en grande abondance, et de pierres chauffées à blanc, que rien n'y demeurera qui ne soit consumé. Et cela adviendra en bref et avant la dernière conflagration.* »

Nostradamus prophétise que la catastrophe cyclique qui approche se produira peu après, ou au moment, de l'entrée du Soleil dans le signe du Verseau. Il se réfère à ce signe en parlant très souvent de déluges et d'inondations, en ajoutant que tout périra par l'eau. La catastrophe se poursuivra ensuite par une pluie de feu qui tombera du ciel, et tout cela aura lieu avant « l'universelle conflagration ».

Au paragraphe 30, Nostradamus dit :

« *La planète Mars... en voie d'achever son « siècle »... que si présentement nous sommes conduits par la Lune, de par la volonté de Dieu Éternel, avant qu'elle ait achevé son total circuit, le soleil viendra et puis Saturne. Et quand le règne de Saturne sera de retour, les signes célestes nous montrent, tout bien calculé, que le monde s'approchera d'une « anaragonique » révolution.* »

Il s'agit, tout simplement, d'établir la série : Mars, Lune, Soleil, Saturne et après, entre Saturne et Vénus, l'universelle conflagration. Pour que nous nous rendions compte de la nécessité dans laquelle il se trouve de ne pas aller, dans son exposé, contre la chronologie acceptée, il nous dit que Mars n'est pas encore achevé et que son époque est déjà régie par la Lune, ce qui n'est déjà plus vrai en 1555! Il ne nous dit pas non plus que la conflagration universelle se produira à la fin du règne de Saturne et au début du règne de Vénus. En effet, s'il le faisait, sa chronologie serait en désaccord avec les Pères de l'Église.

C'est par cette série : Mars, Lune, Soleil, Saturne, que Nostradamus commence son exposé de la chronologie traditionnelle, en joignant son propre exposé – qui doit rester occulte – à celui, déjà publié, de l'abbé Jean Trithème (1462-1516) historien, théologien et alchimiste allemand qui dirigea d'abord le couvent bénédictin de Spanheim, puis l'abbaye de Saint Jacques de Wurtzburg, et dont la *Poligraphie* fut publiée du vivant de l'auteur [1].

Nostradamus et Trithème situent l'humanité sous l'influence de la série traditionnelle des planètes qui régissent, chacune à la fois, un jour de la semaine en sens direct et la sixième partie de chaque période zodiacale en sens rétrograde.

Cet exposé permet de comprendre quelle est la véritable chronologie traditionnelle, et aussi l'impossibilité dans laquelle se trouvaient les deux savants de faire un exposé complet et parfait. Le lecteur trouvera celle-ci dans le deuxième tableau qui accompagne le chapitre suivant : tableau chronologique de notre Cinquième AGE.

Nostradamus a cité quatre planètes et, selon Trithème, on complète la série en suivant les jours de la semaine en ordre rétrograde. Il faut donc ajouter Vénus, Jupiter et Mercure, devant Mars, Lune, Soleil et Saturne. La série complète est donc la succession inverse des jours de la semaine :

VÉNUS	JUPITER	MERCURE	MARS	LUNE	SOLEIL	SATURNE
Vendredi	Jeudi	Mercredi	Mardi	Lundi	Dimanche	Samedi

En quelques lignes, Nostradamus nous fait ainsi savoir qu'il ordonnera sa prophétie selon la chronologie occulte exposée par l'abbé Trithème, chronologie que personne n'a encore expliquée. Nous étudierons cette chronologie dans un chapitre à part, en même temps que la série des dieux planétaires et celle des Archanges, base de la chronologie traditionnelle.

Nostradamus expose ensuite, au paragraphe 31 de la lettre, un autre problème astronomique, complètement oublié, lui aussi, par l'astronomie européenne de 1555. Il s'agit de la « précession des équinoxes », dont la majorité des astronomes s'accorde à attribuer la découverte à Hyparque, au IIe siècle avant notre ère. Pour nous, la chronologie traditionnelle, antérieure au Déluge, divise déjà les périodes de l'histoire de l'humanité suivant le cheminement rétrograde du Soleil sur l'écliptique, c'est-à-dire, en suivant les signes et les périodes du Zodiaque. Or, cela est impossible si on ne connaît pas la « précession des équinoxes ».

Les astronomes du XVIe siècle considéraient, avec Ptolémée, que la terre était immobile. Il faut rappeler que Copernic – mort en 1543 – fut condamné en plein XVIIe siècle, en 1616; en 1633, Galilée dut se rétracter publiquement et reconnaître que ce n'était pas la Terre qui tournait autour du soleil, mais au contraire ce dernier qui tournait autour de la terre! Nostradamus était mort soixante-dix-sept ans plus tôt, en prophétisant une catastrophe et en établissant une chronologie qui repose sur le mouvement de la terre!

Le procès de Galilée, à Rome, dura vingt jours. On l'avait emprisonné au Palais de la Trinité du Mont, qu'habitait l'ambassadeur de Toscane. Agé de soixante-dix ans, le savant dut comparaître devant le Tribunal de l'Inquisition et abandonner sa propre défense. Le 30 juin 1633, il dut se laisser conduire devant le Tribunal pour y prononcer son abjuration solennelle.

Agenouillé devant ses juges, les mains posées sur les Évangiles et la tête inclinée, Galilée dut prononcer les mots de son abjuration, qui avait été écrite pour lui. « Moi, Galileo Galilei, Florentin, âgé de soixante-dix ans, constitué personnellement en jugement et agenouillé devant Vous, Éminentissimes et Révérendissimes Cardinaux de la République Chrétienne Universelle, inquisiteurs généraux contre la malice hérétique, ayant devant mes yeux les saints et sacrés Évangiles, que je touche avec mes mains, je jure que j'ai toujours cru, que je crois maintenant et qu'avec l'aide de Dieu je croirai à l'avenir, tout ce que soutient, prêche et enseigne la Sainte Église Catholique, Apostolique et Romaine... J'ai été jugé suspect avec véhémence d'hérésie, pour avoir soutenu et cru que le soleil était immobile, le centre du monde, et que la terre n'était pas le centre et qu'elle bougeait. C'est pourquoi, voulant effacer de vos éminences et de tout chrétien catholique ce soupçon véhément, conçu contre moi avec raison, d'un cœur sincère et avec une foi non feinte, j'abjure, maudit et déteste lesdites erreurs et hérésies... »

Galilée resta privé de sa liberté et interné au palais de l'archevêque de Sienne jusqu'en décembre de la même année. Après cette date, il resta soumis à la surveillance de l'Inquisition.

Dans un exposé génial par sa brièveté, sa simplicité, et son art de l'occultation, Nostradamus fixe, au paragraphe 31 de la lettre-préface, et avec la plus grande exactitude, la différence entre l'année solaire et le secteur ou année de l'écliptique de 25 920 secteurs. Or, cette lettre est écrite vers le milieu du XVIe siècle et la fixation de cette différence suppose la connaissance de la « précession des équinoxes » et du mouvement du Soleil et de la Terre, toutes choses que la science officielle niait.

Dans ce même paragraphe 31 que nous commentons, Nostradamus écrit : « que depuis le moment où j'écris ceci, *avant* 177 ans 3 mois et 11 jours... le monde entre aujourd'hui et ce terme fixé, avant et après pour beaucoup de fois... »

Il faut accorder beaucoup d'attention à ce paragraphe : en trente mots, Nostradamus y pose un problème astronomique, nié pendant son siècle, et de la plus grande importance pour son œuvre prophétique, qui forme un tout avec la chronologie traditionnelle. La « précession des équinoxes », qu'il a exprimée, de manière occulte dans différents écrits, et les mesures de l'écliptique, c'est-à-dire du « chemin du Soleil », appartiennent à cette chronologie qui permet de fixer, à des milliers d'années de distance, l'histoire humaine et les prophéties.

En suivant les indications que nous fournit la phrase de Nostradamus, nous devons situer la date antérieure à laquelle il se réfère, *avant*, et à un laps de temps de 177 ans, 3 mois et 11 jours de la date à laquelle il l'écrit, ce qui nous mène à la date du 19 novembre 1377. Il ne s'agit pas d'une date historique importante mais elle est séparée par 180 années de celle du commencement de la prophétie, fixée, par les éditions de Lyon, à 1557.

Nostradamus établit ainsi une série de dates. Du 19 novembre 1377 au 1er mars 1555; 177 ans 3 mois et 11 jours. Entre cette date et le 14 mars 1557 (inclus) : 2 ans et 14 jours. Au total : 179 ans 3 mois et 25 jours.

Puisque l'année se compose de 365,2422 jours, on obtient :

– pour 180 ans	65 743,6 jours	1,00380
– pour 179 ans, 3 mois, 25 jours	65 494,7 jours	0,99621

En considérant que la première de ces quantités représente la valeur de 180 secteurs de l'écliptique et la seconde la valeur de 180 degrés du cercle en années solaires, nous obtenons :

– 1 secteur de l'écliptique = 1,00380 années solaires
– 1 année solaire = 0,99621 secteur de l'écliptique

D'après ces valeurs, le soleil parcourait chaque période zodiacale, de 2 160 secteurs de l'écliptique, en : 0,99621 × 2 160 = 2 151,8136 soit 2 152 années solaires ; et l'écliptique total de 25 920 secteurs en 25 824 années solaires, ce qui correspond aux nombres exacts de la Bible qui établit les données chronologiques en années entières [2].

Le premier des problèmes chronologiques que nous venons d'exposer repose sur trois dates exactes : le 19 novembre 1377, le 1er mars 1555 et le 14 mars 1557. Ce problème signale très certainement le rapport entre les secteurs de l'écliptique et la valeur en années solaires du parcours du Soleil sur cette courbe.

Il était évident que pour établir sa chronologie et nous donner la date de la catastrophe qu'il prophétise, Nostradamus devait nous fournir cette date en années solaires, afin que nous puissions établir les périodes zodiacales sur la courbe de l'écliptique. Sans cette base exacte, il n'y avait pas moyen d'établir de rapport entre la date de l' « ultime conflagration », la fin d'une période zodiacale et le début d'une autre.

Toute cryptographie est établie pour pouvoir être dévoilée, et Nostradamus repose toujours ses problèmes chronologiques et cryptographiques un nombre de fois qui peut paraître excessif. Il crée ainsi les conditions pour qu'ils soient déchiffrés à partir de l'une ou l'autre de ses éditions, au moyen de l'un ou l'autre des problèmes qu'il pose. Il y a encore à cela une autre raison : lorsque nous trouvons la même donnée répétée de manière occulte à différents endroits de son œuvre, nous arrivons à la certitude d'être sur la bonne voie. Nous sommes sûr d'avoir affaire, non pas à un charlatan qui nous trompe, mais à un maître qui guide nos pas.

Toute chronologie basée sur la marche du Soleil sur l'écliptique se définit à partir de trois données exactes : le point de cette courbe où un douzième de celle-ci se termine et où commence le suivant; la valeur en années solaires de chaque secteur écliptique, et la date exacte d'un point précis de la courbe, à partir de laquelle se déterminent les dates de tous les autres secteurs. En ce cas – comme dans celui de la construction de son dodécagone chronologique que nous étudierons au chapitre V –, Nostradamus devait répéter ses données occultes un nombre exceptionnellement élevé de fois.

Aussi, parvenu à ce point de la révélation de la chronologie de Nostradamus, nous avons compris que, s'agissant du problème le plus important de cette chronologie, toutes les dates exactes de l'œuvre devaient être en relation avec la valeur, en années solaires, de la courbe de l'écliptique, ou bien avec la date de la catastrophe.

Et en effet, entre le 19 novembre 1377, date arbitraire fournie par Nostradamus, et le 27 juin 1558, date de sa dédicace à « Henry Roy de France, Second », qui elle aussi a été choisie librement par lui, 180 ans 7 mois et 8 jours se sont écoulés. Or :

– 180 ans 7 mois 8 jours font 65 964,667 jours.
– 180 années solaires font 65 743,596 jours.

La première de ces deux quantités représente la valeur en jours de 180 secteurs de l'écliptique; la seconde, la valeur en jours de 180 années solaires.

– Un secteur de l'écliptique vaudra donc 1,00336 année solaire.
– Une année solaire vaudra 0,99664 secteur de l'écliptique.

Et suivant ces valeurs, le Soleil parcourrait une période zodiacale de 2 160 secteurs en 2 152,759 années solaires.

On peut établir la même chose à partir de deux autres dates : entre le 14 mars 1547, date du commencement de la prophétie d'après les éditions d'Avignon, et le 31 octobre 1727 – date fournie par le quatrain III-77, 180 ans, 7 mois et 17 jours se sont écoulés. Obéissant à son plan d'occultation, Nostradamus dit : « 1 727 en octobre »; nous interprétons : « tout le mois d'octobre ».

– 180 ans 7 mois et 17 jours signifient 65 973,9 jours à la fin octobre.
– 180 années solaires font 65 743,6.

La première de ces quantités représentant la valeur en jours de 180 secteurs de l'écliptique et la seconde la valeur en jours de 180 années solaires.

– Un secteur de l'écliptique vaudra, en années solaires : 1,00350.
– Une année solaire vaudra, en secteur de l'écliptique : 0,99651.

D'après ces valeurs, le Soleil parcourt, donc, une période zodiacale de 2 160 secteurs en 2 152,446 années solaires.

Et pour donner une preuve définitive de tout ce que nous avons dit ici au sujet du problème astronomique posé par le paragraphe 31 de la lettre-préface, nous pouvons utiliser deux dates de plus et obtenir une quatrième fois un résultat pratiquement identique. Dans notre livre précédent, maintes fois cité, nous avions noté les trois résultats précédents. Le quatrième résultat que nous donnons ici, du « problème des dates », est inédit.

Il convient de rappeler une fois de plus que Nostradamus est dans l'obligation d'occulter ses données. Il ne peut établir de relations scientifiques entre elles. De plus, il doit utiliser chaque date à plusieurs fins. Par exemple, la date de « 1727 en octobre », dont il s'est servi pour le problème antérieur, et qui se réfère également à sa prophétie, va lui servir à nouveau. Dans ce cas encore, il s'agit du mois d'octobre tout entier. Mais cette fois, non à partir du dernier jour du mois, mais à partir du premier, de manière à inclure tout le mois dans le nouveau délai qui se termine par une autre date importante, qui a elle aussi de nombreuses finalités.

Le quatrain 72 de la Dixième Centurie dit, dans son premier vers : « L'an mil neuf cent nonante et neuf, sept mois », et dans le quatrième : « avant et après ». Cette rédaction permet d'interpréter le jour final de cette date selon les manières suivantes :

1. L'année 1999 en commençant au 1er janvier, plus sept mois, ce qui conduit à fin juillet de l'an 2000;
2. L'année 1999 en commençant à la première minute du 15 mars selon la date du début des prophéties, qui commencent ainsi, jusqu'au 15 octobre de l'an 2000;
3. L'année 1999, en juillet, en commençant en janvier;
4. L'année 1999, en octobre, en commençant en mars;
5. L'année 1998, au 15 août, sept mois avant 1999, si cette année-là commence au 15 mars;
6. L'année 1998, au 31 mai, si l'année commence au 1er janvier.

Il y a donc six interprétations possibles, qui peuvent être utilisées dans différents problèmes dont on veut occulter la solution.

D'après la cinquième de ces interprétations, le délai qui nous intéresse actuellement et qui commence à la première minute du 1er octobre 1727, se terminera à la 1re minute du 15 août 1998.

Ce délai aura donc une durée de 270 années solaires, 10 mois et 14 jours. La mise en rapport de ce laps de temps avec 270 secteurs de l'écliptique nous fournira, pour la quatrième fois, la valeur en années solaires, de chaque secteur de l'écliptique et la valeur, en secteurs de l'écliptique, de chaque année solaire :

– pour 270 années solaires nous avons 98 615,3 jours.
– pour 270 ans 10 mois et 14 jours 98 933,9 jours.

Si nous considérons la première de ces quantités comme la valeur, en années solaires, de 270 degrés du cercle, et la seconde comme la valeur de 270 secteurs de l'écliptique (en années solaires) nous obtenons :

– un secteur de l'écliptique vaut 1,00323 année solaire.
– une année solaire équivaut à 0,99678 secteur de l'écliptique.

D'après ces valeurs, nous voyons que le soleil parcourt chaque période zodiacale de 2 160 secteurs en 2 153,0448 années solaires.

Nostradamus a donc répété, au moins quatre fois, le rapport existant entre le passage du Soleil sur l'écliptique et la durée de l'année solaire, c'est-à-dire la durée d'une rotation de la Terre autour du Soleil calculée à partir de notre planète. En établissant une moyenne entre les quatre résultats obtenus – et sans omettre de considérer que cette même donnée peut être cachée sous d'autres formes dans l'œuvre –, on obtient le résultat suivant :

Valeur de l'année solaire	*Valeur de la période zodiacale*
0,99621	2 151,813
0,99664	2 152,759
0,99651	2 152,446
0,99678	2 153,044
3,98614	8 610,062
3,98614 : 4 = 0,9965	8 610,062 : 4 = 2 152,515

La valeur, en années solaires, de la douzième partie de la courbe écliptique, qu'aucun observatoire astronomique ne peut fixer avec exactitude, est donnée, d'une manière très approchée, par Nostradamus. Pour la Bible, cette valeur, en années complètes, est de 2 152.

Le paragraphe 32 de la lettre contient une nouvelle déclaration, tout aussi brève que la déclaration antérieure, mais encore plus difficile à déchiffrer. Il s'agit de notre Cinquième AGE et de son étendue dans le temps historique. Là aussi, Nostradamus prétend nous mettre sur la bonne voie, mais toutes les traditions, et toutes les autorités qui appuient les chronologies acceptées sont tellement loin de la chronologie traditionnelle que les nombres qu'il peut nous fournir, quels que soient ses efforts, ne peuvent égaler l'exactitude dont, en bon chronographe et en bon cryptographe, il a fait preuve dans ses autres écrits.

Mars a terminé son cycle en 1061. Mais Nostradamus nous le dit d'une manière très voilée, comme si, au XVIe siècle, il s'agissait d'un événement contemporain. Il est bien vrai que l'humanité a été régie par la Lune, mais cette période a pris fin en 1420, et non en 1555. Il n'est pas vrai non plus, chronologiquement, qu'à cette date l'humanité se trouve dans le septième chiffre de milliers et se rapproche du huitième. En parlant ainsi, Nostradamus dissimule déjà mille ans. Il est très différent de dire qu'elle se trouve dans le septième chiffre de milliers – c'est-à-dire entre six et sept mille –, que de dire qu'elle se rapproche du huitième – c'est-à-dire qu'elle se trouve entre sept et huit mille. Il laisse également dans l'ombre le commencement. Tous les chronographes commencent à la Création, et lui, sans le dire, compte à partir du Déluge! Entre le Déluge de Noé et l'entrée du Soleil dans le signe des Poissons, c'est-à-dire jusqu'à la véritable date de la naissance de Jésus-Christ, il s'est écoulé, si on en croit les nombres secrets de la Bible, les mesures de la Grande Pyramide et les calculs que permettent les nombres chaldéens et hindis, six mille quatre cent cinquante-six ans (4 304 + 2 152 = 6 456). Étant donné que ce compte s'arrête 15 ans avant le commencement de l'ère chrétienne, la période zodiacale des Poissons commence le 1er janvier ou le 15 mars de l'année 6457 après le déluge. En 1555, Nostradamus en est à l'année 8026 après le déluge et nous, en 1973, nous sommes en l'an 8444. Notre Age se terminera en l'an 8608, c'est-à-dire en 2137 de notre ère.

Nostradamus ne peut pas parler de 8 000 ans en 1555, même en se référant, ou en faisant semblant de placer le principe, au moment de la « Création ». La plus haute autorité à laquelle il peut se référer pour sa chronologie est Lactance, qui est celui qui donne le nombre d'années le plus élevé pour la période comprise entre la Création et la naissance du Christ : 5 801 ans. Ce qui, en 1555, donnerait un total de 7 356. C'est ce qui permet à Nostradamus de parler vaguement de sept mille. Mais nous pouvons être sûr de ce qu'il veut nous dire, en raison, non seulement des autres nombreuses données chronologiques, qu'il nous donne partout dans son œuvre, mais encore parce qu'il nous dit, textuellement : « en nous rapprochant de huit mille ». Or, 7 356 n'est pas tout près de 8 000.

Trithème s'est montré lui aussi très prudent. Il part de la Création, et non du Déluge et fait se terminer sa dix-neuvième période en 1525, 6 732e année du monde. Trithème et Nostradamus ne pouvaient pas, à l'époque, établir une chronologie contraire à celle des Pères de l'Église.

La déclaration du paragraphe 32 de la lettre nous dit :

« Or nous sommes présentement au septième nombre de mille qui parachève le tout, nous approchant du huitième où est le firmament de la huitième sphère, laquelle se trouve, en dimension latitudinaire, en la position fixée par le Grand Dieu pour parachever la révolution. Alors recommencera le mouvement des images célestes. »

Effectivement, nous approchons du signe du Verseau et notre humanité et la période zodiacale des Poissons prendront fin aux alentours de l'an 8608, tout comme l'humanité de Noé s'est terminée 8 608 ans après la fin de l'humanité d'Adam. Tout cela correspond à l'année 2137 de l'ère chrétienne que nous pouvons considérer, avec Nostradamus, comme l'année centrale des grands bouleversements que la planète subira sous les effets de l'élément AIR.

Après nous avoir parlé vaguement de 8 000 ans, Nostradamus nous prophétise, dans le paragraphe 34, pour ces dernières années, une succession de grandes calamités. Dans le paragraphe 36, il nous annonce un millénaire de plus : « mille autres adventures qui adviendront par eaux de continuelles pluyes ».

Pour conclure sa vague description chronologique de notre Age, Nostradamus s'occupe ainsi de mille ans de plus, entre 8 000 et 9 000, mille ans au cours desquels on arrive au Verseau, au milieu de l'eau et des pluies continuelles.

Aucun des commentateurs de Nostradamus n'a accordé l'importance qu'elles méritent aux déclarations qu'il fait dans sa lettre-préface. Par cette lettre, Nostradamus établit que son œuvre prophétique se compose de centuries de quatrains prophétiques. Il annonce une conflagration universelle pour le moment où le Soleil pénétrera dans le signe zodiacal du Verseau. Il établit, d'après l'œuvre de Trithème, l'influence qu'exercent, sur notre planète et sur notre humanité, au cours des périodes historiques successives, les Sept Astres, Archanges, Dieux ou Génies, Causes Secondes, après Dieu, de tout ce qui se passe sur Terre et dans le Ciel. Il situe, avec précision, entre Saturne et Vénus, le commencement du Verseau et de l' « anaragonique révolution », qui commencera le Sixième AGE. Il nous fournit, exprimé en années solaires, rapportées au cheminement du Soleil le long de l'écliptique, le rapport existant entre ses prophéties d'une part, et la chronologie traditionnelle et la chronologie de notre Cinquième AGE d'autre part.

Enfin, il prophétise l'avènement d'une nouvelle Humanité.

NOTES

1. On conserve une édition de 1515. D'autres éditions furent publiées ensuite, sous le même titre ou sous celui de *Sténographie.*
2. Daniel Ruzo, *op. cit.*

IV

JEAN TRITHÈME (1462-1516) MICHEL NOSTRADAMUS (1503-1566) ET L'AVÈNEMENT DU CÉSAR OU GRAND MONARQUE (2047-2057)

Jean Trithème et Michel Nostradamus, deux génies de la véritable Renaissance, au lieu d'oublier l'impulsion spirituelle qu'a signifié le Moyen Age et de révérer les Grecs, ont recherché les sources de la Sagesse antérieure au Déluge, après avoir trouvé, en eux-mêmes, la parole de Dieu. Quoi qu'on puisse dire d'eux, ils étaient, par-dessus tout, les prophètes du Très-Haut.

Tous deux ont suivi deux voies différentes pour parvenir au même but. Trithème, né dans la plus grande pauvreté, cherche refuge dans le cloître, écrit sous la protection d'un empereur qui le défend contre l'ignorance et les médisances; pour mieux cacher dans ses écrits tout ce qu'il ne peut pas dire, il devient un maître de la polygraphie [1]. Personne n'a encore dévoilé son œuvre occulte. Nous nous sommes mis à étudier le latin à l'âge de soixante-douze ans pour nous rapprocher de lui. Nostradamus, appuyé par la situation enviable de la famille de juifs convers à laquelle il appartient, choisit la profession de médecin et d'astrologue qui lui assure ses entrées partout. Suspect aux yeux du Saint-Office, il obtient la protection de Catherine de Médicis et des rois de France. Il adule les Papes et se déclare mille fois contre la Réforme. Ce n'est pas suffisant pour lui permettre de rendre publiques des déclarations scientifiques qui contredisent apparemment le texte de la Bible. Il doit se présenter, non pas comme un savant, mais comme un fabriquant d'almanachs. Il doit son importance sociale, non point à sa science, mais à la protection des rois. L'un d'eux, Charles IX, se rend en visite à Salon en 1564, à la seule fin de le rencontrer et manifeste publiquement la haute estime dans laquelle il le tient. Sa vie durant, il joue le rôle d'un charlatan, et cent charlatans, à commencer par son premier commentateur, celui qui se nomme son disciple, se sont occupés de lui; ils l'ont rabaissé et dénigré en se croyant à sa hauteur.

Et cependant, les deux adeptes ont réussi à sauver leur œuvre : l'un, sous le masque d'Abbé, et en cachant son savoir sous une polygraphie impénétrable; le second, sous son déguisement de charlatan, en enfermant son œuvre dans une cryptographie comme il n'y en a jamais eu, et qui ne sera jamais égalée.

Quand Nostradamus naît, Trithème a quarante-et-un ans. A la mort de ce dernier, Nostradamus n'a pas encore treize ans. Ils n'ont jamais eu le moindre contact personnel et personne ne les a reconnus comme frères. On parle souvent de l'existence, aux XVe et XVIe siècles, d'une fameuse Société de Rose-Croix. Il y a une autre société, véritable celle-là, qui n'aura jamais de nom. C'est à celle-ci qu'ils appartenaient tous les deux.

Ils ont exposé l'astronomie et la chronologie antérieure au Déluge. Ils ont occulté, dans leurs écrits, tout ce qu'ils n'ont pas pu dire de leur vivant. Mais tout deux ont laissé, le premier dans une polygraphie, le second dans une cryptographie, exceptionnelles l'une et l'autre, deux messages transcendantaux pour l'humanité.

Nous pensons pouvoir fournir la preuve indirecte que Nostradamus savait qui était Trithème et quelle était son œuvre véritable, œuvre à laquelle Nostradamus même était lié pour toujours.

César de Nostredame [2] est né le 18 décembre 1553, au moment où l'œuvre prophétique de son père devait être pratiquement terminée. Les quatrains dont le texte et la situation font partie des clefs étaient déjà en rapport les uns avec les autres. Le premier Almanach fut terminé par le prophète quarante jours après la naissance de son fils et la première partie des Centuries a été rendue publique en mai 1555, alors que César avait un an et cinq mois. Il reçut en baptême un nom qui n'avait rien à voir avec la famille et qui n'était pas habituel dans son milieu social ni dans la ville de Salon. La lettre-préface existait déjà au moins en l'état de brouillon, et la dédicace à César était déjà décidée.

Il est tout à fait certain que Nostradamus connaissait le Traité des Causes Secondes, de Trithème, intitulé par son auteur : *Chronologie Mystique, ou Traité des Intelligences Célestes qui régissent le monde après Dieu* [3], traité qui repose sur les mêmes vérités qui ont rendu possible sa propre œuvre. Pendant la vie de Nostradamus, plusieurs éditions de ce Traité virent le jour : l'une, en 1515, deux autres en 1522, une autre en 1534 et une enfin en 1545. Toutes étaient rédigées en latin. C'est le plus important des Traités qu'ait écrit Trithème, et, ce sont, avec sa *Polygraphie*, les deux œuvres qu'il dédicaça spécialement à l'empereur et César, Maximilien Premier. Le Traité commence d'ailleurs ainsi : « Tres Sage César... » Nous considérons comme possible que telle soit la raison du nom de César donné au premier fils de Nostradamus et à la dédicace qu'il lui consacre dans la lettre-préface : « Ad Cesarem Nostradamum, filium », qui est la seule phrase de cette dédicace qui soit écrite en latin.

Mais en réalité, ni la dédicace de Nostradamus, ni celle de l'œuvre de Trithème, ne s'adressent vraiment à la personne qu'elles indiquent. Toutes deux sont très probablement adressées au César du XXIe siècle, personnage dont la venue est prophétisée par Nostradamus, et qui utilisera les messages secrets. Leur dédicace « à César » unissait les deux œuvres face à l'avenir, de la même façon qu'elles étaient unies par les conceptions profondes sur lesquelles reposaient leur véritable importance.

Nostradamus expose la même chronologie que l'abbé Trithème, auteur accepté par l'Église catholique. Bien que cette chronologie soit en accord avec les nombres secrets de la Bible, Trithème y a mêlé, avec malice, des données fausses, afin que seul celui qui connaît la véritable chronologie traditionnelle puisse corriger ces données et y retrouver la succession des différentes périodes, leur durée en années solaires, et le rapport exact qui existe entre elles, les périodes zodiacales et les périodes occultes de la Genèse et de la chronologie traditionnelle.

Trithème place l'année zéro du monde à l'équinoxe de printemps, à la première minute du 15 mars, comme Nostradamus, avec une période cyclique de 354 ans et 4 mois. Personne, à ma connaissance, n'a expliqué sa chronologie. Nous avons découvert dans la Bible la chronologie traditionnelle qu'Égyptiens, Chaldéens et Hindous ont exprimé de manière occulte. Nous avons poussé loin l'étude de J.S. Bailly sur la semaine de sept jours, présidés par les mêmes dieux planétaires et se succédant dans le même ordre. Cette semaine que nous utilisons aujourd'hui a été la même depuis les temps immémoriaux, pour les Chinois, les Hindous et les Égyptiens. Il nous a donc été possible, en ajoutant à la période de Trithème quatre ans et quatre mois, de relier sa chronologie à la chronologie traditionnelle, et par conséquent, à la chronologie nostradamique. Ainsi modifiée, la période de Trithème s'identifie à la sixième partie d'une période zodiacale de 2 152 années solaires. Chez Trithème, la succession des sept dieux planétaires suit le même ordre, la série des jours de la semaine, mais en sens rétrograde car il ne s'agit plus cette fois du passage du Soleil sur la Terre, mais du cheminement de celui-ci sur l'écliptique, qui s'effectue en sens rétrograde.

Nostradamus ne nous donne qu'une partie de la série des dieux ou génies planétaires, mais nous pouvons la compléter. Le prophète dit : « Mars, Lune, Soleil, Saturne. » Les précédentes doivent être, comme dans la chronologie de Trithème : Vénus, Jupiter et

Mercure. La chronologie de l'abbé Trithème nous fournit la même série, et en ordre rétrograde elle aussi. Mais il ajoute une donnée pour nous très importante : la série des Archanges.

Nous présentons, dans un tableau, les données chronologiques de Trithème : les Archanges et le sens de leurs noms, les Génies planétaires, le développement de leur période chronologique et la correspondance entre celle-ci et l'ère chrétienne.

Dans un deuxième tableau, nous présentons les données et les symboles de la chronologie traditionnelle, dans la partie qui se réfère à notre Cinquième AGE et à ses divisions en quatre périodes zodiacales et en vingt-quatre périodes d'influence des Génies planétaires ou Archanges.

Pour établir notre étude chronologique, nous avons comparé cinquante-cinq chronologies appartenant aux trois traditions chrétiennes : la tradition antique gréco-hébraïque, suivie par les Églises grecque et byzantine primitives, la tradition de l'Église Occidentale et la tradition de la Renaissance. Nous sommes arrivé, il y a quelques années, à la conclusion qu'aucune des traditions chrétiennes n'avait tenu compte des traditions des peuples postérieurs au Déluge et antérieurs à Moïse.

Les Pères de l'Église et les chronographes d'Occident ont interprété la Bible textuellement et fixé, au cours des dix-huit premiers siècles de notre ère, la durée de la période s'écoulant entre la Création et la naissance de Jésus-Christ à un nombre d'années solaires variant entre 3 944 et 5 801. Personne n'avait trouvé jusqu'ici, dans les nombres de la Bible, la confirmation de la chronologie antérieure au Déluge, chronologie que nous avons appelée traditionnelle, parce qu'elle s'appuie sur la tradition la plus ancienne. Trithème l'a intitulée « Chronologie Mystique ».

Cette chronologie est, d'autre part, confirmée par les mesures de la Grande Pyramide d'Égypte et par les nombres hindous et chaldéens.

Nostradamus et Trithème ne pouvaient s'appuyer sur aucune autorité reconnue comme telle au XVIe siècle pour se permettre d'affirmer que l'année 1555 de l'ère chrétienne est en réalité l'année 8026, non pas après la Création, mais après le Déluge!

Nous avons vu que Trithème intitule son livre « Chronologie Mystique ». Il accepte les Génies planétaires de l'Antiquité en les comparant aux Sept Archanges. Ce faisant, il s'appuie sûrement sur les Pères de l'Église. Le Christianisme, comme toutes les religions, a absorbé les concepts des religions antérieures. Il acceptait la semaine de sept jours présidés par les Génies planétaires, mais il lui fallait les christianiser.

Nostradamus sait que le calcul de Trithème n'est pas exact. Il ne peut d'ailleurs pas l'être non plus. L'un et l'autre ne peuvent émettre d'opinion que dans le cadre d'une chronologie biblique acceptée. Mais Nostradamus se sert de son déguisement de charlatan et cherche à nous amener à la compréhension de la chronologie traditionnelle tout en la dissimulant sous un galimatias savamment dosé. En ce qui concerne la série planétaire, il fait semblant d'exposer la chronologie de Trithème, qu'il pourrait, en cas de besoin, citer pour sa défense et se laver de tout soupçon. Il sait que Mars a terminé son règne en 1061, que la Lune l'a fait en 1420, mais il affirme, avec Trithème, être sous l'influence de la Lune en 1555, soit cent trente-cinq ans plus tard.

Trithème prend bien soin de ne pas dépasser le nombre de 6 732 années solaires, depuis la Création jusqu'à l'année 1525 de notre ère, ce qui signifie que 5 177 ans seulement se sont écoulés entre la Création et la naissance de Jésus-Christ. Pour ce faire, il peut s'appuyer, comme le montre notre étude chronologique, sur au moins quinze autorités appartenant à l'Église primitive, qui assignent elles aussi à cette période une durée de 5 325 à 5 801 ans; il peut aussi se réclamer de dix-huit autorités de l'Église Occidentale qui fixent entre 5 190 et 5 201 ans la durée de cette période. Malgré la situation exceptionnelle dont il bénéficie, il n'ose pas aller plus loin. Le chronographe et cryptographe qui déchiffrera son message secret nous donnera raison.

Voici une preuve de plus des difficultés rencontrées par Trithème pour nous transmettre une donnée importante de la chronologie traditionnelle : les détours qu'il doit faire pour situer le Déluge entre Mars et la Lune. Il ne peut pas le faire à partir de la série des Génies planétaires. En suivant le tableau dans lequel nous présentons sa chronologie, nous voyons que l'année 1656 est bien dans le règne de Mars, mais l'année 2242 n'est plus dans le règne de la Lune qui se termine en 2126.

Une petite « erreur » dans sa chronologie a permis à Trithème de nous dire :

1. que nous devons considérer la série des influences planétaires, rétrograde comme la marche du Soleil;
2. que nous devons situer le Déluge entre Mars et la Lune bien que lui ne puisse pas le faire;
3. que les influences, archangéliques ou planétaires, sont inexorables et donnent lieu à des cycles historiques;
4. qu'une période zodiacale doit se diviser en six périodes;
5. qu'il nous donne, pour chaque période zodiacale, une durée de 2 126 années solaires, et assigne ainsi, par conséquent à l'écliptique une valeur de 25 512 années solaires au lieu de 25 824, en occultant ainsi le véritable nombre.

Grâce à toutes ces données chronologiques, il nous invite : à dresser un tableau complet en tenant compte du nombre véritable d'années solaires que comporte le parcours de l'écliptique; à placer le « commencement », c'est-à-dire le Déluge entre Mars et la Lune; à diviser cet AGE en six périodes en utilisant en ordre rétrograde la série fournie par les planètes qui président à chacun des jours de la semaine. Il ne nous reste plus qu'à étudier ce merveilleux ensemble

CHRONOLOGIE MYSTIQUE

TABLEAU CHRONOLOGIQUE DE TRITHÈME

Causes Secondes	*Archanges*	*Génies planétaires*	*Période Trithème*	*Ere chrétienne*
Ciels	Orifiel	Saturne	354.4	– 4856
Je Suis	Anael	Vénus	708.8	– 4502
Justice	Zachariel	Jupiter	1063.	– 4148
Santé	Raphaël	Mercure	1417.4	– 3793
Mort	Samaël	Mars	1771.8	– 3439
Force	Gabriel	Lune	2125.	– 3085
Dieu	Michaël	Soleil	2479.4	– 2730
Ciels	Orifiel	Saturne	2833.8	– 2375
Je Suis	Anael	Vénus	3188.	– 2021
Justice	Zachariel	Jupiter	3542.4	– 1666
Santé	Raphaël	Mercure	3896.8	– 1311
Mort	Samaël	Mars	4252.	– 957
Force	Gabriel	Lune	4606.4	– 602
Dieu	Michaël	Soleil	4960.8	– 247
Ciels	Orifiel	Saturne	5315.	+ 108
Je Suis	Anael	Vénus	5669.4	+ 462.4
Justice	Zachariel	Jupiter	6023.8	+ 816.8
Santé	Raphaël	Mercure	6378.	+ 1171.
Mort	Samaël	Mars	6732.4	+ 1525.4
Force	Gabriel	Lune	7086.8	+ 1879.8

Genèse-Déluge-1656

Soixante-dix Déluge-2242

de symboles qui préside à tous les instants de la marche de l'humanité. Ceci nous aidera à unir notre conscience à la conscience cosmique et à situer l'histoire du passé et les prophéties du futur à l'intérieur du temps humain.

Trithème nous dit : « Le Déluge a eu lieu, selon les Hébreux, en l'an 1656, sous le règne de Mars, et selon les Soixante-Dix en 2242 sous le règne de la Lune. » La seconde affirmation lui paraît « plus conforme à la vérité, mais ce n'est pas le moment d'en faire une démonstration ». En réalité Trithème ne peut pas dire la vérité, mais il situe le Déluge entre Mars et la Lune. En effet, selon nos calculs, le Déluge s'est produit à la fin du Quatrième AGE, sous l'empire de Mars, et au début de notre Cinquième AGE sous l'empire de la Lune. C'est cette situation que nous avons adoptée en établissant notre tableau d'après les données fournies par Nostradamus.

Une brève révision de la chronologie de Trithème nous permet de nous convaincre que, tout en la cachant aux yeux du plus grand nombre, il cherche, en réalité, à sauver de l'oubli la chronologie traditionnelle que Nostradamus, membre d'une famille de convers, nous donne avec une beaucoup plus grande prudence, cachée au milieu de ses écrits et de ses prophéties.

Trithème ose présenter un tableau des périodes chronologiques, qui commence en l'an zéro du monde et dans lequel chaque période est régie par l'un des dieux planétaires. Il place, aux côtés de chacun de ceux-ci sept Archanges, sans nous fournir la moindre explication quant au rapport symbolique qui lie chaque archange à l'un des dieux planétaires.

Il attribue à chaque période chronologique une extension dans le temps de 354 années et quatre mois, qui ne permet de relier ses travaux à aucune autre chronologie connue. Mais le simple fait de placer les dieux planétaires dans l'ordre inverse des jours de la semaine nous donne la certitude que Trithème connaissait les mêmes sources dont Nostradamus s'est servi plus tard pour établir la chronologie traditionnelle, ou, en tout cas, qu'ils appartenaient tous deux à la même école secrète.

En effet, la série des dieux de la semaine encadre notre cheminement sur la Terre et se développe, en sens direct, comme la marque visible du passage quotidien du Soleil au-dessus de nous. Cette même série, se répétant dans les cieux et marquant cette fois le chemin de la Terre et du Soleil sur l'écliptique, doit suivre, tout comme le Soleil lui-même, une marche rétrograde.

En nous aidant de la théorie de la chronologie traditionnelle que nous avons découverte peu à peu dans les légendes et dans les systèmes symboliques, et aussi grâce aux notions de l'astronomie moderne, nous sommes parvenu à faire coïncider le rapport établi par Trithème et les données éternelles du passage du Soleil le long de l'écliptique.

Le premier pas dans cette voie, nous l'avons franchi il y a quelques années en découvrant la véritable période chronologique, que Trithème a volontairement occultée derrière une période fausse. La durée véritable de cette période est la sixième partie d'une période zodiacale, soit 2 152 années solaires. La sixième partie de cette période équivaut à 358 ans et 8 mois. Il suffisait donc d'ajouter 4 ans et 4 mois à la période de Trithème pour pouvoir unir les deux chronologies.

Cette « horloge des temps » va nous permettre de dresser un tableau complet de notre Cinquième AGE, depuis le Déluge de Noé jusqu'à la prochaine catastrophe, prophétisée par l'Apocalypse et par Nostradamus. Trithème, lui, n'a pas fait publiquement référence à cette catastrophe et il conclut sa chronologie en l'an 7086 de sa vingtième période, ce qui correspond, selon lui, à 1879 de notre ère.

CHRONOLOGIE TRADITIONNELLE

TABLEAU CHRONOLOGIQUE DE NOTRE CINQUIÈME AGE

Métal	*Symboles chimiques astrologiques*	*et nombre atomique*	*Archange*	*Génie planétaire*	*Secteurs écliptiques*	*Années solaires*	*Ère chrétienne*
			Samaël	*Mars*		*Déluge*	*Année - 6471*
			GÉMEAUX				
Argent	Ag	47	Gabriel	Lune	360	358.8	–6 112.4
Or	Au	79	Michaël	Soleil	720	717.4	–5 753.8
Plomb	Pb	82	Orifiel	Saturne	1 080	1 076.	–5395.
Cuivre	Cu	29	Anaël	Vénus	1 440	1 434.8	–5 036.4
Étain	Sn	50	Zachariel	Jupiter	1 800	1 793.4	–4 677.8
Mercure	Hg	80	Raphaël	Mercure	2 160	2 152.	–4 319.
			TAUREAU				
Fer	Fe	26	Samaël	Mars	2 520	2 510.8	–3 960.4
Argent	Ag	47	Gabriel	Lune	2 880	2 869.4	–3 601.8
Or	Au	79	Michaël	Soleil	3 240	3 228.	–3 243.
Plomb	Pb	82	Orifiel	Saturne	3 600	3 586.8	–2 884.4
Cuivre	Cu	29	Anaël	Vénus	3 960	3 945.4	–2 525.8
Étain	Sn	50	Zachariel	Jupiter	4 320	4 304.	–2 167.
			BÉLIER				
Mercure	Hg	80	Raphaël	Mercure	4 680	4 662.8	–1 808.4
Fer	Fe	26	Samaël	Mars	5 040	5 021.4	–1 449.8
Argent	Ag	47	Gabriel	Lune	5 400	5 380.	–1 091.
Or	Au	79	Michaël	Soleil	5 760	5 738.8	– 732.4
Plomb	Pb	82	Orifiel	Saturne	6 120	6 097.4	– 373.8
Cuivre	Cu	29	Anaël	Vénus	6 480	6 456.	– 15.
			POISSONS				
Étain	Sn	50	Zachariel	Jupiter	6 840	6 814.8	+ 343.8
Mercure	Hg	80	Raphaël	Mercure	7 200	7 173.4	+ 702.4
Fer	Fe	26	Samaël	Mars	7 560	7 532.	+1 061.
Argent	Ag	47	Gabriel	Lune	7 920	7 890.8	+1 419.8
Or	Au	79	Michaël	Soleil	8 280	8 249.4	+1 778.4
Plomb	Pb	82	Orifiel	Saturne	8 640	8 608.	+2 137.
			Anaël	Vénus			Catastrophe de l'air

Nous avons établi ce tableau chronologique à partir du Déluge de Noé jusqu'à la catastrophe qui mettra fin à notre Cinquième ÂGE. La vie de notre humanité se développe dans le temps pendant 8 608 années solaires; pendant ce temps, le soleil parcourt 8 640 secteurs, soit le tiers de la projection de l'écliptique sur un cercle idéal de 25 920 secteurs. Le soleil parcourt, durant ce laps de temps, les quatre douzièmes de l'écliptique, c'est-à-dire les périodes zodiacales des Gémeaux, du Taureau, du Bélier et des Poissons. Il entraîne dans sa route rétrograde la Terre qui se trouve ainsi placée à chaque fois sous l'influence des génies planétaires ou archanges, influence qui change 24 fois au cours de la période. Les archanges sont ici représentés avec les métaux qui les représentent dans le monde physique, avec les signes de ces métaux, leur nombre atomique et les signes chimiques et astrologiques. Ce tableau commence avec le Déluge de Noé, situé entre les périodes de Mars et de la Lune d'après Trithème, et il se termine à la fin de la période de Saturne, d'après ce que nous dit Nostradamus. Ces deux savants n'ont pas eu la possibilité de construire un tel tableau qui est en parfait accord avec la chronologie traditionnelle. Ils ont dû exposer une chronologie fausse afin de rester dans les limites des chronologies acceptées et qui se basaient sur une interprétation erronée de la Bible, mais les deux savants ont fait tout leur possible pour nous transmettre les données éternelles de la chronologie traditionnelle, nous permettant ainsi d'établir ce tableau.

Nous nous occuperons dans le chapitre suivant de la *semaine*, pour voir que la succession des Génies planétaires et l'ordre dans lequel ils sont placés ont leur origine dans le nombre atomique des sept métaux, nombres atomiques que notre science applique seulement depuis la fin du siècle dernier. La série rétrograde des Génies planétaires, telle qu'elle est citée dans le tableau, a la même origine protohistorique.

Le *Traité des Causes Secondes* de Jean Trithème se termine par une prophétie concernant l'Église catholique, une autre adressée à l'empereur Maximilien Premier et par une déclaration par laquelle l'auteur dépose son œuvre aux pieds de l'Église pour la préserver de la destruction, avant et après sa mort.

L'exposé chronologique se termine avec la période dix-neuf, présidée par Samaël et Mars. En suivant le faux cycle de 354 ans et 4 mois, cette période se terminerait en 1525. En ce qui concerne la vingtième période, qui devrait arriver jusqu'en 1879, Trithème ne se prononce pas. Il dit seulement : « Une prophétie sera nécessaire pour la série des événements futurs. » Nous reproduisons ci-dessous la traduction textuelle des dernières pages de cette « Chronologie Mystique » :

« Pendant la première période de Samaël Mars annonçait le Déluge : au cours de la seconde, la ruine de Troie. Vers la fin de la troisième période il y aura rupture de l'Unité. En effet, d'après ce qui précède, on peut déduire ce qui suivra : cette troisième période de Mars ne s'achèvera pas sans que la prophétie ne soit accomplie et sans qu'une nouvelle religion ne soit établie. A partir de la présente année 1508 de l'ère chrétienne, il manque encore dix-sept ans avant l'expiration du règne de Samaël. Au cours de ces années, les présages de malheurs se manifesteront parce qu'avant l'an 1525 de l'ère chrétienne, les croix qu'on aura pu voir pendant les dix prochaines années sur les vêtements des hommes produiront leurs effets mais à treize ans de là [5], par la force du droit, tu laisseras ta place à un ignorant pour pouvoir ensuite, après ces événements nécessaires, te relever encore plus haut dans ton petit-fils : telle est mon opinion à moins qu'il ne te soit donné de dominer les ombres qui te menacent. »

« Pour la vingtième période, Gabriel, Ange de la Lune, prendra à nouveau la direction du monde, au quatrième jour du mois de juin de l'an 6732 de la Création, qui est l'an 1525 de l'ère chrétienne. Il gouvernera le monde pendant 354 ans et 4 mois, jusqu'à l'an 7086 du monde, au huitième mois, ou 1879 après la Nativité du Seigneur. On aura besoin d'une prophétie pour la série d'événements futurs. Je ne garantis pas les choses que j'écris, très Sage César, mais on peut raisonnablement croire en elles sans préjudice pour la foi orthodoxe. Il y a des personnes qui croient que ces périodes correspondent aux mois lunaires; si telle est votre opinion, je peux être d'accord, mais il serait alors nécessaire de changer ce que j'ai écrit. »

« Pour le reste, de ma main je rends témoignage, et de ma bouche je confesse qu'en toutes ces choses, je ne crois et admets que ce que l'Église catholique a approuvé, par l'autorité de ses Docteurs, et je regrette tout le reste comme de vaines et superstitieuses fictions. »

Les deux prophéties de Trithème furent écrites très certainement en 1508, comme en témoignent le texte dédié à l'Empereur et l'histoire de sa vie. Il y indique, comme le fait Nostradamus, la date exacte. Il ne pouvait pas dire à l'Empereur qu'il lui restait onze années à vivre. Il lui parle de dix années de croix qui produiront leurs conséquences; le reste est sous-entendu : à la onzième année. Comme par la suite il établit une autre période de treize ans, l'Empereur peut se faire des illusions et croire qu'il lui reste encore vingt-trois ans de vie. Par contre, il prédit avec exactitude que le petit-fils de Maximilien sera beaucoup plus grand que lui : Charles Quint accomplit textuellement la prophétie!

Ouvrons une parenthèse pour nous rapprocher un moment de Nostradamus. Il est certain qu'il a prédit, dans tous ses détails la mort en tournoi, en 1559, de « Henry Second ». Le quatrain qui se réfère à ce tournoi n'est pas la seule preuve : nous pourrions en citer d'autres. Pourquoi ne se rendit-il pas, alors, à Paris? Il lui aurait été très facile d'approcher Catherine de Médicis et de la convaincre d'intervenir. Il y a, à cela, deux réponses possibles. Il y a celle de notre monde : en admettant qu'on ait pu, grâce à la prophétie, éviter la réalisation des faits, personne, pas même le prophète, n'aurait eu la certitude d'avoir ainsi sauvé le Roi. La réponse du monde de la prophétie est différente : le fait ne pouvait pas ne pas se réaliser; l'homme ne peut pas faire dévier le destin. Si le futur n'existait pas de toute éternité, la prophétie serait impossible.

La seconde des prophéties faite par Trithème en 1508 est de beaucoup la plus importante. Avant 1510, date de son voyage à Rome, Martin Luther (1483-1546) n'a pas la moindre idée de la Réforme. Jusqu'à son Doctorat, soutenu en 1512, il n'existe aucune base pour prédire la Réforme dans des termes aussi terribles que ceux qu'emploie Trithème, « rupture de l'unité » de l'Église et établissement d'une « nouvelle religion ». Le problème des indulgences commence à se poser en 1516 et nous pouvons dater les attaques contre le Pape et la première condamnation de Luther de 1520, soit douze ans après la prophétie.

En 1529, on appelait « protestants » ceux qui demandaient simplement une réforme de l'Église et qui étaient loin de songer à établir une nouvelle religion.

Jean Calvin (1509-1564) naît après la prophétie et ce n'est qu'à partir de 1531 qu'il commence à défendre les « protestants » contre les tortures et les exécutions ordonnées par François Ier. Il était donc complètement impossible à la simple prévision humaine de prophétiser, en 1508, la Réforme et ses conséquences.

Trithème est, comme Nostradamus, un prophète. Comme lui, il a vu l'avenir de l'humanité et il doit nous léguer un message apocalyptique. Il doit accompagner ce message de la chronologie traditionnelle qui permet de fixer, dans le temps humain, la date (2127-2137) de la fin du signe des Poissons et du commencement de celui du Verseau. Cette date est la même que celle qui termine le Kali Yuga des Hindous, et que l'on retrouve, cachée, dans les nombres de la Bible, dans les millions d'années de la chronologie chaldéenne, dans les mesures de la Grande Pyramide d'Égypte et dans la position exceptionnelle occupée par les étoiles – par rapport à ce moment – en l'an 2167 avant notre ère [6].

Tout comme Nostradamus, Trithème doit lui aussi occulter ce message et c'est à cette fin qu'il nous lègue les deux œuvres, dédiées à l'Empereur, auxquelles nous nous sommes référé.

Nostradamus est un pseudonyme, Trithème aussi. L'abbé était né à Trittenheim. Les deux hommes disparaissent complètement dans leurs œuvres, qui ont pour but, en annonçant notre destin, de contribuer au salut des hommes qui devront traverser l' « ultime conflagration ». Ils accompagneront ainsi la destruction de notre humanité et l'avènement du Sixième Age.

NOTES

1. *Polygraphie et Universelle escriture Cabalistique* de M. I. Trithème, Abbé, traduite par Gabriel de Collange. Jaques Kerver, Paris, 1561. La *Polygraphie* ou *Sténographie* de Trithème fut publiée pour la première fois en 1518, deux ans après sa mort. Elle était accompagnée d'un second traité : *Clavis Polygraphie.* On en connaît quatre éditions réalisées au cours du XVIe siècle et cinq du début du XVIIe siècle, sans compter les éditions de la traduction française que nous citons ci-dessus. On connaît également l'existence d'un *Supplément à la Sténographie*, qu'il ne nous a pas été possible de consulter.

2. Les lettres et le second testament de César de Nostradamus ne laissent aucun doute à ce sujet : il est né le 18 décembre 1553 et mort au début de 1630, à Salon, au couvent des R. P. Capucins. C'est d'ailleurs là que, le 23 janvier, il signa le dernier de ses testaments, auquel nous nous sommes référé.

3. *Johannis Tritheme abbatis Spanheymensis, de septem secundeis, id est Intelligentiis sive spiritibus orbes post Deum moventibus libellus sive chronologia mystica multa scituque digna, mira brevitate in se complectens arcana.*

4. Personne n'est en droit de prédire la mort dans un délai précis, même en admettant, cas peu probable, qu'il soit en mesure de le faire. L'incertitude du prophète lui-même, qui connaît les mirages du monde magique, en perpétuel changement, est une autre des lois de la prophétie. Personne ne peut avoir la certitude de bien interpréter les signes, les symboles, les mots ou les visions, qu'il a reçus. Les lois de la prophétie restent, pour l'homme, incompréhensibles parce qu'elles se situent hors de notre temps, et il ne nous est pas facile de sortir de celui-ci. Si nous nous évadions de la caverne de Platon, nous ne pourrions plus traduire notre vie nouvelle dans le langage de la caverne.

5. Maximilien Premier mourut en 1519, soit exactement au cours de la onzième année après la prophétie, écrite en 1508. Le délai de treize ans ne doit donc pas être compté après celui des « dix années » des « croix » puisque cela nous amènerait jusqu'en 1531, alors que la prophétie commence en annonçant qu'elle va s'occuper des événements « avant 1525 ». Le plus probable est que ces treize années se réfèrent à des événements intervenus en 1521, soit deux ans après la mort de Maximilien.

6. Les conclusions de l'astronome C. Piazzi Smyth (*Our Inheritance in the Great Pyramid,* London, Isbister, p. 380-381) sont les suivantes :

a) Les côtés de la Grande Pyramide sont orientés astronomiquement et les passages pratiqués perpendiculairement aux côtés sont situés dans le plan du méridien.

b) La galerie d'entrée, qui forme un angle d'altitude d'environ 26° 18' signale un point situé à 3° 42' sous le pôle Nord du ciel.

c) En 2170 avant J.-C., Alfa Draconis se trouvait à 3° 42' du Pôle céleste et coïncidait donc exactement avec l'axe de la galerie d'entrée, alors qu'elle se trouvait au point le plus bas de son apogée.

d) Quand Alfa Draconis se trouvait dans cette position au Nord, Eta Taurus, la plus grande étoile du groupe des Pleïades, anciennement appelée Alcyon, croisait ce même méridien terrestre au Sud, dans le plan vertical du méridien de la grande entrée elle aussi, mais en un point plus haut du ciel, près de l'Équateur.

e) Au même instant de cette même année 2170 avant J.-C., le méridien céleste de l'équinoxe vernal coïncidait avec ces mêmes étoiles et avec le méridien de la grande galerie, en leur donnant ainsi une extraordinaire suprématie chronologique sur toutes les autres.

f) Cette extraordinaire combinaison stellaire ne s'était pas produite au cours des 25 827 années antérieures et ne devait pas se renouveler dans les 25 827 années suivantes. Elle ne s'est pas répétée au cours de toute l'histoire de l'humanité et ne peut, par conséquent, être confondue avec aucune autre.

V

L'ÈRE NOSTRADAMIQUE PLAGIÉE PAR SCALIGER

Le Dodécagone chronologique

Nostradamus nous fournit toutes les données nécessaires pour la construction de deux cercles divisés en secteurs de trente degrés et il nous indique, pour chacun de ces degrés, une date. Il y a une différence de dix ans entre les dates d'un cercle et celles de l'autre. Il est possible de situer avec exactitude, sur ces séries d'années solaires, tous les événements humains. Les événements s'inscrivant sur le même degré dans les deux cercles, la localisation dans le temps admet une erreur de dix ans, ce qui constitue réellement un minimum pour des prophéties se rapportant à un futur très lointain. A cette fin, l'auteur nous signale quinze dates exactes, sept d'entre elles sont en rapport avec l'une des sept qui est le commencement de la prophétie de Nostradamus en 1547, et permettent de former le premier dodécagone (fig. 1); huit autres dates sont en rapport avec l'une des huit, qui est la date de 1557 pour le commencement de la prophétie : elles permettent de construire le deuxième dodécagone (fig. 2).

Prophétisant pour des siècles et des siècles, Nostradamus devait situer son œuvre dans le temps historique en utilisant à cette fin une chronologie basée sur la marche du Soleil le long de l'écliptique. Il lui fallait enfin exposer cette chronologie selon la forme traditionnelle, c'est-à-dire sur le cercle de 360 degrés. Il nous fallait donc découvrir la clef chronologique de Nostradamus, le point de départ qu'il avait choisi, afin de pouvoir placer chaque année sur le degré exact de ce cercle et pour retrouver, tous les 360 ans, ou

LE DODÉCAGONNE CHRONOLOGIQUE
DE NOSTRADAMUS. Fig. 1.

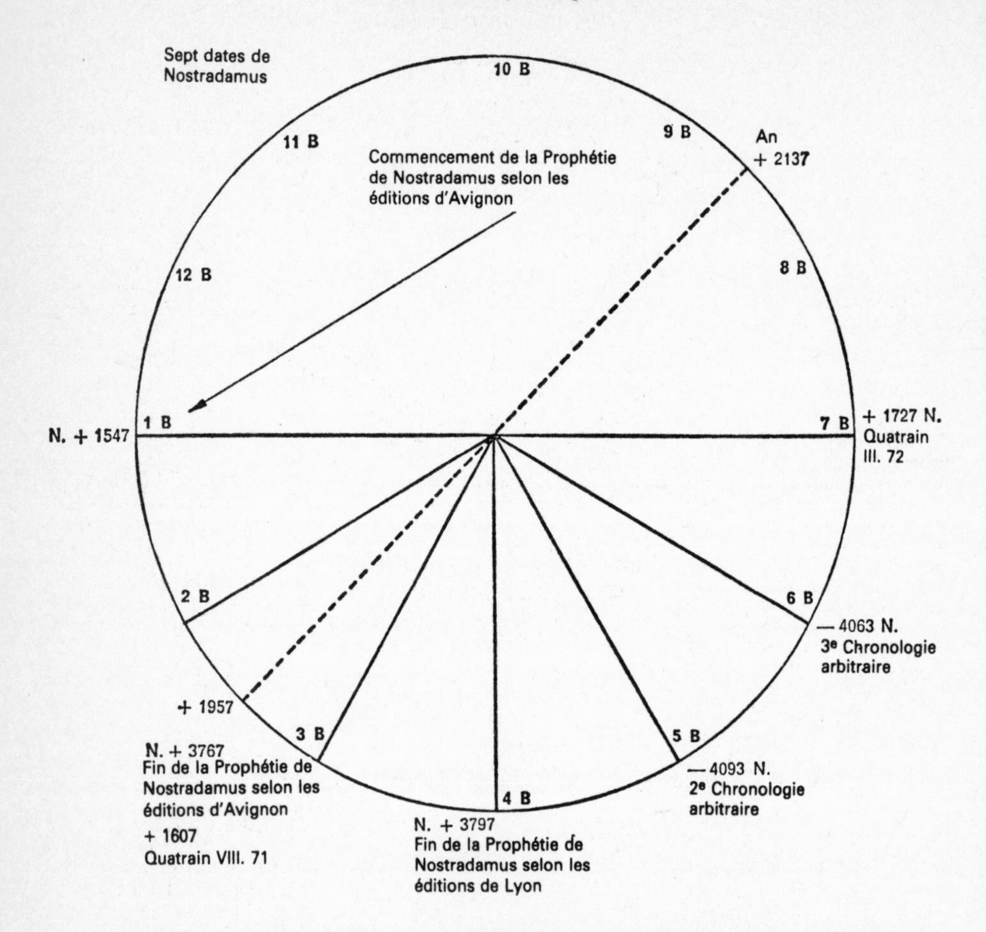

De + 1957 à + 2137 = les « derniers jours » ou années de l'Apocalypse. 180 semaines qui symbolisent dans l'Apocalypse les 180 ans que nous parcourons actuellement. Saint Jean répète quatre fois cette période de 1 260 jours ou 42 mois : c'est une période symbolique de 180 semaines.

périodes, le signe d'un changement de cercle, ou, pour utiliser le langage nostradamique, d'un « changement de ciel ».

Une première observation nous mit sur la bonne voie : la date finale de la prophétie de Nostradamus est 3797 dans les éditions de Lyon et 3767 dans les éditions d'Avignon. Cette différence de trente ans entre les deux dates nous amena à penser à un cercle de dates, divisé en 12 secteurs, dans lequel ces deux dates signaleraient le commencement et la fin d'une période, de l'un de ces secteurs. Étant donné que la date de commencement de la prophétie *selon les éditions d'Avignon* est 1547 – et se termine donc, elle aussi, par 7 – nous en avons soustrait le nombre 360, autant de fois qu'il est possible, et nous avons procédé de la même manière avec les deux

LE DODÉCAGONNE CHRONOLOGIQUE
DE NOSTRADAMUS. Fig. 2

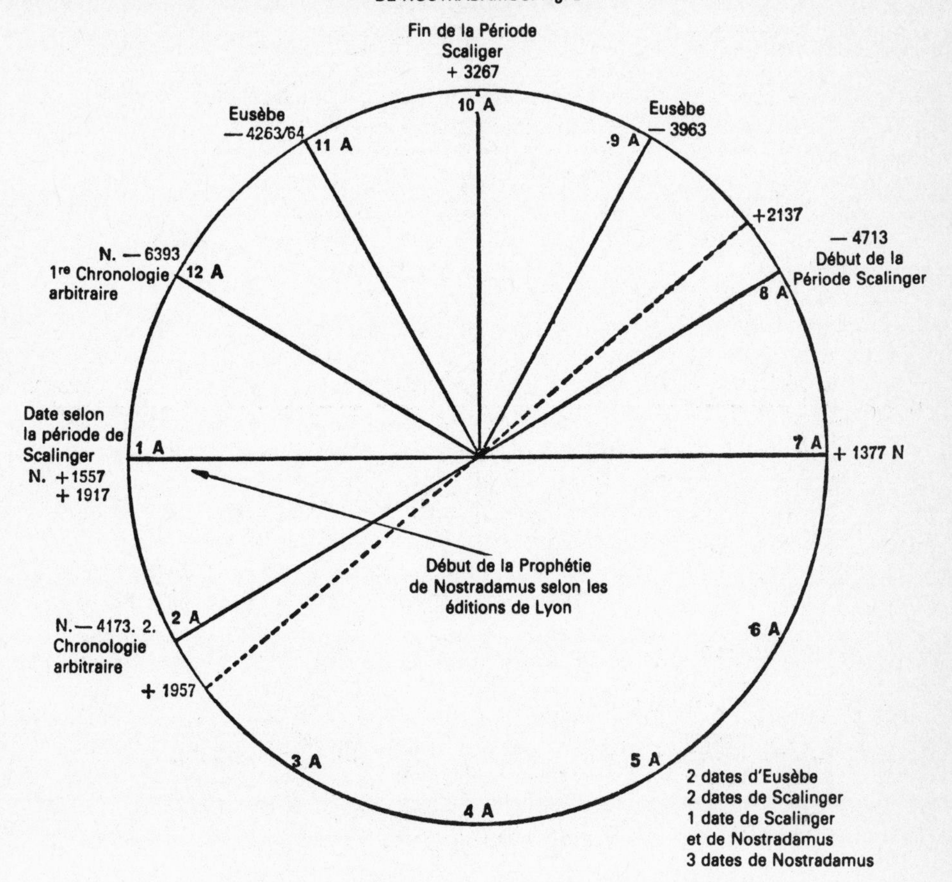

9 A = — 3963 Selon la traduction du grec en arménien par les Hébreux
11 A = — 4263/4 Selon la traduction du grec en arménien par les Samaritains
+ 1957 à + 2137 = Les 180 « derniers jours » ou années de l'Apocalypse

autres dates. Le résultat s'est révélé conforme à ce que nous attendions :

3 797 : 360 = 10, restent 197
3 767 : 360 = 10, restent 167
1 547 : 360 = 4, restent 107

En plaçant le nombre 107 sur le degré 0 du cercle, les nombres 167 et 197 se trouvent placés sur les degrés 60 et 90. Nous pouvons donc placer avec la plus totale exactitude ces trois dates : 1547, 3767 et 3797 à ces trois points du cercle. (Voir Fig. 1 : 1 B, 3 B et 4 B.)

En partant de ces trois dates, pour aller soit dans le passé, soit dans le futur, il était alors également possible de placer sur le même cercle toutes les autres dates de l'histoire humaine. Chaque tour du cercle permet d'inscrire 360 ans. Mais la coïncidence de ces trois dates pouvait apparaître comme une preuve insuffisante de la volonté de Nostradamus de construire un dodécagone chronologique. Nous avons donc poursuivi nos recherches.

Le quatrain III-77 nous a fourni une nouvelle date à inscrire. Il y est dit : « L'an mil sept cens vingt et sept en octobre. » De notre année de départ – 1547 – jusqu'à cette année que cite Nostradamus, il y a 180 ans. Cela nous permettait d'inscrire l'année 1727 entre le sixième et le septième secteur du dodécagone, c'est-à-dire au degré 180 du cercle. (Fig. 1 : 7 B.)

Ces quatre dates étaient suffisantes pour construire un dodécagone, mais Nostradamus établit sa cryptographie de telle sorte qu'on puisse un jour déchiffrer et multiplier ses données, rendant possible le décodage de son message à partir d'un seul livre, qu'il appartienne aux éditions de Lyon ou à celles d'Avignon. L'abondance de preuves qu'il accumule et que nous exposerons permet aussi aux lecteurs d'être absolument certains de l'existence de la cryptographie chronologique que nous étudions. C'est en même temps une preuve absolue de l'existence d'un message très important, tellement important qu'il justifie l'énorme somme de travail employée à la fabrication de la machine cryptographique la plus complète dont on ait connaissance.

Nous avons poursuivi nos recherches en partant de la date de commencement de la prophétie *selon les éditions de Lyon* : « après le temps présent, qui est le 14 de mars de 1557... » Dans la lettre à son fils César qui sert de préface à la première édition de ses Centuries, Nostradamus nous indiquait avec exactitude une autre date : « que depuis maintenant, où j'écris ceci, avant, 177 ans 3 mois et 11 jours... », et il date la lettre du 1er mars 1555. Il nous indique ainsi le 19 novembre 1377. Entre 1377 et 1557, il y a 180 années. En inscrivant au degré 0 du cercle la date de 1557, et en parcourant, en sens rétrograde, 180 ans, soit 180 degrés, nous plaçons l'an 1377 au degré 180 du cercle. (Fig. 2 : 7 A.)

Il s'agissait d'astronomie et de dates exactes permettant de fixer une chronologie valable pour des millénaires. C'est ce fait, et aussi les rapports existant entre Nostradamus et Jules Scaliger – rapports amicaux d'abord, puis hostiles ensuite – qui nous a fait penser à Scaliger, à son fils José Juste et à la période julienne.

Jules César Scaliger porte le nom de Bordoni jusqu'à l'âge de quarante ans; philosophe et médecin italien, fils de Benedetto Bordoni, peintre de miniatures dans une petite boutique de Florence, à l'enseigne de « l'Escalier », il n'eut jamais, au contraire de son fils, la prétention d'être le descendant des princes Della Escala. Son incroyable vanité le conduisit à se fabriquer des antécédents princiers et à se brouiller avec tous les représentants de la culture de son siècle. Ami de Nostradamus, il devint plus tard son ennemi. Il ne pouvait comprendre et encore moins admettre la supériorité humaine indéniable du médecin provençal, de dix-neuf ans son cadet. Nostradamus est un savant qui, pour sauver sa vie et son œuvre prophétique, a dû se présenter comme un charlatan. Scaliger est un érudit qui, grâce à une mémoire exceptionnelle, avait la prétention de passer pour un savant. Il doit l'estime excessive que lui voua son siècle autant à son auto-propagande qu'à la nature de ses études. La Renaissance redécouvrait la décadence grecque et en oubliait les véritables valeurs spirituelles du Moyen Age. Scaliger préférait s'occuper des poètes grecs les plus modernes, plutôt que d'étudier Homère. Il était, en réalité, un personnage secondaire. Déjà, au XIXe siècle on n'appréciait plus de lui que ses études grammaticales et philologiques. Il mourut en 1558, à l'âge de soixante-quatorze ans, huit ans avant Nostradamus. Il n'avait pas osé, de son vivant, publier un plagiat, mais il l'avait perpétré dans les brouillons qu'il laissait derrière lui.

José Juste Scaliger (1540-1609) est le dixième des quinze enfants de Jules César. Il fut, comme son père, un érudit. Il n'était pas astronome, et encore moins un créateur. Il s'est occupé de chronologie et estimait à 3 950 ans la durée du temps écoulé entre la création du monde et la naissance de Jésus-Christ! Ses travaux sur la chronologie ouvrent la voie aux développements modernes de cette science, totalement oubliée au milieu du XVIe siècle. Il n'a pas la moindre idée de l'ancienneté de l'homme, et encore moins de celle de la terre, et ne s'occupe que des chronologies grecques et romaines. Il publia quelques études chronologiques avant de faire imprimer en 1583 son *Opus de enmendatione temporum* (Paris, 1583, Leyden, 1598), dans laquelle il établit la chronologie moderne sur une base astronomique qu'il intitule l'ère « Julienne », en l'honneur de son père.

Le moment est venu, après quatre siècles, de démasquer la fraude de l'érudit : l'ère qu'il établit devra, un jour, s'intituler ERE NOSTRADAMIQUE.

Il est fort possible que José Juste Scaliger n'ait pas eu conscience de la trahison qu'il commettait. Il avait vingt-six ans à la mort de Nostradamus, dix-huit à la mort de son père. Tous ses travaux chronologiques sont postérieurs à ces deux dates. Il a pu trouver les données nécessaires dans les brouillons et les manuscrits que son père lui léguait. Dans ceux-ci, Jules César, dénigrant le prophète, s'appropriait un savoir qui ne lui appartenait pas, de la même façon qu'il s'était attribué un nom qui n'était pas le sien. Il était impossible à Nostradamus, de son vivant, de revendiquer son savoir astronomique, soixante-dix-sept ans avant la condamnation de Galilée! Il n'a pas non plus eu l'occasion de le faire jusqu'à présent et l'ère julienne reste comme un mensonge de plus de l'histoire.

Depuis le XVIe siècle jusqu'à nos jours, tous les astronomes établissent les calculs de temps nécessaires à leurs travaux en partant du premier jour de la période julienne. Il s'agit d'une période astronomique, très certainement établie par Nostradamus. Celui-ci l'a sans doute communiquée à Jules Scaliger, à Agen, alors qu'ils étaient amis, avant que Scaliger ne devienne l'ennemi du prophète. Cette période fut introduite en 1583, soit dix-sept ans après la mort de Nostradamus, par José Scaliger et baptisée « Julienne » en l'honneur de Jules César, son père. Nous allons maintenant démontrer que Nostradamus est le véritable inventeur de cette ère et qu'il l'a établie pour fixer cette période exacte dans le temps de manière à y référer les faits historiques de ses prophéties. Les données chronologiques que le prophète publie à partir de 1555 nous permettent, non seulement de fixer la véritable chronologie nostradamique, qui est identique à la chronologie traditionnelle, mais encore de calculer la fameuse période julienne, que Nostradamus utilise pour la fabrication du dodécagone chronologique que nous étudions actuellement. Nostradamus la relie de telle manière à la date de commencement de sa prophétie *selon les éditions de Lyon* que nous ne pouvons pas séparer du dodécagone les deux données chronologiques qui y sont inscrites, et qui concernent le début et la fin de l'ère en discussion.

Toutes les dates fournies par Nostradamus sont en relation avec l'ère julienne. Il nous faut donc admettre que Nostradamus connaissait l'existence de cette ère et l'utilisait bien avant que Jules César Scaliger ne la consigne, comme sa propre découverte, dans ses brouillons. La diatribe que Scaliger lance contre Nostradamus est une preuve de sa mauvaise foi. Il voulait conserver pour lui la gloire de la découverte qu'il avait dérobée au prophète et il crut opportun de se brouiller avec lui.

Cette période remarquable commence à douze heures du jour, heure de Greenwich du 1er janvier de l'an 4713 avant l'ère chrétienne et se termine le 1er janvier de l'an 3267 de notre ère. Ces deux jours extrêmes voient la coïncidence des trois cycles utilisés par la chronologie romaine : le cycle solaire de 28 ans, le cycle lunaire de 19 ans – qu'on appelle aussi le nombre d'or – et le cycle romain de 15 ans. En multipliant ces trois nombres l'un par l'autre, nous obtenons la durée totale de la période julienne : 7 980 ans (28 × 19 × 15 = 7 980). Au bout de 7 980 ans, nous retrouvons alors les trois cycles : le cycle solaire de 28 ans s'est reproduit 285 fois, le cycle lunaire a eu lieu 420 fois, et le cycle romain 532. Ces trois cycles ont été notés par Nostradamus dans tous ses almanachs annuels.

Examinons maintenant comment Nostradamus établit la période julienne parmi les douze dates de son dodécagone chronologique.

En ajoutant aux 4 713 ans antérieurs à Jésus-Christ, les 1 557 ans qui séparent le commencement de l'ère chrétienne du début de la prophétie, *selon les éditions de Lyon*, nous obtenons 6 270 ans ou degrés. En partant de 1557 et en parcourant 17 tours (360 × 17 = 6 120) en sens rétrograde, nous arriverons au point de départ et il nous restera encore 150 ans, ce qui nous conduira au degré 210, où nous inscrivons le début de cette période. (Fig. 2 : 8 A.) En partant de ce même degré et en procédant de la même façon, nous inscrivons sur le cercle la fin de la période julienne après avoir parcouru en sens direct les 7 980 ans ou degrés. Après avoir décrit 22 tours (360 × 22 = 7 920), nous arriverons à notre point de départ et il nous restera 60 ans qui nous conduiront du degré 210 au degré 270 où nous inscrivons la date finale de cette période (Fig. 2 : 10 A); ce qui correspond à l'an 3267 de notre ère (4 713 + 3 267 = 7 980).

José Juste Scaliger place la création du monde en l'an – 3950, c'est-à-dire 3 950 ans avant le commencement de l'ère chrétienne et il considère qu'une période astronomique qui se répète tous les 7 980 ans s'est reproduite dans le ciel 763 ans avant cette création! Ce fait a échappé à la vigilance du Saint-Office!

La position exacte de ces quatre dates sur le cercle chronologique de Nostradamus est évidemment très intéressante : + 1557, commencement de la prophétie, qui forme avec + 1377 le diamètre horizontal; – 4713, commencement de la période julienne et + 3267, fin de cette période. Ces quatre dates occupent respectivement les degrés : 0, 180, 210 et 270, c'est-à-dire les points de division qui marquent le début de quatre périodes zodiacales. Il est d'autant plus surprenant que la fin de la période astronomique de 7 980 ans se termine en l'an 3267 de notre ère, c'est-à-dire exactement au point le plus haut du cercle, au degré 270, signalé dans le dessin. (Fig. 2 : 10 A.) Ces preuves suffisent amplement à démontrer que c'est bien Nostradamus qui, dans sa chronologie traditionnelle des AGES, a créé une chronologie astronomique exacte, l'ère julienne, et l'a inscrite dans son dodécagone chronologique.

Ce résultat nous poussa à mener plus loin nos investigations et nous nous sommes tout naturellement tourné du côté des trois chronologies arbitraires que Nostradamus a exposées pour sa cryptographie : deux, dans la dédicace à « Henry, Roy de France, Second », en 1558, et une, dans son almanach de vers prophétiques pour 1566. Étant donné que la seconde de ces chronologies arbitraires conclut à deux résultats différents en ce qui concerne les années écoulées entre la Création et la naissance de Jésus-Christ, il s'agit, en réalité, de quatre nombres, de quatre totaux, même si les chronologies arbitraires ne sont que trois. Nous n'avons besoin que de ces quatre nombres pour établir notre dodécagone. Pour ce qui est de l'étude de ces trois chronologies arbitraires, nous renvoyons donc le lecteur au chapitre IX de la Cryptographie, où nous nous occupons de ces chronologies et des six pentagones auxquels elles donnent origine.

Les quatre nombres différents qui expriment, dans les chronologies citées, la durée du laps de temps écoulé entre la Création et la naissance du Christ se sont révélés applicables au dodécagone : deux de ces dates coïncident, sur le cercle, en plaçant l'an 1547 au degré 0. Les deux autres se superposent si on place, à ce même degré 0, l'an 1557. Deux sont donc en accord avec la date du début de la prophétie *selon les éditions d'Avignon* (Fig. 1), et les deux autres avec la date fournie *par les éditions de Lyon.* (Fig. 2.) Il s'agissait donc bien de deux dodécagones, ou bien d'un seul, en admettant une différence de dix ans entre les dates de la première figure et celles de la deuxième. Cette disposition déterminait donc, pour toutes les dates prophétisées, une marge d'erreur de dix ans.

Les trois chronologies nous ont fourni quatre nombres : 6 393, 4 093, 4 173 et 4 063. Mais le fait que ces trois chronologies, dont il est évident qu'elles sont arbitraires, fournissent toutes, pour la durée de la période écoulée entre la Création et la naissance du Christ, des nombres se terminant par 3, ce qui est nécessaire pour la perfection du dodécagone, pouvait éveiller les soupçons. Nostradamus nous donne donc le nombre 4 093 sous la forme : 4 092 ans et 2 mois, et 4 173 par 4 173 ans et 8 mois. Dans la chronologie, il nous oblige à ajouter, aux nombres qu'il nous donne, les années que dure la construction du Temple de Salomon, parce qu'il fait commencer une de ses périodes historiques à la quatrième année du règne de Salomon – date de commencement des travaux du Temple – alors que la période suivante commence après la fin de l'œuvre. Quant à la première chronologie, nous avons dû, pour obtenir le nombre que nous cherchions, ajouter aux données qui nous étaient fournies les trente-trois ans de la vie de Jésus-Christ, car la période historique antérieure se terminait avec sa naissance, alors que la suivante commençait à la date de sa mort et avec la Rédemption. Nous avons dû également ajouter un nombre qui n'a rien à voir avec la chronologie, mais que Nostradamus inclut dans le problème principal pour lequel il a établi ces trois chronologies arbitraires.

Les quatre totaux obtenus pour la durée du temps écoulé de la Création à la naissance de Jésus-Christ sont :	6 393	4 093	4 173	4 063
En y ajoutant les années écoulées jusqu'au début de la prophétie :	1 557	1 547	1 557	1 547
On obtient :	7 950	5 640	5 730	5 610

Pour reporter ces dates sur le cercle en partant du degré 0 en sens rétrograde, il faut retrancher de ces nombres autant de fois 360 que c'est possible :

7 950 : 360 = 22 (reste 30) 5 640 : 360 = 15 (reste 240)
5 730 : 360 = 15 (reste 330) 5 610 : 360 = 15 (reste 210)

Puisque ces dates appartiennent au passé antérieur à 1547, nous devons les inscrire en sens rétrograde en partant de la date de commencement de la prophétie, date qui est inscrite au degré 0 du cercle.

C'est ainsi que nous obtenons deux nouvelles dates pour la première figure, qui commence en 1547 et pour laquelle nous avions déjà quatre dates : – 4093 et – 4063. La place de ces deux dates situées à 240 et à 210 degrés, en sens rétrograde du point de départ, est marquée en 5 B et 6 B sur le figure n° 1, aux degrés 120 et 150 du cercle.

Nous obtiendrons également deux nouvelles dates pour la deuxième figure, celle qui commence en 1557 et pour laquelle nous disposions déjà de 4 dates : 6393 et 4173. Puisqu'elles se trouvent à 30 et 330 degrés, en sens rétrograde, du point de départ, leur place se trouve en 12 A et 2 A de la deuxième figure, aux degrés 30 et 330 du cercle.

Sur les douze dates connues, deux s'inscrivent au degré 0 du cercle (point 1) des deux figures, deux autres se placent également au degré 180 du cercle (point 7); il nous manquait donc encore deux dates pour compléter le dodécagone. Et nous avons cru pendant longtemps que nous devions considérer notre travail comme terminé.

Dans la dédicace à « Henry, Roy de France, Second » de ses trois dernières Centuries, Nostradamus cite Eusèbe, chronographe. Nous soupçonnons que le nombre d'années qu'Eusèbe attribue à la période écoulée entre le commencement du monde et celui de l'ère chrétienne, pourrait correspondre à l'un des sommets non encore daté, du dodécagone. Les trois traductions d'Eusèbe donnent chacune une durée différente pour le laps de temps qui sépare la Création du monde de la naissance du Christ : la version du grec à l'arménien, selon les Hébreux, porte le nombre de 3 963; la version du grec en arménien selon les Samaritains dit 4 264, et la version latine, de saint Jérôme donne le nombre 5 199. En ajoutant les deux premières dates à 1557, nous avons obtenu : 3 963 + 1 557 = 5 520 et 4 264 + 1 557 = 5 821; en reportant ces deux périodes sur le cercle, en sens rétrograde, cela nous conduit au degré 240, dans le cas du premier (fig. 2, point 9 A), et dans le cas du second au degré 299 (fig. 2, point 11 A).

Toutes les dates antérieures à notre ère doivent se terminer par trois pour être situées, sur le cercle, au point exact où commencent les divisions zodiacales. La chronologie d'Eusèbe, selon la version des Samaritains est : 4 264; c'est le seul élément de ce problème qui ne soit pas situé exactement dans la division zodiacale. Ce n'est que lorsque sera utilisé le cercle du temps que nous sommes en train de décrire, pour situer les prophéties dans le temps, que nous verrons s'il est nécessaire de déduire une année de cette chronologie d'Eusèbe, ou si effectivement cette anomalie était nécessaire et doit, par conséquent, être conservée. Il se peut que nous trouvions, dans Varron ou dans un autre chronographe, ou dans les écrits de Nostradamus lui-même, une date qui, ajoutée à 1547 ou à 1557, conduise, en partant de 0°, en marche rétrograde, et au bout d'un certain nombre de tours, au sommet 11 de l'une ou l'autre de nos deux figures.

Pour construire le dodécagone, nous avons dû avancer dans le futur et dans le passé à partir des deux dates que Nostradamus avance comme signalant le début de sa prophétie. Dans le passé, les sommets sont marqués par six dates citées pour la Création du monde : deux attribuées à Eusèbe, quatre établies par Nostradamus lui-même. Dans le futur, nous connaissons trois dates : l'une, 180 ans avant et après le commencement de la prophétie, les deux autres signalent la fin de la prophétie *selon les éditions de Lyon* ou *d'Avignon.* Nous avons complété le dodécagone en y inscrivant le commencement et la fin de la période julienne, utilisée par tous les astronomes.

Ce dodécagone chronologique secret est en réalité une clef parce qu'il divise le temps historique, en accord avec la prophétie, par périodes de 360 ans; en outre, il établit au degré 0°, au commencement d'un cycle, deux dates apparemment arbitraires : 1547 et 1557. L'une de ces dates, 1557, signale la fin d'une période de la prophétie de Daniel; cette même année 1557, antérieure au Déluge, est aussi signalée dans la Genèse, c'est la date à laquelle Sem est engendré.

Nous offrons ce chapitre au lecteur comme une preuve de la malice du prophète qui forge ainsi, tout au long de son œuvre, les pièces de sa cryptographie qui protège, depuis plus de quatre siècles, son message secret. La cryptographie de Nostradamus est la plus parfaite qu'ait jamais engendré l'esprit humain. Elle a réalisé le rêve de Newton et de Poe. Elle est probablement de la même nature que celle qui conserve scellé pour les jours ultimes, le secret enfermé dans les pages de la Bible.

VI

LES JOURS DE LA SEMAINE ET LA SÉRIE DES NOMBRES ATOMIQUES

Dans la Préface de ses premières Centuries, Nostradamus énumère la série des Génies planétaires qui régissent les périodes chronologiques de l'humanité. Cette série est la même que celle que donnait Trithème :

Vénus	Jupiter	Mercure	Mars	Lune	Soleil	Saturne
Vendredi	Jeudi	Mercredi	Mardi	Lundi	Dimanche	Samedi

Nous pouvons voir qu'il s'agit de l'ordre inverse de celui des jours de la semaine. C'est dans cet ordre que les Génies planétaires, et par conséquent les Archanges – Causes Secondes après Dieu, selon Trithème, de tout ce qui se passe sur Terre et dans le Ciel – président aux destinées de la Terre et les influencent. Tour à tour, chacun d'eux prédomine pendant la durée de la sixième partie d'une période du Zodiaque.

Dans la dédicace à « Henry, Roy de France, Second » de ses trois dernières Centuries et pour la « clef des planètes », que nous présentons dans un autre chapitre, Nostradamus cite encore les mêmes Génies planétaires, mais en les plaçant dans un ordre différent :

Saturne Jupiter Mars Vénus Mercure

Le Soleil et la Lune manquent. Il ne s'agit déjà plus des jours de la semaine, ni des périodes du Zodiaque, mais de la « succession horaire », que nous allons expliquer, et qui se complète en plaçant dans la série le Soleil et la Lune de la manière suivante :

Saturne Jupiter Mars Soleil Vénus Mercure Lune

C'est dans cet ordre nouveau que les Génies planétaires influencent les 168 heures de la semaine, répétant 24 fois leur passage sur chacune d'entre elles. Dans cette succession, la première heure du Samedi sera influencée par Saturne, et l'ordre continue de la manière suivante :

1re heure = 1re heure du Samedi, présidée par Saturne
25e heure = 1re heure du Dimanche, présidée par le Soleil
49e heure = 1re heure du Lundi, présidée par la Lune
73e heure = 1re heure du Mardi, présidée par Mars
97e heure = 1re heure du Mercredi, présidée par Mercure
121e heure = 1re heure du Jeudi, présidée par Jupiter
145e heure = 1re heure du Vendredi, présidée par Vénus

Nous avons trouvé chez Nostradamus et chez Trithème les trois séries des Archanges, des Astres ou des Métaux, qui représentent les Sept Causes Secondes : la première est la série qui préside aux jours de la semaine; la seconde domine la sixième partie du parcours de la Terre et du Soleil dans chaque secteur zodiacal de l'écliptique; la troisième, ou « succession horaire », indique l'ordre dans lequel les astres influencent les heures de chaque jour. Nous avons pu vérifier que ces séries sont en rapport entre elles et qu'elles dominent la chronologie et l'histoire humaines, aussi bien dans les périodes astronomiques qu'aux heures de chaque jour.

La relation intime entre ces trois séries est démontrée. Les deux premières n'en font qu'une, utilisée tantôt dans le sens direct, tantôt dans le sens rétrograde. Quant à la troisième, nous pouvons la former à partir de la première.

1	5	2	6	3	7	4
Saturne	Vénus	Jupiter	Mercure	Mars	Lune	Soleil
Samedi	Vendredi	Jeudi	Mercredi	Mardi	Lundi	Dimanche

En prenant un élément sur deux de cette série, on obtient :

1	2	3	4	5	6	7
Saturne	Jupiter	Mars	Soleil	Vénus	Mercure	Lune

Il s'agit bien de la série des influences sur les heures, c'est-à-dire la succession horaire, la troisième de nos séries.

La conclusion qu'il faut accepter est qu'il s'agit là d'un système de symboles unis selon trois ordres différents, chacun en relation avec les deux autres. Chacun de ces ordres, pris en sens inverse, en produit un autre. Nous étudions ici ceux qui ont été utilisés pour les divisions du temps humain. En retournant ce même raisonnement à l'envers, nous devons accepter une réalité supérieure : les Sept Principes ou Causes Secondes exercent leur influence sur toutes nos vies et sur la vie de la terre, d'une manière qui a été découverte à une époque très lointaine et qui oblige les hommes à établir leur division du temps de manière à tenir compte de cette réalité supérieure.

Ce n'est qu'ainsi que nous pouvons comprendre que la semaine de sept jours, présidés par les Sept Génies planétaires, ait été acceptée et dans le même ordre, par les Égyptiens, les Hindous et les Chinois, et cela depuis les temps les plus reculés que puisse envisager notre investigation. Les vingt-quatre heures du jour et la succession horaire que nous étudions sont liées à la semaine de telle sorte que nous sommes obligés de reconnaître qu'il s'agit non seulement d'une partie d'un même système symbolique, mais encore que ce système exprime une réalité que l'homme a expérimentée consciemment avant de diviser son temps en semaine, jours et heures présidées par les Sept Principes ou Causes Secondes, et avant de projeter cette connaissance et d'établir les divisions de sa chronologie, en ordonnant sous les mêmes influences, les millénium et les millénaires de l'histoire de la Terre.

Nous ne pouvons sous-estimer l'ampleur des connaissances astronomiques de J.-S. Bailly [1], ni l'importance de son *Histoire de l'Astronomie.* Ses opinions, en tant qu'astronome et qu'historien, accréditent l'ancienneté et la valeur que nous attribuons nous-même à ces mesures de temps qui font partie d'un système que nous pourrions appeler, avec Trithème : « Chronologie Mystique. »

Bailly dit, à propos de la semaine :

« Cette Astronomie avoit la connoissance des sept planetes, puisqu'elle a imposé leurs noms aux jours de la semaine. C'est peut-être la preuve la plus singuliere & de l'antiquité de l'Astronomie, & de l'existence de ce peuple antérieur à tous les autres. Ces planètes, qui présidoient aux jours de la semaine, étoient rangées suivant un ordre qui subsiste encore parmi nous. C'est d'abord le soleil, ensuite la lune, mars, mercure, jupiter, vénus & saturne. »

Et Bailly ajoute ici, dans une note : « La semaine commençoit chez les Égyptiens le jour de saturne, le samedi, chez les Indiens le vendredi, chez nous elle commence le dimanche; le choix de ce premier jour est arbitraire : mais ce qui doit étonner, c'est que l'ordre des planètes qui président à ces jours soit invariable & par-tout le même. »

Le texte poursuit : « Il se retrouve le même chez les anciens Égyptiens, chez les Indiens & chez les Chinois. »

Et dans une deuxième note l'auteur nous fait savoir qu'en ce qui concerne les Chinois, nous devons consulter : « Hérodote, Lib. II; Martini, *Histoire de la Chine,* tome I, p. 94; M. le Gentil, Mémoires de l'Académie des Sciences pour 1773. »

Et le texte ajoute : « Cet ordre n'est point celui de la distance, de la grandeur, ni de l'éclat des planètes. C'est un ordre qui paroit arbitraire, ou du moins qui est fondé sur des raisons que nous ignorons. On peut dire qu'il est impossible que le hasard ait conduit séparément ces trois nations, d'abord à la même idée de donner aux jours de la semaine le nom des planètes, ensuite à donner ces noms suivant un certain arrangement, unique entre une infinité d'autres. Le hasard ne produit point de pareilles ressemblances. Quelques savants voudront trouver ici une preuve de la prétendue communication entre les Égyptiens & les Chinois : pour nous, qui sommes persuadés que cette communication n'a point existé, nous n'y verrons qu'une démonstration de l'existence de cet ancien peuple détruit, dont quelques institutions ont passé à ses successeurs. Ces institutions se retrouvent chez des peuples placés à de grandes distances sur le globe, on en doit conclure qu'ils ont la même origine. Mais cette origine où ils ont également puisé l'idée de donner les noms des planètes aux jours de la semaine, l'Astronomie, qui a fourni cette idée, sont d'une grande antiquité, puisque ces peuples eux-mêmes sont très anciens sur la terre. »

Depuis un demi-siècle, nous réunissons des preuves de l'existence, sur Terre, d'une humanité antérieure à un cataclysme cosmique. Les peuples les plus anciens de notre histoire ont hérité de certaines données éparses de la science de cette humanité. La période astronomique de six cents ans, la mathématique sexagésimale et la conception mystique des divisions de temps qui donne son sens profondément humain à la chronologie traditionnelle, font partie de ces études.

Bailly se trompe quand il dit que le choix du premier jour est arbitraire et que l'ordre des jours de la semaine paraît l'être aussi. Il y a là une chronologie mystique et nous commençons à percer son mystère. L'ordre des jours de la semaine n'est pas arbitraire. La première planète de la série en sens direct, c'est Saturne et en sens rétrograde, Vénus. (Voir le tableau de Trithème au chapitre IV).

La base scientifique de l'ordre des planètes et du choix de l'une d'elles pour la première place se trouve dans les nombres atomiques des métaux qui correspondent aux Génies planétaires.

La série des nombres atomiques est la suivante :

Saturne	Mercure	Apollon	Jupiter	Diane	Vénus	Mars
Plomb	Mercure	Or	Étain	Argent	Cuivre	Fer
82	80	79	50	47	29	26
1	2	3	4	5	6	7

Cette série, appliquée au temps humain, est directe en commençant par Saturne et rétrograde en commençant par Mars.

En prenant dans cette série un élément sur deux, on obtient la succession des jours de la semaine :

Saturne	Apollon	Diane	Mars	Mercure	Jupiter	Vénus
Samedi	Dimanche	Lundi	Mardi	Mercredi	Jeudi	Vendredi
1	3	5	7	2	4	6

Et en prenant un élément sur trois de la première série, on obtient la succession horaire :

Saturne	Jupiter	Mars	Apollon	Vénus	Mercure	Diane
1	4	7	3	6	2	5

Nous pensons que la preuve de l'existence d'un système qui régit toutes les divisions du temps et toute la chronologie traditionnelle, est suffisamment démontrée. Une fois cette preuve établie, nous pouvons faire un nouveau pas en avant et considérer les Sept « Causes Secondes » selon Trithème, les Sept Archanges, les Sept Dieux ou les Sept Génies planétaires des anciennes légendes, comme étant sept aspects d'une réalité supérieure, qui régit la vie de l'homme, celle de la planète où il habite, divise son temps et probablement son espace et sa causalité et ce, dans un rapport profond et difficile à concevoir, avec les trois forces ou personnes de la Sainte Trinité.

Le poids atomique est aujourd'hui la somme des protons et des neutrons contenus dans le noyau de l'atome. Le nombre atomique est seulement le nombre de protons de ce noyau.

La technique nucléaire commence son histoire avec la première expérience faite dans l'Institut Empereur Guillaume, au mois de novembre 1938, à Berlin, de la fission de l'atome d'uranium, par Otto Hanh, né en 1879, et Fritz Strassmann, né en 1902. De tous les problèmes de ce moment de l'histoire, ce sont ceux qui ont produit les changements les plus fondamentaux et en tous ordres : depuis la conception de l'univers jusqu'à certaines situations concrètes de la politique internationale; la physique nucléaire a tout bouleversé. Les premières tentatives d'établir des tables de poids atomiques, calculés selon les différentes conceptions de l'atome, remontent à un siècle : l'atome, indivisible, selon l'étymologie de son nom, avait déjà été divisé dans l'esprit des chimistes et des philosophes, mais on ne pouvait pas encore parler de protons.

Aujourd'hui, il est même possible de parler de la « taille » des atomes. Il s'agit, bien sûr, d'une taille approximative qui varie dans le même ordre que les nombres atomiques; mais du plus grand au plus petit, chaque atome étant plus grand que celui dont le nombre atomique suit le sien. L'ordre de « proportions » des atomes des sept métaux qui nous intéressent est :

PLOMB MERCURE OR ÉTAIN ARGENT CUIVRE FER

C'est bien la même série des nombres atomiques que nous connaissons et d'où dérive celle des jours de la semaine, adoptée il y a un grand nombre de siècles par les Égyptiens, les Hindous et les Chinois, série qu'ils avaient héritée d'une humanité disparue. La troisième série, la « succession horaire », dérive aussi de celle-ci.

Ces trois séries en engendrent trois autres, en sens inverse. Et chacune de ces six séries est en relation avec une science.

La première série, celle des nombres atomiques, est en relation avec l'Alchimie. Elle commmence par Saturne, le plomb, la couleur noire et la putréfaction, et elle se termine par Mars, dieu de la guerre et de la victoire, et par la couleur rouge qui est la dernière du Grand Œuvre. Du noir au rouge, cinq autres couleurs se sont succédé : violet, bleu, vert, jaune, et orangé.

La seconde série, celle qui se réfère aux jours de la semaine, est en rapport avec la vie de l'homme et avec les trois règnes sur la Terre; et aussi avec la chronologie de l'Univers, quand on la prend en sens rétrograde.

Fludd utilise, en Astrologie, la troisième série, celle de la succession horaire.

Il est indéniable que ces séries unissent la mythologie à la chimie. La science antique considérait que les dieux, les demi-dieux et les héros étaient représentés, dans le monde physique, par les corps chimiques. Nous avons déjà dit, à une autre occasion, que nous nous appuyions pour affirmer cette conclusion, sur Basile Valentin, et nous avons cité l'auteur péruvien Pedro Astete, qui a consacré plusieurs années à l'étude des correspondances entre la mythologie et la chimie [2].

A la fin de ce chapitre, nous reposons les mêmes questions qui nous sont venues à l'esprit, devant les montagnes taillées et devant les sculptures réalisées par une culture protohistorique dans la roche naturelle que nous avons photographiées au Pérou, au Brésil et au Mexique, en France, en Angleterre, en Égypte et en Roumanie : quelle était cette culture protohistorique qui connaissait le nombre atomique des métaux et de tous les corps chimiques que nous connaissons, qui ordonnait sa chronologie et son temps en fonction de ces connaissances scientifiques? Et pourquoi continuons-nous, encore aujourd'hui, sur la terre entière, à respecter l'ordre des sept jours de la semaine tel qu'il est établi par les nombres atomiques des sept métaux qui représentent les Dieux ou les Archanges qui président nos jours? Pourquoi, alors, ne reconnaissons-nous pas publiquement que nous avons hérité une partie d'une science que nous ne comprenons pas encore, science qui était l'apanage de ces pauvres « primitifs » qui, selon nos savants, ne connaissaient même pas l'écriture?

NOTES

1. Bailly (Jean-Sylvain) (1736-1793), *Histoire de l'Astronomie Ancienne*, Paris, les Frères Debure, 1775. *Histoire de l'Astronomie Moderne*, Paris, Debure, 1785, seconde édition.

2. Nous avons publié à Mexico le seul livre de l'œuvre de Pedro Astete (1871-1940) que celui-ci acheva : *Les Signes*, Éditions El Sol, 1953. Toute son œuvre fut transcrite par Enrique Astete et quelques exemplaires sont restés entre les mains de la famille. Les données qu'il fournit au sujet des rapports entre la mythologie et la chimie sont extrêmement intéressants, mais ils exigent l'intervention d'un érudit en chimie qui pourrait réaliser la synthèse et la mise en ordre nécessaires.

VII

L'ENNÉAGRAMME DES TEMPS

La chronologie mystique, ou chronologie traditionnelle, avec ses périodes zodiacales et ses catastrophes cycliques fut la science la plus respectée par toutes les humanités antérieures à la nôtre. Jamais elle n'a été exposée en dehors des écoles anciennes. En effet, elle doit appartenir, en exclusivité, à une élite de la race qui domine les derniers siècles de chaque humanité. C'est cette élite qui possède les plus grandes connaissances et aussi les plus grands moyens pour assurer, pendant un cataclysme et après celui-ci, le sauvetage et la survie de quelques groupes humains.

Trithème et Nostradamus ne pouvaient pas la rendre publique sans se condamner eux-mêmes et sans condamner leur œuvre. Aujourd'hui encore, en plein XXe siècle, les hommes de science constituent des cercles fermés, qui défendent jalousement les limites assignées à chaque discipline. Il est très difficile d'entreprendre, sans aucune aide, une investigation au-delà de ces limites. Il est plus difficile encore de poursuivre cette recherche pendant cinquante ans, en la défendant contre l'ignorance et l'indifférence.

Nous consignons, dans ce livre, les données les plus importantes de cette chronologie millénaire. Nous les avons découvertes cachées dans les écrits des prophètes et dans les chronologies des Égyptiens, des Hébreux, des Chaldéens et des Hindous. Déjà, nous approchons du moment où l'humanité aura besoin de cette chronologie. Elle est la seule à fixer les grandes périodes astronomiques en relation avec les humanités qui ont habité notre planète. Elle est aussi la seule à signaler, en accord parfait avec les prophéties, la date de la prochaine catastrophe. Un siècle et demi nous sépare encore de cette date. Notre intervention ne suppose, de notre part, la recherche d'aucun avantage : nous nous contentons d'exposer tout ce que nous avons découvert, marquant ainsi le chemin pour qui voudra poursuivre nos recherches plus avant.

C'est la première fois qu'est portée à la connaissance du public une ancienne figure secrète, que nous avons intitulée « ennéagramme des temps [1] ». Cette figure est si intimement liée à l'œuvre de Nostradamus et à la chronologie mystique que nous nous sentons obligé de la reproduire dans ce livre.

Cet « ennéagramme » exprime le déroulement, sur le cercle, de notre Cinquième ÂGE, qui s'étend du déluge de Noé jusqu'à la prochaine catastrophe. Cette période, exprimée en secteurs de la courbe ouverte de l'écliptique, s'étend sur neuf mille secteurs, soit vingt-cinq tours du cercle de 360 degrés; exprimée en secteurs du cercle qui représente l'écliptique, elle recouvre seulement vingt-quatre fois le cercle, c'est-à-dire 8 640 secteurs. En calculant son cheminement en années solaires, on obtient un parcours de 8 608 années.

Nous avons établi [2] la valeur de chaque année de l'écliptique par rapport à l'année solaire :

– un secteur de l'écliptique vaut 1,00380 année solaire;

– une année solaire vaut : 0,99621 secteur de l'écliptique.

D'après ces valeurs, le Soleil met 2 152 ans à parcourir un signe zodiacal, c'est-à-dire, la douzième partie de l'écliptique. Cette mesure est le moyen terme adopté par les Hébreux dans la Bible et par les Égyptiens dans la Grande Pyramide.

Nostradamus est obligé d'occulter ses données chronologiques et d'en faire un exposé qui ne contredise pas la chronologie des Pères de l'Église. Cependant, il nous parle de sept et de huit mille ans, sans nous préciser s'il fait commencer cette période à la Création du monde ou au Déluge. Il sous-entend l'existence de mille ans de plus, qui pourraient bien être les mille ans de bonheur du millénarisme.

Quand il en vient à parler du terme final de sa prophétie, il nous dit tantôt qu'elle s'étend jusqu'à l'an 3797 de notre ère (selon les éditions de Lyon) et tantôt jusqu'en 3767 (selon les éditions d'Avignon).

Voyons maintenant à combien d'années solaires équivalent les périodes de 8 000 et 9 000 ans indiquées dans les figures 1 et 2.

– 9 000 ans de l'écliptique multipliés par 0,99621 = 8 965,89.

– 8 000 ans de l'écliptique multipliés par 0,99621 = 7 969,68.

Soit, en années solaires complètes : 8 966 et 7 970.

En prenant comme base la durée de 9 000 ans de l'écliptique – réduite à 8 966 années solaires – considérée par Nostradamus comme la fin des temps, et en retranchant de cette quantité celle de 5 199 ans, durée qu'attribue Eusèbe – selon la version latine de

Saint Jérôme adoptée par l'Église Occidentale – à la période qui sépare la Création du monde de la naissance de Jésus-Christ, on obtient :

8 966 – 5 199 = 3 767 ans, soit la date de la fin de la prophétie de Nostradamus selon les éditions d'Avignon (fig. 1).

En prenant pour base les 8 000 ans de l'écliptique, c'est-à-dire 7 970 années solaires – que Nostradamus attribue aussi à la fin des temps – et en retranchant de cette durée, les 4 173 ans que lui-même indique pour la période entre la Création du monde et la naissance de Jésus-Christ, nous obtenons :

7 970 – 4 173 = 3 797 ans, soit la date de la fin de la prophétie de Nostradamus selon les éditions de Lyon (fig. 2).

De ce fait, nous démontrons le rapport existant entre la chronologie mystique de Nostradamus et son dodécagone et l' « ennéagramme des temps ». Mais nous précisons aussi, tout spécialement, le délai véritable de sa prophétie, qui doit conclure avec la fin des temps, c'est-à-dire, approximativement, en l'an 2137 de notre ère, fin de notre Cinquième AGE. Cette même date, 2137, de notre ère, sera aussi l' « année » 2250 de la période zodiacale des Poissons, si nous calculons sa durée sur la courbe ouverte de l'écliptique, ou l'année 2160 de ce même signe du zodiaque, si nous le calculons sur le cercle fermé qui le représente. Si on commence à compter les années de notre ère à partir du commencement du parcours du Soleil dans le secteur zodiacal des Poissons – cette entrée du Soleil dans les Poissons ayant eu lieu 15 ans environ avant la date attribuée chronologiquement à la naissance du Christ – 2137 serait l'année solaire, 2152 celle des Poissons. Les années 3797 et 3767 sont des nombres qui symbolisent la fin des temps : elles ne marquent pas la fin de la prophétie.

Le dodécagone chronologique, que nous avons construit au chapitre V, situe les dates historiques – exprimées en années solaires – autour du cercle de 360 degrés, divisé en douze secteurs. Étant donné qu'il s'agit d'une figure double et qu'il y a dix ans de différence entre les deux séries de nombres, chaque degré est signalé par deux dates, fixant ainsi, pour chaque événement prophétisé une approximation de dix ans, ce qui est réellement insignifiant quand on pense à l'extension de la chronologie. Chaque cercle, parcouru en sens direct – car il s'agit de l'histoire humaine sur notre planète – embrasse une période de 360 années solaires. Le passage d'un tour du cercle au suivant est indiqué, de

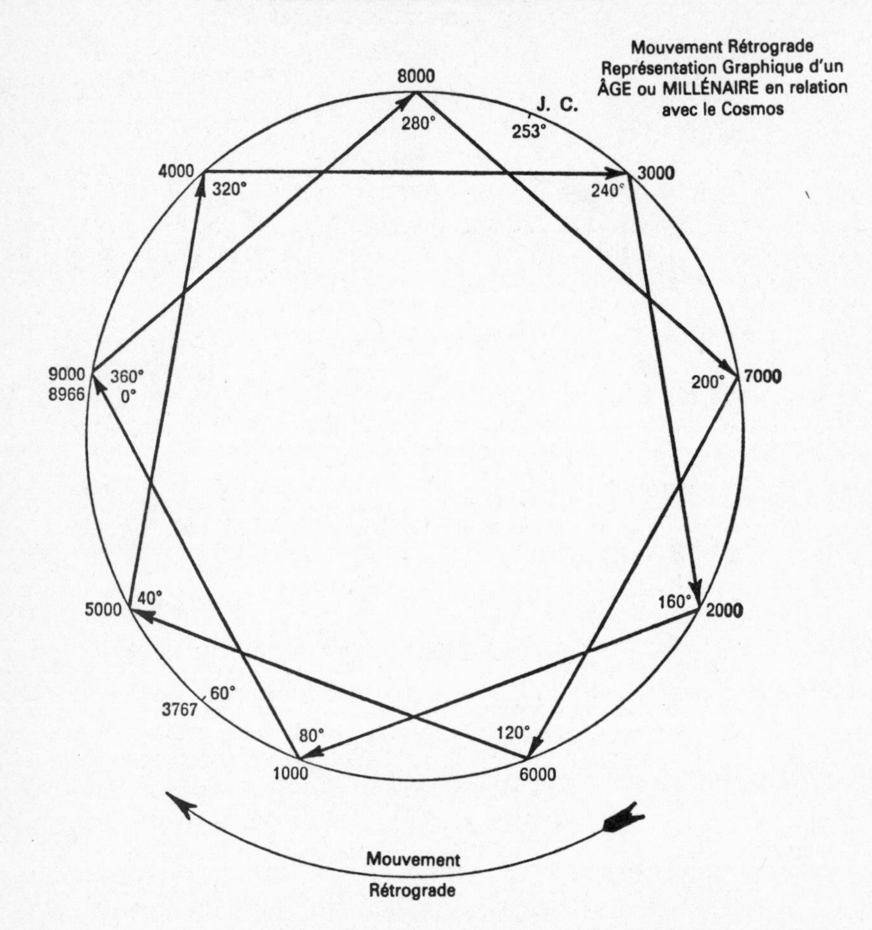

Les 9 000 ans de la figure, considérés également comme « années de l'écliptique » ont, en années solaires, une valeur de 8 966 ans. Il s'agit symboliquement de 8 966 ans « après le commencement ». La fin de ce laps de temps peut également être considérée comme « la fin des temps ». En retranchant de ces 8 966 ans les 5 199 ans qui, d'après Eusèbe, dans la version latine de saint Jérôme, suivie par la tradition de l'Église occidentale, séparent la Création de la naissance de Jésus-Christ, on obtient 3767. C'est en 3767 de notre ère que se termine la prophétie de Nostradamus, d'après les éditions d'Avignon.

Fig. 1

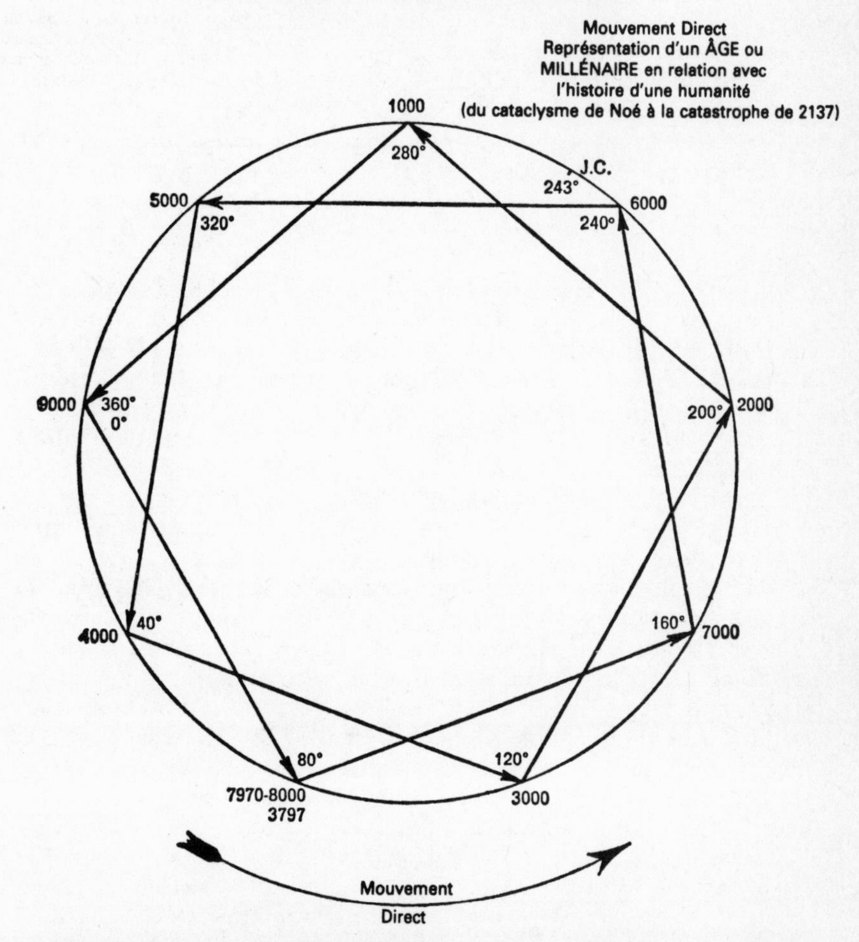

Les 8 000 années de cette figure, considérées comme années de l'écliptique, ont une valeur de 7 970 années solaires. Il s'agit symboliquement de 7 970 ans « après le commencement », et la fin de ce laps de temps constitue la « fin des temps ». En soustrayant les 4 173 années de durée que Nostradamus attribue, dans ses chronologies arbitraires, à la période qui sépare la Création de la naissance de Jésus-Christ, nous obtenons 3 797 ans (7 970 — 4173 = 3 797), ce qui est l'année où se termine, selon les éditions de Lyon, la prophétie de Nostradamus.

Fig. 2

telle manière que chaque événement historique est daté au moyen du degré et du cercle qui lui correspondent.

L' « ennéagramme des temps » se réfère seulement à un AGE et l'exprime par un cercle de 360 degrés, parcourus 25 fois en sens rétrograde, puisqu'il s'agit de l'histoire cosmique de l'une des trois humanités qui se succèdent, naissent, vivent et meurent à chaque tour complet de l'écliptique. Ces 25 tours totalisent 9 000 degrés ou secteurs, soit le tiers de l'écliptique spirale qui s'inscrit dans le cercle de l' « ennéagramme ». Les 9 000 secteurs de la courbe ouverte correspondent à 8 640 secteurs de la projection circulaire de l'écliptique. Le rapport entre les deux sortes de secteurs est le suivant : un secteur de l'ellipse vaut 1,041666 d'un secteur de la projection circulaire de l'écliptique; et celui-ci vaut 0,96 d'un secteur de l'ellipse.

On peut retrouver facilement, par un simple calcul, la valeur, en années solaires, de ces dernières périodes. L' « ennéagramme » permet donc de représenter chaque AGE par trois nombres, et de procéder de la même manière pour chacune des trois périodes zodiacales qui le composent et pour chacun de ses neuf millénaires. Il sera également possible de représenter chaque instant historique par trois nombres dont l'un est un degré du cercle. Comme un AGE peut commencer à n'importe quel point du cercle, le premier degré de son parcours sera, à lui seul, une clef, clef qui a pu être différente pour chacune des écoles. Les secrets de la chronologie traditionnelle sont toujours très bien gardés. La preuve en est que personne, en quatre siècles, ne les a découverts dans l'œuvre de Nostradamus. En ce qui concerne la Bible, trente-cinq siècles se sont écoulés sans que personne ne découvre, dans ses nombres arbitraires, l'exposé que nous avons donné au public de ladite chronologie traditionnelle. Ce qui est en question ici, ce n'est pas notre extraordinaire érudition chronologique : nous avons travaillé à cette tâche pendant de nombreuses années et ce n'est que maintenant que nous sommes parvenu à ces résultats incroyables. Nous sommes sûr que cela n'a été possible que parce que c'est précisément dans le but d'être révélés au cours de ces « derniers jours », que ces connaissances ont été occultées. En organisant nos fiches et nos notes en vue de la présente publication, nous découvrons aujourd'hui des pages intéressantes qui auraient pu être rendues publiques il y a plus de vingt ans et qui ne verront le jour que maintenant. Un bref exposé de la chronologie traditionnelle, telle que nous l'avons étudiée dans notre ouvrage déjà cité, mettra le lecteur en mesure de découvrir lui-même, occultées dans l'œuvre de Nostradamus, les bases symboliques et numériques de cette chronologie antérieure au Déluge. Une chronologie dont on découvre les traces dans les traditions de tous les peuples anciens postérieurs au cataclysme.

Les chronographes d'Occident ne disposent d'aucune tradition sur laquelle s'appuyer. Les nombres de la Bible sont très importants, mais il est impossible de les prendre au pied de la lettre pour établir une chronologie. La Création se réalise, selon les Hébreux, en sept jours, c'est-à-dire 168 heures, tandis que la Création des Chaldéens prend un million six cent quatre-vingt mille ans. Ce qui est en cause, c'est le nombre 168 et sa véritable importance; en aucun cas on ne peut prendre ces nombres pour une durée réelle, en années solaires.

L'expression du Millénaire, Succession de 9 périodes de Mille Ans sur le cercle du temps

	années solaires	*années complètes*
1 000	996,21	997
2 000	1 992,42	1 993
3 000	2 988,63	2 989
4 000	3 984,84	3 985
5 000	4 981,05	4 981
6 000	5 977,26	5 978
7 000	6 973,47	6 974
8 000	7 969,68	7 970
9 000	8 965,89	8 966

Afin de rester sous l'autorité des Pères de l'Église pour exposer sa chronologie mystique, Nostradamus était obligé de se placer dans le cadre de la pensée millénaire. Ce n'est que de cette façon qu'il lui était possible de parler de 8 000 ans et de 1 000 ans de plus, ces derniers étant les années de bonheur auxquelles nous nous sommes déjà référé. De cette façon, Nostradamus affirmait deux durées : 8 000 et 9 000 ans. Ces deux nombres signifient : « la fin des temps ». En agissant ainsi, Nostradamus laissait, comme Saint Augustin, la porte ouverte à une existence physique beaucoup plus étendue dans le temps, étant donné qu'il nous dit : « les images célestes se déplaceront à nouveau ».

Mais puisque tout finit, selon Nostradamus, en l'an 8 000, et qu'il nous dit qu'il prophétise (selon les éditions de Lyon) jusqu'à l'année 3797 après Jésus-Christ, cela veut dire que ces deux nombres expriment le commencement et la fin de sa période prophétique dans le temps. Nous allons le vérifier sur l'ennéagramme (fig. 2).

Si nous revenons en arrière de 3 797 ans sur le cercle du temps, en partant du degré 80, où nous avons placé la fin du huitième millénaire, nous parcourrons en sens inverse dix tours complets et cent quatre-vingt-dix-sept degrés de plus, et le début de l'ère chrétienne se trouvera ainsi situé au degré 243. Si, à partir de ce degré 243, nous avançons, sur le cercle de 1 557 ans, ou degrés, début de la prophétie selon les éditions de Lyon, nous ferons quatre tours complets et il nous restera 117 degrés qui, ajoutés aux 243 précédents nous amènent au degré 360, c'est-à-dire le début du cercle.

Ce qui signifie que le 14 mars 1557, première minute du 15e jour, est le point O où commence la chronologie prophétique de Nostradamus, qui se terminera 2 240 ans plus tard, en degré 80, fin des temps, après six tours et 80 degrés de plus, selon l'ennéagramme. (1 557 + 2 240 = 3 797.)

De la même façon, si tout se termine pour Nostradamus en l'an 9000, et s'il nous dit qu'il prophétise jusqu'à l'an 3767 après Jésus-Christ, selon les éditions d'Avignon, cela signifie, une fois de plus, que les deux nombres expriment le début et la fin de la période prophétique dans le temps. Nous allons le vérifier sur l'ennéagramme (fig. 1).

Si nous revenons en arrière de 3 767 ans sur le cercle du temps, en partant du degré 60, où Nostradamus a placé la fin de sa prophétie, selon les éditions d'Avignon, dans le dodécagone chronologique, nous reculerons de dix tours complets et 167 degrés de plus, et le début de l'ère chrétienne sera situé au degré 253. En avançant sur le cercle de 1 547 ans ou degrés à partir du degré 253, 1547 étant la date du commencement de la prophétie dans les éditions d'Avignon, nous ferons quatre tours complets et il nous restera 107 degrés qui, ajoutés aux 253 degrés précédents nous amènent au degré 360, c'est-à-dire au début du cercle, le point exact ou degré 0 où nous avons situé la fin des 8 000 ans ou fin des temps.

Cela veut dire que le 14 mars 1547, première minute du 15e jour, est également le point O où commence la prophétie de Nostradamus qui se terminera 2 220 ans plus tard, en degré 60 après six tours complets et 60 degrés de plus, selon le dodécagone. (1 547 + 2 220 = 3 767.) Tous les nombres sont synthétiques : la prophétie de Nostradamus commence entre 1547 et 1557 et se termine avec le Cinquième AGE, entre 2127 et 2137, pendant une période de 580 ans.

NOTES

1. Daniel Ruzo, *op. cit.*
2. Voir chapitre III de cette Chronologie.

NOTE POUR ACCOMPAGNER LES FIGURES 1 ET 2 DE L'ENNÉAGRAMME DES TEMPS

L'« Ennéagramme des temps » est une double expression graphique d'un ÂGE ou millénaire, c'est-à-dire le tiers de l'écliptique ouvert de

27 000 « ans » ou « secteurs ». Chacune des quatre périodes zodiacales qui composent un ÂGE occupe 2 250 secteurs.

Nous avons la certitude que cet « Ennéagramme » a été utilisé par Nostradamus qui, nous l'avons vu, se réfère, dans son œuvre, à huit millénaires et à mille ans de plus. Cette figure lui a permis de se référer au millénaire, ou à une succession de millénaires, comme à une période de 9 000 ans.

On peut envisager l' « Ennéagramme des temps », selon un mouvement direct, ou un mouvement rétrograde de ses neuf millénaires sur les 360 degrés du cercle. L' « Ennéagramme » rétrograde exprimera alors le rapport existant entre un ÂGE ou millénaire et le Cosmos. L'Ennéagramme direct représentera les relations entre cet ÂGE – sur notre planète – et l'histoire de l'humanité.

On inscrit l'Ennéagramme rétrograde en partant de zéro, c'est-à-dire le centre du côté gauche du cercle et en se dirigeant dans le sens des aiguilles d'une montre, pendant neuf révolutions successives de mille ans, degrés ou périodes chacune. En commençant au degré 0 le premier millénaire, au bout de deux révolutions complètes, nous avons parcouru 720 ans. Il reste à parcourir 280 ans ou degrés pour compléter le millénaire, ce qui nous amène au degré 80, où le millénaire se termine et où commence le second. Au bout de deux tours et 280 degrés de plus, nous atteignons la fin du deuxième millénaire qui se situe au degré 160. En poursuivant de la même manière, on situe : le commencement du troisième millénaire au degré 240, celui du quatrième au 320ᵉ degré, celui du cinquième au 40ᵉ degré, celui du sixième au degré 120, celui du septième, au degré 200, celui du huitième au degré 280 et enfin, celui du neuvième, au point de départ, que nous pouvons intituler point 0 du cercle (fig. 1).

L' « Ennéagramme » direct commence, lui aussi, au point 0. Il développe ses neuf révolutions dans le sens inverse des aiguilles d'une montre, c'est-à-dire en partant vers le bas. Après deux révolutions complètes, on a avancé de 720 ans, il en manque 280 pour compléter le millénaire, ce qui nous amène au degré 280, où prend fin le premier millénaire. Nous faisons partir de là le deuxième millénaire qui, après deux tours complets et 280 degrés parcourus en plus, nous conduit au degré 200 où se termine le deuxième millénaire. En procédant de la même façon pour tous les millénaires, il est possible de repérer leur commencement sur le cercle : pour le troisième millénaire, degré 120; quatrième, degré 40; cinquième, degré 320; sixième, degré 240; septième, degré 160; huitième, degré 80 et neuvième, au point de départ, c'est-à-dire zéro du cercle (fig. 2).

TROISIÈME PARTIE

LA CRYPTOGRAPHIE DE NOSTRADAMUS

I

CRYPTOGRAPHIE

Deux hommes exceptionnels, Poe et Newton, ont accordé une grande importance à la cryptographie. Ils ne furent cependant pas les premiers à rêver d'une clef impossible à déchiffrer : Trithème (1462-1516) au XVe siècle, et Jean-Baptiste de la Porte (1540-1615) au XVIe siècle l'avaient tenté avant eux, le premier dans sa *Polygraphie et Universelle escriture Cabalistique*, le second dans *De furtivus literarium Notis*. Au cours de ce siècle, les études cryptographiques ont accompli de grands progrès et les cryptographes contemporains sont parvenus à la conclusion que toute clef établie pour occulter des textes, peut être déchiffrée. Mais ce qui est, par contre, absolument certain, c'est que deux prophètes, Nostradamus et Trithème, nous ont laissé des messages de la plus haute importance et que ces messages n'ont pas encore été déchiffrés.

Nostradamus détenait un message secret qui devait parvenir jusqu'à ces années de troubles profonds, jusqu'à cette époque pleine de périls, ces « derniers jours de l'Apocalypse » dont on a commencé en 1957 à compter les 180 ans. Il savait qu'il ne pouvait confier ce message qu'à une cryptographie exceptionnelle. C'est cette cryptographie que nous exposons ici en démontrant qu'au bout de quatre siècles révolus, elle nous défie toujours.

Nos études nous permettent d'affirmer que Nostradamus était en réalité un savant et qu'il a exagéré son personnage de charlatan dans le seul but de préserver et sa vie et son œuvre. Les données astronomiques et chronologiques qu'il a occultées dans ses écrits le situent très au-dessus de la science de son temps. Son œuvre le signale comme le plus grand philosophe de son siècle. Ses prophéties se réalisent. Sa vision du futur lui a permis d'écrire l'histoire de l'Europe avec des siècles d'anticipation et de fixer pour l'humanité la date de 2137 de notre ère comme centre d'un changement astronomique fondamental : le passage du Soleil, dans sa marche sur l'écliptique, du secteur zodiacal des Poissons à celui du Verseau. En conséquence, cette année 2137 sera aussi le centre de grands dangers et de profonds changements pour toute l'humanité.

Saint Jean prophétise pour la même période la catastrophe apocalyptique; c'est également à ce moment astronomique que les Hindous placent la fin du Kali Yuga. Cette convergence donne à l'œuvre du prophète provençal un sens humain et profond et une importance exceptionnelle : nulle tâche n'est plus urgente que celle d'assurer, au début du XXIIe siècle, le salut d'un ou de plusieurs groupes humains. C'est à travers eux que le sang de l'humanité passera d'un ÂGE à l'autre, charriant en lui-même toutes les expériences accumulées par les quatre règnes de notre planète : minéral, végétal, animal et humain. Sans ce salut, toute l'expérience des millénaires serait perdue pour le monde physique avec la disparition du véhicule qui la transporte : le sang de l'homme [1].

D'après saint Paul, le sang est esprit : il unit donc la terre et le ciel et il doit accompagner l'homme animal, « âme vivante », dans son passage à travers le monde physique, jusqu'à ce que la somme de toute la douleur et de tout le désir humain, accumulé en lui, permette la naissance du surhomme, du héros, l' « esprit vivifiant » par lequel l'humanité se « sauvera » spirituellement. Il faut considérer séparément le salut physique de l'humanité et le salut spirituel du héros.

Nostradamus ne se borne pas à nous parler de la catastrophe cosmique et à en signaler la date : il nous laisse également entendre qu'il prophétise pour une date postérieure à la catastrophe elle-même, puisqu'il dit : « les images célestes recommenceront à se mouvoir. » Il n'est donc pas étonnant qu'empêché d'être plus explicite à ce sujet, et conscient de la nécessité que sa prophétie apocalyptique parvienne jusqu'à l'époque désignée, accomplissant ainsi son destin humain, Nostradamus ait cherché dans une cryptographie géniale le moyen de transmettre le message « in soluta oratione », comme il le dit lui-même textuellement : un exposé prématuré du message, au XVIe siècle, l'aurait mis en danger.

Nous avons découvert certaines des clefs de cette cryptographie dans l'œuvre de Nostradamus et nous sommes parvenu à une conclusion : pour protéger son message le plus important et pour que celui-ci ne puisse être dévoilé qu'une fois venu le moment opportun, c'est-à-dire quand l'humanité commencera à se rendre compte de l'épouvantable catastrophe qui s'approche, la clef ne doit pas seulement être difficile à déchiffrer, elle doit aussi contenir des éléments psychologiques et symboliques qui lient ce décodage à une certaine qualité des individus. Ces éléments psychologiques constituent de la sorte une défense de plus de cette extraordinaire cryptographie.

Les cryptographes ne prennent pas en considération le facteur humain. Les nombres qui représentent les quatrains sont ordonnés par les clefs selon le mouvement de certaines figures déterminées, inscrites dans le cercle de 360 degrés. Tout ceci est en rapport avec la machine céleste et avec les symboles éternels de l'humanité, mais nous pouvons également supposer l'existence d'une cryptographie dont le secret ne pourra être révélé que dans certaines circonstances exceptionnelles. C'est seulement en agissant ainsi que Nostradamus a pu dédier sa prophétie à un individu déterminé, qu'il a *vu* dans ses visions prophétiques, tout comme il a certainement *vu* Louis XVI et Napoléon.

Ce que nous avançons est confirmé par le fait que toutes les publications réalisées du vivant de Nostradamus sont datées avec une minutie évidente et que le prophète s'y exprime avec une exactitude philologique peu courante. Nous connaissons l'année, le mois et le jour où furent rédigées les deux lettres-préfaces pour les deux livres qui contiennent les dix Centuries; de toutes les dédicaces et de tous les faciebat pour tous les Almanachs et Prognostications qui sont parvenus jusqu'à nous. Les modifications dans les dates ou dans le texte, quand elles interviennent dans les éditions de Lyon ou celles d'Avignon, sont tout à fait intentionnelles et doivent être prises en considération. La préoccupation de Nostradamus pour la donnée exacte conduit à la conviction que toute son œuvre a été réalisée à partir d'un plan, profondément médité, pour y renfermer son message et que c'est à cette fin que le prophète a fabriqué le secret cryptographique le plus parfait que l'homme ait jamais jamais conçu.

Nos travaux chronographiques, bibliographiques et cryptographiques n'ont pas la prétention de réaliser, aujourd'hui, cette tâche de dévoiler complètement la prophétie de Nostradamus. Nous nous contenterons de la présenter, comme nous en avons le projet depuis 1927, projet que nous allons réaliser à une date prochaine, en fac-similé, débarrassée de toutes les interpolations et portant en note toutes les variantes bibliographiquement acceptables. Nous nous proposons de démontrer, dans le présent ouvrage, la fausseté de ces interpolations et l'existence de clefs et de « thèmes » cryptographiques.

Dans cette cryptographie, il est nécessaire, pour commencer, de délimiter et de remettre en ordre le texte. Nous devons découvrir les éléments nécessaires à la construction et à l'utilisation des différentes clefs. Et tout cela, non seulement dans l'œuvre prophétique elle-même, mais à l'extérieur aussi, dans le Testament de Nostradamus et dans ses dédicaces. C'est seulement après des années qu'il nous vint à l'esprit l'idée d'utiliser la copie du Testament du prophète qui se trouvait dans notre bibliothèque et de considérer les nombres de ce document comme nécessaires à l'établissement de deux clefs cryptographiques.

Nous présentons aujourd'hui nos travaux bibliographiques et chronographiques sur l'œuvre prophétique de Nostradamus, que nous considérons comme terminés. En vue du dévoilement cryptographique du message de Nostradamus, nous présentons les deux clefs testamentaires, le dodécagone chronologique, les six clefs qui permettront la mise en ordre des quatrains et la dernière qui, sans doute, permettra leur lecture. Nous apportons en outre dix-huit thèmes cryptographiques.

Cette machine cryptographique infiniment compliquée, et le travail qui a été nécessaire pour la dévoiler en partie, rendent témoignage de l'importance du message occulte.

En nous basant sur les résultats déjà obtenus et dont nous exposerons la suite dans les chapitres suivants, nous présenterons au lecteur trois hypothèses quant à la cryptographie spéciale dont Nostradamus avait besoin pour remplir la finalité qu'il poursuivait.

La première hypothèse, que nous avons formulée il y a plusieurs années, a été confirmée : la cryptographie parfaite ne doit pas consister en une clef pouvant être utilisée un grand nombre de fois pour différents messages : elle doit au contraire se composer d'un ensemble de clefs, dont chacune doit être utilisée une seule fois, pour dévoiler, en union avec les autres clefs, un message unique.

Notre deuxième hypothèse est que, dans cette cryptographie parfaite, la preuve finale, c'est-à-dire, le déchiffrage du texte, ne peut se réaliser que grâce à l'utilisation simultanée de toutes les clefs. Aucune de celles-ci ne peut donc être essayée séparément. Nous nous limitons, dans chaque cas, à prouver l'existence de chacune des clefs. Les données exactes fournies par Nostradamus et qui n'ont pas d'autre utilisation témoignent de l'existence de chacune de ces clefs et les limites dans le cadre desquelles elles devront être utilisées.

Troisième hypothèse : quiconque prétend dévoiler la cryptographie parfaite doit s'unir à l'œuvre qui la renferme, à tous ses détails et à sa finalité unique. Uni dans l'œuvre à son auteur et à l'état d'esprit et au niveau de conscience qui en ont permis la réalisation, chaque clef s'éclairera d'elle-même. C'est en réalité une seconde création de l'ensemble prophétique qui aura lieu, grâce à un contemporain de l'époque proche de la catastrophe. Ce personnage devra, en outre, être placé dans une situation qui lui permettra d'utiliser ce message au bénéfice de l'humanité.

Nous avons envisagé ces trois hypothèses au cours des douze dernières années. Il y a plus de vingt-cinq ans que nous avons découvert une partie de la clef des pentagones, mais le dévoiler comme nous le faisons aujourd'hui, en l'an 1973 de l'ère chrétienne, n'a été possible que grâce à la découverte des clefs chiffrées contenues dans le Testament du prophète et à la claire vision des conditions posées par la prophétie elle-même ; conditions que nous venons d'exposer dans les trois hypothèses antérieures.

Nous n'avons pas découvert le fonctionnement du mécanisme cryptographique, nous ne pouvons donc pas fournir le texte du message apocalyptique, mais tout lecteur qui suivra attentivement ce livre arrivera à la conviction que Nostradamus est un prophète, que toutes les données qu'il fournit pour permettre de découvrir ses clefs sont rigoureusement exactes ; qu'il établit dans son Testament deux clefs chiffrées ; qu'il établit, dans la lettre à son fils César la durée, en années solaires, du parcours du Soleil sur l'écliptique et la situation dans le temps historique de ses douze périodes zodiacales ; qu'il crée un dodécagone chronologique qui permet de situer sur le cercle n'importe quelle date du passé ou du futur en prenant comme point de départ les deux dates, 1547 et 1557 données par lui comme marquant le début de sa prophétie. Ce dernier fait permet ainsi une marge d'erreur de dix ans, ce qui représente une approximation très acceptable pour une prophétie portant sur des millénaires. Le lecteur se convaincra également de ce que le prophète base sa conception du temps historique sur la véritable chronologie traditionnelle, antérieure au Déluge.

La figure secrète intitulée l' « ennéagramme des temps » a été révélée pour la première fois dans notre livre *Les Derniers Jours de l'Apocalypse.* Nous la reproduisons dans le présent ouvrage, en la complétant.

René Guénon assignait une ancienneté de 6 000 ans au commencement de la période Kali Yuga. Sa durée véritable est de deux périodes zodiacales de 2 152 années solaires chacune, soit 4 304 ans. Le Kali Yuga a commencé en 2167 avant notre ère. Il a progressé pendant le parcours des secteurs du Bélier et des Poissons. Le Kali Yuga commence avec Abraham et son départ de Haran en 2167 avant Jésus-Christ, date à laquelle commencent également quatre autres chronologies : la chronologie assyrienne de Nemrod, la chronologie italique de Comerus, la chronologie celtibère de Tubal et la chronologie égyptienne de Oceanus ou Misraïm. Il se terminera, avec notre Cinquième AGE en l'an 2137 de l'ère chrétienne. Nous sommes d'accord avec Guénon quand il dit : « Quand le Kali Yuga sera terminé, la tradition (la révélation traditionnelle) se manifestera à nouveau. » Il en sera ainsi pour la première période zodiacale, du Sixième AGE, les 2 152 années solaires du Verseau, qui commencera à la même date : + 2137, c'est-à-dire au milieu du XXIIe siècle [2].

Quelles sont les raisons qui nous poussent à présenter ce travail inachevé ? La première, et la plus importante, est que nous ne prophétisons pas. Je suis né en 1900 et nous ne pouvons pas savoir à quel moment me surprendra la mort. Nous préférons corriger les épreuves de ce livre en améliorant, aussi longtemps que nous le pourrons, notre étude cryptographique. La deuxième raison est personnelle, elle aussi : si en tant d'années, de 1927 à 1972, nous n'avons pas été en mesure de terminer ce travail, c'est parce que le moment historique n'est pas encore venu, où la prophétie apocalyptique du prophète provençal devra parvenir à tous les peuples de notre planète. Notre obligation est de livrer à l'impression tous les résultats que nous avons obtenus. Quatre-vingts ans s'écouleront peut-être avant que celui qui porte écrite dans son destin cette terrible obligation trouvera « par hasard » ces pages. Il saura alors que nous avons préparé la voie pour faciliter son labeur et rendre possible son action immédiate. Nous lui remettons un travail bibliographique achevé et très difficile; nous avons réalisé pour lui ce travail de décodage incomplet dont il pourra facilement corriger les erreurs quand il parviendra à déchiffrer le texte de la prophétie apocalyptique enfermée sous la cryptographie que nous étudions.

Jusqu'en 1962, date de notre première publication concernant le Testament de Nostradamus, et jusqu'à aujourd'hui, en 1973, personne n'a, à notre connaissance, découvert une seule des multiples clefs qu'utilise le prophète. Tous ceux qui ont déclaré s'occuper de cryptographie nostradamique ont commenté les Centuries en suivant leur propre intuition. Non seulement ils n'ont pas pu démontrer comment ils travaillent, en se servant de ces clefs occultes, au dévoilement de l'œuvre prophétique, mais ils n'ont même pas pu les exposer en détail à leurs lecteurs. Nous sommes en droit de douter de l'existence de clefs déchiffrées.

Quiconque découvre une clef doit commencer par l'exposer, avant de l'utiliser, et démontrer ensuite à ses lecteurs qu'elle est en accord avec l'œuvre et avec la pensée de l'auteur qu'il prétend traduire. Tous ceux qui se sont occupés jusqu'ici de la cryptographie de Nostradamus nous ont laissé dans l'ignorance de la clef elle-même pour se préoccuper uniquement de faire valoir leurs commentaires et ils en sont arrivés très souvent à prophétiser pour le compte de Nostradamus. Personne n'a trouvé le succès dans cette voie. Il y a de magnifiques commentaires à propos des prophéties qui se sont déjà accomplies, mais personne n'a pu voir le futur à travers l'œuvre de Nostradamus.

Une loi que l'homme ne peut enfreindre l'empêche d'agir contre le destin. La prophétie réalisée démontre la triste condition de l'homme. Seul le prophète peut voir l'avenir et il est obligé de léguer son message par le biais des paroles humaines, en utilisant les moules mis à sa disposition par le milieu dans lequel il vit. La qualité de sa « connaissance » et les lois du destin rendent impossible une description journalistique des événements futurs.

Bien qu'elles soient terriblement obscures, les prophéties de Nostradamus que nous étudions depuis 1927 sont les meilleures qui aient été écrites. La section correspondante de notre bibliothèque renferme 1 300 documents concernant Nostradamus, sa famille, ses commentateurs et ses détracteurs. Aucune bibliothèque au monde ne réunit une telle documentation, puisque nous possédons la copie photographique de tous les exemplaires uniques figurant dans des bibliothèques publiques ou privées.

Loin des chemins battus par tous les commentateurs de l'œuvre nostradamique, nous exposons maintenant, aussi loin qu'il nous a été possible de les découvrir, les séries de clefs qui occultent la prophétie, sans prétendre expliquer un seul de ces quatrains qui se réfèrent à des événements du passé et encore moins à dévoiler l'avenir dans ceux qui traitent des faits historiques qui ne se sont pas encore réalisés.

Nous intitulons « apocalyptiques » les prophéties de Nostradamus parce que leur ensemble constitue une œuvre destinée à influencer l'histoire de notre humanité, conformément à son destin inexorable, au cours des 180 ans qui s'écoulent de 1957 à 2137. Nostradamus a réellement prophétisé, dans de nombreuses strophes, les événements les plus notables de l'histoire de France et des pays voisins, mais il l'a fait dans le seul but d'intéresser les générations successives afin de permettre à l'œuvre d'être déchiffrée au cours du prochain siècle et de parvenir, révélée, jusqu'au XXIIe siècle. C'est pour collaborer à ce but que nous réalisons cet ouvrage.

Dans les chapitres IX et X de la Première partie de ce livre nous avons exposé les deux clefs chiffrées qui permettent de déterminer les quatrains qui constituent l'œuvre prophétique et de procéder aux deux premières remises en ordre. Ces clefs permettent, pour la première fois après 400 ans de réaliser l'*editio princeps* de cette œuvre.

Au chapitre V de la Seconde partie, nous avons réuni les dates fournies par Nostradamus pour construire un double dodécagone chronologique qui permettra de placer sur des cercles successifs toutes les années historiques auxquelles se réfèrent concrètement ces prophéties. Étant donné qu'il y a entre les deux dodécagones une différence de dix ans, ce laps de temps déterminera la marge d'erreurs à laquelle nous nous sommes déjà référé.

Dans cette Troisième partie, nous ferons connaître le résultat de nos travaux concernant les sept clefs et les dix-huit premiers thèmes de la cryptographie nostradamique.

1. La clef des CENTRES autour desquels tournent les groupes de quatrains.
2. Les « thèmes » cryptographiques.
3. La clef des URNES.
4. Les thèmes cryptographiques du TRÉSOR.
5. La clef du GRAND BRONZE qui divise en dix-sept groupes les cent quarante Présages de la Seconde partie de l'œuvre.
6. La clef du VERBE DIVIN qui divise en 22 groupes les 642 quatrains de la Première partie de l'œuvre.
7. La clef des DUCATZ qui réunit ces 22 groupes aux 17 de la clef antérieure.

8. La clef des PLANÈTES qui divise en 28 groupes les 298 quatrains de la Troisième partie.
9. La clef des PENTAGONES qui permettra la lecture de l'œuvre prophétique et du message secret.

NOTES

1. Les « savants » croient connaître le sang de l'homme parce qu'ils en ont analysé les composantes chimiques. Ils sont arrivés à connaître plusieurs types de sang et à savoir qu'un être humain rejette le sang d'un autre type que le sien, s'il lui est injecté. Ils ne savent pas à quoi est dû ce rejet qui arrive à causer la mort. Plus encore, ils ne savent pas pourquoi dans certaines circonstances, l'organisme rejette un sang du même type que le sien, et ils ne parviennent pas à expliquer la mort d'un patient, provoquée par le sang qui lui a été injecté, rejet qui se produit plus tard et alors que tout semblait aller parfaitement bien. Il y a des banques du sang dans le monde entier, mais personne ne s'est avisé d'étudier, comme l'ont fait les Chinois, les « humeurs » du sang, qui ne peuvent être découvertes par l'analyse chimique. Il est possible que ces humeurs puissent se diviser en « positives » et « négatives » et forment avec le sang une trinité qui reflète la Trinité éternelle.

2. Nostradamus fixe la fin des Poissons en 2137, dans ses publications du XVIe siècle. Personne ne connaissait, en ce siècle, le télescope de pierre de la Grande Pyramide qui fixe un point de l'écliptique situé exactement 4 304 ans avant cette date, pour le passage du Soleil du secteur du Taureau à celui du Bélier, en – 2167. 4 304 ans représentent deux périodes zodiacales de 2 152 ans chacune, Bélier et Poissons.

II

LA CLEF DES CENTRES

En partant du texte de Nostradamus remis en ordre suivant les deux clefs du testament, la cryptographie que nous étudions établit les CENTRES autour desquels des groupes de quatrains doivent tourner pour se placer dans un nouvel ordre.

Les mots qui permettent de déterminer ces CENTRES sont nombreux mais leur sens est toujours en accord avec le rôle qu'ils doivent remplir :

CENTRE - MIDY - MINUIT - CŒUR DU CIEL - MILLIEU - FOSSE - BEFROY - PUIT - GOULFRE - ARC - MOITIÉ - SOMMET - NOMBRIL - CŒUR et autres.

Les mots qui nous permettraient d'utiliser ces CENTRES dans les limites que signale le prophète, sont également très variés. Nous en signalerons quelques-uns qui permettent de diviser chacune des trois parties de l'œuvre en groupes de quatrains qui tournent en accompagnant les clefs correspondantes. Nous donnons au chapitre IV un exemple d'utilisation des CENTRES.

L'emploi des clefs exige la découverte préalable des CENTRES que nous avons déjà indiqué et des mots qui permettent de les utiliser. Pour cela, les mots qui se répètent dans le texte, en indiquant « le changement » qui se produit à chaque fois, sont indispensables et se trouvent, soit dans le quatrain final qui subit ce changement ou le détermine, soit dans le quatrain qui précède le centre et où le changement commence.

Les mots qui nous guident peuvent également signifier l'action de « tourner » quand ils sont placés à l'une des extrémités du groupe de quatrains qui se déplace autour du centre, ou encore la direction que le quatrain doit suivre, vers le haut ou vers le bas. Ces mots peuvent également indiquer s'il s'agit d'un quatrain qui doit tourner deux fois, d'abord avec un groupe de quatrains et ensuite avec un autre.

Nous avons choisi comme exemple, au chapitre IV, l'explication de la clef de la cloche, ou GRAND BRONZE, parce que dans ce groupe de onze quatrains, on emploie le même quatrain central pour faire tourner, d'abord tout le groupe dans un sens, puis les cinq quatrains du centre une deuxième fois en sens inverse, de sorte qu'ils sont les seuls à reprendre leur position primitive. C'est un bon exemple d'utilisation de la clef des centres.

Les mots qui signalent l'utilisation de cette clef sont toujours placés à l'une des extrémités du groupe de quatrains qui doit tourner. Il suffit d'un mot parce que le nombre des quatrains qui précède et qui suit le CENTRE est toujours le même. Les mots qui permettent et accompagnent le déplacement d'un groupe de quatrains sont : « change », « changer », « changement », « grand changement », « fin », « finir », « tourne », « tourner », « tournera », « haut », « bas », « retourne », « ne retourne » et autres. Nostradamus se sert également d'autres expressions pour indiquer les différents passages du décryptage.

Cette clef des CENTRES est la plus importante de toutes car elle est utilisée dans tous les textes de la prophétie. Nous ne sommes pas encore en mesure de déterminer sa réglementation. Il s'agit dans chaque cas de trouver le mot que nous pouvons prendre comme CENTRE et, dans les quatrains qui le précèdent et qui le suivent, le ou les mots qui autorisent un certain nombre de quatrains, différent à chaque fois, d'échanger leurs positions respectives, en prenant le quatrain central comme pivot. Après l'utilisation de cette clef, les quatrains doivent être situés d'après l'une des trois clefs dont chacune domine l'une des parties de l'œuvre prophétique :

– celle du VERBE DIVIN qui domine la Première partie;

– celle du GRAND BRONZE qui domine la Seconde partie ou PRÉSAGES;

– et celle des PLANÈTES qui détermine les divisions de la Troisième partie.

La clef des CENTRES doit amener les quatrains signalés par ces trois clefs à leur place exacte.

En réalisant ce travail, selon les multiples indications de l'auteur, on obtiendra un résultat parfait et indiscutable. Tous les quatrains seront rangés en des points exacts situés autour de trois cercles.

Le seul but de cet exposé cryptographique est de donner aux lecteurs la certitude de l'existence de chacune des clefs que nous avons découvertes, préparant ainsi la voie au futur processus de décryptage.

III

LES THÈMES CRYPTOGRAPHIQUES

Les « thèmes cryptographiques » se composent de groupes de quatrains dans lesquels on retrouve le même mot, la même phrase ou différents mots qui expriment une même idée. Nous avons découvert l'existence de ces « thèmes » dans toute l'œuvre en étudiant et complétant la clef des URNES. Ils sont très nombreux et nous n'avons pas encore découvert le processus de leur utilisation. Les inclure tous dans ces chapitres serait fastidieux pour le lecteur.

Le premier quatrain de l'œuvre, le Présage pour le mois de janvier 1555, publié en 1554, indique et autorise un ensemble de ces thèmes.

Le gros airen qui les heures ordonne,
Sur le trespas du Tyran cassera :
Pleurs, plaintes, & cris eaux glace pain ne donne
V.S.C. paix l'armée passera.

Le premier thème est celui du tyran mort. Il se compose de douze quatrains. Il y a ensuite le thème où interviennent les mots : pleurs, plaintes et cris. Puis ceux qui comportent les mots : eau, glace ou faim, c'est-à-dire manque de pain. Et, enfin, le thème du sépulcre, et la paix du sépulcre. Nostradamus nous promet, comme toujours, qu'après avoir employé ces thèmes, « l'armée passera », c'est-à-dire que ses personnages ou l'armée de ses quatrains et vers, défileront dans un ordre parfait. En ce qui concerne le thème de la famine, il nous donne, au quatrain IV-30, un ordre et une autorisation : « Qu'après faim, peste, descouvert le secret. » En procédant ainsi il unit les deux mots et les autorise, ensemble ou séparément. En ce qui concerne la glace, il nous a déjà dit, dans le Présage de 1562 : « Par le cristal l'entreprice rompüe. » Nous disposons donc, pour ce même thème, de deux mots : glace et cristal, et nous verrons combien il en utilise.

Le « thème » du TYRAN

Le premier vers du premier quatrain publié par Nostradamus en 1554 établit l'existence d'un bronze ou horloge qui ordonne les heures, c'est-à-dire le temps et la chronologie. Il aurait pu l'intituler : « Le bronze de Saturne. » Le second vers nous dit que cette horloge se brisera, cessera de fonctionner, à la mort du tyran. Nous devons donc tenir compte de tous les quatrains qui parlent de cette mort, qui interrompt le cours du temps, et diviser en suivant ces indications les quatrains de l'œuvre prophétique.

Il ne cite plus une seule fois ce tyran dans les cent trente-neuf Présages suivants. Par contre nous le rencontrons douze fois dans les Centuries : I-75, I-94, II-9, II-16, II-36, II-42, IV-55, VI-76, VII-21, VIII-65, IX-5, X-90. Une autre fois, il cite un duc qui gouverne comme un tyran et qui livre les siens et lui-même aux mains des Barbares (IX-80). Il se réfère trois fois à Néron en parlant de trois gouvernants tyranniques qui ont été assassinés. (IX-17, IX-53, IX-76). Nous pouvons donc compter un total de dix-sept quatrains dans lesquels Nostradamus se réfère à un tyran. Dans douze de ces citations, le tyran meurt. La dernière, quelques quatrains avant la fin de la Dixième Centurie dit : « Cent foys mourra le tyran inhumain! »

On ne peut nier qu'il s'agit d'un « thème » cryptographique, qui débute dans les Présages, pour les Centuries. D'autres thèmes, annoncés dans les Centuries, incluent également des Présages.

Nous devons rappeler que ce grand problème cryptographique des « thèmes » est posé dans le premier Présage, de janvier 1555, en tête d'une Pronostication qui comprend les premiers vers prophétiques de Nostradamus, et qui fut imprimée en 1554, pour 1555. Ce fait nous donne la certitude qu'à cette date l'œuvre prophétique et la fabuleuse cryptographie qu'elle enferme était déjà terminée tout entière.

Les quatrains qui se rapportent au tyran sont les suivants (un astérisque signale les douze quatrains dans lesquels il s'agit d'un tyran mort) :

* 1555. 1 : « Sur le trepas du Tyran cassera... »
I-75 : « Le tyran Scienne... » (Le tyran de Sienne).
* I-94 : « Le tyran mis à mort... »
* II-9 : « Le maigre... sanguinaire... tué par un... »
II-16 : « Nouveaux tyrans... »
II-36 : « Entre les mains du tyran... »
* II-42 : « Tyran trouvé mort... »

* IV-55 : « Tyran meurtri... »
* VI-76 : « Le tyran... le peuple à mort viendra bouter. »
* VII-21 : « Le tyran... mettre à mort luy & son adhérant. »
VIII-65 : « Tyran, cruel... »
IX-5 : « Tyran occupera... »
* IX-17 : « Neron... mort... »
* IX-53 : « Neron... mort... »
* IX-76 : « Neron... meurtry... »
* IX-80 : « Le Duc... tyrannie... les Barbares. »
* X-90 : « Cent foys mourra le tyran inhumain... »

Comme on peut le voir, le Tyran, ou des personnages qui gouvernent de manière tyrannique, sont cités dix-sept fois. Les astérisques nous permettent de compter douze morts. Le numéro douze peut être le Duc qui gouverne comme un tyran, extermine ses meilleurs hommes et ne parvient pas à échapper aux barbares. Bien que Nostradamus ne le dise pas, nous supposons qu'il annonce la mort du Duc au quatrain IX-80.

Les douze quatrains en question sont donc : 1555-1, I-94, II-9, II-42, IV-55, VI-76, VII-21, IX-17, IX-53, IX-76, IX-80, X-90.

Le « thème » des CRIS.

Pleurs, plaintes et cris sont les mots qui signalent les trente-six quatrains du thème des CRIS. Nous trouvons les mots qui se réfèrent à PLEURS : pleure, pleura, pleurer, dans quinze quatrains. Comme l'un d'eux appartient au thème FEU DU CIEL, un autre au thème des COLONNES et un troisième à celui du TYRAN, il reste douze quatrains pour le thème des CRIS. Six de ces quatrains comportent d'ailleurs, outre le mot PLEURS, celui de CRIS. Ce sont : IV-68, VI-81, IX-63, X-78, X-82, X-88. Les six qui comportent seulement PLEURS sont : II-45, VII-35, X-60, 1555-9, 1559-4, 1561-12.

PLAINTES signale neuf quatrains. L'un appartient déjà au thème du TYRAN, l'autre à FAIM ET PESTE et un troisième à CRISTAL. Les six restants appartiennent donc au thème des CRIS; trois d'entre eux comportent d'ailleurs, en outre, le mot CRIS. Ce sont II-57, VI-81, IX-63. Les trois quatrains qui ne comportent pas le mot CRI sont II-90, III-74 et IV-4. Étant donné que VI-81 et IX-63 sont déjà comptés avec PLEURS et PLAINTES, le thème que nous étudions comprend un total de seize quatrains.

Nous découvrons vingt-huit autres quatrains signalés par les mots : cri, crier, crie, criera, crieur. Huit d'entre eux appartiennent déjà à d'autres thèmes cryptographiques : II-6, FAIM ET PESTE; II-32, MONSTRE; II-91, BRUITS; IV-55, TYRAN; VIII-56, SÉPULCRE; VIII-86, URNES; 1555-1, TYRAN; 1558-12, MITRE.

Il nous reste donc vingt quatrains qui, joints aux seize que nous avons déjà cité forment le thème complet des CRIS qui réunit trente-six quatrains.

Ces vingt quatrains sont : I-10, I-38, II-77, II-86, III-7, III-81, IV-57, IV-80, V-33, V-70, VI-22, VI-78, VII-7, VIII-9, VIII-84, IX-30, X-17, 1555-4, 1558-1, 1559-11.

Les trente-six quatrains signalés par les mots PLEURS, PLAINTES et CRIS sont donc, dans l'ordre : I-10, I-38, II-32, II-45, II-57, II-77, II-86, II-90, III-74, III-81, IV-4, IV-57, IV-68, IV-80, V-33, V-70, VI-22, VI-78, VI-81, VII-7, VII-35, 1555-4, 1555-9, 1558-1, 1559-4, 1559-11, 1561-12, VIII-9, VIII-84, IX-30, IX-63, X-17, X-60, X-78, X-82, X-88.

Le « thème » de l'EAU

Trent-neuf quatrains comportent le mot EAU au pluriel ou au singulier. La plupart de ces quatrains appartiennent à d'autres thèmes. Il en reste 12 : II-29, II-87, II-70, IV-58, IV-98, V-71, VI-94, 1564-1, VIII-98, VIII-57, X-10, X-49.

Le « thème » du CRISTAL

Avec le mot GLACE Nostradamus introduit le thème du CRISTAL. Et pour la plus grande sécurité du cryptographe, il insiste, dans le quatrain Présage de décembre 1562 : « Par le CRISTAL l'entreprice rompüe. » L'entreprise, c'est le décryptage de son texte secret, caché à l'intérieur de son œuvre prophétique. GLACE et CRISTAL se complètent par d'autres mots pour former le thème complet qui comporte vingt-quatre quatrains. Ces mots sont : GLAS, avec S ou Z, VERRE, VERRIER, GELÉE, GRESLE, MIRANDE, MARES OU MARETZ. Ce thème utilise donc tous les mots qui expriment des superficies lisses ou brillantes comme celles de la glace et du cristal, du verre, du gel, du miroir ou de la mer.

Quand il utilise le mot CRISTAL, il inclut avec lui dans le même vers GLACE. Avec GLACE, il ajoute GRESLE; quand il emploie ce dernier mot, il le fait suivre de GELÉE. Et avec CRISTAL, il utilise une fois MARETZ. Il introduit ainsi, l'un après l'autre, les différents mots du thème.

Les vingt-quatre quatrains du thème du CRISTAL sont signalés par les mots que nous plaçons à la suite de leur numéro dans la liste suivante : 155-12, CRISTAL; 1559-1, CRISTAL; 1562-12, CRISTAL; IX-48, CRISTAL; III-40, GLAZ; I-22, GLACE; 1557-2, GLACE; 1565-12, GLACE; 1566-6, GLACE; IX-10, VERRIER; II-1, GELÉES; VIII-35, GELÉES; X-66, GELÉE; X-71, GELERONT; 1565-11, GELÉE; I-46, MIRANDE; VIII-2, MIRANDE; 1-19, MARES; VI-87, MARESCHZ; I-66, GRESLE; VIII-77, GRESLER; IX-69, GRAND GRESLE; 1558-6, GRESLE; 1563-6, GRESLE.

Les quatrains du thème du CRISTAL sont donc, dans l'ordre : I-19, I-22, I-46, I-66, II-1, III-40, VI-87, 1555-12, 1557-2, 1559-1, 1559-6, 1562-12, 1563-6, 1565-11, 1565-12, 1566-6, VIII-2, VIII-35, VIII-77, IX-10, IX-48, IX-69, X-66, X-71.

Le « thème » FAIM ET PESTE

Nostradamus autorise un autre thème, introduit par deux mots : FAIM et PESTE, tandis que ces mêmes mots, pris séparément, signalent chacun un thème supplémentaire. Quand les deux mots se présentent dans le même quatrain, nous pouvons les prendre comme indice cryptographique du premier thème. Quand ils sont séparés, ils permettent de compléter le deuxième et le troisième thème. Le quatrain IV-30 dit : « Qu'après faim, peste, descouvert le secret. » Cette précision complète le Présage 1555-1 qui dit : « Glace ne donne pain. »

Le mot FAIM se rencontre douze fois uni au mot PESTE et une seule fois à PESTES; le mot FAMINE se répète trois fois uni à PESTE et une fois à PESTIFÉRÉ. Nous obtenons ainsi, pour le thème FAIM et PESTE, un total de 17 quatrains signalés.

Il y a encore deux quatrains dans lesquels le mot FAIM n'est pas lié au mot PESTE, mais dans lesquels on parle dans l'un, V-63, de plusieurs autres plaies, dans l'autre, II-64, de FAIM et de bateaux qui ne peuvent être accueillis au port. La raison n'en est pas énoncée mais nous pouvons supposer que c'est parce que la peste est à leur bord. Nous sommes donc parvenu, malgré les difficultés que Nostradamus accumule, comme toujours, à un total de 19 éléments du thème. En recherchant parmi les vers qui citent la PESTE, nous avons découvert, au quatrain IV-68, que celle-ci a été provoquée par une extraordinaire invasion de sauterelles. Celles-ci ont très certainement provoqué la famine avant de déclencher l'épidémie de peste. Au quatrain VIII-50 le mot FAIM est uni à PESTILENCE et dans le Présage 1560-7, Nostradamus emploie les mots FIEBRE ARDANTE qui lui permettent de ne pas répéter celui de PESTE.

Les deux derniers éléments de cette série sont les quatrains 1564-11, qui unit manque d'aliments à PESTE, mot qui est répété, et 1565-8.

La liste de ces 24 quatrains du thème cryptographique FAIM ET PESTE se termine par le quatrain 1565-8 qui ne contient ni l'un ni l'autre mot.

Point ne sera le grain à suffisance.
La mort s'approche à neiger plus que blanc
Stérilité, grain pourri d'eau bondance.
Le grand blessé. plusieurs de mort de flanc.

Beaucoup de morts sur le flanc accréditent une peste. Nostradamus dit d'ailleurs, en d'autres occasions, « au costé mourir » quand il parle de morts causées par la PESTE. Quant aux trois premiers vers, ils annoncent très clairement la FAIM pour une région de France au XVIe siècle.

On cite aussi, pour la seconde fois, le grand blessé qui, dans un Présage antérieur, recherche le coffre, l'URNE.

Les 24 quatrains se succèdent dans l'ordre suivant : I-55, II-6, II-37, II-46, III-19, IV-30, IV-48, V-63, V-90, VI-5, VI-10, VII-6, 1560-1, 1560-7, 1560-8, 1563-4, 1563-10, 1564-11, 1565-6, 1565-7, 1565-8, VIII-17, VIII-50.

Le « thème » de la FAIM

Les mots FAIM et PESTE forment chacun de leur côté, et pris séparément, deux nouveaux groupes de dix-huit quatrains chacun. Le mot FAIM apparaît seul dans quinze quatrains et celui de FAMINE dans deux autres : I-67 et IV-15. Il manquait un quatrain et nous avons complété la série avec III-82 qui parle de sauterelles et de guerre qui ont produit inévitablement la FAMINE.

Les dix-huit quatrains qui forment ce thème sont, dans l'ordre : I-67, I-69, I-70, II-7, II-60, II-62, II-71, II-82, III-10, III-42, III-71, III-82, IV-15, IV-79, IV-90, VII-34, 1555-2, 1565-10.

Le « thème » de la PESTE

Il se compose des treize quatrains qui contiennent le mot PESTE et de cinq quatrains dans lesquels ce mot est remplacé par celui de PESTILENCE. Les dix-huit quatrains de ce thème sont, dans l'ordre : PESTE : I-52, II-53, II-56, III-75, V-49, VI-47, IX-11, IX-42, IX-91, 1558-5, 1563-1, 1564-5, 1565-4. PESTILENCE : VI-46, VIII-21, IX-55, 1565-1, 1566-7.

Le « thème » de la PAIX

Nostradamus utilise le mot français PAIX; mais il en change dix fois l'orthographe et écrit PACHE. Dans le quatrain VIII-7, il orthographie PAYE.

Ces mots signalent 48 quatrains. Un grand nombre d'entre eux servent à la construction d'autres thèmes et de ce fait, il n'en reste que 29 pour le thème que nous étudions maintenant. Nous avons découvert quatre quatrains de plus : IV-77, PACIFIQUE; VI-24, PACIFIERA; 1562-3, PACIFIE; 1562-7, PACIFIE. Il manquait encore 3 quatrains pour en arriver à un thème de 36 quatrains. Nous avons cherché le mot TRÈVE et nous l'avons trouvé quatre fois, avec des orthographes différentes : TREUVE, TREFUE, et TRESVE, mais deux d'entre eux se trouvaient dans des quatrains qui contenaient déjà le mot PAIX et un troisième dans le Présage 1555-3 qui fait partie du thème de SATURNE. Il n'en reste qu'un, le quatrain IV-6. Pendant longtemps, nous avons laissé ce thème incomplet, avant d'y incorporer les quatrains qui se réfèrent à la PAIX : II-100, FINIRA LA GUERRE et VII-12, FIN DE LA GUERRE.

Ce thème est donc finalement constitué par les 36 quatrains suivants, dans l'ordre : PAIX : I-63, I-92, II-43, III-28, III-54, V-6, VI-23, VI-38, VI-64, VI-90, VII-18, VIII-93, IX-51, IX-52, IX-66, IX-86, IX-88, X-42, 1555-5, 1560-2, 1562-1, 1563-2. PAYE : VIII-7. PACHE : IV-73, V-19, V-50, V-82, 1560-5, 1563-9. PACIFIE : 1562-3, 1562-7. PACIFIERA : VI-24. PACIFIQUE : IV-77. TREUVE, TRÈVE : IV-6. FINIRA LA GUERRE : II-100. FIN DE LA GUERRE : VII-12.

Ces huit thèmes autorisés par le premier quatrain de l'œuvre prophétique, le Présage de janvier 1555, réunissent et signalent un total de cent quatre-vingts quatrains. Le thème du TYRAN en comporte 12; PLEURS, PLAINTES ET CRIS, 36; EAU, 12; GLACE et CRISTAL, 24; FAIM et PESTE, 24; FAIM, 18; PESTE, 18; PAIX, 36. C'est le sixième de l'œuvre prophétique qui se trouve ainsi réuni dans un but cryptographique :

$$12 + 36 + 12 + 24 + 24 + 18 + 18 + 36 = 180$$

Nous avons laissé à part le thème du SÉPULCRE en le réservant pour le chapitre V qui réunira les thèmes du TRÉSOR. Ensemble, ces thèmes réuniront 180 autres quatrains. Nostradamus semble nous y autoriser dans les premiers vers que nous avons étudiés dans ce chapitre : il ne désigne pas le SÉPULCRE par son nom, comme pour les autres thèmes : il utilise les initiales des trois mots latins que les Romains plaçaient sur leurs sarcophages.

Nous récapitulons dans le tableau suivant, les cent quatre-vingts quatrains en indiquant leur thème par les lettres suivantes en italique : *T* pour TYRAN, *G* pour CRIS, *A* pour EAU, *C* pour CRISTAL, *Y* pour FAIM et PESTE, *H* pour FAIM, *P* pour PESTE et *Z* pour PAIX.

I-10[g]
I-19[c]
I-22[c]
I-38[g]
I-46[c]
I-52[p]
I-55[y]
I-63[z]
I-66[c]
I-67[h]
I-69[h]
I-70[h]
I-92[z]
I-94[t]

II-1[c]
II-6[y]
II-7[h]
II-9[t]
II-29[a]
II-32[g]
II-37[y]
II-42[t]
II-43[z]
II-45[g]
II-46[y]
II-53[p]
II-56[p]
II-57[g]
II-60[h]
II-62[h]
II-64[y]
II-71[h]
II-77[g]
II-82[h]
II-86[g]
II-87[a]
II-90[g]

III-10[h]
III-19[y]
III-28[h]
III-40[c]
III-42[h]
III-54[z]
III-70[a]
III-71[h]
III-74[g]
III-75[p]
III-81[g]
III-82[h]

IV-4[g]
IV-6[z]
IV-15[y]
IV-30[h]
IV-48[y]
IV-55[t]
IV-57[g]
IV-58[a]
IV-68[g]
IV-73[z]
IV-77[z]
IV-79[h]
IV-80[g]
IV-90[h]
IV-98[a]

V-6[z]
V-19[z]
V-33[g]
V-49[p]
V-50[z]
V-63[y]
V-70[g]
V-71[a]
V-82[z]
V-90[y]

VI-5[y]
VI-10[y]
VI-22[g]
VI-23[z]
VI-24[z]
VI-38[z]
VI-46[p]
VI-47[p]
VI-64[z]
VI-76[t]
VI-78[g]
VI-81[g]
VI-87[c]
VI-90[z]
VI-94[a]

VII-6[y]
VII-7[g]
VII-12[z]
VII-18[z]
VII-21[t]
VII-34[h]
VII-35[g]

1555-1[t]
1555-2[h]
1555-4[g]
1555-5[z]
1555-9[g]
1555-12[c]
1557-2[c]
1558-1[g]
1558-5[p]
1559-1[c]
1559-4[g]
1559-6[c]
1559-11[g]
1560-1[y]
1560-2[z]
1560-5[z]
1560-7[y]
1560-8[y]
1561-12[g]
1562-1[z]
1562-3[z]
1562-7[z]
1562-12[c]
1563-1[p]
1563-2[z]
1563-4[y]
1563-6[c]
1563-9[z]
1563-10[y]
1564-1[a]
1564-5[p]
1564-11[y]
1565-1[p]
1565-4[p]
1565-6[y]
1565-7[y]
1565-8[y]
1565-10[h]
1565-11[c]
1565-12[c]
1566-6[c]
1566-7[p]

VIII-2[c]
VIII-7[z]
VIII-9[g]
VIII-17[y]
VIII-21[p]
VIII-35[c]
VIII-50[y]
VIII-57[a]
VIII-77[c]
VIII-84[g]
VIII-93[z]
VIII-98[a]

IX-10[c]
IX-11[p]
IX-17[t]
IX-30[g]
IX-42[p]
IX-48[c]
IX-51[z]
IX-52[z]
IX-53[t]
IX-55[p]
IX-63[g]
IX-66[z]
IX-69[c]
IX-76[t]
IX-80[t]
IX-86[z]
IX-88[z]
IX-91[p]

X-10[a]
X-17[g]
X-42[z]
X-49[a]
X-60[g]
X-66[c]
X-71[c]
X-78[g]
X-82[g]
X-88[g]
X-90[t]

IV

LA CLEF DES « URNES »

Ce thème est l'un des plus importants de la cryptographie de Nostradamus. Nous trouvons le mot URNE, répété trois fois dans les Présages, trois fois dans les sept premières Centuries, et trois fois dans les trois dernières. Par cette malice, le prophète nous fait croire que, suivant cette distribution, l'URNE ou HURNE doit être placée de cette manière et se retrouver trois fois dans chacune des trois parties de son œuvre prophétique. Dans l'un de ces quatrains, il se réfère, comme nous le verrons plus loin, deux fois à l'URNE qu'il orthographie de deux manières différentes : URNE et HURNE, autorisant ainsi les deux formes.

Étant donné que l'URNE, en coupe transversale, est représentée par un pentagone, et que les pentagones constituent la dernière et la plus importante des clefs de la cryptographie de Nostradamus, cette malice, à laquelle nous nous sommes déjà référé tant de fois, nous éloigna une fois de plus du chemin véritable.

Une URNE renferme toujours quelque chose de très précieux : des bijoux, des documents, des cendres ou des lettres d'un être cher. Elle peut aussi renfermer des objets consacrés, destinés à un culte, ou des textes prophétiques. Les réponses des Sibylles étaient conservées au Capitole sur des rouleaux de parchemin. Ces rouleaux devaient être déposés dans des URNES et il est possible que depuis lors, ou même depuis des époques beaucoup plus lointaines, les témoignages écrits des prophètes soient restés en rapport avec ces URNES ou les pentagones qui les représentent.

On peut découvrir une URNE sous les ruines d'un temple consacré à Saturne, sous la pierre d'un sépulcre, près de la lampe dont la flamme ne s'éteint jamais. Nous trouvons toutes ces idées réunies par Nostradamus autour du thème des URNES. Tout en établissant l'existence de chacune d'elles, comme élément d'une cryptographie, et en la situant avec exactitude dans les Centuries et dans les Présages, Nostradamus lie toujours les URNES aux textes qui confirment le caractère sacré du message secret que la cryptographie protège au cœur même du texte prophétique.

Les neuf premières URNES, orthographiées URNE ou HURNE, se trouvent dans un nombre égal de quatrains qui unissaient avec un but cryptographique évident, l'URNE prise comme élément symbolique à tous les autres symboles anciens qui entourent toujours le trésor sacré. C'est un cataclysme qui, selon le texte de ces quatrains, révèle l'URNE et son contenu. Tremblements de terre, feu du ciel, incendie allumé sur terre par la foudre, joints aux trombes d'eau d'un déluge, fendant les ruines d'un temple antique, consacré à Saturne mettaient à jour les ossements symboliques et permettaient de découvrir l'URNE. Le cataclysme avait lieu sous l'empire de Saturne, signalant un cinquième changement de siècle, règne ou AGE.

Cet ensemble de symboles, extrêmement ancien, répété par Nostradamus, corroborait sa chronologie exposée dans la 2e partie de ce livre et affirmait, une fois de plus, dans un langage différent, la qualité du trésor qui devait être trouvé : son message, évidemment apocalyptique, prophétisant la destruction, sous Saturne, de notre humanité et de ses œuvres et la naissance d'une nouvelle humanité.

Nos travaux concernant la chronologie traditionnelle, ou chronologie mystique, comme l'intitule Trithème, nous permettent de situer l'empire de Saturne, d'après le tableau du chapitre IV de la Chronologie. Cet empire a commencé avec la septième et dernière période des Poissons, en 1779 et se terminera par un cataclysme, 358 ans et huit mois plus tard, comme le Kali Yuga des Hindous. Son cycle historique prendra fin en même temps que notre Cinquième AGE, aux alentours de 2137.

Les mêmes symboles entourent, comme nous le verrons, dans les autres quatrains, la découverte de ses écrits, le message secret et la réalisation de l'« entreprise » qui conduira à cette découverte. Dans tous les cas, il s'agit du même « trésor » gardé dans une URNE.

Le texte qui entoure les neuf premières URNES est le suivant :

II-81. *Par feu du ciel la cité presque aduste*
L'vrne menace encor Deucalion
Ce texte ambigu doit être compris de la façon suivante : le feu du ciel et le déluge avec son personnage Deucalion, représentent la catastrophe qui approche, menaçant une fois de plus l'URNE qui garde le véritable trésor : le sang de l'humanité et le message prophétique qui aidera à le sauver.

V-41. *Fera renaistre son sang de l'antique vrne,*
Renouvellant siecle d'or pour l'aerain!
Il s'agit de la catastrophe qui se produit conformément à sa chronologie : un changement d'AGE, un renouvellement de siècle, cycle ou ciel, et une renaissance du sang de l'homme.

VI-52. *Le Sol à l'vrne...*
Les sept archanges de Trithème et de Nostradamus dominent notre terre, en tant que Causes Secondes après Dieu, du haut des sept planètes ou astres qui les représentent. Le Soleil est l'un de ces astres, son jour est le dimanche, et son métal, l'or. Le point du cercle que signalera ce quatrain sera dominé par Michaël, l'archange du Soleil.

1555-6. *Loin prés de l'Urne le malin tourne arrière*
Qu'au grand Mars feu donra empeschement.
Puisque les malins sont Mars et Saturne, c'est de ce dernier qu'il s'agit.

1559-8. *l'Urne trouvée...*
Découverte comme principal élément d'une cryptographie.

1566-2. *... l'Urne trop odieuse...*
On pourra comprendre ce terme d'« odieuse » que dans le cadre d'un cryptogramme dont la difficulté nous oppose des obstacles toujours plus grands.

VIII-29. *Au quart pillier on sacre à Saturne*
Par tremblant terre & deluge fendu
Soubz l'édifice Saturnin trouvée vrne...

IX-73. *Sol, Mars, Mercure pres la hurne.*
Une nouvelle fois, trois est mis en relation avec l'urne.

X-50. *La Meuse au jour terre de Luxembourg,*
Descouvrira Saturne & trois en l'urne
.... trahison par grand hurne.
Dans ce quatrain, Nostradamus cite deux fois l'URNE et trois est en relation avec l'URNE.

Ces neuf citations nous ont convaincu du caractère cryptographique des textes qui entourent le symbole de l'URNE, toutes les fois que Nostradamus est amené à l'utiliser.

Nous avons ensuite découvert, en étudiant le texte, que le thème des URNES se reproduisait seize fois dans l'œuvre de Nostradamus : apparemment, quatre fois après chacune des deux premières parties ou ciels ou cercles, et huit fois dans la Troisième partie. La clef des CENTRES, en faisant tourner les quatrains et en procédant à une nouvelle et dernière remise en ordre, situera les URNES à ce que nous pouvons appeler les points cardinaux de chacun des trois ciels. Dans les deux premiers, elles seraient situées aux degrés 90, 180, 270 et 360. Dans le troisième cercle ou ciel, elles se trouveraient situées, outre les points que nous avons indiqués pour les deux premiers cercles, aux degrés intermédiaires, c'est-à-dire 45, 135, 225 et 315. Elles donneraient ainsi au texte cryptographique définitif, placé tout au long des trois cercles, la preuve la plus complète d'authenticité. Nous retrouvons encore sept fois le même thème de l'URNE. Pour occulter cette partie de la clef, Nostradamus avait utilisé sept variantes de l'orthographe de ce mot. Dans les sept cas, au lieu de URNE ou HURNE, il avait écrit URIE, URBEN, HURIN, HERNE, HUSNE, BRUNE et HURNEL. Chacun de ces sept mots comporte une lettre de trop ou de moins, si on considère correctes les deux premières orthographes, URNE et HURNE.

II-63 *... fera Perme l'vrie.*
Phrase inintelligible dont nous n'avons pas trouvé un seul commentaire. Le lecteur doit se rappeler que Nostradamus nous a averti : pour pouvoir nous fournir les données de sa cryptographie sous une forme occulte, il remplit le texte de « nouvelles inventées » : quatrain de May 1555.

VIII-20. *Courir par VRBEN...*
Telle est l'orthographe du mot selon les éditions de Lyon; dans les éditions d'Avignon, il est écrit URBE.

VIII-86. *HURIN.*
Orthographe des éditions de Lyon, HUTIN dans les éditions d'Avignon.

IX-20 *... Herne la pierre blanche.*
Ce texte incompréhensible, introduit dans un quatrain très important, qui raconte, avec deux siècles d'avance, la fuite de Louis XVI, arrêté à Varennes, a fait le désespoir de tous les commentateurs qui n'ont pas établi jusqu'ici de différence entre le texte cryptographique et le texte prophétique.
L'allusion à l'HURNE ou HERNE, en la nommant « pierre blanche » nous paraît assez claire. C'est bien ce qu'elle est pour Nostradamus : un signe, un repère sur le chemin cryptographique. les URNES ou HURNES sont pour le prophète les pierres blanches, qui signalent et autorisent le rangement définitif des quatrains.

IX-36. *...foudre en la HUSNE...*
Lors que trois frères se blesseront & murdre.
Une fois de plus, trois en rapport avec l'URNE. Cette orthographe est celle des éditions de Lyon. Celles d'Avignon disent HUNE.

X-9. *... iour de BRUNE*

X.14. *URNEL*
Premier mot du quatrain.

Ces sept URNES nous fournissaient un total de seize pour notre clef. Non content de ce résultat, nous avons poursuivi nos recherches avec les autres mots qui peuvent également représenter l'URNE. Il nous sembla que Nostradamus ne pouvait pas faire une grande différence entre les deux premières parties et la troisième. Cette dernière était contrôlée par le clef des URNES tous les 45 degrés ou quatrains. Les deux premières ne l'étaient, pour le moment, que tous les 90 degrés.

En admettant que les URNES devaient se situer, dans les deux premières parties de l'œuvre, non seulement aux degrés 90, 180, 270 et 360, mais également à chaque degré intermédiaire, c'est-à-dire 45, 135, 225 et 315, il aurait fallu disposer de 24 URNES en tout. Nous avions d'abord découvert neuf quatrains dans lesquels le mot URNE se trouvait parfaitement orthographié; puis sept autres quatrains dans lesquels le mot figure avec une orthographe imparfaite, comportant une lettre en trop ou en moins. Il nous en fallait huit de plus.

Dans la clef du VERBE DIVIN les cinq dernières divisions sont signalées par un seul mot. Quelque chose de semblable devait se produire avec les 8 URNES manquantes pour compléter le total de 24 URNES nécessaire pour respecter la distribution de ces dernières à raison de 8 dans chacune des trois parties de l'œuvre.

Nous connaissions deux mots que nous pourrions qualifier, en ce cas au moins, synonymes du mot URNE et qui sont utilisés une seule fois dans le texte : il s'agit de ARCHE et de COFFRE, que l'on trouve dans les quatrains suivants :

III-13. *Par foudre en l'arche or & argent fondu.*
Ce vers ressemble beaucoup à un autre, que nous avions retenu : IX-36 : « ... foudre en la HUSNE ». Dans les deux cas, il s'agit de la foudre qui tombe sur un trésor gardé dans une URNE ou dans une ARCHE.

1555-11. *La nuit le Grand blessé poursuit le coffre*
Ici, le sens n'est pas différent. Il s'agit du cryptographe qui, préoccupé par la clef des URNES, continue à les rechercher dans ses travaux nocturnes.

Il ne nous manquait plus maintenant que six URNES pour compléter notre clef. Nostradamus doit recourir à plusieurs astuces pour citer vingt-quatre fois l'URNE dans son texte sans éveiller l'attention. Cette fois, il recourt à un mot auquel il faut ôter deux lettres pour obtenir URNE. C'est BRUINE. Ce mot se répète exactement six fois : à II-83, IV-46, V-35, VI-37, VIII-26 et IX-100, et dans le texte de trois des six quatrains. Nostradamus nous autorise à l'inclure dans l'ensemble des thèmes et symboles de cette clef. C'est le cas, en particulier, du quatrain IV-46 : « Ne passez outre au temps de la BRUINE. »

II-83. *Par Iura mont & Sueue bruine.*

IV-46. *Bien defendu le faict par excellence,*
Garde toy Tours de ta proche ruine
... Ne passes outre au temps de la bruine.
Ici, Nostradamus se réfère à son cryptogramme, autorisant l'usage que nous faisons du mot BRUINE dans la clef. En effet, cette clef est de nature à faire craindre la prochaine « ruine » du cryptogramme, c'est-à-dire son décryptage.

V-35. *Qui porte encore à l'estomach la pierre;*
Angloise classe viendra soubs la bruine...
C'est une expression que Nostradamus répète souvent quand il parle de son pouvoir exceptionnel de prophétie. Dans la lettre à César il dit : « ... la parolle hereditaire de l'occulte prédiction sera dans mon estomach intercluse. »

VI-37. *L'oeuure ancienne se paracheuera,*
. . . .

Nocent caiché taillis à la bruyne,
Une fois de plus le mot BRUINE est mis en relation avec le message et le cryptogramme.

VIII-26. *Par l'abbage de Monserrat bruyne...*

IX-100. *Ire à vaincu, & victoire en bruine.*

La clef des URNES était ainsi complète. Utilisée ensemble avec celle des CENTRES elle allait nous permettre de ranger les 1 080 quatrains de l'œuvre de Nostradamus en périodes de 45 quatrains chacune. Pour chaque partie de l'œuvre, nous devrions respecter les clefs correspondantes, dont les unes fonctionnent avant et les autres après la mise en place des URNES, ce qui rend très difficile notre travail.

Les 24 quatrains signalés par la clef des URNES sont les suivants : II-63, II-81, II-83; III-13; IV-46; V-35; V-41; VI-37, VI-52; 1555-6, 1555-11, 1559-8, 1566-2; VIII-20, VIII-26, VIII-29, VIII-86; IX-20, IX-36, IX-73, IX-100; X-9, X-14, X-50.

Les quatrains VIII-29, IX-73 et X-50 de la clef des URNES, ainsi que le Présage 1555-6, mentionnent également Saturne. Cette remarque, le fait que les quatre dernières lettres de SATURNE forment le mot URNE, et les quatrains V-91 qui dit SAT et VIII-49 qui dit SATUR – s'agissant à chaque fois de Saturne – nous ont conduit à imaginer que URNE et SATURNE ne constituaient peut-être qu'une seule et même clef. Si Nostradamus voulait ranger avec exactitude ses 1 080 quatrains, il lui fallait disposer d'une clef qui jalonne son texte définitif tous les 10 ou 15 quatrains. Mais il lui aurait été impossible de citer cent huit ou soixante-douze fois le même mot sans attirer l'attention. En ce cas, les 24 citations de Saturne pouvaient bien s'ajouter aux 24 URNES.

Et en effet, en écartant les quatrains dans lesquels URNE et SATURNE sont cités à la fois : VIII-29, IX-73, X-50 et 1555-6, il reste 20 quatrains dans lesquels Nostradamus cite seulement Saturne : I-51 [1], I-83, II-48, II-65, III-92, III-96, IV-67, IV-86, V-11, V-14, V-24, V-62, V-87, V-91 SAT, VI-4, VIII-48, VII-49 SATUR, IX-44, IX-72, X-67.

En étudiant de près le texte nous pouvons encore relever quatre autres quatrains qui se réfèrent à Saturne :

I-16. *Faulx à l'estang...*
... Le siecle approche de renouation.
La faux est le symbole de Saturne. Le siècle qui approche de rénovation indique la relation entre Saturne et le temps.

I-54. *Deux reuolts faicts du maling falcigere,*
De règne & siecles faict permutation.
Les malins sont deux : Mars et Saturne; ce dernier est le malin à la faux.

1555-3. *Plus est la Faux avec l'Argent conjoint.*
C'est-à-dire Saturne avec la Lune.

1561-3. *Du Temple hors Mars & le Falcigère...*
Le Falcigère, celui qui porte la faux, Saturne.

Nous disposons donc de quatre quatrains de plus : I-16, I-54, 1555-3 et 1561-3.

Nous sommes arrivé à la conclusion que ces 24 quatrains signalés par SATURNE forment la deuxième partie de la clef des URNES.

48 n'étant pas un diviseur de 1 080, nombre total des quatrains, nous avons dû considérer que la clef n'était pas encore complète et nous avons poursuivi nos recherches.

Nous sommes donc revenu au texte pour y rechercher une autre représentation des pentagones qui puisse accompagner les URNES, le COFFRE et l'ARCHE.

La très ancienne « mitre » fait partie du même ensemble symbolique que l'URNE. Depuis l'antiquité la plus reculée, elle a couvert la tête des rois et des pontifes de nombreux peuples et elle a été adoptée, il y a quelques siècles, par l'Église catholique. Sa coupe transversale représente un pentagone, comme dans le cas de l'URNE.

Les mots PRÉLAT et PONTIFE qui se répètent dans l'œuvre de Nostradamus nous ont fait souvenir de la mitre de cérémonie. Cela nous conduit à supposer que Nostradamus a utilisé ce nouveau mot pour ajouter 24 éléments à ceux que comportait déjà la clef des URNES.

En effet, 72 (24 × 3) est un diviseur de 1 080. Jointe aux deux premières, cette nouvelle série permettrait de fixer définitivement un quatrain tous les quinze.

L'URNE, le COFFRE et l'ARCHE sont des pentagones. La MITRE, quel qu'en soit le dessin, représente toujours, en coupe transversale, un pentagone. Le sépulcre du Grand Romain, découvert par Piobb dans les lettres de FLORAM PATERE inscrites dans le dodécagone est également un pentagone. Et de même qu'il y a une théorie traditionnelle de l'ennéagone, il y a aussi une théorie traditionnelle du pentagone [2]. Les différents pentagones de tous ces symboles peuvent être dessinés en partant des divisions classiques du cercle dans lequel ils sont inscrits.

Le « pontife » est cité dans les quatrains : II-41, II-97, III-65 (ce dernier quatrain fait partie du thème du TRÉSOR), V-15, V-44, V-56, VI-49, VI-82. Nous trouvons donc, dans les six premières Centuries, 7 quatrains qui contiennent le mot PONTIFE. Par contre, on ne trouve pas une seule fois ce mot ni dans les Présages, ni dans les Centuries VIII, IX et X. Certains prélats se coiffant de la mitre pour pontifier, nous allons énumérer également tous les quatrains dans lesquels apparaît le mot PRÉLAT : III-41, VI-31, VI-53, VI-86 (deux fois), VI-93, IX-15, IX-21, IX-87, X-47, X-56, 1557-6, 1558-12, 1565-9, 1563-8. Ce mot signale 14 quatrains. Étant donné que les cardinaux portent aussi la MITRE pour pontifier, nous ajoutons à la liste deux quatrains qui contiennent ce mot : VIII-4 – le Cardinal de France –, et VIII-68 qui se réfère à Richelieu, le Vieux Cardinal.

Nous obtenons ainsi un total de vingt-trois quatrains seulement. Mais nous en découvrons un de plus : Louis XVI fut contraint, par le peuple, à se coiffer du bonnet phrygien. En raison de cette circonstance, Nostradamus dit « MITRE ». Nous ne trouvons ce mot nulle part ailleurs que dans ce quatrain qui se rapporte à Louis XVI : IX-34. Ce mot était un titre réservé aux prélats qui pouvaient pontifier dans les cérémonies religieuses.

Une fois de plus, Nostradamus crée des difficultés pour la découverte des quatrains qui complètent l'exposé de ses thèmes. Pontife, Cardinal et Prélat « mitrés » nous signalent, pour la troisième fois, vingt-quatre quatrains. Il s'agit des suivants : II-41, II-97, III-41, V-15, V-44, V-56, VI-31, VI-49, VI-53, VI-82, VI-86, VI-93, 1557-6, 1558-12, 1563-8, 1565-9, VIII-4, VIII-68, IX-15, IX-21, IX-34, IX-87, X-47, X-56.

La clef des URNES signale 72 quatrains : 24 URNES, 24 SATURNES et 24 MITRES. Elle divisera le texte prophétique de 1 080 quatrains en 72 groupes de 15 quatrains. Nous donnons, dans le tableau suivant, la liste de ces 72 quatrains en indiquant, par les lettres *U*, *S* ou *M* à quel thème ils appartiennent.

I-16^{s}	II-41^{m}	III-13^{u}	IV-46^{u}	V-11^{s}	VI-4^{s}	1555-5^{s}	VIII-4^{m}	IX-15^{m}	X-9^{u}
	II-48^{s}	III-41^{m}	IV-67^{s}	V-14^{s}	VI-31^{m}	1555-6^{u}	VIII-20^{u}	IX-20^{u}	X-14^{u}
I-51^{s}	II-63^{u}	III-92^{s}	IV-86^{s}	V-15^{m}	VI-37^{u}	1555-11^{u}	VIII-26^{u}	IX-21^{m}	X-47^{m}
I-54^{s}	II-65^{s}	III-96^{s}		V-24^{s}	VI-49^{m}	1557-6^{m}	VIII-29^{u}	IX-34^{m}	X-50^{u}
I-83^{s}	II-81^{u}			V-35^{u}	VI-52^{u}	1558-12^{m}	VIII-48^{s}	IX-36^{u}	X-56^{m}
	II-83^{u}			V-41^{u}	VI-53^{m}	1559-8^{u}	VIII-49^{s}	IX-44^{s}	X-67^{s}
	II-97^{m}			V-44^{m}	VI-82^{m}	1561-3^{s}	VIII-68^{m}	IX-72^{s}	
				V-56^{m}	VI-86^{m}	1563-8^{m}	VIII-86^{u}	IX-73^{u}	
				V-62^{s}	VI-93^{m}	1565-9^{m}		IX-87^{m}	
				V-87^{s}		1566-2^{u}		IX-100^{u}	
				V-91^{s}					

NOTES

1. Dans toutes les éditions antérieures à 1665 que nous connaissons, aussi bien celles de Lyon que celles qui copient les éditions d'Avignon disparues, le quatrain qui cite Saturne, dont nous nous occupons maintenant, est numéroté 1-51. Après cette date, ce quatrain apparaît numéroté I-50 dans toutes les éditions qui copient une édition d'Avignon qui n'est pas parvenue jusqu'à nous. Il commence par le vers : « Chef d'Aries, Iupiter, & Saturne. »

2. Les six pentagones que nous avons découverts dans les chronologies arbitraires et dont nous donnons l'explication au chapitre VII de cette cryptographie, sont égaux, dans leur dessin, au pentagone de Piobb, inscrit dans le dodécagone. L'URNE, le COFFRE ou ARCHE. La MITRE du pontife et du prélat et le bonnet phrygien, qui a toujours été considéré comme une mitre lui aussi et auquel Nostradamus se réfère, donnent, en coupe transversale le dessin de plusieurs pentagones, inscrits dans le cercle mais non dans le dodécagone.

NOTE EXPLICATIVE DES FIGURES

Le dessin des six pentagones que nous avons découverts dans les chronologies arbitraires se trace à l'intérieur du cercle divisé en douze secteurs. La base a deux secteurs; les côtés droit et gauche, trois. Les deux côtés supérieurs qui se rejoignent au sommet, deux chacun. Ce dessin est autorisé par Nostradamus par les mots : FLORAM PATÈRE, copiés par Chavigny dans une édition aujourd'hui disparue de l'Almanach pour 1557. L'exemplaire que nous possédons, unique aujourd'hui, porte PATÈRE FLORAM. On peut utiliser les deux textes. L'un donne une figure inversée par rapport à celle que donne l'autre, et destinée à être lue en sens rétrograde. C'est la figure que Nostradamus intitule : « SÉPULCRE DU GRAND ROMAIN. » (Figures 1 et 2).

La reproduction de Chavigny nous paraît digne de foi parce que les deux mots y apparaissent en italique dans un texte rédigé en ronde. Dans l'exemplaire qui est en notre possession, tout le quatrain est écrit en lettre bâtarde, ce qui ôte leur importance aux deux mots. Cet exemplaire étant de

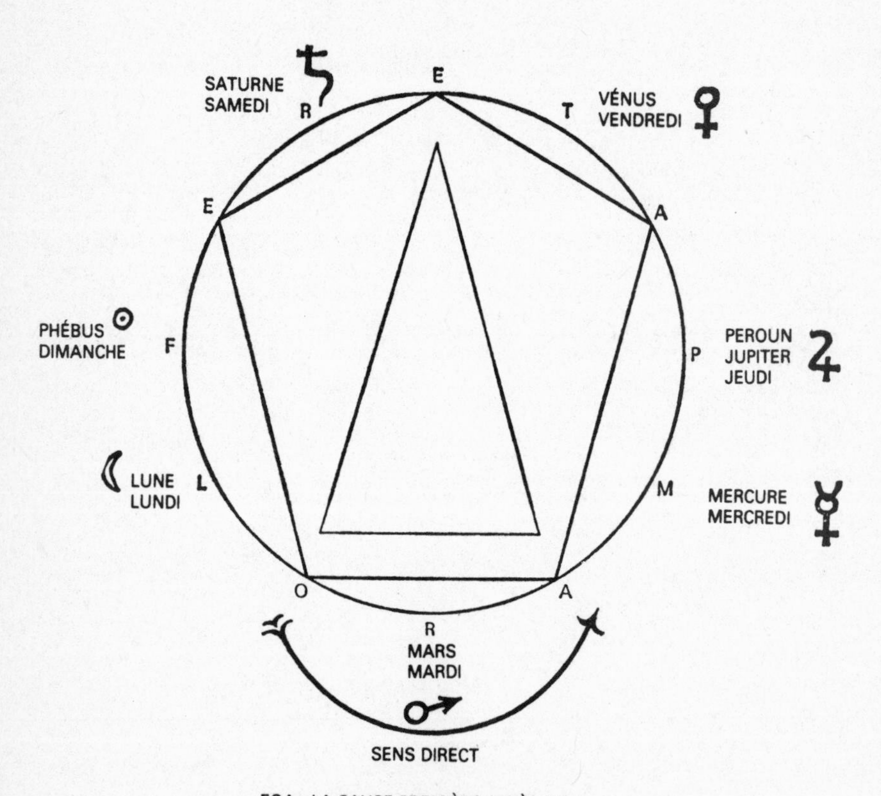
NOSTRADAMUS : LA MARCHE DE L'HUMANITÉ
SUR LA TERRE, DOMINÉE PAR LES SEPT PLANÈTES
CAUSES SECONDES
ET PARCOURANT LES DOUZE POSSIBILITÉS
CAUSES TROISIÈMES APRÈS DIEU,
CHAQUE SEMAINE DE SEPT JOURS
FLORAM PATERE
SATURNE
SAMEDI
R
E
T
VÉNUS
VENDREDI
E
A
PHÉBUS
DIMANCHE
F
P
PEROUN
JUPITER
JEUDI
LUNE
LUNDI
L
M
MERCURE
MERCREDI
O
A
R
MARS
MARDI
SENS DIRECT
EOA : LA CAUSE PREMIÈRE APRÈS DIEU

Fig. 1

TRITHÈME : LA MARCHE DU SOLEIL SUR L'ÉCLIPTIQUE, DOMINÉE PAR LES ARCHANGES, CAUSES SECONDES APRÈS DIEU, PARCOURANT LES DOUZE POSSIBILITÉS ZODIACALES, CAUSES TROISIÈMES APRÈS DIEU, TOUTES LES SOIXANTE-DOUZE PÉRIODES ARCHANGÉLIQUES.

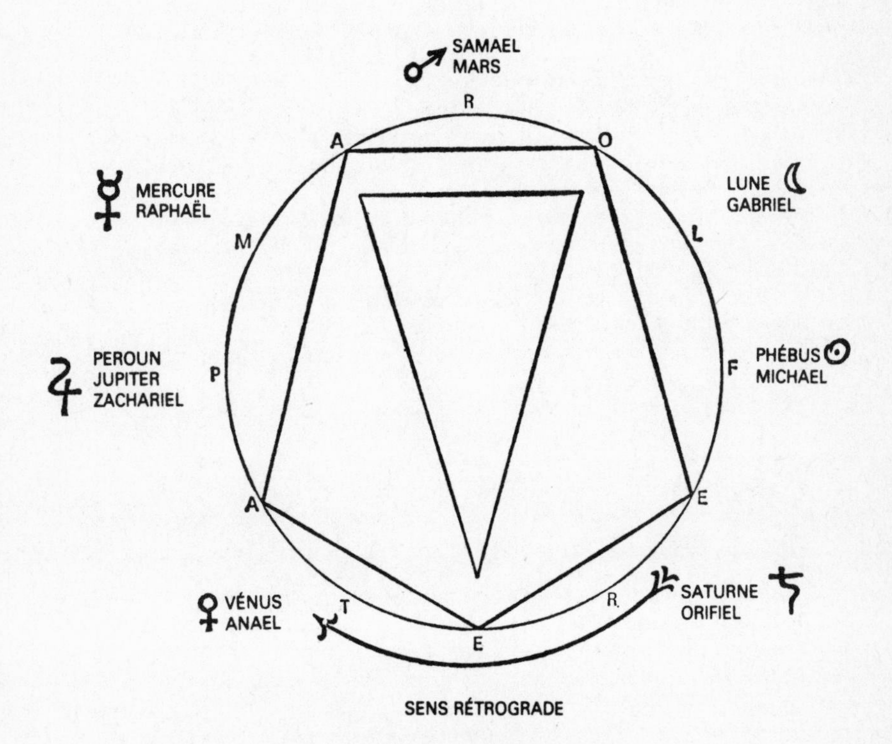

EOA : LA CAUSE PREMIÈRE APRÈS DIEU

Fig. 2

Kerver à Paris nous pensons que l'édition copiée par Chavigny peut être celle de Lyon.

Piobb a découvert partiellement le secret de FLORAM PATÈRE mais, tout en étudiant la figure, il ne nous donne pas la correspondance entre les lettres et les planètes pour leur mise en place. En fait, son livre, plein d'intuitions remarquables, est romanesque. Piobb désire, par-dessus tout, faire un livre intéressant et il ne prend pas le temps de prouver ses affirmations. Il dit, par exemple, qu'il faut inscrire les sept planètes, mais il ne les inscrit pas.

Il est évident que les cinq voyelles dessinent sur le cercle un pentagone et que les sept consonnes représentent les sept planètes. Mais il y a, dans la figure que nous reproduisons, beaucoup d'autres choses que Piobb n'a pas vues : les trois voyelles – parce que deux d'entre elles se répètent – représentent les trois Causes Premières après Dieu. Les sept consonnes représentent les sept planètes ou Causes Secondes après Dieu selon Trithème et les douze divisions du dodécagone, les douze Possibilités ou Causes Troisièmes après Dieu.

Voyons maintenant comment sont représentées les planètes une fois inscrites dans la figure FLORAM PATÈRE; F est Phébus, et L la Lune; M est Mercure et P, Peroum, non donné à Jupiter par les Slaves; il reste deux R. Quelles sont les seules planètes qui apparaissent en couple dans le texte de Nostradamus? Mars et Saturne, les deux Malins. Il ne reste plus que la lettre T et Vénus. Pour placer Saturne, nous lisons dans le quatrain I-16 : « Faulx à l'estang, joint vers le Sagittaire ». La situation des planètes sur notre figure est ainsi entièrement expliquée (Fig. 1).

Il s'agit, en sens direct, de la succession des jours de la semaine. Personne n'avait, jusqu'ici, tenu compte de l'origine véritable de la série planétaire d'où dérive la succession des jours de la semaine et la succession horaire. (Voir à cet effet, Chronologie, chapitre VI).

PATÈRE FLORAM nous donne, par contre, la deuxième figure (Fig. 2) dans laquelle apparaît le même pentagone, mais inversé. En suivant sur cette nouvelle figure la succession des planètes en sens rétrograde, nous voyons qu'elle nous donne la succession inverse des jours de la semaine qui, selon Trithème, est égale à la série de la succession des périodes cosmiques de 354 ans 4 mois chacune, présidée par les Archanges qui dominent ainsi également les jours de la semaine et les 72 périodes de l'écliptique. Ces dernières représentent les grandes journées de la marche du Soleil.

La théorie de l'abbé Trithème, sa Chronologie Mystique est un apport d'une importance capitale pour la redécouverte de la chronologie traditionnelle, antérieure au Déluge. Cette chronologie sera d'une très grande importance pour la dernière période, dans laquelle nous sommes entrés, présidée par Saturne et qui se terminera par la catastrophe cyclique qui mettra fin à notre AGE.

Trithème utilise la division traditionnelle de chaque période zodiacale en six périodes, division qui permet de remplacer chaque planète par l'archange correspondant. Les Archanges président à chacune des trois catastrophes cycliques qui se produisent à chaque tour de l'écliptique. Selon Trithème, l'écliptique se divise en 72 périodes (Voir Chronologie, chap. IV), ce qui fixe les catastrophes à la fin de chaque vingt-quatrième période. Les Archanges et les planètes étant au nombre de sept et les périodes de chaque secteur zodiacal au nombre de six, les Archanges suivent l'ordre rétrograde des jours de la semaine mais le dernier d'entre eux forme, avec le dernier de chaque sixième de période zodiacale, une série qui suit l'ordre des jours de la semaine en sens direct. (Voir Chronologie, chapitre IV, Tableau). Le responsable de la catastrophe change ainsi chaque fois, suivant la série.

Les catastrophes se reproduisent après quatre périodes zodiacales. La série des Archanges ou Dieux qui président aux catastrophes auxquelles se réfère la Bible a donc été :

Zachariel ou Jupiter : qui a présidé la chute des anges rebelles dans le ciel, c'est-à-dire dans l'air. Jupiter, prince des Atlantes et dieu du ciel écrasa les Titans de ses foudres.

Gabriel ou Diane, la Lune : qui a présidé à la chute des fils de Dieu sur la terre.

Anael ou Vénus : qui a présidé à la chute d'Adam. C'est la raison pour laquelle la symbologie rend Ève responsable de la Chute. L'élément dévastateur est le feu qui oblige Adam à s'éloigner du Paradis.

Samael ou Mars : qui a présidé au Déluge de Noé et balayé l'humanité antérieure de la face de la terre.

Orifiel ou Saturne : qui présidera la catastrophe de l'air qui mettra fin à notre humanité en 2137.

Piobb comprend l'importance de cette figure dont il ne connaît que FLORAM PATÈRE, l'expression directe. Il dit qu'elle doit être très ancienne et qu'elle est parvenue jusqu'à Nostradamus après avoir été apportée d'Égypte à Jérusalem par les Hébreux et de Jérusalem en Provence par la famille du prophète. Il est très difficile de vérifier ce cheminement de plus de trente siècles, et beaucoup plus intéressant, pour nous, d'étudier la figure elle-même.

Tout comme l'ennéagramme de Gurdjieff, dans lequel nous avons trouvé la création du Notre Père par les Esséniens [1], cette figure est présidée en secret par la Très Sainte Trinité ou, mieux encore, par ses trois forces divines qui parviennent jusqu'au monde physique. Les cinq voyelles se réduisent à trois parce que, comme nous l'avons déjà dit, deux d'entre elles sont répétées. Les trois voyelles se trouvent placées l'une au sommet et les deux autres, aux deux extrêmes de la base. Ces lettres forment le Grand Mot EOA; réunies par des lignes, elles produisent le triangle de la Trinité, dont nous parlions [2].

La double figure exprime la Chronologie Mystique de Trithème et nous devrions également expliquer comment les connaissances ont voyagé depuis l'Asie ou l'Amérique pour aboutir à l'abbaye de Spanheim où Trithème écrivit son œuvre cinquante ans avant le prophète provençal.

Cette figure expose la chronologie historique de l'homme sur la Terre et la chronologie cyclique de la Terre elle-même et des sept astres qui l'accompagnent. Comme tous les astres, notre système solaire voyage à travers un monde sans passé et sans avenir, différent et très supérieur à notre conception animale de l'espace-temps, dans lequel nous croyons que nos vies se déroulent.

Cette figure est pleine d'enseignements et nous ne pouvons lui consacrer, dans ce livre, toute l'attention nécessaire. Elle appartient à une série de figures pantacles : la série du dodécagone. Nous sommes convaincu de l'existence, en outre, de la série de l'ennéagone et de celle du pentagone. Il s'agit de la science que nous pourrions appeler mystique, suivant Trithème, ou traditionnelle. La même sagesse vient de l'Égypte et de la Chaldée, de la Chine et de l'Inde, du Mexique et de Jérusalem. De toutes ces nations,

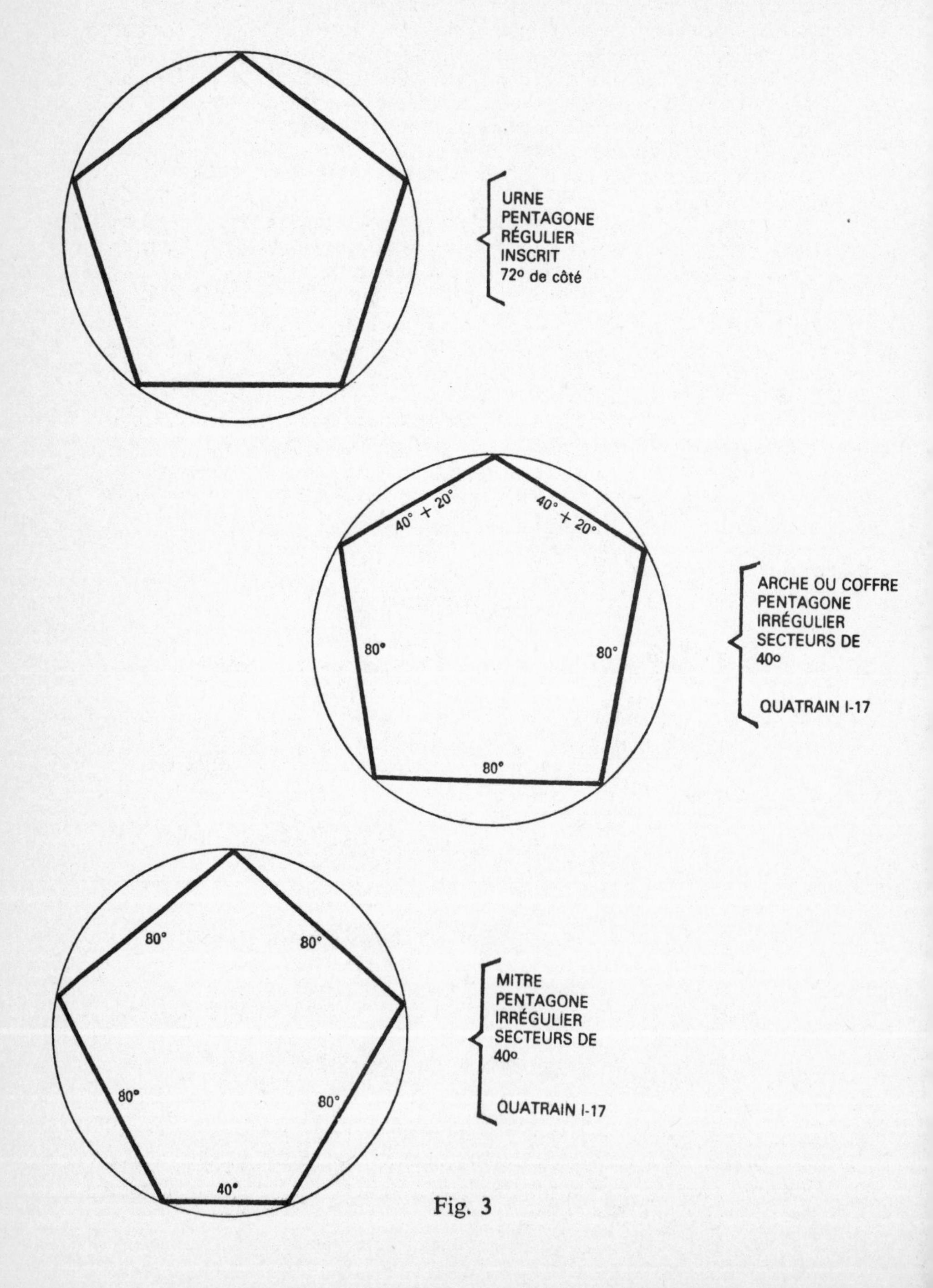
URNE
PENTAGONE
RÉGULIER
INSCRIT
72° de côté
40° + 20°
40° + 20°
80°
80°
80°
ARCHE OU COFFRE
PENTAGONE
IRRÉGULIER
SECTEURS DE
40°
QUATRAIN I-17
80°
80°
80°
80°
40°
MITRE
PENTAGONE
IRRÉGULIER
SECTEURS DE
40°
QUATRAIN I-17

Fig. 3

tellement éloignées les unes des autres, nous parviennent des lambeaux de cette même science, toujours basée sur la trinité, le septenaire et le duodénaire et qui exprime ses conceptions les plus secrètes dans la série de figures de l'ennéagone. La base géométrique de cette science est le problème des vingt-deux polygones réguliers inscrits dans le cercle. Très certainement, cette série est capable d'exprimer la somme des connaissances humaines, scientifiques et mystiques. Son « ensemble » n'a pas encore été découvert. Elle puise ses origines dans une humanité antérieure à la nôtre et qui a été anéantie par un cataclysme.

En ce qui concerne le dessin des pentagones qui représentent l'URNE, le COFFRE ou ARCHE et la MITRE, il doit être inscrit dans le cercle, et non dans le dodécagone.

L'URNE est le pentagone parfait, inscrit, doté de cinq côtés égaux de 72° chacun. La clef des URNES aura donc 72 éléments comme les degrés de sa représentation. L'ARCHE ou COFFRE et la MITRE s'inscrivent dans le cercle divisé en 9 secteurs de 40°. Le premier pentagone, qui représente l'ARCHE ou COFFRE a sa base et ses deux côtés encadrant celle-ci, à gauche et à droite, composés de deux secteurs; les côtés supérieurs qui se rejoignent au sommet ont un secteur et demi chacun. Le second pentagone, a une base composée d'un secteur et ses quatre côtés mesurent deux secteurs chacun : c'est la représentation idéale de la MITRE, qui a subi des modifications après que le plan traditionnel ait été perdu. (Fig. 3). Ces figures ne sont pas les seules de cette série.

NOTES DE LA NOTE EXPLICATIVE

1. L'auteur, *op. cit.*
2. Jehovah et autres noms ont été fournis par les différents peuples. Mais le mot qui peut le plus nous rapprocher de ce qui est réellement supérieur à l'homme n'a pas de consonnes.

V

LES THÈMES CRYPTOGRAPHIQUES DU TRÉSOR

Nous présentons, dans cette cryptographie, trois cent soixante quatrains qui forment dix-huit thèmes cryptographiques. Huit thèmes se composent de 180 quatrains et sont étudiés dans le chapitre III. Trois thèmes regroupant 72 quatrains ont été signalés au chapitre IV. Ce chapitre V étudiera sept nouveaux thèmes englobant 108 quatrains. Ces deux dernières séries regroupent leurs 180 quatrains pour former l'ensemble symbolique du TRESOR.

Notre étude des thèmes cryptographiques n'est pas terminée et nous serions en mesure, dès aujourd'hui, d'en présenter beaucoup d'autres qui devront rester inédits jusqu'à ce que nous ayons découvert leur utilisation cryptographique.

Sans fatiguer le lecteur, les thèmes que nous citons rendent témoignage de l'importance de leur découverte. Leur nombre, leur texte, et les idées qu'expriment les quatrains qui les composent, donnent une nouvelle vie aux symboles anciens. Si Nostradamus avait toujours répété les mêmes mots, son secret ne se serait pas conservé pendant plus de quatre siècles. La façon dont il a procédé pour fabriquer chacun de ses thèmes nous permet d'apprécier son travail patient. La malice avec laquelle il dissimule les derniers quatrains de chaque thème et cependant, l'exactitude avec laquelle il nous l'annonce et l'autorise, est la meilleure preuve du fait qu'il a fabriqué cet ensemble dans un but cryptographique bien précis.

Le « thème » du TRÉSOR

Ce premier thème réunit douze quatrains qui traitent du trésor mystique, de l'endroit où il se trouve et de sa découverte. Chacun de ces quatrains comporte, bien en évidence, le mot TROUVÉ. Nous traiterons également, dans ce chapitre, du « thème » du SÉPULCRE. Ces deux thèmes sont autorisés par Nostradamus qui dit, au quatrain X-81 : « Mys thresor temple. » Le quatrain I-37 autorise deux autres thèmes par une phrase apparemment dépourvue de sens : « Pont & Sépulchre en deux estranges lieux. »

Le TEMPLE se trouve dans les « édifices vestals » et son quatrième PILIER OU COLONNE est consacré à SATURNE. L'officiant portait certainement, pour cette consécration, la MITRE. Vesta est fille de Saturne ou de Chronos, père de la chronologie : dans ses édifices, on trouve le SÉPULCRE et dans ce dernier, la lampe dont la flamme ne s'éteint jamais, l'URNE, les ÉCRITS prophétiques et les ossements du personnage légendaire qui porte sur son écu, comme Persée, un autre symbole éternel : la méduse [1].

Tous les éléments du problème symbolique se trouvent ainsi unis au cataclysme : DÉLUGE, FOUDRE et FEU DU CIEL provoquent la destruction et permettent de trouver l'œuvre souterraine de marbre et de plomb, que recouvre la pierre du sépulcre.

Les symboles pentagonaux et les figures énigmatiques du TRESOR nous ont conduits à la découverte des URNES, de SATURNE et de la MITRE des pontifes et des prélats. Ils nous ont également amené à rappeler que Louis XVI fut « mitré » par le peuple qui reconnut ainsi en lui son Pontife, avant de l'assassiner, événement qui a été prophétisé en détail par Nostradamus, avec 240 ans d'anticipation.

Mais ces mêmes symboles et figures, qui nous viennent d'une humanité disparue, ce même TRESOR secret qui est resté gardé jusqu'au prochain siècle pendant les derniers neuf mille ans, constituent le thème central de la vie et de l'œuvre de notre prophète. Celui-ci a dû le découvrir et l'occulter, parce que « les temps n'étaient pas encore venus ». A cette fin, il a inventé un récit fantastique qui se trouve probablement corroboré, dans le monde physique, par un trésor métallique qui pourra être trouvé dans la même région de France. C'est la conviction de notre correspondant et ami Paul Vegerby [2].

Le récit de Nostradamus situe les éléments du TRÉSOR à l'époque romaine. Mais ne nous y trompons pas : il s'agit bien du trésor le plus ancien de notre monde, qui n'a pas encore été trouvé, mais qui le sera. Le mot « TROUVE » est celui que Nostradamus a choisi pour signaler les quatrains qui composent le « thème » du TRÉSOR MYSTIQUE.

Tel est l'héritage que notre humanité devait recevoir au cours du XXIe siècle et qui, au XXIIe siècle accompagnera quelques groupes humains dans leur tâche difficile de se sauver de la catastrophe et de fonder une nouvelle humanité.

Les cavernes initiatiques de Noé et de ses compagnons, creusées dans le cœur même des montagnes, seront découvertes et utilisées à nouveau. Des sculptures très anciennes, réalisées dans la roche naturelle, entourent ces cavernes. Nous traitons de ces sculptures dans un livre qui n'a pas encore trouvé d'éditeur, mais dont les conclusions, indiscutables, sont inscrites dans des centaines de documents photographiques. Cet ouvrage s'intitule : « *l'Histoire fantastique d'une découverte.* »

Le thème du TRÉSOR est le plus important de toute l'œuvre nostradamique. C'est également le thème central de la Sagesse traditionnelle. Il s'agit du salut physique du sang humain, cette précieuse substance qui s'est formée sur la Terre au cours des millénaires. La disparition de ce sang dans un cataclysme annulerait le résultat de l'évolution de la planète pendant des millions d'années. Il s'agit, de plus, du salut spirituel du « héros ». En lui, le sang de l'humanité sera purifié. Une poignée de terre rouge aura été transformée en esprit. Elle pourra être conservée pour toujours dans une coupe d'émeraude, la pierre précieuse verte, symbole de la terre elle-même. Le héros et son sang unissent la Terre et le Ciel; par eux se crée un lien tellement supérieur que l'homme de cette terre ne peut même pas le concevoir.

Dans son œuvre, Nostradamus situe tous les éléments du thème du TRESOR, qui sont des symboles extrêmement anciens, à l'époque romaine. Placé dans l'impossibilité de parler d'un passé de dix mille ans ou plus, Nostradamus construit à nouveau la symbologie la plus ancienne. Il ne peut pas parler des cavernes creusées dans le cœur des montagnes, ni des cataclysmes périodiques qui marquent la fin de chaque humanité, mais il peut créer de nouvelles figures pour les symboles anciens.

En accord avec les traditions du sud de la France, il signale la présence d'édifices vestals dans la région des fleuves Sardon et Nemans, près de la ville de Toulouse et dans ses environs.

Le cataclysme présidé par Saturne se produira, d'après sa chronologie, à la fin de la période de Saturne qui va de 1779 à 2137 de notre ère. Les convulsions de la terre et des eaux laisseront le Sépulcre à découvert, et le feu du ciel accompagnera le cataclysme.

Dans cette tombe, on trouvera tous les symboles des traditions millénaires : le Héros, représenté par le Prince, le Triumvir ou le Grand Romain, dont les ossements sont nommés à plusieurs reprises et dont le sang renaîtra de l'URNE antique dans laquelle sont gardés les écrits prophétiques qui marquent les périodes de l'histoire; la lampe dont la flamme ne s'éteint jamais, symbole de la lumière; les marbres du plus fin porphyre qui, dans d'autres quatrains de la prophétie deviennent les deux colonnes des temples hébreux et maçonniques. Il s'agit des traditionnelles colonnes de Seth. En parlant de ces colonnes, Nostradamus insinue qu'elles sont couvertes d'inscriptions gravées, comme les colonnes de Seth, sur lesquelles le patriarche avait écrit toutes les connaissances humaines, connaissances qui, dans les temples et leurs enceintes souterraines, devaient être sauvées pour passer d'une humanité à l'autre, afin que les hommes puissent connaître la raison unique de leur existence : contribuer à l'expérience qui s'accumule dans le sang humain et se perpétue dans le temps et être, en tant qu'humanité, le bouillon de culture qui permettra l'émergence du héros, en la présence duquel le sang de l'humanité sera purifié et l'humanité elle-même se sauvera.

Tout cela se trouvera sous « la pierre tombale ». La quantité d'or et d'argent, le trésor physique dont l'illusion a permis la conservation, et la transmission d'une génération à l'autre, de toutes les traditions, aura été dérobé et jeté dans un lac, dans lequel il sera, lui aussi, retrouvé, en même temps que les « marbres écrits », c'est-à-dire, une fois de plus, les colonnes traditionnelles.

Le thème principal de l'œuvre prophétique est synthétisé en douze quatrains, réunis par le mot « TROUVÉ » que l'on retrouve dans chacun. Tout en exposant le thème symbolique, ils forment entre eux un thème cryptographique.

Nous reproduisons textuellement, ci-dessous, les parties correspondantes des douze quatrains, en les plaçant dans leur ordre logique.

VIII-30. *Dedans Tholoze non loing de Beluzer*
Faisant vn puys loing, ...
Thresor trouvé...

I-27. *Dessouz de chaine Guien du ciel frappé,*
Non loing de la est caché le tresor :
Qui par longs siècles auroit esté grappé,
Trouué *mourra, lœil creué de ressort.*

IX-84. ... *Apres auoir* trouué *son origine,*
Torrent ouurir de marbre & plomb la tombe
D'vn grand Romain d'enseigne Médusine.

IX-9. *Quand lampe ardente de feu inextinguible.*
Sera trouué *au temple des Vestales, ...*

V-7. *Du Triumuir seront* trouuez *les os,*
Cherchant profond thrésor aenigmatique :
Ceux d'alentour ne seront en repos,
Ce concauer marbre & plomb metallique.

VI-15. *Dessoubs la tombe sera* trouué *le Prince.*

VI-50. *Dedans le puys seront* trouués *les oz...*

VI-66. *Seront les oz du grand Romain* trouués,
Sepulchre en marbre apparoistra couuerte,
Terre trembler en avril, mal enfouetz.

VIII-66. *Quand l'escriture D.M.* trouuée,
et caue antique à lampe descouuerte...

IX-12. *Le tant d'argent de Diane et Mercure*
Les simulachres au lac seront trouuez,
Le figulier cherchant argille neusue
Luy & les siens d'or seront abbreuez.

III-65. *Quand le sépulchre du grand Romain* trouué,
Le jour apres sera esleu Pontife...

IX-7. *Qui ouurira le monument* trouué,
Et ne viendra le serrer promptement,
Mal luy viendra & ne pourra prouué,
Si mieux doit estre roy Breton ou Normand.

Dans l'ordre bibliographique, les quatrains du thème du TRÉSOR sont les suivants : I-27, III-65, V-7, VI-15, VI-50, VI-66, VIII-30, VIII-66, IX-7, IX-9, IX-12, IX-84.

Le « thème » du TEMPLE.

Nostradamus répète un grand nombre de fois ce mot tout au long de son œuvre prophétique, en l'unissant aux mots clefs de ses autres thèmes. Le TEMPLE et ses douze piliers ou colonnes est le symbole central consacré à Saturne. Le sépulcre, situé dans les fondations de l'édifice, réunit l'urne et les ossements du Grand Romain. Le Déluge et le feu du ciel consomment la destruction qui permet que le TRÉSOR apparaisse concrètement et que renaisse le sang de l'homme conservé dans l'urne antique.

Tels sont les dix thèmes de ce chapitre : TRÉSOR, 12; TEMPLE, 24; COLONNES, 12; SATURNE, 24; SÉPULCRE, 12; URNE, 24; ROMAIN, 12; MITRE, 24; DÉLUGE, 12; FEU DU CIEL et FOUDRE, 24.

Pour constituer ce thème, le mot TEMPLE signale 24 quatrains : I-96, II-8, II-12, III-45, III-84, IV-27, IV-76, V-73, VI-1, VI-9, VI-16, VI-65, VI-98, VII-8, 1559-3, VIII-5, VIII-45, VIII-53, VIII-62, IX-22, IX-23, IX-31, X-35, X-81.

Le « thème » des COLONNES.

Nostradamus formule un thème qui est en relation avec le précédent, celui du TEMPLE, dressé sur ses douze PILIERS. Les COLONNES de porphyre trouvées près de la tombe, une fois que celle-ci aura été détruite par l'avalanche des eaux, soutenaient ce Temple consacré à Saturne. Nostradamus dit : VIII-29 : « Au quart pillier l'on sacre à Saturne. »

En effet, on cite quatre piliers dans les 1 080 quatrains de l'œuvre prophétique : I-43, VI-51, VII-43 et VIII-29. Le vers cité appartient au dernier de ces quatrains qui, tout en renfermant le quatrième pilier ne préside pas le thème des PILIERS OU COLONNES, parce qu'il fait déjà partie du thème des URNES. Il nous reste donc trois piliers dont nous pouvons tenir compte pour ce thème des COLONNES qui en comporte 12.

Le quatrain I-82 nous parle de certaines colonnes de bois couvertes d'inscriptions; le quatrain V-51 cite la colonne d'Hercule; le quatrain VIII-51 se réfère à une colonne emprisonnée ou capturée; tandis que le quatrain IX-2 parle d'une autre colonne, disloquée ou déboîtée. Le quatrain IX-32 décrit une colonne de « fin porphire profond collon trouuee ». Le quatrain X-27 cite une autre colonne et le quatrain X-64 se réfère à une dernière : « Lors que Colonne à Rome Changera. » (Sans doute veut-il dire « changera d'endroit. ») Avec ces sept colonnes, le nombre des éléments dont nous disposons pour ce nouveau thème atteint dix.

Le quatrain X-93 parle déjà de la découverte de deux colonnes de porphyre, se rapprochant ainsi du véritable thème symbolique, celui, très ancien, des deux colonnes de Seth. Enfin, le quatrain VIII-67 semble se référer à la ville de Cologne, mais il en orthographie le nom Collonne : « Ferrare, Collonne, grande protection. » Alors que les quatrains V-43 et V-94 qui traitent de la même ville écrivent Cologne.

Nous disposons donc d'un nouveau thème, composé de douze quatrains : I-43, I-82, V-51, VI-51, VII-43, VIII-51, VIII-67, IX-2, IX-32, X-27, X-64, X-93. Ils composent le thème des COLONNES, c'est-à-dire, les douze piliers du temple et de l'œuvre.

Le « thème » du SÉPULCRE

Nostradamus se réfère au Sépulcre du Grand Romain, du Triumvir, du Prince, personnage qui évoque l'époque de l'empereur Trajan et les rapports historiques entre celui-ci et la Provence. Il situe le sépulcre dans un temple construit dans les édifices des vestales, constructions qui ont effectivement existé dans les environs de la ville de Toulouse. Mais la section transversale du sépulcre figure un pentagone, et ce fait l'unit aux symboles de l'ARCHE, du COFFRE, de l'URNE, de la MITRE et des pentagones du chapitre IX de cette cryptographie.

Nous ne devons pas nous arrêter à la signification romaine des symboles, car elle nous empêcherait de découvrir la série symbolique infiniment plus ancienne à laquelle ils appartiennent. Vesta est fille de Saturne ou Chronos et ce dernier est le père de la chronologie. Nous avons découvert, dans l'œuvre de Nostradamus, des données astronomiques et chronologiques qui expliquent les cycles historiques du prophète de Salon et de celui de l'abbaye de Tritenheim. L'œuvre occulte de ces deux prophètes, et le titre de « Chronologie Mystique » donné par Trithème à son œuvre chronologique nous portent à réfléchir. Tous deux avaient des connaissances bien supérieures à celles des astronomes européens de leur siècle. Ils se référaient au passé de cette humanité et aux autres humanités antérieures au déluge. Ils ne pouvaient expliquer de telles choses que sous le couvert du secret cryptographique ou polygraphique.

L'histoire de la Provence sous l'occupation de l'empire romain permet à Nostradamus de situer, parmi les ruines d'un temple de Vesta, consacré à Saturne, les symboles les plus anciens de l'humanité. C'est pour les sauver de l'oubli que toutes les légendes du TRÉSOR avaient trait à ces symboles. Nostradamus savait, lui, quel est le véritable TRÉSOR de l'humanité, comment il doit être conservé et quelles sont les époques auxquelles il devra être découvert. Il ne pouvait pas formuler clairement, au XVIe siècle, les grandes périodes chronologiques car ce fait aurait été en contradiction ouverte avec l'interprétation textuelle de la Bible; il ne pouvait pas non plus citer ouvertement les cavernes millénaires ni les montagnes sacrées. Il s'est limité à enfermer dans ses écrits les nombres nécessaires à la reconstruction de la chronologie mystique. Il inventa une légende, située au temps de la domination romaine sur la belle terre de Provence. Il put ainsi placer dans cette légende, à laquelle il se réfère en des vers obscurs, tous les éléments traditionnels qui devront guider les peuples quand approchera le temps des grandes convulsions de la terre.

Tout comme Trithème, il écrit un message et il le cache à l'intérieur d'une cryptographie, pour qu'il ne soit connu qu'au bout de cinq siècles.

Le cercueil, le sépulcre, le monument funéraire de marbre et de plomb enfermé dans les fondations d'un ancien édifice consacré à Saturne lui permettent d'insister sur le fait que la catastrophe qui s'annonce se produira sous l'empire de Saturne. Par ce biais, il date une fois de plus la catastrophe. Le cycle historique dominé par Saturne est la dernière partie, la sixième, de la période zodiacale des Poissons, et dure 358 ans et 8 mois. C'est la sixième et dernière partie des 2 152 ans de la période zodiacale actuelle, qui a commencé quinze ans avant le commencement de l'ère chrétienne. La catastrophe est donc datée pour la fin de cette période, aux alentours de 2137...

Le message prophétique de Nostradamus devait donc rester occulte pendant cinq cents ans pour accompagner, au cours de la deuxième moitié du siècle prochain, le processus historique du Grand Monarque.

Le thème du SÉPULCRE, accompagné des mots « tombe » et « sepulter » ne figure que dans neuf quatrains, parce que les thèmes du TRÉSOR et du DÉLUGE figurent déjà dans des quatrains qui contiennent le mot SÉPULCRE. Dans l'un de ces neuf quatrains, VII-24, il est dit, non seulement SÉPULCRE mais aussi « ensevely ». Les trois autres quatrains de l'œuvre qui contiennent le même mot complètent donc le thème.

Les douze quatrains et les mots qui les signalent sont donc : I-37, SÉPULCRHE; III-32, GRAN SÉPULCHRE; III-43, TOMBEAU; VIII-34, TOMBE;

VIII-56, TOMBE; IX-74, SÉPULTURER; X-74, TOMBE; 1558-3, SÉPULTES; III-36, ENSEVELY; III-72, ENSEVELY; IV-20, ENSEVELIS.

Dans l'ordre, la série des quatrains du thème est : I-37, III-32, III-36, III-43, III-72, IV-20, VII-24, 1558-3, VIII-34, VIII-56, IX-74, X-74.

Le « thème » du GRAN ROMAIN

Le mot ROMAIN, au pluriel ou au singulier se trouve vingt-trois fois dans l'œuvre prophétique. Onze fois, il accompagne d'autres thèmes. Les douze restant constituent le thème du « GRAN ROMAIN d'enseigne Médusine » autorisé par Nostradamus dans ces termes mêmes.

Les douze quatrains sont, dans l'ordre du texte des publications : I-11, II-30, II-54, II-72, II-99, III-66, V-13, V-92, VI-7, IX-67, X-20, X-91.

Le « thème » du DÉLUGE

Nostradamus autorise le thème de DEUCALION OU DÉLUGE que ce personnage représente dans le Présage de novembre 1563 : « DEUCALION un dernier trouble faire. » Cette phrase située après un point fait penser à un thème sous le nom du personnage qui ne se répète qu'à trois autres occasions : au quatrain II-81, qui appartient à la clef des URNES, au quatrain X-50, qui appartient lui aussi à la même clef, et au quatrain X-6. En dehors de ces quatrains, DÉLUGE est cité onze fois, et DÉLUGES, une fois. DEUCALION nous donne seulement, sans se référer au déluge et sans citer l'URNE les deux quatrains qui autorisent le thème : le Présage, cité plus haut et le quatrain X-6. DÉLUGE, au singulier ou au pluriel, signale dix quatrains car VIII-29, qui contient aussi ce mot appartient à la clef des URNES, et VIII-91, à celle des CHAMPS. En comptant les deux quatrains de DEUCALION nous obtenons, pour ce thème du DÉLUGE, un total de 12 quatrains qui sont, dans l'ordre : I-17, I-62, V-88, 1557-10, 1563-11, 1564-2, 1564-8, VIII-16, IX-3, IX-4, IX-82, X-6.

Le « thème » FEU DU CIEL

Ce thème se compose de douze quatrains signalés par le mot FOUDRE et de douze quatrains signalés par les expressions comme : feu du ciel, feu céleste, torche ardente dans le ciel, le ciel brûlera, le feu du ciel pleuvra. Dans tous les cas, ces expressions peuvent se traduire par feu du ciel puisque la foudre et la lumière qui émanent des astres ne sont pas autre chose que le « feu du ciel ». Les

24 quatrains, dans l'ordre des publications de Nostradamus, sont les suivants : I-26, II-16, II-18, II-51, II-76, II-92, II-96, III-6, III-7, III-17, III-44, IV-35, IV-54, IV-99, IV-100, V-98, V-100, VI-97, 1555-7, 1555-8, 1558-6, 1564-6, VIII-10, IX-19.

Nous répétons ci-dessous les dix thèmes de ce chapitre qui forment cinq groupes, dans chacun desquels le premier thème comporte 12 quatrains et le second 24 :

TRÉSOR, 12; TEMPLE, 24; COLONNES, 12; SATURNE, 24.
SÉPULCRE, 12; URNE, 24; GRAND ROMAIN, 12; MITRE, 24.
DÉLUGE, 12; FEU DU CIEL, 24.

Dans le tableau suivant, nous présentons la liste des cent quatre-vingts quatrains en indiquant leur thème par les lettres suivantes en italique : *T* pour TRÉSOR, *E* pour TEMPLE, *N* pour COLONNES, *S* pour SATURNE, *L* pour SÉPULCRE, *U* pour URNE, *R* pour GRAND ROMAIN, *M* pour MITRE, *D* pour DÉLUGE, *F* pour FEU DU CIEL.

I-11[r]	II-8[e]	III-6[f]	IV-20[l]	V-7[o]	VI-1[e]	VII-8[e]	1555-5[s]	VIII-4[m]	IX-2[k]	X-6[d]
I-16[s]	II-12[e]	III-7[f]	IV-27[e]	V-11[s]	VI-4[s]	VII-24[l]	1555-6[u]	VIII-5[e]	IX-3[d]	X-9[u]
I-17[d]	II-16[f]	III-13[u]	IV-35[f]	V-13[r]	VI-7[r]	VII-43[k]	1555-7[f]	VIII-10[f]	IX-4[d]	X-14[u]
I-26[f]	II-18[f]	III-17[f]	IV-46[u]	V-14[s]	VI-9[e]		1555-8[f]	VIII-16[d]	IX-7[o]	X-20[r]
I-27[o]	II-30[r]	III-32[l]	IV-54[f]	V-15[m]	VI-15[o]		1555-11[u]	VIII-20[u]	IX-9[o]	X-27[k]
I-37[l]	II-41[m]	III-36[l]	IV-67[s]	V-24[s]	VI-16[e]		1557-6[m]	VIII-26[u]	IX-12[o]	X-35[e]
I-43[k]	II-48[s]	III-41[m]	IV-76[e]	V-35[u]	VI-31[m]		1557-10[d]	VIII-29[u]	IX-15[m]	X-47[m]
I-51[s]	II-51[f]	III-43[l]	IV-86[s]	V-41[u]	VI-37[u]		1558-3[l]	VIII-30[o]	IX-19[f]	X-50[u]
I-54[s]	II-54[r]	III-44[f]	IV-99[f]	V-44[m]	VI-49[m]		1558-6[f]	VIII-34[l]	IX-20[u]	X-56[m]
I-62[d]	II-63[u]	III-45[e]	IV-100[f]	V-51[k]	VI-50[o]		1558-12[m]	VIII-45[e]	IX-21[m]	X-64[k]
I-82[k]	II-65[s]	III-65[o]		V-56[m]	VI-51[k]		1559-3[e]	VIII-48[a]	IX-22[e]	X-67[s]
I-83[s]	II-72[r]	III-66[r]		V-62[s]	VI-52[u]		1559-8[u]	VIII-49[s]	IX-23[e]	X-74[l]
I-96[e]	II-76[f]	III-72[l]		V-73[e]	VI-53[m]		1561-3[s]	VIII-51[k]	IX-31[e]	X-81[e]
	II-81[u]	III-84[e]		V-87[s]	VI-65[e]		1563-8[m]	VIII-53[e]	IX-32[k]	X-91[r]
	II-83[u]	III-92[s]		V-88[d]	VI-66[o]		1563-11[d]	VIII-56[l]	IX-34[m]	X-93[k]
	II-92[f]	III-96[s]		V-91[s]	VI-82[m]		1564-2[d]	VIII-62[e]	IX-36[u]	
	II-96[f]			V-92[r]	VI-86[m]		1564-6[f]	VIII-66[o]	IX-44[s]	
	II-97[m]			V-98[f]	VI-93[m]		1564-8[d]	VIII-67[k]	IX-67[r]	
	II-99[r]			V-100[f]	VI-97[f]		1565-9[m]	VIII-68[m]	IX-72[s]	
					VI-98[e]		1566-2[u]	VIII-86[u]	IX-73[u]	
									IX-74[l]	
									IX-82[d]	
									IX-84[o]	
									IX-87[m]	
									IX-100[u]	

NOTES

1. Ce n'est pas un romain qui portait sur son écu la tête de Méduse, mais Persée, personnage légendaire. C'est une indication exacte de Nostradamus qui savait parfaitement que les mythologies ont été héritées d'une humanité disparue. Nostradamus cite Persée pour attirer notre attention sur les symboles protohistoriques.

2. Il y a de nombreuses années que M. Vegerby est convaincu de l'existence, au sud de Toulouse, d'un ancien édifice romain où auraient pu arriver, venant de Babylone, les Tables de la Loi. L'Empereur Marcus Ulpius Trajan a conquis Babylone et porté les aigles de Rome aux limites

les plus extrêmes qu'ait atteint l'Empire à l'Orient. Il a pu rapporter les Tables de la Loi dans le sud de la France.

Nostradamus dit : « *Loy, Roi, Prince Ulpian...* »

Il attribue également à Trajan la lampe au feu inextinguible que l'on doit trouver sous les « édifices des vestales », ce qui ne contredit pas notre opinion : Nostradamus expose sous une forme occulte la chronologie cyclique à laquelle il ne peut pas se référer clairement. Il situe dans l'époque romaine les symboles éternels qui doivent accompagner, tous les 8 608 ans, la fin d'un AGE et la révélation mystique ou traditionnelle pour la nouvelle humanité au cours de la première période zodiacale de son existence. Il est parfaitement possible qu'il se réfère concrètement aux deux époques et que l'existence des édifices et des traditions romaines soient une réalité historique, sans invalider pour autant la référence aux symboles les plus anciens de la protohistoire, qui doivent accompagner une fois de plus notre humanité dans un avenir prochain.

VI

LA CLEF DU GRAND BRONZE

L'importance de cette clef est telle que son nom même est écrit de différentes manières dans l'édition de la *Prognostication nouvelle* pour l'an 1555, imprimée à Lyon par Jean Brotot et qui dit : GROS AIRAIN, et dans une édition disparue d'Avignon, qui dit GROS AIRAIN et que Chavigny copie et publie, avec le reste des quatrains de cette prognostication, en 1594 [1]. Nous avons déjà vu les différences qui existent entre les éditions de Lyon et d'Avignon. Portant sur les mots et les nombres les plus importants, ces différences ont été faites intentionnellement pour attirer l'attention des commentateurs futurs de l'œuvre.

On ne trouve nulle part ailleurs dans l'œuvre une telle quantité de données cryptographiques. Dans le troisième quatrain, celui de Mars, à la suite d'un point, le vers se termine par une phrase : « l'amy à L.V. s'est joint ». L'ami est I et L.V. est en chiffres romains, 55. Il s'agit donc du nombre 56. Nous l'utiliserons plus tard. C'est une donnée cryptographique qu'aucun commentateur n'a été en mesure d'expliquer.

Par la suite, dans le quatrain de mai, Nostradamus nous fait savoir que toute son œuvre n'est pas prophétique, que le plus important est son message secret et que la cryptographie exceptionnelle qui le contient nécessite qu'on y insère toutes les données requises. Ces données elles-mêmes doivent rester occultes et c'est ce qui oblige le prophète à les entourer de « nouvelles inventées ». Le commentateur doit séparer de ses prophéties le texte ou les mots qui constituent la cryptographie [2].

Dans les quatrains de mai, juillet et août, nous avions trouvé douze nombres et nos premières recherches s'étaient limitées à eux.

Maï : 5-6-15-23-5. Juillet : 8-15-5. Août : 6-12-13-20.

Il s'agissait d'une clef chiffrée, et nous avons placé ces douze nombres sur le cercle, sans obtenir le moindre résultat. La malice de l'horloge et des douze nombres, liant apparemment la clef aux heures du jour ou aux douze divisions du zodiaque, occulte la véritable cryptographie qui doit être complétée par cinq autres nombres. Nous sommes resté arrêté pendant plusieurs années par ces douze nombres et ce n'est que maintenant que nous sommes en mesure de compléter notre exposé.

Après avoir placé les nombres en séries, il nous fut possible de les additionner par groupes :

5+6+15	23+5	8+15+5	6+12+13+20
26	28	28	51

Nous avons ajouté les trois lettres, le chiffre trois au dernier groupe : nous obtenons ainsi une disposition harmonieuse et la somme totale se rapproche du nombre des Présages : 140.

5+6+15+23+5	8+15+5	6+12+13+20+31
54	28	54
	54+28+54=136	

Le quatrain de novembre nous permit de compléter le nombre des Présages. Il dit : « Le quart bruit blesse de nuict les reposans. » Il s'agit de quatre bruits qui joints aux précédents 136 doivent nous donner un total de 140.

Nous trouvons un bruit dans le quatrain de janvier : « cris ». Un autre se trouve dans le quatrain d'avril « crie », un troisième dans celui d'août : « vint, parlera la dame ». Le quatrième bruit se trouve dans le quatrain de novembre. Si nous ajoutons ces bruits, en respectant leurs places, avant et après les douze nombres, nous obtenons la série suivante :

1+1+54	8+15+5	54+1+1
56	28	56
	56+28+56=140	

Cette série se référait aux 140 Présages et utilisait le nombre 56, indiqué par Nostradamus ainsi que sa moitié, 28. Elle était composée des 17 nombres indiqués dans le texte et pouvait se diviser en cinq groupes d'une valeur de 28 chacun. La symétrie nous aida à accepter son originalité. Nous ne pouvions donner aucune autre explication à cette série numérique :

28	28	28	28	28
1+1+5+6+15	23+5	8+15+5	20+1+1+6	3+12+13
79			36	25

Cette division en cinq parties avec 17 nombres nous en permettait une autre, en trois groupes de 79, 36 et 25, en accord avec la seconde clef testamentaire. Mais la clef ainsi exprimée était trop symétrique : elle ne donnait aucune importance spéciale au nombre 56; elle plaçait à la fin le chiffre 3, qui se trouve dans le premier quatrain; elle ne respectait pas l'ordre dans lequel Nostradamus donne les nombres dans le quatrain d'août, c'est-à-dire : 6-12-13-20.

Nous avons décidé d'étudier chacun des mots de présentation de la clef, en considérant que cette présentation se complète dans les onze premiers quatrains, de janvier à novembre 1555. Le mot MIDY qui se trouve dans le quatrain de juin devait indiquer le point central autour duquel doivent tourner ces onze quatrains.

Le quatrain de mai disait : « Tard & tost l'on séjourne » et « sen retourne ». Ce quatrain devait donc d'abord tourner puis revenir à son point de départ en tournant en sens inverse.

Le quatrain de juin disait : « le malin tourne en arrière. » Il s'agit de mars qui est cité dans le quatrain de mars, où est indiqué le nombre 56 et qui doit tourner vers l'arrière, à la place de septembre.

Nous avons compris que les onze quatrains devaient tourner de manière à placer novembre au lieu de janvier, et devaient retourner d'avril à août à leur position primitive, pour que mai retrouve sa place. Après avoir effectué ces deux rotations, les mois et les nombres se trouvèrent placés selon les tableaux suivants :

D'après les indications de Nostradamus, la clef des CENTRES fait tourner autour du mot MIDY d'abord les onze quatrains, puis les cinq centraux en sens inverse.

Janvier	cris	1	Novembre			
	V.S.C.	3				
Février			Octobre		4e bruit	1
Mars	L.V.	56	Septembre			
Avril	crie	1	Août	Avril	crie	1
Mai	5-6-15	26	Juillet	Mai	5-6-5	26
	23-5	28			23-5	28
Juin	MIDY					
Juillet	8-15-5	28	Mai	Juillet	8-15-5	28
Août	6-12-13-20	51	Avril	Août	6-12-13-20	51
	parlera	1			parlera	1
Septembre			Mars		L.V.56	56
Octobre	4e bruit	1	Février			
Novembre			Janvier		V.S.C.	3
					cris	1

Janvier est resté la tête en bas et c'est la raison pour laquelle le 1 est le dernier nombre de la clef. Le nombre 56, de mars, sert à autoriser la somme des nombres d'août et de janvier (51+1+3+1=56).

Cela change l'ordre des 17 nombres, qui devient le suivant :

1-1-5-6-15-23-5-8-15-5-6-12-13-20-1-3-1.

Suivant cette série, les nombres sont :

56 28 56

28 28 28 56

1+1+5+6+15 23+5 8+15+5 6+12+13+20+1+3+1

79 36 25

La série cryptographique devenait ainsi parfaite. Cette clef respecte la seconde clef du Testament (79-36-25) et divise les 140 Présages en 17 groupes de quatrains. Les divisions devront coïncider avec les mots clefs qui servent à diviser les quatrains, avant les centres qui les font tourner et après avoir suivi les indications exactes de l'auteur.

Cette clef divise les 140 Présages en 17 groupes de quatrains. C'est une nouvelle preuve de la malice du prophète et des difficultés qu'il accumule pour garder son secret. Mais c'est aussi la preuve qu'il nous fournit toutes les indications nécessaires pour la formation et l'utilisation de ses problèmes cryptographiques. Il est ainsi démontré également que la clef des CENTRES, et ses cercles, est la première et que tous les quatrains doivent être rangés selon le plan de l'œuvre établi par les clefs du Testament. La clef du GRAND BRONZE divisera en 17 groupes les 140 Présages.

NOTES

1. Airain, Érain : en français moderne Airain, en grec AURAMEN alliage de cuivre, bronze. Poétiquement on utilise bronze pour cloche. Les cloches marquent et ordonnent les heures.

2. Étant donné que beaucoup des quatrains des Présages sont remplis de données cryptographiques, Nostradamus nous avertit que les remplissages sont des « nouvelles inventées », ce qui veut dire qu'elles ne sont pas prophétiques. Et pourtant, il faut voir ce que les commentateurs découvrent dans ces nouvelles inventées. « May 1555 : nouvelles inventées. »

VII

LA CLEF DU VERBE DIVIN ET LA CLEF DES DUCATS

Les deux premières parties des Centuries se sont unies pour former la première partie de l'œuvre. D'après la deuxième clef du Testament, ses 644 quatrains devaient être réduits à 642. Il était évident que la clef VERBE DIVIN qui nous avait permis de diviser les 353 premiers quatrains devait également présider à cette réduction et à la division en groupes des 642 quatrains restants.

Bibliographiquement, les 644 quatrains étaient divisés en onze groupes : I-100; II-100; III-100; IV-53; IV-47; V-100; VI-99; VI-1; VII-40; VII-41 et VII-42; VII-43 et VII-44. Les premières éditions se terminaient par les quatrains IV-53, VI-99, et VII-40. Les éditions de Lyon ultérieures se terminaient par le quatrain VII-42. Les éditions d'Avignon se terminaient par les quatrains VI-100 et VII-44.

Notre étude des sept premières Centuries nous a permis de découvrir l'expression DIVIN VERBE répétée quatre fois dans leur texte, aux quatrains II-27, III-2, IV-5 et VII-36. Le mot DIVIN, au masculin ou au féminin, au singulier ou au pluriel, est cité sept fois aux quatrains I-2, I-14, I-88, II-13, ou 17, IV-24, IV-43 et VI-72.

Nous avons dressé une liste des onze divisions bibliographiques et des onze divisions du mot DIVIN : I-2, I-14, I-88, I-100; II-13, ou 17, II-27, II-100; III-2, III-100; IV-5, IV-24, IV-43, IV-53, IV-100; V-100; VI-72, VI-99, VI-100; VII-36, VII-40, VII-42, VII-44.

Les 644 quatrains se trouvaient ainsi divisés en 22 groupes dont le premier séparait les deux premiers quatrains de la Première Centurie. Le quatrain I-2, qui marquait cette division, permettait de faire commencer la Première Centurie par le quatrain I-3 : ce quatrain dit que la prophétie parvient au prophète prononcée par une « voix frémissent », et il l'intitule : « splendeur divine ». Bien que les mots VERBE DIVIN ne soient pas répétés avec exactitude, il s'agit d'une expression identique.

De cette façon, on supprimait les deux premiers quatrains qui n'étaient ni prophétiques, ni cryptographiques. Leur rôle se limitait à exposer deux rites des augures et des sibylles exprimés tout deux par une voix, un verbe, proféré l'un par le subtil esprit du feu, l'autre par l'esprit de l'eau, ce qui les différencie.

Nous avons alors fait une seconde observation : le quatrain V-53 disait : « esprit de prophétie », ce qui a la même signification que VERBE DIVIN. Nostradamus ayant l'habitude de compléter ses clefs de cette manière, c'est-à-dire en utilisant des expressions semblables, nous avons incorporé cette nouvelle division. Les groupes, qui avaient été réduits à 21 redevenaient 22 à la suite de la division de la Cinquième Centurie en V-53 et V-100, soit deux groupes de 53 et de 47 quatrains respectivement.

Les sept premières Centuries, réduites à 642 quatrains se trouvaient ainsi divisées, bibliographiquement et cryptographiquement en 22 groupes :

I. 3 à 14	IV. 43 à 53
I. 14 à 88	IV. 53 à 100
I. 88 à 100	
	V. 1 à 53
II. 1 à 17 (13)	V. 53 à 100
II. 17 à 27	
II. 27 à 100	VI. 1 à 72
	VI. 72 à 99
III. 1 à 2	VI. 99 à 100
III. 2 à 100	
	VII. 1 à 36
IV. 1 à 5	VII. 36 à 40
IV. 5 à 24	VII. 40 à 42
IV. 24 à 43	VII. 42 à 44

Nous devons faire ici une troisième observation importante qui concerne le quatrain 13 de la Seconde Centurie. Nous pensons pouvoir le considérer sous le numéro 17. Dans la première édition des Centuries, elle apparaît sans numéro : les quatrains suivants portent les numéro 13, 14, 15 et 16, puis vient le quatrain 18. Nous sommes certain que cette erreur typographique a été commise à la demande de Nostradamus. Au cours de quatre siècles, dans aucune des très nombreuses éditions des Centuries, une erreur semblable n'a été commise dans la typographie; s'il s'agissait d'une édition négligée, le doute serait permis. Mais cette première édition est la plus soignée et la mieux corrigée de toutes les éditions des œuvres de Nostradamus publiées du vivant de celui-ci. Plus encore : l'emploi intentionnel de certaines majuscules et de certains nombres romains dans le texte n'a pas été respecté totalement dans des éditions postérieures et nous pensons que le prophète comptait sur ces différences typographiques qui rendaient nécessaire, pour ses fins cryptographiques, cette première édition.

Nous pensons que la seconde édition, réalisée par Sixte Denise, aujourd'hui disparue, présentait également, pour ses 286 quatrains inédits, les mêmes caractéristiques typographiques qui rendent unique la première édition. Malheureusement, elle n'est pas parvenue jusqu'à nous.

La Troisième partie des Centuries, dans l'édition de 1558, disparue elle aussi, a été copiée un grand nombre de fois par Benoist Rigaud et ses héritiers, de 1568 à 1600, puis par son fils Pierre comme imprimeur indépendant, au moins trois fois. Cette édition comporte les centuries VIII, IX et X. Elle conserve de nombreuses majuscules, qui doivent être autant de signes cryptographiques. D'autres peuvent avoir été perdues. Nous signalerons les trois mots en majuscules par lesquels elle commence : PAV, NAY, LORON, le nom de HIERON qui appartient au thème du déluge; les mots IVRA?NORLARIS anagramme de Lorrain, TAQ, PAR, CAR, NERSAF, anagramme de FRANCE et VAR. Toutes ces majuscules se trouvent dans la seule Huitième Centurie.

L'existence de ces signes, à la fois typographiques et cryptographiques dans les premières éditions, et le sort très différent qui a été le leur dans les éditions postérieures, nous autorisent à utiliser, pour le quatrain dont nous parlions, le numérotage différent : 17 au lieu de 13. De toute façon, les cryptographes futurs pourront étudier ce problème en comparant les résultats obtenus avec l'un et l'autre numérotage.

Nous avons reçu une preuve indirecte d'être dans la bonne voie du fait que les mots DIVIN, DIVINE, au pluriel comme au singulier, ne se trouvent pas une seule fois dans les trois dernières Centuries et qu'on les rencontre seulement une fois dans les Présages : le quatrain de décembre 1559, où il s'agit très probablement d'une indication cryptographique qui devra être utilisée quand le texte des Présages sera uni à celui que nous étudions.

Ce quatrain, Présage de décembre 1559, complète le « thème » du mot DIVIN VERBE, qui signale 12 quatrains. Apparemment ces quatrains ne sont que onze parce que le quatrain I-2 ne fait pas partie de l'œuvre prophétique mais nous avons déjà vu, en d'autres occasions, que Nostradamus conclut tous ses thèmes cryptographiques et toutes ses clefs par des synonymes ou des idées semblables. Il complète la clef VERBE DIVIN par le quatrain V-53 qui dit « esprit de prophétie » au lieu de « verbe divin » et conclut, par ce même quatrain, le « thème » DIVIN. Les 12 quatrains de ce thème cryptographique sont : I-14, I-88, II-13 ou 17, II-27, III-2, IV-5, IV-24, IV-43, V-53, VI-72, VII-36 et 1559-12. Le prophète autorise à considérer « esprit de prophétie » comme « esprit divin » dans le quatrain II-13.

Nous trouvons une autre preuve indirecte de ce que nous avançons dans le premier quatrain nostradamique qui a été imprimé dans l'Almanach de 1554 pour 1555 et qui peut être considéré comme un prologue à l'ensemble de l'œuvre, bien qu'il n'en fasse pas partie, puisqu'il ne se réfère à aucun mois de l'année mais traite de l'année toute entière. Or, l'étude bibliographique, suivant une indication textuelle de l'auteur, et les clefs testamentaires, conduisent à exclure de l'œuvre prophétique les quatrains qui présidaient aux années. Chavigny considère ce quatrain comme le premier de l'œuvre, en insistant sur le fait que c'est le premier des quatrains publiés. Le premier vers de ce quatrain dit :

D'esprit divin l'ame presage atteinte

Dans une autre version, le vers dit :

L'ame presage d'esprit divin attainte

Selon la première version, le verbe est « atteinte »; dans la seconde, c'est « presage ». Les premiers mots se réfèrent à l'Esprit divin, dont l'âme reçoit le présage; d'après la seconde version, c'est l'âme qui prophétise.

Dès son premier vers, Nostradamus affirme donc le caractère divin de son œuvre prophétique. Il emploie le mot DIVIN qui lui sert de clef pour la division cryptographique de cette première partie de l'œuvre.

Ce premier quatrain renferme la théorie mystique la plus pure, que le lecteur attentif trouvera exposée dans deux quatrains qui méritent toute son attention :

II-13 ou 17. *Le corps sans âme plus n'estre en sacrifice*
Jour de la mort mis en nativité
L'esprit divin fera l'ame felice
Voyant le verbe en son éternité.

III-2. *Le divin verbe donra à la substance*
Comprins ciel, terre, or occult au fait mystique,
Corps, âme, esprit, ayant toute puissance,
Tant soubs ses pieds comme au siege Celique.

Les nombres de 101 ducats et 126 doubles ducats nous avaient permis de diviser les 353 premiers quatrains suivant les indications de la première clef du Testament, en utilisant deux quatrains : II-27 et III-2 qui contenaient les mots VERBE DIVIN.

Comme les mêmes mots se retrouvent dans les quatrains IV-5 et VII-36, nous avons pensé utiliser, pour les sept premières Centuries, les clefs DIVIN VERBE et les nombres des DUCATS ensemble. Nous n'avons obtenu aucun résultat et nous avons été obligé de reconnaître que la clef des DUCATS ne fonctionnait pas pour les 642 quatrains, dont le total ne pouvait être divisé par 101 et 126.

Une fois terminée la seconde clef testamentaire, les quatrains des sept premières Centuries et les 140 Présages formaient un total de 782. En additionnant quatre séries de 101 quatrains et trois séries intermédiaires de 126 quatrains nous obtenions exactement le même total : 782 (101 + 126 + 101 + 126 + 101 + 126 + 101 = 782). La clef des DUCATS réunirait donc les 22 groupes de la première partie de la prophétie avec les 17 groupes de la seconde partie constituée par les Présages.

Le quatrième vers du quatrain de juin 1564 autorisait cette union cryptographique :

Et dix & sept assaillir vint & deux.

Étant donné que le vers antérieur se termine par un point, ce quatrième vers est, sans doute possible, une indication cryptographique.

	1+1+5+6+15+		
Les 17 nombres donnés par la clef	23+5+8+15	= 79	
du bronze sont	5+6+12+13	= 36	
	20+1+1+3+	= 25	140

En les réunissant aux 22 groupes du VERBE DIVIN on obtiendrait :

I. (3 à 14) (14 à 88) (88 à 100) + III-1 + VII- (43 et 44)
12 + 74 + 12 = 98 + 1 + 2 = 101 1°
III. (2 à 100) + II- (1 à 17) (17 à 27)
99 + 17 + 10 = 126 2°
II. (27 à 100) + IV - (1 à 5) (5 à 24) (24 à 43) (43 à 53)
73 + 5 + 19 + 19 + 10 = 126 3°
IV. (53 à 100) + Présages 79
47 + 79 = 126 4°
V. (1 à 53) (53 à 100) + VI- (100)
53 + 47 + 1 = 101 5°
VI. (72 à 99) + Présages 36 + VII- (1 à 36) +VII- (41 et 42)
27 + 36 + 36 + 2 = 101 6°
VI. (1 à 72) + Présages 25 + VII- (36 à 40)
72 + 25 + 4 = 101 7°
782

Les 79 présages divisés en neuf groupes :	1+1+5+6+15+23+5+8+15	= 79
Les 36 présages divisés en quatre groupes :	5+6+12+13	= 39
Les 25 présages divisés en quatre groupes :	20+1+3+1	= 25

La clef des DUCATS unirait ainsi les 22 groupes de quatrains des sept premières Centuries aux 17 groupes des présages.

Nous présentons ce cadre numérique comme exemple, pour donner au lecteur un exemple de comment les clefs du VERBE DIVIN et des DUCATS pourraient être utilisées dans l'avenir. Le tableau définitif sera différent, non seulement parce que l'ordre des groupes de quatrains sera changé, mais aussi parce que le nombre de quatrains de chaque groupe formé par les onze divisions cryptographiques, ne sera pas le même.

Par exemple : le second groupe de la Première Centurie va du quatrain 14 au quatrain 88; il peut comporter 73, 74 ou 75 quatrains. Le premier groupe peut se terminer par le quatrain 13, ou par le 14, et le troisième groupe commencer au quatrain 88 ou 89. Cela donne lieu à trois solutions différentes : de 13 à 88, il y aurait 75 quatrains; de 13 à 87, 74, et de 14 à 87, 73. Par contre, le troisième groupe ne peut comporter que 11 ou 12 quatrains parce que la division bibliographique en 100 est invariable. De 88 à 100, il y aurait 12 quatrains et de 89 à 100, seulement 11.

Il nous resterait également à déterminer l'ordre dans lequel il faut placer les sept grandes divisions qui réunissent les deux premières parties de l'œuvre. Pour cela, il faudrait utiliser la seconde clef testamentaire et la dernière division qu'elle établit : trois cercles ou « ciels » de 360 secteurs chacun.

VIII

LA CLEF DES PLANÈTES

Dans la dédicace de ses trois dernières Centuries à « Henry, Roy de France, Second », et après la seconde chronologie arbitraire, Nostradamus dit textuellement : « & après quelque temps & dans iceluy comprenant depuis le temps que Saturne qui tournera entrer à sept du moys d'Avril iusques au 25.d'Aoust Iupiter à 14.de Juin iusques au 7.d'Octobre, Mars depuis le 17.d'Avril iusques au 22 de Iuin, Venus depuis le 9. D'Avril iusques au 22. de May, Mercure depuis le 3 de Février, iusques au 24 dédut. En apres du premier de Iuin iusques au 24. dudit & du 25 de Septembre iusques au 16 d'Octobre. »

A la suite de ce paragraphe se trouve un tableau astrologique du Ciel qui doit précéder la Révolution française : « Saturne en Capricorne. Jupiter en Aquarius, Mars en Scorpion, Venus en Pisces, Mercure dans un moys en Capricorne Aquarius & Pisces, la Lune en Aquarius, la tête du dragon en Libra, la queüe a son signe opposite suyvant une conjonction de Iupiter à Mercure, auec un quadrin aspect de Mars à Mercure, & la teste du dragon sera avec vne conionction du Soleil à Iupiter, l'annee sera pacifique, sans eclipse & non du tout, & sera le commencement comprenant ce que durera, & commençant icelle annee sera faicte plus grande persecution à l'Église Chrestienne que n'a este faicte en Affrique, & durera ceste icy iusques à l'an mil sept cens nonate deux que lon cuydera estre une renovation de siècle... »

Effectivement l'an 1792 fut proclamé par la Convention An I de la République : il s'est produit, cette année-là en France un changement chronologique. C'est l'année la plus importante de la révolution et la première de la nouvelle ère que celle-ci prétendait implanter.

Suivent quelques lignes et le paragraphe se termine par une nouvelle qui n'a pas le moindre rapport avec le texte : « que des deux Cretenses ne leur sera la Foy tenue... »

Personne n'a jamais pu expliquer de manière satisfaisante l'exposé astronomique et moins encore l'existence des deux énigmatiques Crétois et la situation désagréable dans laquelle le prophète les place.

Nous avons pensé à la possibilité d'une clef numérique et nous nous limitons à considérer les nombres dans l'ordre dans lequel ils sont donnés.

Comme le texte se trouve ainsi rédigé dans les éditions de Lyon et que les nombres importants souffrent quelques variations dans les éditions d'Avignon, nous avons commencé par confronter les deux versions. Et, effectivement, nous avons découvert une variante : le texte des éditions qui copient celles d'Avignon dit quelques fois : « jusques le 15 Aoust » au lieu de « iusques au 25 Aoust ». Nous ne découvrons aucun motif à ce changement et nous continuons nos recherches à partir du texte des éditions de Lyon. Ce changement peut avoir été causé par un simple erratum d'imprimerie.

Nostradamus place les planètes suivant la succession horaire : Saturne, Jupiter, Mars, Vénus et Mercure. Il ne manque que le Soleil entre Mars et Vénus et la Lune après Mercure [1].

Les planètes se répétaient dans le plan du ciel astrologique dans le même ordre : Saturne, Jupiter, Mars, Vénus et Mercure suivis de la Lune. Il ne manquait que le soleil et nous avons pensé que leur situation pourrait nous donner un ordre différent pour le cryptogramme. D'après notre étude des jours de la semaine, et des génies et des métaux qui président à ces jours, les planètes pouvaient se présenter dans l'un des trois ordres directs : celui de leurs nombres atomiques, celui des jours de la semaine ou celui des premières heures de chaque jour. Elles pouvaient aussi se présenter dans n'importe lequel de ces ordres, en sens rétrograde. Nous n'avons découvert aucune donnée qui nous autorise à utiliser l'une ou l'autre de ces successions. Nostradamus place ses nombres en les mettant en rapport avec cinq planètes. Il nous fallait donc les étudier tels que nous les avions reçus. En suivant le texte, les nombres nous ont fourni le tableau qui termine le présent chapitre et dans lequel nous avons énuméré les mois et les jours : du sept avril – 7.4 – au vingt-cinq août 25.8, et ainsi de suite.

Le tableau est composé de 28 nombres dont le total est 298. Il y a donc un rapport entre ce nombre et les trois cents quatrains de la Troisième partie des Centuries. Il suffit d'ajouter deux, signalé par Nostradamus avec les deux Crétois, pour arriver à 300. Le fait que ces deux Crétois apparaissent séparés des 28 autres nombres signifie certainement que les 300 quatrains doivent être réduits à 298.

D'après le tableau, nous devons découvrir une division des 298 quatrains en 28 groupes d'après les 28 nombres, en 14 groupes d'après les 14 dates ou en 7 groupes en ajoutant les quatre chiffres des deux dates de chaque mouvement planétaire. Nous aurions encore une possibilité à notre disposition : celle de former 5 groupes en ajoutant tous les nombres qui correspondent à chaque planète.

Les 28 nombres, dans l'ordre sont : 7-4-25-8-14-6-7-10-17-4-22-6-9-4-22-5-3-2-24-2-1-6-24-6-25-9-16-10.

Les 14 dates, en ajoutant les deux numéros de chacune sont : 11-33-20-17-21-28-13-27-5-26-7-30-34-26.

Les sept mouvements planétaires, en ajoutant les quatre nombres des dates par lesquelles ils commencent et finissent sont : 44-37-49-40-31-37-60.

Les cinq planètes, en ajoutant tous les nombres des dates qui correspondent à chacune sont : 44-37-49-40-128.

Il semble évident qu'il s'agit d'une clef qui ne pourra fonctionner que lorsque toutes celles qui ont été exposées antérieurement auront été utilisées et qu'on aura donné aux quatrains prophétiques leur place définitive. Et pourtant, ce n'est pas le cas. Nous allons le démontrer en suivant, d'abord, dans le texte la division préalable des 298 quatrains suivant les nombres des mouvements planétaires, et ensuite en découvrant les indications de Nostradamus qui nous permettent d'exclure de l'œuvre prophétique les quatrains VIII-52 et VIII-53.

Nous avons décidé de faire, dans ce livre, un exposé complet des clefs que nous avons découvertes dans l'œuvre de Nostradamus sans nous occuper de l'utilisation de ces clefs. Comme le prophète nous pose un travail de création, il est très difficile de fixer la limite entre les deux buts. La clef des PLANÈTES nous en fournit un exemple : en prétendant la présenter simplement nous nous sommes vu dans l'obligation de pousser plus avant nos recherches. Nous sommes parti du tableau numérique tel que nous en fournit un exemple : en prétendant la présenter simplement nous nous sommes vu dans l'obligation de pousser plus avant nos recherches. Nous sommes parti du tableau numérique tel que nous l'avons reçu de Nostradamus. La première observation nous conduira à le diviser de manière symétrique en trois groupes. Le premier à gauche totalisera 98, le deuxième 100 et le troisième 100. Le tableau est ainsi divisé et la phrase qui se rapporte aux Crétois nous autorise à retirer définitivement deux quatrains de l'une des Centuries. Nous cherchons les indications du prophète pour savoir quels sont les deux quatrains à exclure du texte.

La première colonne de dates donnait un total de 44. Le quatrain 44 de la Huitième Centurie nous fournit une indication précise : « De sept à neuf du chemin destorner. » Nous devions donc compter sept quatrains 44+7=51, et exclure du texte les quatrains numérotés 52 et 53. Le mot AMY signalait le quatrain 44. Le quatrain 51 était marqué par le mot BIZANTIN. Le quatrain 52 était incomplet et son premier vers était le même que le premier vers du quatrain VIII-38.

Nous avons ajouté au premier total de 44 celui de la deuxième colonne 37 (44+37=81). Le quatrain 81 ne s'occupait pas de notre problème cryptographique. Nous avons donc dû continuer jusqu'à 83 qui, par les mots « Bisance, entreprise et amy » est signalé par le prophète comme quatrain final du deuxième groupe selon la Clef des PLANÈTES. AMY se trouve au quatrain 44, BIZANTIN au 51 et les deux mots se répètent au quatrain 83 avec « Entreprise » : c'est par ce dernier mot que Nostradamus désigne, tout au long de son œuvre, le travail de décryptage et de découverte de son secret.

L'auteur avait donc ainsi prouvé l'annulation des quatrains VIII-52 et VIII-53. Le second groupe se termine par le quatrain 83.

Nous sommes allé plus avant. La troisième des sept parties de la clef comporte 49 unités sous le signe de Mars (83+49=132) ce qui nous conduit au nombre 132 c'est-à-dire jusqu'au quatrain IX-32; 100 de la Huitième centurie et 32 de la Neuvième.

IX-32. *De fin porphire profond collon trouuee*
Dessouz la laze escripts capitolin :
Os, poil retors Romain force prouvée.

Il se réfère à la découverte, sous le sépulcre romain, de l'écrit capitolin, c'est-à-dire de son message secret.

Le quatrième groupe (132+40=172) sous le signe de Vénus se termine par le quatrain 72 de la Neuvième Centurie.

IX-72. *Encor seront les saincts temples pollus*
Et expillez par Senat Tholozain.

Cela nous conduit à nouveau au temple antique dans lequel tous les quatrains de ce thème relatent que seront découverts la tombe, les os, le Trésor et les écrits prophétiques. Le cinquième groupe, sous le signe de Mercure (172+31) nous conduit au troisième quatrain de la Dixième Centurie :

X-3. *En apres cinq troupeau ne mettra hors un.*

Effectivement, après cinq groupes de quatrains parfaitement signalés et après avoir trouvé les quatrains de la Troisième partie qui doivent être exclus de l'œuvre, il n'est pas nécessaire de continuer : nous avons un sixième groupe de 37 quatrains qui arrive jusqu'au quatrain X-40 et un septième groupe de 60 quatrains qui se termine avec la Dixième Centurie.

Nous mettrons en évidence une malice de plus de notre prophète : le quatrain X-3 auquel nous nous sommes déjà référé dit, dans les éditions de Lyon :

En apres cinq troupeau ne mettra hors un.

Le dernier mot *un* n'appartient pas au vers, il appartient au vers suivant et c'est ainsi qu'il apparaît dans les éditions d'Avignon. L'erreur des éditions de Lyon a été commise délibérément. Le cryptographe comprend qu'il s'agit de troupeaux ou groupes de quatrains et non du fugitif auquel se réfère le second vers, encore que l'on puisse aussi le comprendre comme un sixième troupeau fugitif. Le second vers dit :

Un fuytif pour Pénelon laschera.

Pour résumer : les trois Centuries VIII, IX et X sont divisées par la clef des PLANÈTES suivant leurs sept totaux, composé chacun de 4 nombres qui ont été établi dans le tableau pertinent.

Premier groupe :	les 44 premiers quatrains de la Centurie VIII	44
Second groupe :	les 37 quatrains suivants. VII-52 et VII-53 étant supprimés, ce second groupe arrive jusqu'à VIII-83	37
Troisième groupe :	49 quatrains jusqu'à IX-32	49
Quatrième groupe :	40 quatrains jusqu'à IX-72	40
Cinquième groupe :	31 quatrains jusqu'à X-3	31
Sixième groupe :	37 quatrains jusqu'à X-40	37
Septième groupe :	60 quatrains jusqu'à X-100	60
		298

Nous avons présenté jusqu'ici la clef des PLANÈTES qui est en rapport avec le texte des 298 quatrains qu'elle divise en 7 groupes. Pour continuer la division en 14 ou 28 groupes nous devrons recourir à la clef des CENTRES. La division correcte de chacun des 7 groupes en 4 sous-groupes apparaîtra alors avec évidence.

La clef des PLANÈTES divisera la Troisième partie de l'œuvre en 28 groupes de quatrains.

Tableau des vingt-huit nombres de la clef des PLANÈTES.

♄	♃	♂	♀	☿	☿	☿
7	14	17	9	3	1	25
4	6	4	4	2	6	9
25	7	22	22	24	24	16
8	10	6	5	2	6	10
44	37	49	40	31	37	60

(44+37+17)		(32+40+28)		(3+37+60)		
98	+	100	+	100	=	298

44 :	VIII. 1	à	VIII. 44			
37 :	VIII. 45	à	VIII. 81	+ 2 = VIII.83		
49 :	VIII. 84	à	VIII. 100	+	IX. 1 à IX. 32	
40 :	IX. 33	à	IX. 72			
31 :	IX. 73	à	IX. 100	+	X. 1 à X. 3	
37 :	X. 4	à	X. 40			
60 :	X. 41	à	X. 100			

NOTE

1. Voir chapitre VI de la Chronologie.

IX

LA CLEF DES PENTAGONES

Les clefs et les thèmes cryptographiques que nous avons découverts et expliqués dans le cours de cette œuvre constituent une trame extrêmement compliquée, qui obligera à procéder à de nombreuses remises en ordre des 1 080 quatrains de la prophétie. Chaque nouveau rangement devant partir d'un rangement cryptographique antérieur, toutes les clefs sont nécessaires et l'ordre de leur utilisation constitue l'ultime difficulté.

Le résultat de ce travail extrêmement complexe sera un texte définitif qui ne pourra être vérifié que par l'évidence du message secret. Aucune des clefs et aucune des démarches de son utilisation ne pourra être vérifiée de manière isolée. La seule confirmation possible se fera par l'obtention du résultat ultime.

La clef des pentagones que nous allons étudier maintenant, constituée sur le cercle divisé en 360 secteurs ou degrés, nous oblige à accepter la situation du texte prophétique autour de ce même cercle. Elle divise l'œuvre en trois parties : les 1 080 quatrains devraient donc se placer autour de trois cercles. Il est également possible qu'il soit nécessaire de disposer les 4 320 vers autour de douze cercles. Au niveau actuel du décryptage, il faut tenir compte de ces deux solutions, sans qu'il soit possible d'en décider.

Dans le cours de son œuvre, Nostradamus se réfère un grand nombre de fois aux figures pentagonales, et il le fait avec une insistance telle qu'il semble impossible que pendant des siècles, aucun de ses commentateurs n'ait prêté à ce fait l'attention qu'il mérite. Piobb, en 1927, a été le seul à découvrir un rapport entre le sépulcre et le pentagone et il l'a dessiné comme le symbole central de la prophétie nostradamique, en le faisant tourner à l'intérieur du cercle. En interprétant, dans le quatrain de janvier 1555 les lettres « V.S.C. paix » comme l'interprétation latine placée sur les sépulcres romains : « Voto Suscepto Curavit », il a commencé à soulever le voile du « Sépulcre du Grand Romain ». Tout en se référant aux deux premières chronologies arbitraires que nous étudions et en faisant des observations intéressantes, bien qu'il aille jusqu'à assurer que c'est en elles qu'il a découvert la clef, ce n'est pas dans ces chronologies que Piobb a découvert son unique pentagone. Il le dessine dans le cercle en accord avec un autre des secrets nostradamiques, qui est contenu dans le quatrain de novembre 1557, qui comporte les mots FLORAM PATERE. Il mit en relation son pentagone avec la clef qui est contenue dans ces mots et dont nous nous sommes occupé nous aussi et consacra son livre à une étude de la prophétie en rapport avec l'histoire de France et la succession, en elle, des symboles qui la représentent et auxquels Nostradamus se réfère clairement. Piobb parle très souvent de la clef qu'il a découverte mais il ne nous en donne, à aucun moment, une explication cryptographique. Ses intuitions sont admirables, mais son exposé bibliographique est purement fantaisiste et ses vagues affirmations, concernant une cryptographie qu'il aurait découverte relèvent de l'imaginaire. Nous insistons cependant sur la valeur de ses découvertes, qui dénotent une intuition exceptionnelle. *Le secret de Nostradamus* qu'il publia en 1927 marqua à cette date le commencement de notre intérêt pour les prophéties et la cryptographie de Nostradamus. Malgré les erreurs qu'il commet, il accompagnera toujours les plus sérieux des commentateurs des Centuries, contribuant ainsi, indirectement, au dévoilement de la prophétie apocalyptique enfermée dans le message secret, à la découverte de laquelle nous consacrons le présent ouvrage [1].

Le sépulcre dans sa forme classique représente, en coupe transversale, un pentagone. Il est vrai que Nostradamus s'y réfère un grand nombre de fois, mais ce n'est pas la seule manière dont il se sert pour insister sur le pentagone et son rapport secret avec la prophétie. Il se réfère également, comme nous l'avons déjà vu, à l'URNE. Il doit nommer celle-ci un si grand nombre de fois qu'il doit modifier l'orthographe de ce mot ou bien utiliser également SAT-URNE. L'urne, en coupe transversale, représente elle aussi un pentagone, de même que la mitre pontificale, romaine par adoption, et que Nostradamus utilise lui aussi. La mitre, comme son nom l'indique, est l'un des symboles, extrêmement anciens que les légions ramenèrent à Rome en même temps que la religion de Mitra. Nostradamus insiste ainsi sur les pentagones qui constituent la clef la plus importante de sa cryptographie.

Nous allons étudier trois chronologies arbitraires que Nostradamus fournit en profitant de la confusion chronologique créée par les chronographes en ce qui concerne la période antérieure à notre ère. Nous démontrerons que ces trois chronologies arbitraires ont été établies dans le seul but de nous fournir trois paires de pentagones, dont chaque paire se situe exactement à l'intérieur d'un cercle, constituant ainsi une machine cryptographique pour chacune des trois parties de sa prophétie.

Parmi ces chronologies arbitraires, les deux premières se trouvent dans la dédicace à « Henry, Roy de France, Second », préface des Centuries VIII, IX et X, publiée en 1558, édition dont il ne reste aujourd'hui aucun exemplaire mais qui fut rééditée par Benoist Rigaud en 1568 et un grand nombre de fois par la suite, utilisant pendant vingt-cinq ans la même date de 1568. Ce document ayant été reproduit dans presque toutes les éditions suivantes des Centuries, il a été étudié par tous les commentateurs de Nostradamus. Bien qu'il ait été évident qu'il ne s'agissait pas là de chronologie, Piobb a été le seul à supposer que ces ensembles numériques renfermaient, avec la plus grande précision, toutes les données nécessaires à la construction d'une machine cryptographique. Malheureusement, il ne put la découvrir. La troisième chronologie arbitraire n'a été publiée qu'en 1565 avec l'almanach, les pronostics et présages pour 1566, dans un petit livre qui n'a jamais été réédité. Elle est donc complètement inconnue, puisqu'il n'existe qu'un seul exemplaire de cet almanach que nous avons découvert en 1946 à la bibliothèque Victor-Emmanuel de Naples. Nous donnons la copie photographique de la page concernée.

Aucune de ces trois cryptographies n'est en accord avec les deux autres. La seconde en arrive même à donner, pour le nombre d'années dont elle s'occupe, deux totaux différents, et la première inclut un nombre de mille et deux prophètes qui n'a rien à voir avec la chronologie. Mais chacune de ces chronologies arbitraires nous donnera les nombres nécessaires pour inscrire, dans un cercle, deux pentagones dont la rotation permettra la lecture du véritable message du prophète provençal. Rappelons au lecteur que ces mêmes chronologies arbitraires nous ont déjà fourni quatre dates pour le dodécagone chronologique du chapitre V de la Chronologie.

LES DEUX PENTAGONES DE LA PREMIÈRE CHRONOLOGIE ARBITRAIRE

Nous reproduisons ci-dessous, textuellement, la première chronologie arbitraire telle qu'elle nous est fournie par la préface par laquelle Nostradamus dédie ses trois dernières Centuries à « Henry, Roy de France, Second », en 1558.

« Car l'espace de temps de nos premiers, qui nous ont precedez sont tels, me remettant sous la correction du plus sain iugement, que le premier homme Adam fut deuant Noë (A) enuiron mille deux cens quarante deux ans, ne computant les temps par la supputation des Gentils, comme a mis par escrit Varron : mais tant seulement selon les sacrees Escriptures, & selon la feiblesse de mon espirit, en mes calculations Astronomiques. Apres Noë (B) de luy & del vniuersel deluge, vint Abraham enuiron mille huictante ans, lequel a esté souuerain Astrologue, selon aucuns, il inventa premier les lettres Chaldeiques : apres vint Moyse enuiron cinq cens quinze ou ceize ans (C), & entre le temps de David & Moyse, ont esté cinq cens septante ans la enuiron. Puis apres entre le temps de David, & le temps de nostre sauveur & redemptéur Jesus Christ, nay de l'vnique vierge (D), ont esté (selon aucuns Cronographes) mille trois cens cinquante ans : pourra obiecter quelqu'vn ceste supputation n'estre veritable, pource qu'elle differe a celle d'Eusebe. Et depuis le temps de l'humaine redemption iusques à la seduction detestable des Sarrasins, s'ont esté fix cens vingt & vn an, là environ, depuis en ça l'on peut facilement colliger quels temps sont passez, si la miene supputation n'est bonne & valable par toutes nations, pource que le tout a esté calculé par le cours celeste, par association d'esmotion infuse à certaines heures delaissees, par l'esmotion de mes antiques progeniteurs : Mais l'iniure du temps, ô serenissime Roy, requiert que tels secrets euenemens ne soyent manifestez, que par ænigmatique sentence, n'ayant qu'vn seul sens, & vnique intelligence, sans y auoir rien mis d'ambigue n'emphibologique calculation : mais plustost sous obnubilee obscurité par vne naturelle infusion approchant à la sentencé d'vn des mille & deux Prophetes, qui ont esté depuis la creation du monde, iouxte la supputation & Chronique punique de Ioel... (E) »

Quelques lignes plus tôt Nostradamus a dit :

« ... esperant de laisser par escrit les ans, villes, citez, regions ou la plus part aduiendra, mesmes de l'annee 1585. & de l'annee 1606. accommençant depuis le temps present, qui est le 14. de Mars, 1557... (F) »

OBSERVATIONS

A. – « Adam fut devant Noë... » Cela veut dire que la chronologie peut commencer avec Adam ou avec Noë. Les 1 242 ans doivent être inscrits en sens direct dans le premier cas, en sens rétrograde dans l'autre.

B. – Nostradamus ne donne pas le temps de Noë : 600 ans avant et 350 après le déluge. Il ne cite pas non plus le temps du déluge, qu'il donne dans une autre chronologie arbitraire, mais en mois, ce qui montre que cette donnée n'est pas destinée à cette chronologie entièrement exprimée en années complètes. Mais comme vient ensuite la période d'Abraham, de 1 080 ans, et comme cette période n'est signalée par aucun degré, parce qu'elle représente trois tours complets de 360 degrés chacun, nous pouvons y voir l'indication de ce que le Déluge peut diviser le problème cryptographique de telle sorte que celui-ci revienne au commencement avec la période d'Abraham à Moïse.

C. – La période d'Abraham à Moïse, de 515 ou 516 ans, autorise à considérer que ces nombres se rapportent à deux problèmes différents, dont chacun utilisera l'un des deux et laissera l'autre de côté.

D. – Étant donné que le temps qui s'écoule de David à Jésus-Christ prend fin avec la naissance de ce dernier, « nay de l'unique vierge », et que le temps qui s'écoule entre Jésus-Christ et les Sarrazins, c'est-à-dire, Mahomet, commence « *après l'humaine rédemption* » nous devons tenir compte des 33 ans de la vie de Jésus-Christ.

E. – Joël ne s'est jamais occupé de 1 002 prophètes. Ce nombre de prophètes est arbitraire, comme tous ceux que contiennent des chronologies et nous pouvons l'utiliser, à partir du degré 0 du cercle, en sens direct ou rétrograde, en tenant compte de la valeur du nombre pour le problème cryptographique en fonction du résultat.

F. – Quelques lignes avant cette chronologie qui n'est pas seulement arbitraire, mais encore incomplète et malicieuse, nous trouvons trois dates : celle du commencement de la prophétie, 1557, qui se transforme en 1547 dans les éditions d'Avignon, et les dates postérieures : 1585 et 1606, qui ne figurent là que comme données cryptographiques.

L'ensemble de ces données qui se présentent sous l'apparence d'une chronologie et que nous avons intitulé « Première Chronologie arbitraire » a pour but la construction de deux pentagones inscrits dans le cercle, figure nécessaire à cette clef de la cryptographie tellement complexe de Nostradamus.

Nous allons porter sur le cercle de 360 degrés les données numériques qui nous sont fournies par ce que nous avons exposé. Si ces nombres sont inférieurs à 360 ils s'inscriront directement au degré correspondant du cercle. S'ils dépassent 360, on leur retran-

LES DEUX PENTAGONES INSCRITS CONSTRUITS
SELON LES NOMBRES DE LA PREMIÈRE CHRONOLOGIE ARBITRAIRE

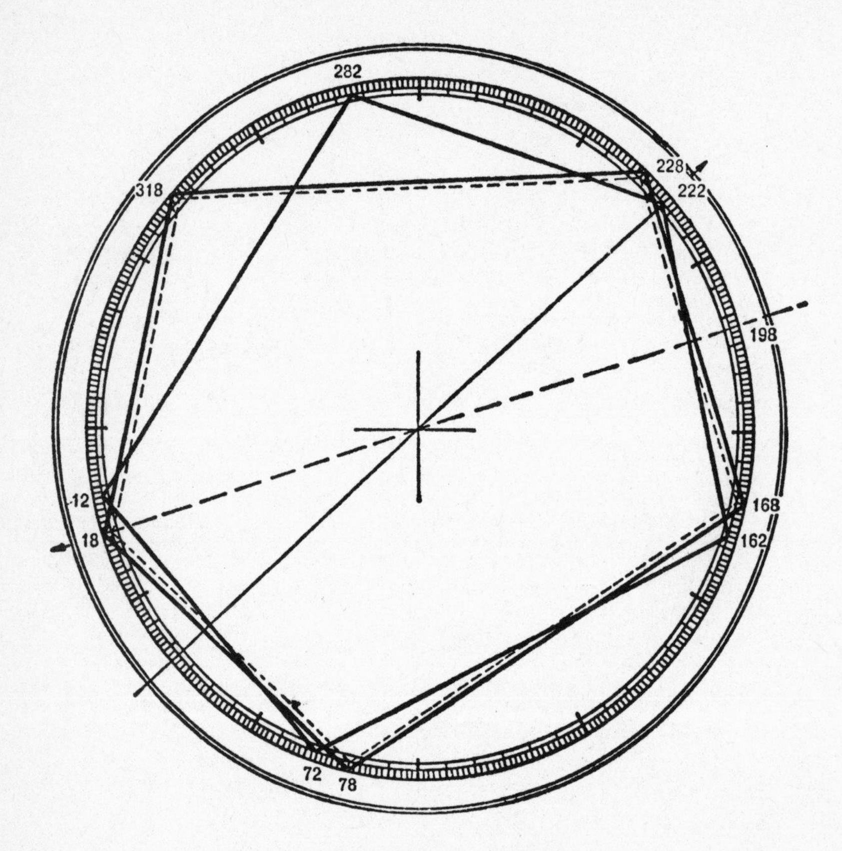

Fig. 1

chera 360 autant de fois qu'il sera nécessaire pour que le solde, inférieur à 360, puisse être inscrit sur le cercle.

1. – Adam précéda Noé de 1 242 ans. En retranchant trois tours de cercle (1 242 – 1 080 = 162) il nous reste 162 ans qui en sens direct nous amènent au degré 162°
et en sens rétrograde (360 – 162 = 198) au degré du cercle. 198°

2. – Noé vit jusqu'au Déluge 600 ans. Après un tour de cercle nous obtenons (600 – 360 = 240) un solde de 240 qui nous amène en sens direct au degré 42 (162 + 240 = 402) (402 – 360 = 42) 42°

3. – Abraham, 1 080 ans après le Déluge divise le problème cryptographique qui commencera à nouveau avec le temps écoulé

LE PREMIER PENTAGONE INSCRIT CONSTRUIT
SELON LES NOMBRES DE LA SECONDE CHRONOLOGIE ARBITRAIRE

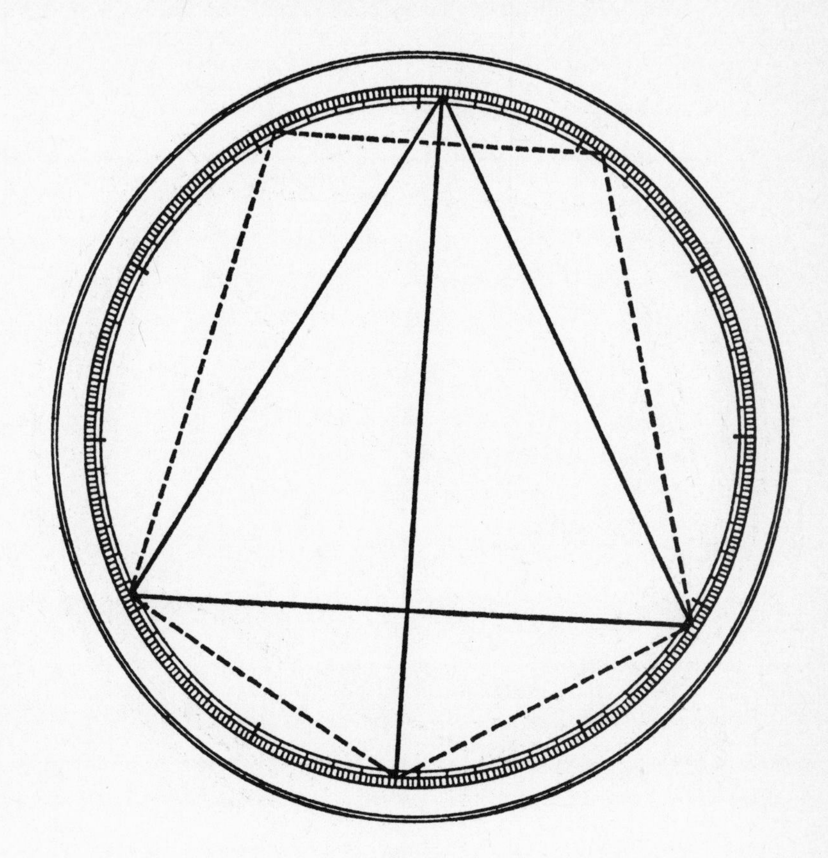

Fig. 2

entre Abraham et Moïse : 1 080 – 1 080 = 0, après trois jours de cercle. 0°

4. – D'Abraham à Moïse, 516 ans. La naissance de Noé nous avait conduit au degré 162 : (162 + 516 = 678) (678 – 360 = 318) 318°

5. – Jusqu'à David 570 ans : (318 + 570 = 888) (888 – 720 = 168) 168°

6. – Jusqu'à la naissance de Jésus-Christ 1 350 ans : (168 + 1 350 = 1 518) (1 518 – 1 440 = 78) 78°

7. – Si nous ajoutons les 33 ans de la vie de Jésus-Christ aux 621 ans de Sarrazins, nous obtenons 654 ans (78 + 654 = 732) (732 – 720 = 12) jusqu'aux Sarrazins. 12°

8. – Si nous ajoutons les 936 ans qui s'écoulent entre les Sarrazins et le commencement de la prophétie, en 1557, nous obtenons (12 + 936 = 948) (948 – 720 = 228) 228°

9. – Après cette chronologie que nous avons intitulée, non seulement arbitraire, mais incomplète et malicieuse, vient un nombre absurde. Nostradamus dit « approchant à la sentence d'un des milles et deux prophètes qui ont esté depuis la Création du monde, iouxte la supputation à Chronique Punique de Joel... » (1 008 – 720 = 282) 282°

LES DEUX PENTAGONES DE LA DEUXIÈME CHRONOLOGIE ARBITRAIRE

Neuf pages plus loin, dans la même lettre de dédicace au Roi, Nostradamus dit :

« Toutesfois comptans les ans depuis la creation du monde, iusques à la naissance de Noë, sont passes mille cinq cens & fix ans, & depuis la naissance de Noë iusques a la parfaicte fabrication de l'arche, approchent de l'vniuerselle inondation passeront fix cens ans si les dons estoyent solaires ou lunaires, ou de dix mixtions. Je tiens ce que les sacrees escriptures tiennent qu'estoyent Solaires (A). Et à la fin d'iceux fix cens ans Noë entra dans l'arche pour estre fauué du deluge, & fut iceluy deluge vniuersel sus la terre, & dura vn an & deux mois. Et depuis la fin du deluge iusques à la natiuité d'Abraham, passa le nombre des ans de deux cens nonante cinq. Et depuis la natiuité d'Abraham iusques à la natiuité d'Isaac, passeront cent ans. Et depuis Isaac iusque a'Iacob, foixante ans, dés l'heure qu'il entre dans Egypte, iusque en l'yssue d'iceluy passerent cent trente ans (B). Et depuis l'entree de Iacob en Egypte iusques en l'yssue d'iceluy passerent quatre cens trente ans. Et depuis l'yssue d'Egypte iusques à la edification du temple faicte par Salomon au quatriesme an de son regne, passerent cuatre cens octante ou quatre vingt ans (C). Et depuis l'edification du temple iusques à Iesus Christ selon la supputation des hierographes passerent quatre cens nonante ans (D). Et ainsi par ceste supputation que i'ay faicte colligee par les sacrees lettres sont enuiron quatre mille cent septante trois ans, & huict moys peu ou moins. Or de Iesus Christ en ca par la diuersité des sectes, ie le laisse, & ayant supputé & calculé les presentes propheties, le tout selon l'ordre de la chaysne qui contient sa reuolution le tout par doctrine Astronomique, & selon mon naturel instinct. »

Immédiatement avant cette chronologie arbitraire, Nostradamus cite un délai de sept ans, c'est-à-dire 84 mois.

OBSERVATIONS

A. – De cette manière, Nostradamus nous autorise à convertir en mois tous les ans de cette deuxième chronologie. C'est la seule manière de mener de l'avant le problème des degrés du cercle; en effet quatre durées sont déjà données en mois : la durée du Déluge, celle de la construction du Temple, le total du temps réel qui s'est écoulé, selon cette chronologie, entre la création et la naissance de Jésus-Christ et le faux total, que donne l'auteur, de 4 173 ans et 8 mois. Il nous autorise également à procéder de même dans la troisième chronologie arbitraire.

B. – Ici, il s'agit probablement d'une erreur commise dans la première édition et qui s'est perpétuée dans toutes les suivantes. Cent trente ans était l'âge de Jacob quand il est entré en Égypte où il mourut, dix-sept ans plus tard. (*Genèse*, chapitre XLVII, verset 28 : « Et Jacob vécut en la terre d'Égypte dix-sept ans : et les jours de Jacob, les années de sa vie, furent cent quarante et sept ans. ») Tout cela est confirmé par la donnée chronologique suivante, de 430 ans, qui, sans s'y référer expressément, concerne, non pas le départ de Jacob, mais l'exode des Hébreux sous la direction de Moïse.

C. – Ici, Nostradamus omet malicieusement le temps que dura la construction du Temple selon la Bible. (Dans le premier livre des Rois, chapitre VI, verset 1 : « Et ce fut en l'an 484, après que les fils d'Israël furent sortis d'Égypte, à la quatrième année du commencement du règne de Salomon sur Israël, dans le mois de Ziph qui est le second mois, qu'il commença à édifier la maison de Jéhovah. » Et au chapitre VI, verset 38 : « Et dans la onzième année, dans le mois de Bul qui est le mois huitième, fut terminée la maison avec toutes ses dépendances et avec tout le nécessaire. ») Nous devons prendre en considération ces sept ans et sept mois, c'est-à-dire quatre-vingt-dix mois, et non seulement pour ce problème, mais aussi pour la troisième chronologie arbitraire où le prophète a aussi omis de la citer.

D. – Il ne peut pas y avoir une erreur aussi grande, non seulement parce que l'indication de la Bible à ce sujet est très claire, mais parce que Nostradamus dit lui-même, dans la troisième chronologie arbitraire, que la durée qui s'écoule entre la construction du Temple à la captivité de Babylone est de 474 ans et de la captivité à Jésus-Christ, 613. Lui-même accepte donc 1 087 ans au lieu de 490 pour la durée qui s'écoule de la construction du Temple à Jésus-Christ.

E. – Le total des nombres que cite Nostradamus pour cette chronologie arbitraire est de 4 092 ans et 2 mois. En y ajoutant la durée de la construction du Temple, on obtient 4 099 ans et 8 mois. Il y a donc dans ce dernier total une différence de 7 ans et 6 mois. Mais tous ces nombres sont nécessaires pour la formation des pentagones. Le faux total, de 4 173 ans et 8 mois est supérieur de

LES DEUX PENTAGONES INSCRITS CONSTRUITS
SELON LES NOMBRES DE LA DEUXIÈME CHRONOLOGIE ARBITRAIRE

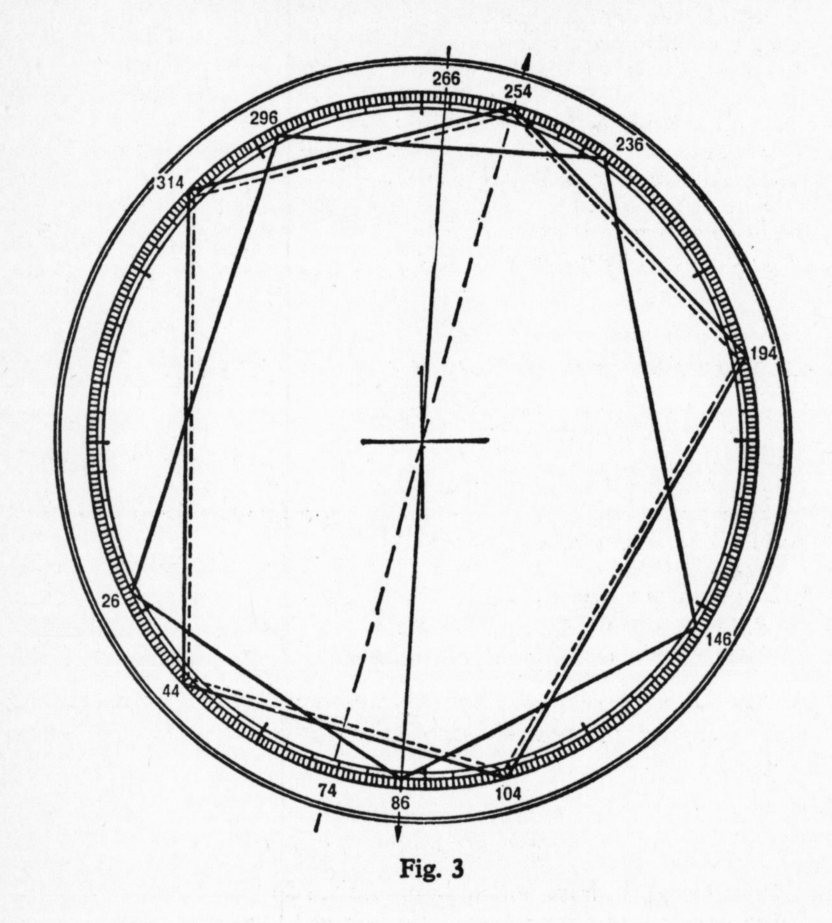

Fig. 3

74 ans sans qu'on puisse découvrir pour le moment la raison de cette augmentation. Il s'agit d'un élément de la cryptographie.

Nous dressons ci-dessous un tableau avec les nombres d'années fournis par Nostradamus, les mêmes nombres convertis en mois et le solde obtenu en en déduisant 360 degrés, c'est-à-dire, un tour de cercle, autant de fois que possible.

	Années	*Mois*	*Degrés*
De la création du monde à Noé	1 506	18 072	72
Jusqu'à terminer parfaitement la fabrication de l'Arche	600	7 200	0
Déluge	1,2 mois	14	14
Jusqu'à la naissance d'Abraham	295	3 540	300
Jusqu'à la naissance d'Isaac	100	1 200	120
De Isaac à Jacob	60	720	0
Age de Jacob à son entrée en Égypte.	130	1 560	120
Séjour des Hébreux en Égypte jusqu'à l'Exode	430	5 160	120
Jusqu'à l'édification du Temple (An 4 du règne de Salomon)	480	5 760	0
Durée de la construction du Temple . .	7,6 mois	90	90
De la construction du Temple à Jésus-Christ	490	5 880	120

Les trois totaux de cette chronologie arbitraire sont :

De la création à Jésus-Christ sans compter le temps consacré à la construction du temple	4 092,2 mois	49 106	146
En comptant les 7 ans 6 mois de cette édification	4099,8 mois	49 196	236
Total donné arbitrairement par Nostradamus	4173,8 mois	50 084	44
Délai qu'il a cité peu avant	7	84	84
La différence entre les deux derniers totaux est de	74	888	168

Grâce à ces nombres, Nostradamus nous permet de construire deux pentagones inscrits dans le cercle de trois cent soixante degrés.

PREMIER PENTAGONE

De la Création du monde à la naissance de Noé, il s'écoule 1 506 ans qui, ajoutés aux 600 qui séparent cette naissance du commencement du Déluge et aux 14 mois que dura celui-ci donnent un total de 2 107 ans et deux mois, c'est-à-dire 25 286 mois. En partant du degré 0, après avoir parcouru 70 tours complets, on a parcouru 25 200 degrés et il en reste 86. Nous marquons donc le degré 86 sur le cercle. 86°

De la fin du Déluge à la naissance d'Abraham, 295 ans s'écoulent, soit 3 540 mois. Au bout de 9 tours, soit 3 240 degrés, il en reste 300 qui, ajoutés sur le cercle aux 86 degrés antérieurs complètent un nouveau tour et nous amènent au degré 26°

De la naissance d'Abraham à celle d'Isaac, 100 ans ou 1 200 mois ont passé. Après trois tours, il nous reste 120 degrés qui ajoutés aux précédents 26 nous amènent à 146. 146°

Entre Isaac et Jacob, il s'écoule 60 ans ou 720 mois, après deux tours de cercle, nous sommes ramenés au même degré. 146°

De l'entrée de Jacob en Égypte à son départ, passent 130 ans ou 1 560 mois; après 4 tours, nous obtenons un solde de 120 qui ajouté aux 146 précédents nous amènent à 266. 266°

Nostradamus se réfère aux 430 ans de l'esclavage en Égypte soit 5 160 mois. Après 14 tours, il reste 120 qui nous conduit à 386. En déduisant 360, on arrive au degré 26. 26°

En formant la figure, c'est-à-dire un triangle équilatéral et l'axe qui passe par son sommet supérieur, on place 4 points sur le cercle. (Fig. 2, lignes continues.)

Après le départ d'Égypte et jusqu'au commencement de l'édification du Temple, dans le deuxième mois de la quatrième année du règne de Salomon, il s'écoule 480 ans ou 5 760 mois. En y ajoutant les 90 mois qu'à duré la construction du Temple, et les 490 qui s'écoulent de l'achèvement de cette construction à la naissance de Jésus-Christ, nous obtenons la durée totale de la période qui va de l'Exode à la naissance de Jésus-Christ : 11 730 mois. Après 32 tours complets, il reste 210, ce qui nous amène du degré 26 au degré 236°

Le délai de 7 ans cité immédiatement avant cette chronologie, le faux total de 4 173 ans et 8 mois qui vient immédiatement après et la différence entre le faux total et le total réel, qui est de 74 ans, nous donnent un total de 4 254 ans et 8 mois, soit 51 056 mois. Après 141 tours complets, il reste 296 qui, partant du degré 0 sur le cercle nous conduisent jusqu'à 296°

Ces deux degrés inscrits sur le cercle de la figure 1 nous permettent de tracer le pentagone complet : ses cinq sommets et le centre de la base qui forme, avec le sommet supérieur, l'axe de la figure. On a donc construit un premier pentagone avec les nombres de la seconde chronologie arbitraire. (Fig. 2, lignes en pointillé).

Comme Nostradamus double très souvent ses données, nous pouvons parvenir au même résultat en faisant différentes combinaisons de ses nombres. Citons seulement un exemple, pour que le lecteur voie qu'il n'est possible de supprimer aucun des nombres cités dans les problèmes cryptographiques que Nostradamus pose en doublant quelques fois ses données. Le total des années de cette chronologie, sans tenir compte de la durée de la construction du Temple, est de 4 092 ans et deux mois, soit 49 106 mois. En le portant sur le cercle, après 136 tours complets, on obtient une fois de plus le degré 146. Si nous faisons la même chose avec le total obtenu en incluant cette fois les 90 mois de la construction du Temple, nous obtenons 49 196 mois qui, portés sur le cercle nous conduisent, après 136 tours, une nouvelle fois au degré 236.

DEUXIÈME PENTAGONE

Étant donné que Nostradamus nous fournit un second total pour la durée de cette chronologie arbitraire, durée qui est sans rapport avec ses propres données chronologiques et avec le premier total qu'il cite, nous devons le considérer lui aussi comme une donnée cryptographique. 4 173 ans et 8 mois représentent 50 084 mois qui, portés sur le cercle et au bout de 139 tours complets, nous amènent au degré 44.

Faux total — 44°

En ajoutant, les 1 506 ans jusqu'à Noé, les 600 ans jusqu'au Déluge, l'année et les deux mois que dure cette catastrophe, et la différence de 74 ans entre le faux total et le total véritable qui inclut la durée de la construction du Temple, nous obtenons 2 181 ans et deux mois soit 26 174 mois. Portés sur le cercle, ils nous amènent après 72 tours complets à partir du Déluge au degré — 254°

Du Déluge à Abraham suivant la liste des nombres de Nostradamus, il y a 300 degrés qui, ajoutés aux 254 antérieurs font 554. En les portant sur le cercle et après un tour complet on aboutit (254 + 300 = 554 – 360 = 194) au degré — 194°

Jusqu'à la naissance d'Isaac, 120 (194 + 120 = 314) ce qui nous conduit au degré — 314°

D'Isaac à la naissance de Jacob, 60 années, 720 mois, 2 cercles complets. Plus l'âge de Jacob : 130, 1 560 mois (1560 – 1440 = 120) (314 + 0 + 120 = 434 – 360 = 74) ce qui nous amène au degré — 74°

Ces cinq degrés nous obligent à construire un nouveau pentagone inscrit en indiquant exactement quatre des cinq sommets et le centre de la base qui, opposé au sommet supérieur forme l'axe de la figure. (Fig. 3, traits soulignés en pointillés.) On a donc construit le deuxième pentagone avec les données fournies par la seconde chronologie arbitraire.

Ces deux pentagones doivent être inscrits dans un même cercle, comme les pentagones de la première et de la troisième chronologie arbitraire. (Fig. 3.)

LES DEUX PENTAGONES DE LA TROISIÈME CHRONOLOGIE ARBITRAIRE

La troisième chronologie arbitraire de Nostradamus n'est pas contenue, à la différence des deux premières, dans la dédicace des trois dernières Centuries. En 1947, nous avons trouvé dans la bibliothèque Victor-Emmanuel de Naples, le seul exemplaire qui existe encore de l'Almanach pour 1566. Tous les pronostics et almanachs avec vers que nous connaissons, donnent un nombre d'années depuis la Création du monde. Dans les premières de ses publications, Nostradamus indique 3 967 ans, de la Création à la naissance de Jésus-Christ, suivant en cela de très près Eusèbe qui, selon les Hébreux, signale le nombre de 3 963, et la Chronologie de l'État de l'Église qui signalait, en 1556, une durée de 3 962 ans pour cette période. Dans l'une de ses dernières publications, Nostradamus change ce nombre pour celui de 5 000 donné par saint Justin et par Flavius Joseph. Ces deux chronologies sont appuyées par l'autorité des Pères de l'Église. Le seul des treize almanachs qui comporte une chronologie détaillée est celui de 1566. Cette chronologie, qui n'a aucun rapport avec les autres citées par Nostradamus, ni avec aucune autre chronologie connue, attribue, contre l'opinion de tous les chronographes, une durée de seulement 326 ans à la période qui va du Déluge à Abraham. Cette chronologie arbitraire n'ayant jamais été rééditée, nous en donnons la copie photographique, hors texte.

LES AGES DU MONDE, SELON LA COMPUTATION DES HÉBREUX

De la Création du monde jusqu'au Déluge, mille cinq cent quatre-vingt-dix ans.

Du Déluge de Noé jusqu'à Abraham [1]	326
De la naissance d'Abraham au départ d'Égypte du peuple d'Israël	539
De la sortie d'Égypte à la construction du Temple	514
De la construction du Temple à la captivité de Babylone	474
De la captivité de Babylone à la naissance de Jésus-Christ	613
Tout cela révolu jusqu'à la présente année	1 566

LES DEUX PENTAGONES INSCRITS CONSTRUITS
SELON LES NOMBRES DE LA TROISIÈME CHRONOLOGIE ARBITRAIRE

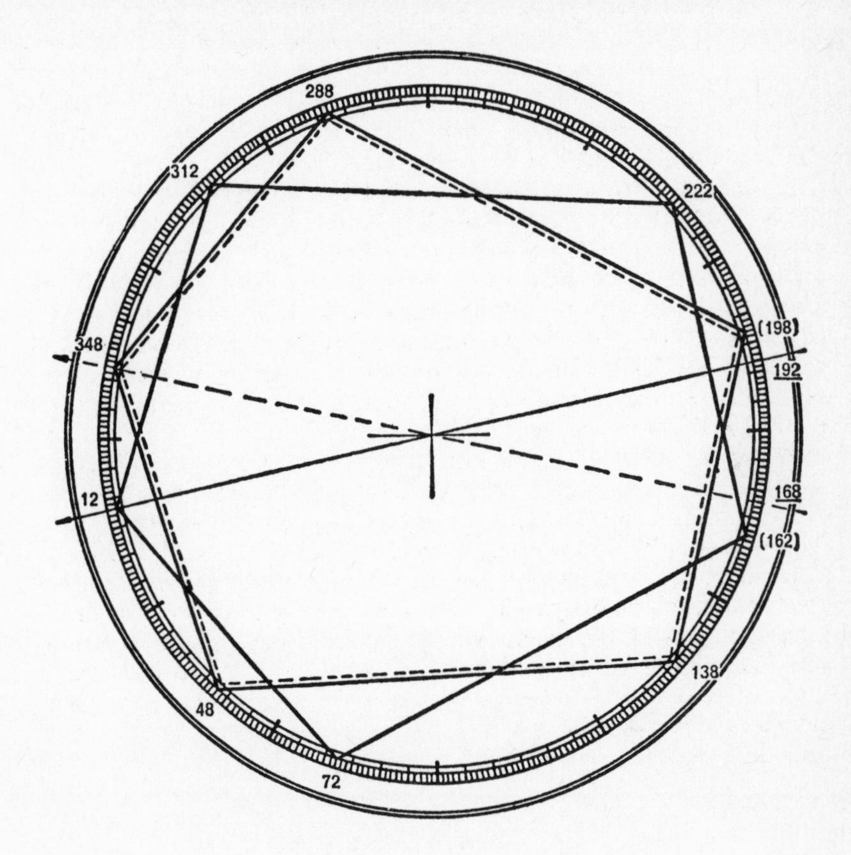

Les nombres 192 et 168 que nous avons soulignés ne sont pas donnés par Nostradamus ou n'ont pas été découverts par nous, mais ils n'étaient pas nécessaires pour l'établissement de la figure. Les sommets supérieurs des deux pentagones, situés aux degrés 12 et 348 sont suffisants pour tracer les axes des figures qui passent, de toute façon, par les degrés 192 et 168 (nombres soulignés).
En plaçant les deux pentagones à l'intérieur du cercle, chacun étant parfaitement situé grâce aux cinq degrés que nous avons notés, il devenait inutile de connaître également le sixième nombre de chaque pentagone.

Fig. 4

OBSERVATIONS :

Il faut inscrire les 1 590 ans.

Il faut inscrire également l'an 1565 puisque le texte dit : « Jusqu'à la présente année 1566 », et parce qu'en réalité l'Almanach pour 1566 était achevé d'imprimer à la fin de 1565.

Il faut également inscrire la somme de tous les nombres, de la Création, jusqu'à la date actuelle, parce que la phrase en français est parfaitement claire à ce sujet : « le tout révolu ». Et après cette somme totale, il faut inscrire aussi l'an 1566 isolé parce que c'est de cette façon que Nostradamus le cite.

Dernière observation : nous devons inclure le temps qui est consacré à la construction du Temple et qui, selon la Bible est de sept ans et six mois, à partir du deuxième mois de la quatrième année du règne de Salomon, jusqu'au huitième mois de la onzième année de ce même règne. (Troisième livre des Rois, chapitre VI, verset 38). Soit un total de 90 mois. Cette donnée chronologique, exprimée en mois nous autorise à réaliser en mois tous les calculs de cette troisième chronologie arbitraire.

Nous dressons, ci-dessous, une liste complète des années, des mois qu'elles représentent et le solde qu'on obtient en retranchant de ces nombres le plus grand nombre de fois possible les 360 degrés que représente un tour complet du cercle. On peut suivre la mise en place des nombres sur les degrés du cercle sur la figure 4.

Années	*Mois*	*Quotient*	*Solde*	
1 590	19 080 : 360 =	53	0°	
326	3 912 : 360 =	10	312°	
539	6 468 : 360 =	17	348°	
514	6 168 : 360 =	17	48°	
7,5	90 :		90°	48 + 90 = 138°
474	5 688 : 360 =	15	288°	
613	7 356 : 360 =	20	156°	
1 565	18 780 : 360 =	52	60°	
5 628,5	67 542 : 360 =	187	222	
L'an 1566	12		12 + 60 = 72	

Nous commençons par placer sur le cercle les trois soldes qui se terminent par 8 et nous signalons les degrés 48, 348 et 288. Étant donné que la somme totale indique la fin de toute la progression, nous l'inscrirons sur le cercle en sens rétrograde, soit (360 –222 = 138), c'est-à-dire le degré 138. (Fig. 4.) Nous obtenons ainsi quatre des sommets d'un pentagone qu'il est impossible de confondre avec aucun autre. Nous obtenons le dernier sommet en joignant le degré 348 à son opposé, le degré 168, qui forment ensemble l'axe de la figure. Il nous manque un point, le 198, mais nous avons déjà vu que Nostradamus se contente de donner les éléments nécessaires pour que le problème soit démontré.

Nous avons également trois nombres se terminant par deux. En marquant de cette dernière les degrés 12, 222 et 312 et en ajoutant aux 60 degrés qui résultent de l'an 1565 les 12 degrés qui correspondent aux 12 mois de 1566 nous obtenons le nombre 72 et nous marquerons un point sur le cercle au degré correspondant. Comme dans le cas antérieur, nous obtenons un point de plus en joignant le degré 12 à son opposé, le degré 192 qui se trouve dans l'axe du pentagone. Il ne manque, ici aussi, qu'un seul point, le degré 162, élément qui n'est pas indispensable.

Comme dans les deux problèmes antérieurs, Nostradamus nous a fourni les données nécessaires pour construire deux pentagones inscrits, exacts, qui peuvent tourner, soit en sens direct, soit en sens rétrograde (Fig. 4), dans le même sens ou dans le sens opposé.

NOTE

1. Dans la première chronologie arbitraire, Nostradamus a donné la durée de 1 080 ans à la période qui va de Noé à Abraham.

QUATRIÈME PARTIE

BIBLIOGRAPHIE

I

ÉTUDE BIBLIOGRAPHIQUE DES VERS PROPHÉTIQUES

Nous publions ci-dessous l'étude bibliographique des quatrains prophétiques de Nostradamus, publiés au cours de sa vie et immédiatement après sa mort. L'importance réelle de cette étude réside dans la démonstration qu'elle permet de faire : quels sont les quatrains prophétiques et quel est leur nombre. Nous sommes arrivé à cette conclusion en 1960, alors que nous ne soupçonnions même pas encore l'existence des clefs contenues dans le Testament. C'est en 1960 que nous avons entrepris notre étude cryptographique du Testament et du Codicille de Nostradamus. Cette recherche devait confirmer pleinement les conclusions de notre étude bibliographique.

1. Nostradamus avait donné à imprimer, de son vivant, la totalité de son œuvre prophétique.
2. Cette œuvre prophétique avait été écrite exclusivement en quatrains, conformément à la déclaration textuelle de Nostradamus en 1555.
3. Le 27 juin 1558, dans la dédicace à Henri, Roi de France, Second, de ses trois dernières Centuries, Nostradamus déclarait qu'avec leur publication, il complétait la somme de mille quatrains prophétiques. Les Centuries en réunissaient, à l'époque, 940. Les quatrains Présages, publiés à raison de 13 par an en 1555, 1556, 1557, 1558 et 1559, complétaient un total de 1005. Les quatrains de 1559 avaient été remis à l'imprimeur en avril 1558. Il est très probable qu'ils aient déjà été imprimés le 27 juin. Les Almanachs devaient se vendre avant le commencement de l'année qu'ils devançaient dans leurs commentaires

prophétiques. En déduisant les quatrains qui se réfèrent aux cinq années, le total est réduit à 1000 conformément à l'affirmation du Prophète.

4. Dans le total antérieur se trouve inclus le quatrain VI-100, publié sans doute dans l'une des éditions d'Avignon, aujourd'hui disparues, et que nous ne connaissons que par la copie qu'en fait Jean Aimé de Chavigny dans son livre : *La première Face du Janus François.* (Fiche n° 15).
5. Entre janvier 1560 et août 1566, année de la mort de Nostradamus, ses Almanachs avaient livré au public 87 quatrains. En déduisant de ce total les 7 quatrains correspondant aux années, on obtient le nombre de 80. L'Almanach de 1566 contient les derniers quatrains de son œuvre. Il était le seul à comporter une chronologie arbitraire, qui apportait probablement une conclusion aux problèmes soulevés par les deux chronologies arbitraires de la lettre-préface de 1558. Le Présage de septembre 1566 marquait la limite finale de l'œuvre prophétique de Nostradamus, en excluant 4 quatrains. D'après cet ensemble de considérations, le nombre de quatrains prophétiques serait de 1080. Tous les quatrains Présages de 1566 furent remis à l'imprimeur dès avril 1565, soit quatorze mois avant la mort du prophète.
6. L'édition complète des Centuries voyait le jour en 1568, deux ans après la mort de Nostradamus. Il en avait probablement convenu l'édition avec l'imprimeur et fixé le titre qui est celui de toutes les éditions réalisées à Lyon : *Les Prophéties de M. Michel Nostradamus,* Lyon, Benoist Rigaud, 1568. Cette édition comporte un quatrain non numéroté, en latin, et deux quatrains à la fin de la Septième Centurie (incomplète). La présence de ces nouveaux quatrains élève leur nombre total à 1 083.
7. Deux nouveaux quatrains de plus devaient apparaître vers le milieu du XVIIe siècle et s'ajouter à la Septième Centurie, incomplète. Ces quatrains étaient vraisemblablement repris des éditions d'Avignon qui ne sont pas parvenues juqu'à nous. Il s'agit des quatrains 43 et 44 de la Septième Centurie. Ils furent publiés pour la première fois dans des éditions apocryphes datées de 1627. Mais elles ont dû sortir de l'imprimerie vers 1630. Elles furent rééditées en 1643.

Du point de vue bibliographique, l'œuvre se compose donc de 1 085 quatrains. La première des clefs testamentaires que nous exposons dans le présent ouvrage confirme ce nombre. La seconde le réduit à 1 080, mais en conservant à la Septième Centurie le nombre de quarante-quatre quatrains. Nous avons pendant longtemps nourri des doutes sérieux au sujet de l'authenticité des quatrains VII-43 et VII-44, que nous n'avons jamais rencontré dans une édition du XVIe siècle. Les conclusions des deux clefs cryptographiques du Testament nous ont permis d'écarter définitivement toute hésitation à ce propos : elles confirment l'authenticité des deux quatrains.

Nous avons déjà parlé du premier commentateur de Nostradamus, Jean Aimé de Chavigny, mais nous sommes amené à nous occuper plus spécialement de lui pour expliquer les vicissitudes qu'ont connues les vers prophétiques vers la fin du XVIe siècle. Jean Aimé de Chavigny, beaunois, (1524-1606) maire de sa ville depuis 1548, docteur en Droit et en Théologie, poète et astrologue, ami de Jean Dorat (qu'il a traduit en 1570), avait déjà publié, en 1551, une *Congratulation à M. Mandelot* et, en 1557 une Épigramme latine, composée de douze vers élégiaques.

Il vient résider à Salon aux alentours de 1560 et rencontre journellement Nostradamus, jusqu'à la mort de celui-ci, en 1566. C'est lui qui, d'une magnifique écriture, a rédigé les nombreuses pièces que le prophète dédicace et sa correspondance avec ses clients, les copies de cette correspondance et les manuscrits envoyés aux imprimeries. Il ajoute, de son propre chef, quelques petites pièces en vers aux derniers almanachs et se prépare, tout en louant « son » prophète, à se constituer comme le dépositaire de son œuvre, en s'arrogeant le titre de « disciple ».

De nombreuses déclarations de Nostradamus à ce sujet, et les rares manuscrits que nous connaissons de lui, rendent témoignage des difficultés que lui créait, auprès des imprimeurs et des clients, sa calligraphie illisible. En tant que secrétaire, le docteur lui était donc indispensable. Par contre, Nostradamus ne dit pas un mot qui nous autorise à le considérer comme son disciple et encore moins comme son continuateur : les œuvres de Chavigny sont d'une médiocrité indiscutable.

On comprend alors pourquoi Nostradamus ne s'occupe pas de lui dans son Testament. Mais non content de cela, le prophète ordonna formellement que tous ses papiers et livres soient déposés, dûment empaquetés et non inventoriés dans une des pièces de la maison. Celui de ses enfants qui montrerait le plus de disposition pour l'étude devait en hériter, mais encore faudrait-il attendre, pour réaliser cette disposition légale, que tous les enfants aient atteint leur majorité. Nostradamus avait pris soin de faire publier toute son œuvre prophétique; son message secret y était enfermé sous le sceau d'une cryptographie digne de son génie. Il remettait donc entièrement son œuvre aux mains de son éditeur, en rendant impossible toute intromission aussi bien dans l'œuvre elle-même que dans ses papiers jusqu'au 18 décembre 1578 au plus tôt. En effet, à cette date, son fils César célébrerait son vingt-cinquième anniversaire. Il était possible que ses frères acceptent qu'il entre en possession du legs à ce moment même.

César Nostredame devint donc propriétaire de tous les manuscrits de son père. Il pouvait se trouver, parmi eux, certains brouillons ou ébauches non retenus par le prophète; en aucun cas, il ne pouvait s'agir d'œuvre importante. On ne retrouva, dans ses papiers, ni les Centuries Onze et Douze auxquelles se réfère Chavigny, ni les cinquante-huit sextains qui lui furent attribués, en 1630, avec le même manque de sérieux, après la mort de son fils César.

Le premier commentaire de l'œuvre du prophète est édité en 1594, vingt-huit ans après sa mort. Il est l'œuvre de Jean Aimé de Chavigny, qui le dédie pompeusement au Roi Henri IV, alors occupé à consolider son trône. Le roi huguenot avait abjuré en 1593 et regroupait, autour de son armée, l'opinion favorable de la majorité des Français, las de l'intervention espagnole. En mars de cette même année, le Comte de Brissac laisse sans défense une des portes de Paris et Henri IV entre dans la capitale, sans rencontrer d'autre résistance que celle d'un poste espagnol. C'est le moment que notre « disciple du prophète » considère opportun pour se faire connaître, sous le manteau de Nostradamus. Il veut être le prophète de Henri IV.

Un manuscrit de la bibliothèque de Carpentras (1864-F=3°), daté de 1609, transcrit, en citant les témoins de la scène, le récit fait par Henri IV lui-même de sa rencontre avec Nostradamus. Le roi se rappelle très bien le prophète qu'il a connu en 1564, alors qu'il accompagnait la Cour dans la visite que Charles IX fit à Salon. Après avoir prophétisé à Henri III qu'il monterait sur le trône, le prophète voulut examiner nu le futur Henri IV. Il lui prédit alors qu'après beaucoup de difficultés, il serait enfin roi de France et qu'il régnerait de longues années. Il n'y a donc rien de surprenant à ce que Chavigny prédise à son tour l'avènement de Henri IV, cinq ans avant l'assassinat de Henri III. Il ne fait que rappeler ce fait, en s'adjugeant le mérite de la prophétie de Nostradamus, en en parlant à Alphonse d'Ornano, quand la prédiction s'est accomplie.

Le livre de Chavigny, que nous avons déjà cité, et qui est rédigé en français et en latin, n'en suggère pas moins quelques remarques intéressantes. A travers l'œuvre de Chavigny on peut retrouver, mal comprises par l'aspirant à la succession du prophète, des indications vraies de celui-ci à propos de son œuvre.

I. La première remarque concerne la traduction latine des quatrains. Chavigny traduit tout ce qu'il commente. Nostradamus nous dit dans son œuvre : 1557 septembre, « ne voguer onde, ne facher les latins ». De plus, dans le seul de ses quatrains rédigé en latin, Nostradamus écarte de son œuvre les « barbares », expression qui, dans la Rome antique, servait à désigner tous ceux qui n'appartenaient pas au monde et à la langue latine. Cette limitation imposée, et certaines traductions qui ne sont pas seulement d'heureuses trouvailles, amenèrent Piobb, tout comme Chavigny, à généraliser et à considérer que c'est toute l'œuvre qui devait être traduite en latin et retraduite ensuite dans un français intelligible.

L'idée centrale de l'œuvre de Jean de Roux, ancien curé de Lonvicamp, diocèse de Rouen, mérite une plus grande attention. Il considère que Nostradamus emploie le français du XVIe siècle en le soumettant aux règles, non seulement de la grammaire latine pratique, mais également de la grammaire spéculative, qu'il appelle « de doctrine », « telle qu'on peut la rencontrer chez les bons Maîtres de l'Art » : *La clef de Nostradamus,* Paris, 1710.

Sans aller jusqu'à exprimer cette opinion, Chavigny a traduit tous les quatrains qu'il a commentés. Piobb, tout au contraire, bien qu'ayant formulé la même opinion, s'est bien gardé de la mettre en application. Il a commenté beaucoup de vers sans les traduire en latin.

Les indications de Nostradamus, les résultats fournis par les traductions latines, amènent à la conclusion que ceux des vers de Nostradamus qui sont inintelligibles, au sujet desquels il a rendu impossible une interprétation, d'après l'étude philologique exhaustive de chaque mot, doivent être traduits en latin. Et il ne faut pas les traduire avec l'intention d'interpréter subjectivement le prophète : chaque traduction doit apporter, en elle-même, la preuve de sa validité. Il est très probable que Nostradamus ait fait référence, devant Chavigny, à cette traduction latine de certains de ses vers et qu'il ait été mal compris.

II. La deuxième remarque concerne les Présages. Chavigny commente 140 des 169 quatrains inclus par Nostradamus dans les treize almanachs annuels. Ses commentaires en font apparaître un de plus, mais il s'agit d'un quatrain destiné à faire l'éloge du comte de Tende. Par contre il n'a traduit et commenté que 126 des 944 quatrains des Centuries. Nostradamus avait dû faire allusion à 140 Présages qu'il fallait considérer comme faisant partie de son œuvre prophétique, et Chavigny s'est cru sincèrement en mesure de les choisir parmi les 169 quatrains qui constituent l'ensemble des Présages. Pas plus qu'aucun autre commentateur tout au long des quatre siècles écoulés, il n'accorda d'importance au Testament et ne pouvait, par conséquent, avoir découvert les clefs testamentaires.

III. Chavigny a prophétisé à Alphonse d'Ornano la mort de Henri III et le couronnement de Henri IV. Il était facile de prédire la mort de Henri III. La vengeance du parti des catholiques, appuyé et soutenu par l'Espagne, était à craindre. Par contre, la réalisation du couronnement de Henri IV apparaissait, à peu de chose près, comme impossible. Chavigny ne fit que répéter la prophétie de Nostradamus, qui avait dû évoquer, devant lui, la scène et la prophétie de 1564 que nous avons rapportées plus haut. Il apprit, peut-être de la bouche du « maître », que le quatrain IX-39 se référait à l'entrée du « Vif Gascon », Henri IV, dans Paris. Il lui fut donc facile de prophétiser à ce sujet. Malheureusement pour lui, c'est la seule occasion où il ne se trompe pas.

En 1593, Henri IV abjure et le livre de Chavigny paraît : non seulement il est dédié au roi, mais il contient quantité de prophéties qui ne se sont pas réalisées. *La première Face du Janus* paraît en 1594, non pas pour faire les louanges de Nostradamus, mais pour flatter la vanité de Chavigny, qui prétendait devenir le prophète de Henri IV et qui continua à soutenir cette prétention, en dépit de ses échecs, jusqu'à sa mort.

Le seul fait de s'intituler « disciple » d'un prophète nous donne la mesure de la médiocrité du docteur en Théologie. Ses œuvres postérieures se composent d'un manuscrit, conservé par la bibliothèque d'Aix-en-Provence et adressé à Henri IV, de trois éditions des *Pléiades* et d'un autre manuscrit. Il y est beaucoup moins question de Nostradamus que de la « fureur prophétique » de l'auteur lui-même, qui lui valut de « se couvrir d'un ridicule indélébile », selon les mots textuels d'un bibliophile exceptionnellement précis, F. Buget, à l'œuvre duquel nous renvoyons le lecteur pour l'étude des œuvres de Nostradamus, de ses commentateurs et détracteurs [1].

IV. Les commentateurs ont découvert huit quatrains qui, selon Chavigny, s'occupent d'événements antérieurs à 1555. Il est possible, en effet, que certains quatrains se réfèrent au passé et aient été inclus dans l'œuvre pour certifier l'ensemble de la chronologie de l'œuvre, une fois que tous les quatrains auront été placés sur les trois cercles de 360 degrés.

Les détracteurs de Nostradamus s'attachent à rechercher les détails discutables pour, en généralisant à partir d'eux, attaquer une œuvre qu'ils ne comprennent pas.

Pleins de préjugés, ils s'obstinent à ne voir en lui qu'un charlatan, fabricant d'Almanachs. Une étude plus sérieuse les obligerait à le reconnaître comme un grand savant, forcé, par le but même qu'il poursuit, à se déguiser et à dissimuler sous une cryptographie, son message prophétique le plus important. Nous espérons que notre livre ne connaîtra pas le même sort : nous avons cherché à y réunir un ensemble de preuves, directes et indirectes, de l'existence de ce message...

V. Au XVIe siècle, Chavigny est le seul à accorder de l'importance aux Présages. La seule réédition de ceux-ci, après la mort de Nostradamus, est celle que contient son livre de 1594. C'est lui qui sauva de l'oubli 140 Présages.

C'est seulement à travers des reproductions postérieures que nous connaissons quelque chose des éditions d'Avignon, aujourd'hui disparues, des Centuries. Notre ignorance des Almanachs est encore plus grande. Nous savons seulement qu'il s'agit de treize petits livres, dont nous n'en connaissons que huit, et encore, dans une seule de leurs éditions. Quatre sont édités à Lyon, trois à Paris, un à Avignon [2].

C'est ce qui donne au livre de Chavigny une telle importance bibliographique. Beaucoup des quatrains qu'il commente appartiennent à des éditions disparues. Il a ainsi sauvé le quatrain VI-100 et douze des treize Présages empruntés aux brouillons du prophète. Grâce à lui, nous avons pu comparer deux éditions différentes de la plupart des Présages.

NOTES

1. F. Buget, érudit et bibliophile du XIXe siècle, auteur de : *Étude sur les Prophéties de Nostradamus,* publiée dans le *Bulletin du Bibliophile,* 1860 : pp. 1669 à 1721; 1861 : pp. 68 à 94, 241 à 268, 383 à 412, 657 à 691; 1862 : pp. 761 à 785, 786 à 829; 1863 : pp. 449 à 473, 513 à 530, 577 à 588.

2. Douchet (Henri), a reproduit typographiquement au cours des premières années du XXe siècle les Almanachs pour 1563 et 1567.

II

ÉBAUCHE BIBLIOGRAPHIQUE DES QUATRAINS PUBLIÉS SUR L'ORDRE DE L'AUTEUR

Les quatrains prophétiques furent imprimés à Lyon en trois éditions des Centuries et dans treize Pronostications ou Almanachs. Les trois éditions des Centuries portent toutes le titre de *Les Prophéties de M. Michel Nostradamus.* L'édition de 1555 comporte une préface et 353 quatrains; celle de 1556 compte 286 ou 287 quatrains de plus, soit sept Centuries, la dernière étant incomplète; celle de 1558 contient 300 quatrains inédits, les Centuries VIII, IX, et X, précédées d'une seconde préface. Les Pronostications [1] ou Almanachs parurent en treize petits livres annuels : depuis 1554, la « Pronostication Nouvelle » pour 1555, jusqu'à 1566, année où paraît l'Almanach pour 1567. Dans chacun de ces petits livres figurent 13 quatrains : l'un, consacré à l'année entière, et les autres à raison d'un pour chaque mois de l'année. Une déclaration de l'auteur nous oblige à considérer ces 169 quatrains comme faisant partie intégrante de l'œuvre et ne formant qu'un seul tout avec les Centuries. Les publications de Lyon sont donc, au total, 16.

Ces complications sont aggravées du fait que certains de ces seize livres ont totalement disparu. Et il faut ajouter à cela une difficulté encore plus grande : Nostradamus faisait imprimer ses œuvres à Lyon ou à Paris, en accordant l'exclusivité à ses éditeurs. Mais il faisait aussi imprimer en Avignon – terre qui, pour être placée sous la souveraineté des Papes, se trouvait en dehors du territoire où ces droits exclusifs étaient valables – une autre version de ses œuvres, comportant un titre différent et de petites modifications dans le texte. « Le Comtat Venaissin » continua à faire partie des États Pontificaux jusqu'en 1789; les imprimeurs n'y étaient pas soumis aux lois du Royaume de France.

Cette situation élève donc le nombre des livres qu'il nous faudrait consulter à un total de 32 au moins, et ce, en admettant qu'il n'y ait eu que deux éditions de chacun d'eux. En réalité, seuls dix livres sont à notre portée : six des éditions de Lyon, trois de celles de Paris, et un seul de celles d'Avignon. Il s'agit des deux premières éditions des Prophéties imprimées à Lyon en 1555 et 1557 et de huit éditions des « Pronostications » ou « Almanachs » contenant des quatrains prophétiques ou « Présages » correspondant : aux éditions de : Lyon, 1555; Paris, 1557; Paris, 1560; Paris, 1562; Avignon, 1563; Lyon, 1565; Lyon, 1566; Lyon, 1567. Nous n'avons jamais pu consulter personnellement l'Almanach pour 1567 dans l'édition originale réalisée à Lyon, dont nous savons qu'il existe un exemplaire qui appartint à l'abbé Rigaux [2]. Nous faisons pleinement confiance à la copie typographique réalisée personnellement par Henri Douchet [3] en 1904, dont nous avons copié, pour nos archives, la reproduction photographique du frontispice original qu'il contient.

Ce résultat, qui peut sembler maigre, est le produit de tout un travail de recherche réalisé entre 1946 et 1960. Un exemplaire de la première édition des Centuries, due aux soins de Macé Bonhomme, Lyon, 1555, se trouve à Paris et appartient à Mme veuve J. Thiébaud. On connaît l'existence d'un autre exemplaire de la même édition, ayant appartenu, au siècle dernier, à l'abbé James, rédacteur du *Propagateur de la Foi* et commentateur de Nostradamus sous le pseudonyme de Henri Dujardin, mais nous n'avons pu le retrouver. La seconde édition de Lyon, en 1556, comportant 639 quatrains, a totalement disparu. Nous possédons une copie de la reproduction qu'en fit Antoine de Rosne, Lyon, 1557, étudiée par Klinckowstroëm en 1913, et qui disparut ensuite de la bibliothèque de Munich incendiée pendant la Seconde Guerre mondiale. Il est possible que cet exemplaire se trouve encore dans l'une des caisses de livres qui quittèrent Berchtesgaden, résidence de Hitler. La copie que nous possédons est celle d'un autre exemplaire qui se trouve actuellement à la bibliothèque de Moscou. Jusqu'à présent, nous n'avons pas la moindre certitude de l'existence, en ce siècle ou au XIXe siècle, d'un autre exemplaire des Centuries édité du ivant de Nostradamus.

En ce qui concerne les Pronostications ou Almanachs contenant des vers prophétiques, que nous intitulons « Présages », deux exemplaires seulement en étaient connus, en 1946, des bibliophiles français : l' « Almanach » pour 1563, qui appartint à l'abbé Rigaux, puis à Buget qui en fit une étude exhaustive et qui se trouve maintenant à la bibliothèque du musée Arbaud d'Aix-en-Provence, et celui de 1567, dont l'impression fut achevée après la mort du prophète. Ces deux Almanachs ont été réédités au début du siècle par Henri Douchet.

En 1946, nous avons découvert et photographié, à la bibliothèque de Naples, l'Almanach pour 1566. A la suite d'une circulaire que nous avions adressée à toutes les principales bibliothèques d'Europe, nous avons pu, en 1948, découvrir et photographier, à la bibliothèque de Pérouse, un exemplaire de l'Almanach pour 1565. Au cours de la même année, Pierre Brun, de Pelisanne, nous offrit le plus précieux de tous : la première publication de vers prophétiques réalisée par Nostradamus, *Pronostication Nouvelle et Prédiction Portenteuse,* Lyon, Jean Borot, éditée en 1554 pour 1555. Quelques années plus tard, et grâce à l'intermédiaire de J. Thiébaud, nous avons pu faire l'acquisition, dans un lot, de neuf petits livres nostradamiques dont il n'existe aucun autre exemplaire et tous édités, vers le milieu du XVIe siècle, de trois Almanachs contenant des vers prophétiques et correspondant aux années 1557, 1560 et 1562. Au cours de cette même période, nous avons également découvert des reproductions, en français ou dans d'autres langues, de quelques-uns des quatrains non traduits par Chavigny. Ils sont d'une valeur inestimable pour notre étude bibliographique et nous nous occuperons d'eux plus tard.

Nous avions formé, dès 1927, le projet de réaliser une édition fac-similé des quatrains prophétiques, tels qu'ils furent écrits par leur auteur, avec toutes les variantes apportées par les différentes éditions. Nous pensions qu'il serait facile de placer les quatrains dans l'ordre dans lequel ils devraient être considérés par les commentateurs futurs et par tous ceux qui se consacrent à déchiffrer les clefs, les anagrammes, et les traductions latines, dont l'existence nous est indiquée par de multiples exemples. Cette tâche, simple de prime abord, est allée en se compliquant de plus en plus, non seulement parce qu'un petit nombre de quatrains semble bien définitivement perdu, mais parce qu'il nous fallait démontrer que tous ceux qui étaient apparus après la mort du prophète ne faisaient pas partie de l'œuvre prophétique et ne devraient donc pas être considérés comme tels. Parmi les quatrains publiés du vivant de Nostradamus, il en est aussi qui n'appartiennent pas au texte prophétique; celui-ci doit donc être ordonné suivant les indications et les clefs qui se trouvent dans le Testament et dans les autres écrits de son auteur.

Cette œuvre était destinée à une époque très lointaine, à laquelle elle devait parvenir avec les annotations nécessaires pour pouvoir être déchiffrée; d'autre part, il était nécessaire que ces annotations n'attirent pas trop l'attention de ses contemporains et des chercheurs des XVIIe et XVIIIe siècles. C'est dans ce but que Nostradamus commence par distribuer ses quatrains prophétiques qui constituent en réalité une seule et unique œuvre, en seize publications qui verront le jour en treize ans. Il double ces publications, donnant ainsi lieu à ce que nous appelons les « éditions de Lyon » et les « éditions d'Avignon ». Les Centuries sont publiées en trois parties et avec un petit tirage. Nostradamus fait faire, de chaque partie, une édition soigneusement imprimée, puis, dans la deuxième édition, il change dates et numéros pour faire croire que tout cela n'a aucune importance. Il modifie aussi certains mots, ou leur orthographe, change le titre lui-même, et ajoute des sous-titres. Toutes ces précautions sont dues au fait que Nostradamus doit tenir compte des rois de France et de l'Inquisition catholique, non seulement pour toute sa vie, mais également pour toute la durée de son œuvre. Seules ces circonstances peuvent nous permettre de comprendre pourquoi, un homme génial, médecin et herboriste, mathématicien et astronome, philologue, initié aux secrets de la Kabbale et de la Symbolique hébraïque, un homme, en un mot, qui est un digne représentant de son siècle, en arrive à nous donner, dans un même document, à savoir la lettre de Henri, Second, trois versions différentes de la chronologie humaine antérieure à Jésus-Christ! Il se sert de ces modifications pour nous fournir de nouvelles données, ou pour nous signaler des mots ou des nombres dont il faut tenir compte, outre ceux que contient le texte principal. Il fait la même chose dans les « Pronostications » ou « Almanachs »; il publie deux ou trois éditions successives, en y introduisant, à chaque fois, de petites modifications.

Les changements de titres, de dates, de nombres et de mots feraient croire que Nostradamus n'est pour rien dans les éditions d'Avignon. Ce n'est pas le cas. Leur étude nous permet de découvrir qu'il ne s'agit pas de changements dus au hasard, ou à un ignorant : ils sont de la main de l'auteur lui-même! Quel but poursuivait celui-ci en réalisant ces deux éditions différentes? En premier lieu, Nostradamus se forgeait, de cette façon, un masque de charlatan, et disposait des preuves en sa faveur, pour le cas où il aurait à répondre de ses écrits devant les inquisiteurs. En second lieu, ces faits augmentaient sa gloire et lui valaient, entre autre chose, l'appui de Catherine de Médicis : ses œuvres étaient l'objet d'actes de piraterie, mais chacun ignorait que lui-même, pour servir ses fins, intervenait activement dans cette piraterie! Enfin, il créait, pour l'avenir lointain, la confusion entre deux rédactions. Chacune aurait alors ses défenseurs, et l'ambiance de mystère et de doute ainsi créée, favoriserait la discussion du texte. Quant au chercheur, il trouverait au contraire dans ces deux éditions, les données nécessaires pour la mise en ordre et la compréhension des quatrains. Enfin, il ne faut pas ignorer l'intérêt économique, que l'auteur ne sous-estimait jamais. Ces éditions, réalisées en marge des exclusivités données à ses éditeurs de Lyon ou de Paris, lui rapportaient de l'argent.

Une œuvre « si peu sérieuse » ne pouvait servir de base à une mise en accusation de son auteur, et il ne valait même pas la peine de la détruire. Le masque de charlatan dont il s'est affublé allait permettre à Nostradamus de traverser, en se riant des obstacles, quatre siècles! Mais il ne s'agit là que d'un masque. Nous devons admirer la précision philologique avec laquelle il nous dit réellement ce qu'il veut dire : nul n'a pu condenser plus d'idées en si peu de mots! Le personnage qu'il s'est ainsi fabriqué donne si bien le change qu'au XVIIe siècle, nous rencontrons des rééditions de ses œuvres. Sous le couvert du nom de Nostradamus, ces éditions, qui renferment des vers apocryphes, ont toutes un but politique.

Nostradamus ordonna, dans son testament, que ses livres et ses papiers, sans exception, soient empaquetés et déposés dans une des pièces de sa maison. Ce n'est qu'à la majorité de ses enfants qu'on déterminerait lequel se consacrerait aux lettres : celui-là recevrait le legs. Il semble bien que son intention ait été de s'assurer que plus de quatorze ans s'écouleraient sans que quiconque puisse apporter la moindre modification à son œuvre. Cette ultime volonté du testateur accrédite également l'idée que l'édition des Prophéties de 1568, qui réunit 942 quatrains, avait fait l'objet d'un contrat, arrangé avant sa mort, avec l'éditeur de Lyon, Benoist Rigaud.

Nostradamus écrit textuellement dans son Testament : « ... et aussy a prélégué ledit testateur tous et chascuns ses livres à celluy de ses fils qui profitera plus à l'étude, et qui aura plus bu de la fumée de la lucerne; lesquels livres, ensemble toutes les lettres missives que se trouveront dans la maison dudit testateur, ledit testateur n'a vollu aucunement estres inventorissés, ne mis par description, ains estre serrés en paquets et banastes, jusques à ce que celluy que les doit avoir soit de l'eage de les prendre et mis et serrés dans une chambre de la maison dudit testateur... » L'aîné des fils, César, atteignit sa majorité à la fin de 1578 et sa correspondance avec Peiresc nous permet d'assurer que c'est bien lui qui reçut le legs. Pas un mot de Chavigny. Ce qui n'empêche pas celui-ci d'annoncer plus tard, en 1594, que deux Centuries complètes et inédites sont en sa possession [4].

Tous les papiers et livres de notre auteur se trouvent donc, aux alentours de 1580, réunis entre les mains de son fils César. Il est évident que si une partie importante de l'œuvre s'était trouvée parmi ces papiers, elle aurait été publiée à ce moment. Il y allait de l'intérêt de la famille et de celui de l'éditeur. Rien ne permet donc de supposer l'existence de tels écrits. Au contraire, les nombreuses publications historiques et littéraires de César Nostredame, réalisées entre 1600 et 1620, ainsi que la date de sa mort, 1630, c'est-à-dire plus de soixante ans après celle de son père, donnent à penser qu'il considérait la publication de l'œuvre prophétique comme terminée. La réalité bibliographique démontre que pas un seul vers inédit, ou prétendu tel, de Nostradamus n'a été publié avant vingt-huit ans après sa mort.

En admettant que Michel Nostradamus n'ait pas pressenti sa propre mort, nous savons, grâce aux clefs que contient le Testament, qu'il termina la publication de son œuvre prophétique le 21 avril 1565, date à laquelle il rédige le Faciebat de l'Almanach de 1566. Celui-ci est, de tous les Almanachs, le seul à contenir une chronologie, la troisième des chronologies arbitraires, différente des deux autres, également arbitraires, et d'un total d'années, également faux, et constituant en réalité une quatrième chronologie, que Nostradamus nous avait déjà donnés dans la lettre-préface adressée à Henri, Second. Cette dernière chronologie dans l'Almanach pour 1566 était, comme les antérieures, nécessaire à la reconstruction de ses cryptogrammes. Grâce à cette dernière chronologie, Nostradamus nous fait savoir que cet Almanach est le dernier dont nous devons tenir compte pour étudier son œuvre prophétique, que se termine dans le quatrain pour le mois d'août. Le quatrain de septembre dit :

Armes, plaies cesser : mort des séditieux :
Le pere Liber grand, non trop abondera :
Malins seront saisis par plus malicieux :
France plus que iamais vintrix triomphera.

Dans son testament, Nostradamus nous autorise à voir, dans cet Almanach pour 1566, et dans le quatrain qui correspond au mois de septembre de cette même année, la limite de son œuvre prophétique. Le dernier Almanach, celui de 1567, corrobore notre thèse : il n'appartient pas à l'œuvre prophétique, qui a donc bien été publiée intégralement du vivant de son auteur.

Nostradamus disposait encore, à ce moment-là, d'une année entière de vie, ce qui est un temps plus que suffisant pour prendre toutes les dispositions nécessaires. Cette prophétie est pour lui le problème le plus important, la raison et l'objet de sa vie. On ne saurait donc croire que Nostradamus soit mort sans avoir terminé d'éditer et d'imprimer tous ses quatrains prophétiques et sans avoir légalement conclu et archivé son testament. Il s'agissait pour lui d'assurer l'avenir de l'œuvre pour laquelle il avait réalisé tant d'efforts. Sa biographie nous permet de connaître, non seulement le montant exact de sa fortune, mais également l'extrême minutie avec laquelle Nostradamus prévoyait jusqu'aux moindres détails. Telles sont les dispositions psychologiques de notre personnage, qui transparaissent sous tous les actes de sa vie. Impossible donc d'accepter qu'une partie quelconque de sa prophétie, indispensable pour le déchiffrage complet de sa merveilleuse cryptographie, soit restée inédite.

D'ailleurs, nous disposons de son testament qui constitue la première clef pour les quatrains prophétiques. Nous y trouverions enregistrée une remarque au sujet de Centuries inédites, ou un ordre pour leur édition. Nous savons que ses imprimeurs le payaient à l'avance et que Benoist Rigaud continua, jusqu'en 1594 à reproduire les Centuries, ses héritiers poursuivant l'édition jusqu'à la fin du XVIe siècle, et Pierre Rigaux jusque bien avant dans le XVIIe siècle. Nous savons aussi que César Nostradamus vécut ses dernières années dans la plus grande pauvreté et qu'il mourut en 1630, après avoir édité un grand nombre de ses propres œuvres mais sans avoir remis aux éditeurs un seul vers inédit de son père. Enfin, après 1594, son soi-disant disciple, Chavigny, qui n'était en réalité que son secrétaire, c'est-à-dire, celui qui copiait ses lettres, ses dédicaces et ses envois à la Cour et au Saint-Père, publia trois éditions, en 1603, 1606 et 1607, des *Pléiades*, composées de plus de 600 pages pour la première et de plus de 800 pour les deux autres, sans y inclure des vers inédits du prophète, ce qui pourtant aurait intéressé bien davantage les éditeurs.

Tout confirme donc que les vers prophétiques publiés sur l'ordre de Michel Nostradamus, de son vivant ou dans les éditions immédiatement postérieures à sa mort, constituent la totalité de son œuvre et une réalité bibliographique qu'il faut accepter avec toutes ses conséquences et qui doit nous guider pour l'étude des publications postérieures.

Dès maintenant, nous affirmons catégoriquement à propos de tous les vers prophétiques publiés après 1568, qu'ils doivent être considérés :

A. Dans le courant du XVIe siècle : comme des quatrains restés à l'état d'ébauche; soit des quatrains terminés mais que l'auteur n'incorpora pas à son œuvre prophétique, soit des quatrains inachevés.

B. Pendant le XVIIe siècle : comme des quatrains ou des sextains apocryphes, rédigés à des fins adulatoires, politiques ou commerciales.

Dans la présente étude, nous ne nous occupons de ces éditions du XVIIe siècle que dans le but d'y rechercher les reproductions des petits volumes édités du vivant de Nostradamus. Cette étude bibliographique doit se fixer comme objectif de découvrir dans des éditions postérieures les reproductions totales ou partielles des livres qui ont disparu et tout ce qui peut nous aider à compléter l'œuvre elle-même et à prouver la non-validité des éditions apocryphes et des vers apocryphes.

Notre étude bibliographique s'étendra jusqu'en 1668 et démontrera que l'œuvre prophétique de M. Michel Nostradamus, né le 14 décembre 1503, à midi, et mort le 2 juillet 1566 à l'aube, est constituée par les quatrains que celui-ci publia de son vivant ou qui furent publiés sur son ordre, immédiatement après sa mort. Il est possible qu'une collection complète de ses premières éditions se trouve cachée dans sa maison de Salon. En effet, le quatrième vers du Présage de juillet 1567, remis par Nostradamus à l'imprimerie en avril 1566 dit, après un point :

– Présage. Juillet. 1567
  « Thrésor trouvé en plastres & cuisine. »
(Plastres, en ancien français, signifie endroit plat.)

Dans la Lettre-Préface à son fils, César Nostredame, le prophète fait, au sujet de son œuvre, une déclaration que nous devons respecter : « J'ay composé livres de prophéties contenant chacun cent quatrains astronomiques de prophéties, lesquelles j'ay voulu raboter obscurement. » Son œuvre prophétique se compose donc exclusivement de quatrains. L'un des dix livres des Centuries est incomplet, un autre, celui que constituent les Présages se compose de 169 quatrains dont seulement 140 sont prophétiques et complètent son œuvre. Il est possible que sur ce dernier point le prophète ait fait quelques confidences à Chavigny. Il est en effet significatif que ce commentateur se soit occupé seulement de 126 des 944 quatrains des Centuries, alors qu'il commente 140 des 169 quatrains dont se composent les Présages.

Notre étude cryptographique et bibliographique établira quels sont, parmi les quatrains, les 1 080 qui doivent se placer autour de trois cercles de 360°, dans l'ordre indiqué par les deux clefs contenues dans le Testament et par les deux clefs cryptographiques que nous avons découvertes. Chacun des degrés de ces trois cercles sera daté en fonction du dodécagone chronologique et la dernière de ces clefs permettra la lecture du message secret du Maître Michel Nostradamus.

NOTES

1. Les premières éditions des seize livres de Nostradamus que nous étudions furent certainement l'objet de soins très minutieux, afin de faire ressortir certains détails typographiques en relation avec la cryptographie. Malheureusement, seuls deux exemplaires de ces premières éditions sont parvenus jusqu'à nous. Il s'agit de la première édition du premier Almanach contenant des vers prophétiques (Fiche 1), et de la première édition des Centuries (Fiche 16). Il est possible que Nostradamus ait caché une série d'exemplaires de ces premières éditions. Il est certain qu'il les envoya à Catherine de Médicis et aux Rois. Les bibliothécaires ne les considérèrent pas dignes d'être conservés.

2. Abbé Hector Rigaux, curé d'Argœuvres, près d'Amiens, disciple de l'abbé Torné Chavigny qui, au XIXe siècle avait publié des commentaires de l'œuvre de Nostradamus dans lesquels il démontrait que celui-ci avait prophétisé, d'une manière exceptionnelle, trois siècles d'histoire de France. Rigaux se consacra à rechercher dans toute l'Europe les œuvres de Nostradamus. Il fit copier dans les grandes bibliothèques les éditions les plus rares et parvint ainsi à réunir une collection unique au monde. Ayant découvert, dans les Prophéties, que l'Europe serait bouleversée par les guerres et resterait couverte de ruines, jusqu'au triomphe final de la France, il cherchait à préserver pour les générations futures ces textes inconnus ou méprisés, qui aident à comprendre les Centuries et les Présages. Il fut aidé dans cette tâche par l'un de ses amis, l'imprimeur et éditeur Henri Douchet, qui vivait lui aussi dans la région d'Amiens.

3. Henri Douchet fit en 1898 la connaissance de l'abbé Rigaux. Entre 1900 et 1914, il s'intéressa profondément et de manière personnelle, à Nostradamus et réalisa quelques éditions typographiques, de deux ou trois

cents exemplaires chacune, des almanachs et autres œuvres inédites. Ces éditions ne furent pas mises en vente et seuls quelques-uns de ses amis en reçurent.

Il prétendait les garder en réserve pour qu'après la crise que nous vivons, ils puissent servir de témoignage. Mais le dépôt dans lequel étaient conservés ces exemplaires fut bombardé en 1918, puis reconstruit et saccagé à nouveau pendant la Seconde Guerre mondiale. Seuls quelques exemplaires ont survécu au désastre.

4. La longue vie de César Nostredame, ses lettres à Pereisc et même son testament sont autant de preuves accumulées contre la prétention ridicule de Chavigny. César hérita des papiers de son père. En supposant qu'il y ait trouvé deux Centuries qu'il aurait confiées à Chavigny, il est bien évident qu'il les aurait ensuite récupérées. Chavigny est mort en 1606. Entre cette date et celle de sa propre mort, en 1630, César aurait eu amplement le temps de les publier ou, du moins, de les remettre au Roi de France, ou, en dernière instance, à Pereisc, à qui il confia les papiers de son père. Nous parlerons plus tard de ses rapports personnels avec Marie de Médicis et avec Louis XIII. Dans son testament, il se réfère au roi dans les termes les plus élogieux et les plus significatifs de son affection; et ce alors qu'il se trouvait sur son lit de mort et ne pouvait donc plus être soupçonné d'agir sous l'impulsion d'un quelconque intérêt.

5. Nous avons déjà démontré dans notre livre *Les Derniers Jours de l'Apocalypse* que César Nostredame est né le 18 décembre 1553, et qu'il mourut à l'âge de soixante-seize ans, en janvier ou février 1630. Il signa la dernière version de son testament le 23 janvier de cette même année et rend témoignage de son âge dans ce document. Sa correspondance avec Peiresc et avec Pierre d'Hozier se termine en décembre de 1629; on ne connaît aucune lettre de César postérieure à cette date ou à son testament.

III

LES QUATRAINS PROPHÉTIQUES DES « CENTURIES » DANS LES ÉDITIONS DE LYON ET DANS LEURS REPRODUCTIONS

C'est en 1555 que Macé Bonhomme publie à Lyon la première partie des Centuries – qui se compose de 353 quatrains – sous le titre : « Les Prophéties de M. Michel Nostradamus. » Ce livre, soigneusement imprimé, porte le numérotage des quatrains en marge, et en caractères arabes, au lieu de le porter au centre et en chiffres romains comme dans toutes les éditions postérieures. Les chiffres romains qui apparaissent dans le cours du texte, de même que les mots en majuscules et les autres détails typographiques sont des données dont il faut tenir compte pour la mise en ordre définitive. (Fiche 16.) Pour fournir un exemple, nous ferons une description :

– La préface, qui est une dédicace à César Nostredame, est datée du 1er mars 1555.

– Le quatrain 50 de la Première Centurie de l'« aquatique triplicité... » et le quatrain 51, « Chef d'Aries », conservent cet ordre pendant tout le XVIe siècle, et ce, dans toutes les éditions. Par contre, cet ordre est renversé dans les éditions du milieu du XVIIe siècle.

– Dans la Seconde Centurie, le quatrain qui suit celui qui porte le numéro 12 n'est pas numéroté. Viennent ensuite les numéros 13, 14, 15 et 16. Le numéro suivant est le 18. Dans les éditions postérieures, on l'a considéré comme une erreur typographique. On a donc donné le numéro 13 au quatrain sans numéro et continué le numérotage corrélatif.

– La vignette placée au commencement des quatre Centuries se trouve inversée dans la Troisième.

– Treize mots sont en majuscules : I-2, BRANCHES; I-16, AUGE; II-79, CHIREN; II-94, GRAN; III-51, PARIS; III-64, OIXADES; III-75, PAV; III-85, AUDE; III-96, FOUSSAN et TARPÉE; IV-19, ROUAN; IV-27; SEX; IV-34, CHIREN. Déjà, dans l'édition de 1568, il ne reste plus que sept mots en majuscules.

– Cinq nombres sont écrits en grands chiffres romains : I-7, *XIIII;* III-56, *XXIII;* III-96, *XIII;* IV-11, *XII;* IV-30, *XI*. Par contre le nombre dix de I-42, est écrit en lettres. Dans l'édition de 1568, il ne reste plus qu'un seul nombre en chiffres romains.

– Dans deux quatrains apparaissent trois mots en grec.

– Le soleil et la lune sont signalés une fois au moyen de leur signe astrologique.

Nostradamus a certainement employé cette typographie spéciale pour la première édition de chacun des seize petits livres qui composent la totalité de son œuvre prophétique : trois éditions différentes des Centuries, à raison d'une pour chacune des trois parties, et treize almanachs contenant treize quatrains chacun.

Nous savons, grâce à La Croix du Maine, *Bibliothèque du Sieur de la Croix du Maine,* Paris, Angelier, 1584, qu'une seconde édition a été imprimée à Lyon par Sixte Denise en 1556. (Fiche 17.) Il est probable qu'il s'agit de l'édition, soigneusement imprimée et composée de sept centuries, qu'Antoine du Rosne devait copier l'année suivante.

En 1557, Antoine du Rosne réédite à Lyon (Fiche 18) la première et la seconde partie des Centuries, réunies cette fois dans un seul numérotage qui se termine avec le quatrain XL de la Septième Centurie. Le livre se compose au total de 639 quatrains et porte le même titre que l'édition de 1555, auquel on a cependant ajouté en sous-titre : « Dont il y a trois cent qui n'ont encores jamais esté imprimées. » Dorénavant les deux parties resteront réunies en un seul livre, avec un seul numérotage, et une seule préface, celle de la première édition, datée du 1er mars 1555 et qui est, apparemment, une lettre adressée par l'auteur à son fils César né, comme nos recherches ont permis de l'établir, le 18 décembre 1553. Antoine du Rosne copia probablement l'édition, aujourd'hui disparue, de Sixte Denise, qui devait donner à la deuxième partie la même présentation parfaite que Macé Bonhomme avait accordée à la première partie. Par contre, tout en copiant le texte avec une grande fidélité, il ne répète pas, dans les 353 premiers quatrains, les particularités et les détails typographiques que nous connaissons déjà. Il ne conserve qu'un seul mot : AUGE, en lettres majuscules et trois nombres romains. Quant au sous-titre, il n'est pas exact. En effet, si du total de 639 quatrains publiés dans cette édition, nous retranchons les 353 qui figuraient dans la première édition, la différence est de 286 quatrains inédits.

Seule l'édition de Sixte Denise nous permettrait d'expliquer ce sous-titre, que reproduit également l'édition de Petit Val, malheureusement incomplète et qui copie l'édition d'Avignon de 1556, parallèle à celle de Sixte Denise à Lyon. La méconnaissance de cette édition disparue nous oblige à considérer le quatrain latin et les deux quatrains, VII-41 et VII-42, comme ayant été publiés pour la première fois en 1568.

Pour que le sous-titre, que nous supposons emprunté à l'édition de Sixte Denise, réponde à l'exactitude cryptographique de toutes les données nostradamiques, il faudrait que cette édition ait contenu le quatrain latin qui complétait la somme de 640 quatrains. Nous nous basons, pour la suite, sur cette conclusion, tout en précisant bien qu'il s'agit seulement d'une supposition et que nous ne disposons d'aucune preuve bibliographique ou documentaire qui nous permette de l'établir définitivement.

En retranchant, des 640 quatrains que nous supposons composer l'édition de Sixte Denise, les 353 quatrains parus dans la première édition, nous obtenons le nombre de 287. Treize quatrains manquent donc pour compléter ce qu'annonce le sous-titre, c'est-à-dire trois cents quatrains inédits. Or, nous savons déjà que nous devons prêter attention à chaque fois que Nostradamus utilise ce nombre. Peut-être l'auteur se référait-il de cette manière aux treize quatrains de l'almanach pour 1556, qui avait déjà paru à cette date, établissant ainsi que son œuvre prophétique se composait, à cette date, de 666 quatrains?

L'édition de Sixte Denise pouvait présenter le quatrain latin entre la Sixième et la Septième Centurie, comme c'est le cas pour toutes les éditions de Lyon postérieures. Antoine du Rosne a pu, l'année suivante, supprimer le quatrain latin afin de terminer son livret à la fin de la page cinq cent soixante, et du dixième feuillet de seize pages. La qualité médiocre et le peu de soin qu'il apporte à cette édition nous autorise à faire cette supposition.

Quatrains publiés	*Du vivant de Nostradamus*	*Après la mort de Nostradamus*
Pronostication pour 1555	13	12
Première partie des Centuries	353	353
Almanach ou Pronostication pour 1556	13	12
Seconde partie des Centuries	287	289
Total	666	666

Des deux façons, nous obtenons 666 quatrains pour les deux premières parties des prophéties, c'est-à-dire les sept premières Centuries dont la réunion compose la première partie de l'œuvre prophétique. Les Présages pour 1555 et 1556 peuvent être 13 ou 12 pour chacune des années puisque, comme nous le verrons plus tard, le quatrain qui se réfère à l'année dans son ensemble ne fait pas partie de l'œuvre prophétique, ce qui réduit de 13 à 12 le nombre de Présages annuels. Par contre, les quatrains de la deuxième partie peuvent être au nombre de 287 si on y inclut le quatrain en latin et si la Septième Centurie comporte quarante quatrains comme c'est le cas dans toutes les éditions publiées à Lyon durant la vie de Nostradamus, ou bien 289 si cette même Septième Centurie se compose de quarante-deux quatrains, comme dans les éditions de Lyon postérieures à la mort du prophète.

Nous avons connaissance d'une quatrième édition réalisée à Lyon par Benoist Rigaud en 1558, qui est restée introuvable. (Fiche 19.) La lettre à Henri II qui lui sert de préface est datée du 27 juin 1558. Nous pouvons la décrire parce que Benoist Rigaud l'a reproduite un grand nombre de fois. Elle contient trois centuries complètes et son titre : *Les Prophéties de M. Michel Nostradamus,* est accompagné du sous-titre : « Centuries VIII. IX. X Qui n'ont encores jamais esté Imprimées. » Cette troisième partie, imprimée dès 1568 à la suite des deux premières à l'intérieur d'un volume unique, n'en conserva pas moins, pendant plus de cinquante ans, un numérotage des pages séparé. Nous y voyons la preuve de l'existence de cette édition de 1558, et aussi de ce que cette troisième partie a été imprimée, sous la forme d'un livre distinct, à cette date, c'est-à-dire, du vivant de Nostradamus.

Deux ans après la mort du prophète, en 1568, apparaît la cinquième édition de Lyon. Benoist Rigaud édite alors ce qui semble être l'œuvre complète : dix Centuries, composées de 942 quatrains. La Septième Centurie en compte quarante-deux et le seul quatrain en latin est celui qui apparaît, sans numéro, à la fin de la Sixième Centurie. Les sept premières Centuries, réunies et portant un même numérotage des pages forment le premier livre, qui a pour préface la « Lettre à César » et porte à son frontispice deux sous-titres : « Dont il y en a trois cens qui n'ont encore jamais ésté imprimées » et : « Adioustées de nouveau par ledict Autheur. » Les trois dernières Centuries constituent le second livre, qui reproduit probablement l'édition de 1558, du même éditeur, mais ne nous est pas parvenue. Bien que les deux livres soient présentés en un seul volume, cette troisième partie porte un numérotage des pages séparé de celui du premier livre, ce qui renforce notre opinion selon laquelle il s'agit de la copie d'une édition antérieure, séparée. Ce second livre porte, en préface la lettre à « Henry, Roy de France, Second » et, à son frontispice, le même titre que le premier livre : *Les Prophéties de M. Michel Nostradamus* avec, en sous-titre « Centuries VIII, IX, X Qui n'ont encores jamais esté imprimées ».

Nous possédons, dans notre bibliothèque, trois exemplaires de cette cinquième édition des Centuries, portant la même date. L'un d'eux est identique aux exemplaires conservés dans les bibliothèques de Stockholm et de Grasse : le deuxième et le troisième sont pareils à l'exemplaire de la bibliothèque du musée Arbaud, d'Aix-en-Provence.

Il semble bien que Rigaud ait joui de l'exclusivité de cette édition puisque pendant vingt ans, de 1568 à 1588, il continua à réimprimer des éditions toutes semblables quant au texte, mais présentant de légères altérations dans les vignettes et dans de petits détails typographiques. Nous en connaissons six, portant toutes la même date, 1568, et deux sans date. (Fiches 20 à 25 et 27 à 28.) La dernière édition réalisée par Benoist Rigaud porte une date sûre : le premier frontispice est de 1594 et le second de 1596. (Fiches 29 et 30.) Il est probable que Benoist Rigaud ait abandonné la direction de son affaire entre ces deux dates. D'après Klinckowstroëm, il serait mort en 1597. Nous connaissons d'autres cas semblables aux XVIe et XVIIe siècles : le propriétaire ou l'un des associés d'une imprimerie ayant changé pendant la réalisation de certains livres, ceux-ci portent deux dates. Pendant ces vingt années, les Centuries de Nostradamus n'ont été éditées qu'à Lyon. La parution, après l'expiration de ce délai de vingt ans, des éditions de Raphaël du Petit Val (Rouen, 1588 et 1589), de Pierre Menier (Paris, 1588 et 1589), de Charles Roger (Paris, 1589), de François de Sainct Iaure (Anvers, 1590) et de Jacques Rouseau (Cahors, 1590) nous a fait penser à une exclusivité accordée à Benoist Rigaud par Nostradamus ou par sa famille et qui aurait pris fin en 1588. Parmi toutes ces éditions, celle de Cahors en 1590 (Fiche 26) est la seule à reproduire le texte complet des éditions de Lyon. Après cette date, Benoist Rigaux publia les deux éditions non datées et la dernière qui porte les deux dates de 1594 et de 1596.

Benoist Rigaud meurt et ses héritiers réalisent, aux alentours de 1598, deux nouvelles éditions qui reproduisent les antérieures : « Par les Héritiers de Benoist Rigaud », Lyon, s.d. Un exemplaire de l'une de ces éditions est en notre possession; et Baudrier cite un exemplaire de l'autre édition. (Fiches 31 et 32.) Nous ne pouvons pas préciser la date à laquelle l'imprimerie passe aux mains de Pierre, fils de Benoist, dont les éditions reproduisent exactement, elles aussi, celles de son père.

Nous connaissons trois des éditions réalisées par Pierre Rigaud, mais il est possible qu'il en ait réalisé davantage puisqu'il fut le seul éditeur à s'occuper de l'œuvre de Nostradamus pendant les premières années du XVIIe siècle. La première édition que nous connaissons semble dater de 1604. Son frontispice dit : « Par Pierre Rigaud. » (Fiche 33.) Cette même mention est répétée dans une seconde édition (Fiche 34), tandis que la troisième porte : « Chez Pierre Rigaud. » (Fiche 35.) Nous connaissons des livres imprimés en 1603 qui portent, sur leur page de garde : « Chez Pierre Rigaud », ce qui semble indiquer que l'imprimerie lui appartenait déjà à cette date. Mais il est possible que certaines affaires permanentes, commencées suivant d'anciens contrats, ne devinrent sa propriété que bien plus tard. Les cinq éditions que nous avons citées, trois réalisées par Pierre Rigaud, deux de Didier et Poyet, et deux ou trois autres éditions de même provenance, qui peuvent avoir disparu, couvrent parfaitement les vingt-neuf premières années du XVIIe siècle. Nous ne connaissons aucune autre édition authentique des Prophéties au cours de ces années-là.

Les éditions de Jean Didier et de Jean Poyet (Fiches 36 et 37), qui copient le texte des éditions des Rigaux, mais réunissent les deux petits livres dans un seul numérotage, sont très postérieures à 1614 et doivent s'être vendues sans concurrence jusque après 1629. Les vignettes qu'elles portent à leurs frontispices apparaissent pour la première fois dans des éditions d'œuvres de Nostradamus. L'une d'elles est reproduite dans l'une des éditions apocryphes, faussement datées de 1627, que nous étudierons plus tard.

Nous pouvons donc considérer les neuf cent quarante-deux quatrains des éditions de Lyon comme le texte authentique de la prophétie de Nostradamus. Les errata d'impression peuvent être éliminés en comparant plus de dix éditions. Le même procédé nous permet d'établir un texte définitif des deux préfaces : la lettre à César et la dédicace à Henry, Roy de France, Second. Nous tiendrons compte des petits changements dans les mots et dans les nombres que nous trouverons dans les autres éditions, non pas pour modifier le texte des éditions de Lyon, mais pour les considérer comme des données fournies par l'auteur et dont nous devons tenir compte, chaque fois que l'ensemble du texte nous y autorise.

Ces éditions de Lyon successives ont laissé établi un texte qui a été utilisé par la majorité des commentateurs. Presque toutes les éditions apocryphes des XVIIe et XVIIIe siècles ont copié Benoist Rigaud. Leurs lecteurs ont été trompés par les dates fausses : 1566, 1568, 1605, 1611, 1627 et 1649, ou par l'absence de date, mais ils ont eu entre les mains une copie assez fidèle des éditions authentiques de Benoist Rigaud, Lyon, 1568.

Pour tous les contemporains de Nostradamus, cette édition de Benoist Rigaud, reproduite plus tard par ses héritiers et par son fils Pierre, était l'« Edition Princeps ». Personne n'imagina alors, que les quatrains des Almanachs faisaient un tout avec les Centuries et devaient être unis à elles en vue d'une première remise en ordre. Il était difficile de penser qu'il fallait, pour cela, recourir à une clef numérique, et plus difficile encore de deviner que les nombres de cette clef devaient être cherchés dans le Testament du prophète.

IV

LES QUATRAINS PROPHÉTIQUES DANS L'ÉDITION DE PARIS (1560-1561) ET DANS SES REPRODUCTIONS

Brunet nous parle, dans le *Supplément du Manuel du Libraire*, (Paris, Dorbon, 1880, Tome II, colonne 36) d'une édition des Centuries réalisée à Paris en 1560-1561 (Fiche 38), dont il dit : « Cette édition contient sept centuries. » Nous n'avons pas pu examiner cette édition, mais nous l'avons étudiée à travers cinq copies qui en ont été réalisées à Paris et qui sont datées de 1588 et 1589. Toutes ces copies portent en frontispice :

Les / Prophéties de / M. Michel Nostra / damus : Dont il y en a trois cens, / qui n'ont pas encores esté imprimées, / lesquelles sont en ceste presente / edition / Reveues & additionnées par l'Autheur / pour l'An mil cinq cens soixante & / un, de trente neuf article à la / dernière Centurie.

Les cinq copies des éditions de Paris qui rééditent celle de 1560-1561 que nous avons pu consulter sont les suivantes :

- Pierre Menier, Paris, 1588? (Fiche 39.)
- Veusve Nicolas Rosset, Paris, 1588. (Fiche 41.)
- Exemplaire ancien sans frontispice, Paris, 1588? (Fiche 42.)
- Pierre Menier, Paris 1589. (Fiche 40.)
- Charles Roger, Paris, 1589. (Fiche 43.)

Le texte des cinq copies que nous venons d'énumérer ne correspond pas du tout à l'énoncé de leur frontispice.

Le titre et le sous-titre de Barbe Regnault sont copiés d'une édition de Lyon. La phrase suivante : « Revenues & additionnées par l'Autheur, / pour l'An mil cinq cens soyxante / & un, de trente neuf articles / à la dernière Centurie », semble reproduire une édition d'Avignon, étant donné qu'elle parle de 39 quatrains pour la Septième Centurie, alors que celle-ci en comportait 40 ou 42 dans les éditions de Lyon.

Le texte répète également certains nombres, dates, et autres détails typographiques des éditions d'Avignon; il contient, en outre, certaines modifications fondamentales, que nous allons exposer et qu'on ne retrouve que dans ces éditions. Dans la lettre à César, il est dit : « D'icy à l'année 3767 » au lieu de 3797; dans les cinq copies, le quatrain 53 de la Quatrième Centurie se termine en fin de page, et la Seconde partie des Centuries commence au sommet de la page suivante, avec le quatrain 54, précédé d'un sous-titre : « Prophéties de / M. Nostradamus, adioustées outre / les precedentes impressions » divisant ainsi la Quatrième Centurie en deux.

Ce sous-titre est très important parce qu'il nous apporte la preuve de l'existence, durant la vie de Nostradamus, d'une seconde édition des Centuries, qui portait en tête ce sous-titre ou que celui-ci divisait en deux, et qui n'est pas parvenue jusqu'à nous. Il semble bien que Barbe Regnault ait eu sous les yeux une édition de Lyon et une édition d'Avignon, et qu'il se soit servi des deux. Pourtant, ni les éditions de Lyon, ni celles d'Avignon que nous connaissons n'ont jamais porté un tel sous-titre, ni n'ont établi une telle division entre les deux premières parties des Centuries.

Toutes les publications sorties de l'imprimerie de Barbe Regnault « A l'Enseigne de l'Éléphant » que nous connaissons procèdent en réunissant des originaux de diverses provenances, sans le moindre souci bibliographique et sans le moindre respect pour l'auteur supposé. Dans le cas de Nostradamus, les quatrains sont publiés en changeant, dans beaucoup de cas, l'ordre des vers.

Le fait que l'édition des Prophéties de Barbe Regnault porte deux dates nous signale la mort de l'éditeur entre ces deux dates. En effet, en 1561, l'affaire appartient déjà à sa veuve, dont le nom apparaît dans le « PRONOSTICA-/tion Nouvelle / Pour l'an mil cinq cens / soixante deux. / Composée par Maistre Michel Nostradamus Docteur en Médecine, de / Craux en Provence. / (Vignette) / A Paris. / Pour le veuve Barbe Regnault demourant en la rue / Saingt Iacques, à l'enseigne de Lelephant / Avec Privilège. » Ce livre se trouve à la bibliothèque Baverische de Munich.

Il est peu probable qu'un libraire de Paris, même malhonnête, ait pu imprimer plusieurs éditions apocryphes de l'œuvre de Nostradamus, sans que celui-ci en ait eu connaissance et ne l'ait tacitement accepté. Protégé par Catherine de Médicis, il était médecin et conseiller de Henri II, de François II et de Charles IX. Sa situation était bien connue de tous les libraires de Paris. Personne n'aurait osé faire quoi que ce soit contre lui s'il connaissait la puissance de ses amis. Mais très certainement, Nostradamus a accepté la piraterie de Barbe Regnault pour la bonne raison qu'elle jetait un doute sur l'authenticité de ses autres éditions, tout en lui servant de publicité, puisqu'elle portait témoignage de l'intérêt suscité par ses almanachs. En échange de tout cela, il avait là un éditeur disposé à publier les quatrains nécessaires pour servir sa protectrice, Catherine de Médicis, sans s'en rendre compte ou en gardant sur l'opération la discrétion nécessaire.

En 1560, Barbe Regnault avait sous presse l'édition des Prophéties et celle de l'Almanach pour 1561. Or, en cette année 1560, se produisent deux événements qui se reflètent dans ces deux ouvrages : Barbe Regnault meurt, et le roi de France, Charles IX, meurt lui aussi, le 4 décembre.

La veuve de Barbe Regnault se trouve confrontée à deux problèmes concernant l'œuvre de Nostradamus. La première ou la seconde des rééditions, à Paris, des deux premières parties des Centuries, c'est-à-dire les sept premières Centuries, éditées à Lyon et en Avignon en 1556, se trouve sous presse depuis le début de 1560. L'Almanach pour 1561 se trouve dans le même état. Le temps passe et l'Almanach doit être terminé dans le cours de l'année et suffisamment tôt pour être vendu avant janvier 1561. On l'achève donc en omettant les vers prophétiques et une grande partie du texte. C'est ainsi qu'il paraît, avec quatre-vingts pages seulement, alors que l'Almanach pour 1565, avec vers prophétiques, en comporte 160. Les almanachs ne portant pas de date d'impression, cet élément nous fait défaut pour prouver que l'édition de l'Almanach pour 1561 a été achevé d'imprimer par la veuve de Barbe Regnault. Elle présente toutes les caractéristiques d'une « édition-pirate » et la dédicace : « A TRÈS ILLUSTRE, Heroïque, & Magnanime Seigneur, Monseigneur le Duc d'Operta, grand Gouverneur de la Mer de Leuant, son humble & obéissant serviteur, desire salut, iyoe & felicité. » ne semble pas avoir été écrite par le prophète. L'édition fut imprimée avec ces mutilations et sans vers prophétiques. Le seul exemplaire connu se trouve dans notre bibliothèque : « Almanach pour l'An mil cinq cens / soixante & un. / Composé par Maistre Michel Nostradamus, Docteur en Mede / cine, de Salon de Craux, / en Provence. / » (La même vignette de toutes les publications des Regnault sur Nostradamus). / « A PARIS, / Pour Barbe Regnault, demeurant / en la rue sainct Jacques, a l'ensei-/gne de l'Elephant. / »

Il fallait terminer l'édition des Centuries au plus bas prix et avec le plus petit nombre de pages possible. Le livre aurait dû se composer de 9 cahiers de 16 pages, soit un total de 144 pages. Il faut qu'il soit plus petit; on le fait donc se terminer en 8 cahiers, soit 128 pages. Les copies de Paris de 1588 et 1589, nous permettent d'apprécier la quantité incroyable d'errata commis dans l'édition de 1561, de la Troisième à la Sixième Centuries (voir Fiche 38).

Dans la Septième Centurie, on a inséré douze quatrains qui n'y ont jamais figuré. Le premier de ces quatrains est : VI-31; les autres sont ceux qui se trouvaient, tout composés, à l'imprimerie pour être publiés comme Présages dans l'Almanach pour 1561. L'abbé Rigaux s'était déjà rendu compte de cette substitution. Il s'agit des Présages pour les onze mois de 1561, de février à décembre. Supprimés de l'Almanach par souci d'économie, ils furent insérés dans les Prophéties comme Centurie VII et furent numérotés de 72 à 83 comme s'ils appartenaient réellement à cette Centurie!

Cette erreur bibliographique est ainsi corrigée : ces douze quatrains ont, en réalité, été empruntés par Barbe Regnault à l'Almanach pour 1561 et sont donc des quatrains Présages de cet Almanach. Le compilateur des éditions de Troyes retrouva huit de ces quatrains parmi les Présages commentés par Chavigny et réduisit donc à quatre les quatrains imprimés à la suite de la Centurie VII, avec le sous-titre : « AUTRES QUATRAINS tirez de 12. soubz la Centurie septiesme : dont en ont esté rejectez. 8. qui se sont trouvez ès Centuries prudentes. » *(sic)* c'est-à-dire : « Autres quatrains pris parmi 12 sous la Centurie Septième, dont on a rejeté 8 qui ont été retrouvés dans les Centuries précédentes. » Cette erreur bibliographique, réduite à quatre quatrains, s'est répétée depuis 1630 jusqu'à nos jours.

Ce que dit le sous-titre n'est pas exact : l'un des quatrains a été retrouvé dans la Sixième Centurie; les autres, dans les Présages de Chavigny pour 1561. Les quatre autres n'ont pas été retrouvés. Il s'agit des Présages pour les mois de février, septembre, novembre et décembre 1561. L'abbé Rigaux et Pierre Piobb se sont aperçus de l'erreur, mais celle-ci continue à être commise dans les éditions du XXe siècle. La piraterie de la maison d'édition de la Veuve Regnault a sauvé ces quatre présages, que nous reproduisons. Celui de janvier 1561 est définitivement perdu.

Présage de février 1561

Renfort de sièges manubis & maniples
Changez le sacre & passe sour le prosne,
Prins & captifs n'arreste les prez triples,
Plus par fonds mis, eslevé mis au trosne.

Présage de septembre 1561

L'Occident libres les Isles Britanniques
le recogneu passer le bas, puis haut
Ne content triste Rebel, corss. Escoriques
Puis rebeller par plus & par nuit chaut.

Présage de novembre 1561

La stratagème simulte sera rare
La mort en voye rebelle par contrée,
Par le retour du voyage Barbare
Exalteront la protestante entrée.

Présage pour décembre 1561

Vent chaut, conseil, pleurs, timidité,
De nuict au lit assailly sans les armes,
d'oppression grande calamité,
L'épithalame converti pleurs & larmes.

C'est ainsi que la voie est ouverte à la véritable fraude qui est le but de l'édition de 1561, après la mort de Charles IX : six quatrains apocryphes qui doivent paraître comme faisant partie de la Huitième Centurie, qui avait déjà été publiée en 1558, avec ses cent quatrains authentiques. L'étude des six quatrains, numérotés de 1 à 6, nous réservait cette surprise : ces quatrains ont bien été écrits par Nostradamus, mais pas pour son œuvre prophétique. Il les a écrits et publiés pour servir la politique de Catherine de Médicis! La veuve Regnault profita de l'édition des Prophéties pour y inclure cette prétendue Centurie VIII, qui n'a rien à voir avec l'œuvre prophétique de Nostradamus, mais qui n'en continue pas moins à accompagner celle-ci dans toutes les éditions réalisées depuis lors. Nous reproduisons ci-dessous les quatrains apocryphes, avec le titre sous lequel ils furent publiés dans les éditions falsifiées du XVIIe siècle.

AUTRES QUATRAINS

Cy de vant imprimez soubz la Centurie huictiesme

1

Seront confus plusieurs de leurs attente,
Aux habitants ne sera pardonné
Qui bien pensoient perseverer l'attente,
Mais grand loisir ne leur sera donné.

2

Plusieurs viendront, & parleront de paix
Entre Monarques & Seigneurs bien puissans

Mais ne sera accordé de si pres,
Que ne se rendent plus qu'autres obeissans.

3

Las, quelle fureur! helas quelle pitié,
Il y aura entre beaucoup de gens!
On ne vit onc une telle amitié
Qu'auront les loups a courir diligens.

4

Beaucoup de gens voudront parlementer
Aux grands Seigneurs qui leur feront la guerre,
On ne voudra en rien les escouter,
Helas! si Dieu n'envoye pais en terre.

5

Plusieurs secours viendront de tous costez.
De gens lointains qui voudront résister.
Ils seront tout à un coup bien hastez,
Mais ne pourront pour ceste heure assister.

6

Les quel désir ont princes estrangers!
Garde toy bien qu'en ton pays ne vienne,
Il y aurait de terribles dangers,
En maints contrées, mesme en la Vienne.

C'est la première fois, dans la longue carrière des Centuries qu'apparaît une édition apocryphe multiple qui intercale dans le texte des quatrains qui contiennent un prudent conseil aux membres de la Réforme dans l'une des provinces de France. Les six quatrains se rapportent, corrélativement, à un même événement, ce qui ne se produit pas une seule fois dans toute l'œuvre de Nostradamus. Leur style est, en outre, totalement différent : on n'y retrouve ni la synthèse philologique, ni la multiplicité des détails qui le caractérisent. Il est clair qu'il s'agit là d'un conseil donné, en vingt-quatre vers, sous l'autorité du prophète et sous la pression d'une menace, à une province de France qui s'est soulevée.

Nous parlons d'édition multiple, parce que toutes les éditions de 1588 et de 1589 sont sorties de la même imprimerie. La dernière page de la Sixième Centurie en apporte la preuve : le quatrième vers du quatrain 70 dit, dans toutes ces éditions : « Et de seul tiltre vigueur fort contenté », au lieu de : « Et du seul titre victeur fort contenté ». En ce cas, comme dans d'autres que nous pourrions citer, il ne peut s'agir d'une même erreur commise par cinq éditeurs différents.

Depuis 1630, toutes les éditions du XVIIe siècle ont reproduit ces six quatrains et on continue encore à les éditer de nos jours, avec leur faux sous-titre. Or, il n'ont jamais appartenu à la Huitième Centurie et ont été, de toute évidence, intercalés.

Un coup d'œil à l'histoire de France en 1560, après la mort de Henri II et de François II, et en 1589, après la mort de Henri III, nous permet de comprendre clairement le but politique de l'édition truquée de 1561 et de ses rééditions datées de 1588 et de 1589.

François II meurt en 1560. Les États Généraux, qui étaient convoqués et devaient comparaître devant lui, ne se réunissent, à Orléans, que le 13 décembre de cette année. La deuxième session devait avoir lieu le 2 janvier 1561 et la dernière, le 31 janvier. L'année commençait alors officiellement en mars et c'est pour cette raison que l'« Ordonnance de janvier » est en réalité de janvier 1561.

Tout cela oblige Catherine de Médicis à une politique de conciliation avec les protestants. Il lui fallait imposer sur le trône son fils Charles IX et s'emparer de la Régence. Pour parvenir à ce double but, la politique d'équilibre entre catholiques et réformés s'imposait. La Reine, faible par rapport aux deux factions qui se disputaient le pouvoir, était forte du fait que ni l'une ni l'autre n'était en mesure de dominer en France.

Le Sacre de Charles IX à Reims, le 15 mai 1561, n'était qu'un acte politique destiné à impressionner les États Généraux qui risquaient de mettre en danger la Régence de Catherine de Médicis. Pendant toute cette année, la tension entre catholiques et protestants se fit sentir dans toute la France. C'est probablement dans la région de Vienne que le mécontentement fut le plus grand. Toujours est-il qu'il s'agissait de donner des conseils de prudence aux provinces qui s'étaient soulevées en armes contre la Couronne de France en leur faisant craindre les désastres d'une intervention étrangère. C'est de cela, et de rien d'autre, que parlent les six quatrains apocryphes de la fausse huitième Centurie. La petite édition de Barbe Regnault, publiée pendant la vie du prophète, fut choisie à cette fin. Un conseil de Nostradamus, apparemment prophétique, publié dans un petit livre qui reproduisait une édition antérieure aux événements, devait exercer son influence sur les esprits, dans les territoires dominés par la Réforme. Le but politique de la fausse huitième Centurie est donc parfaitement clair. Catherine devait affronter de grandes difficultés pour imposer sur le trône Charles IX enfant. En tout cas, sa Régence au moins était en danger. Les six strophes de la soi-disant huitième Centurie n'appartiennent pas à l'œuvre prophétique de Nostradamus et ne se retrouvent dans aucune publication du XVIe siècle, exception faite de l'édition de 1561 et des cinq copies qui en furent réalisées à Paris. Il faudra attendre une date déjà avancée dans le XVIIe siècle pour retrouver ces quatrains qui, depuis, accompagnent toujours l'œuvre de Nostradamus.

Il est inexplicable qu'en 1588 et 1589 aient paru cinq éditions des premières Centuries, avec un texte emprunté à une édition aussi peu soignée et comportant autant d'erreurs que celle de 1560. Les librairies de Paris avaient la possibilité de reproduire les éditions de Rouen, de Raphael du Petit Val – qui datent de la même époque – ou n'importe laquelle des éditions de Benoist Rigaud de Lyon. Aucun d'entre eux ne connaissait l'importance bibliographique des 12 quatrains de la Septième Centurie. Seule la répétition d'une situation politique semblable à celle de 1560 peut rendre raison de cette floraison d'éditions, réalisées dans la même imprimerie, sous le nom de plusieurs libraires.

En effet, l'assassinat de Henri III, le 2 août 1589, provoqua l'éclatement d'une situation politique imprévue, très semblable à celle de 1560. Il n'est donc pas étonnant que les conseillers de Henri IV, ou le Roi lui-même, se soient souvenus de l'édition patronnée par Catherine de Médicis et aient décidé d'en faire réaliser, chez plusieurs libraires, cinq copies – ou plus – qui, tout en portant la date de 1588 ou 1589, avaient l'avantage de pouvoir s'appuyer cette fois sur l'autorité de l'édition antérieure, de 1560.

Ni l'édition de Barbe Regnault, de 1560-61, ni les copies de Paris de 1588-89, ne correspondent à leurs frontispices.

Toutes tendent à montrer qu'en 1560, alors que l'impression était déjà en cours, on prit une décision différente. Le montage du texte coûtait cher et, pour terminer le livre à moindres frais, on répète, de la troisième à la sixième Centurie, les mêmes quatrains que les antérieurs, mais en changeant l'ordre des vers. Aucun changement n'est intervenu dans le titre, les deux préfaces et les deux premières Centuries, c'est-à-dire, dans les cinquante-quatre premières pages dont nous avons tout lieu de supposer qu'elles avaient déjà été composées par les soins de Barbe Regnault. C'est la seule explication plausible à l'accumulation d'une telle quantité d'erreurs dans cette édition, erreurs d'ailleurs reproduites exactement dans les cinq éditions de 1588 et 1589 et qui n'apparaissent qu'après les cinquante-quatre premières pages.

En poursuivant nos recherches nous avons eu la surprise de découvrir, à la bibliothèque de Lille, un exemplaire unique d'un Almanach de Nostradamus pour 1563, apocryphe et portant la même vignette, édité en 1562 : « A Paris/Pour Barbe Regnault, demourant en la rue/S.Iacques, à l'enseigne de Lelephant. » (Fiche 9.) Ainsi l'imprimerie, non seulement ne respectait pas les auteurs ni les textes : elle ne respectait plus non plus son propriétaire mort en 1560. L'étude de cet Almanach apocryphe nous a démontré qu'il s'agissait d'un texte emprunté à d'autres publications et destiné à réaliser une « affaire » commerciale, en se servant du nom de Nostradamus et de treize de ses quatrains empruntés aux Centuries et à plusieurs Almanachs antérieurs, en les republiant et en changeant la disposition des vers.

L'étude bibliographique à laquelle nous nous sommes livré concernant Nostradamus, nous a conduit à nous intéresser à Barbe Regnault, à sa vie et à celle de son imprimerie. Celle-ci en était arrivée à se spécialiser à tel point dans l'édition de livres portant le nom de Nostradamus, que les détracteurs du prophète firent imprimer à Genève un pamphlet contre lui, dont le frontispice disait faussement : « Le Monstre d'Abus, Paris, pour Barbe Regnault, demourant en la rue Saint Iaques, devant les Mathurins. 1558. »

Autre donnée concernant Barbe Regnault et son imprimerie : il convient de citer un petit livre dont nous ne connaissons qu'un exemplaire et qui se trouve dans notre bibliothèque; « (fleur) Almanach, / Pour l'An M.D.LXX. / Composé par M. Florent de Croz disciple / de deffunct M. Michel de Nostradamus. / Dédié à tréshault trespuissant & redoubté Monsei- / gneur le duc d'Aniou & Bourbonniois, fils de / Roy, & frere du Roy nostre sire, treschretien, / Charles neufiesme. / Avec la déclarariõ des presages de chacun moys. / (Vignette) / A Paris, / Pour Anthoine Houie, demourant, en la rue sainct Iacques, à l'Enseigne de l'Elephant. / Avec Privilège Du Roy. » Il semble bien, en effet, qu'en 1569, l'imprimerie de « la rue Saint Iacques à l'enseigne de l'Elephant » était déjà passée aux mains de Anthoine Houie, par l'intermédiaire de François Regnault, successeur à son tour de la veuve de Barbe Regnault.

Nostradamus se plaint amèrement de la piraterie dont ses écrits étaient l'objet, mais jusqu'après sa mort, il dut rester lié à Barbe Regnault et à ses successeurs. L'un d'eux, sous « l'enseigne de l'Éléphant », Houie, lui inventa même un disciple, M. Florent de Croz.

V

LES QUATRAINS PROPHÉTIQUES POSTÉRIEUREMENT INTITULÉS «PRÉSAGES » PUBLIÉS DANS LES « PROGNOSTICATIONS » ET « ALMANACHS » ANNUELS

Nostradamus a quelquefois appelé ses prophéties, soit en vers ou en prose, publiées dans les « Prognostications » et dans les Almanachs, du nom commun de « Présages ». En réalité il se référait seulement aux prophéties en prose comme le prouve une édition sans vers prophétiques, pour 1557, publiée à Paris par « Jacques Kerver, rue S.Jaques aux deux cochetz » qu'il intitula : *Les Présages Merveilleux pour l'an 1557*; l'original de cet ouvrage se trouve à la bibliothèque Arbaud à Aix-en-Provence. Chavigny adopta plus tard ce nom pour intituler les quatrains prophétiques de ces publications annuelles, et c'est ainsi qu'il a été conservé et reproduit par les éditions modernes. Nous utilisons nous-même ce nom, tout en insistant sur le fait que Nostradamus n'a jamais donné un nom différent aux quatrains des Almanachs et à ceux des Centuries. Il ne nous a donc, à aucun moment, autorisé à les séparer les uns des autres; au contraire, comme nous avons pu le voir au chapitre II et comme nous le reverrons ensuite, il les englobe dans un tout unique : son œuvre prophétique.

Nous avons la certitude que c'est seulement pendant treize ans, de 1555 à 1567 qu'ont été éditées ces publications annuelles avec vers. Nostradamus les fit imprimer à Lyon, en Avignon et à Paris, tout comme les Centuries. Tandis que la première édition de Lyon porte comme titre : « Prognostication Nouvelle et prédiction Portenteuse... » pour 1555; les petits livres édités postérieurement en Avignon et à Paris disent : « Almanach pour l'An... ». Ici aussi, comme dans les éditions des Centuries, l'auteur ne modifie pas seulement le titre : il introduit des variations, apparemment insignifiantes, d'une édition à l'autre.

Après l'Almanach pour 1563, édité par Pierre Roux, Avignon, en petit format et sans figures, nous connaissons : les Almanachs pour 1565, 1566 et 1567, imprimés à Lyon dans le même format. Celui de 1565 ne comporte pas de figures. Celui de 1567 n'en a qu'une très petite, à propos du jour d'avril où doit se produire une éclipse. Le seul petit Almanach qui contienne les figures des quatre saisons est celui de 1566, année où se termine l'œuvre prophétique.

Il est impossible de procéder à une étude de toutes les variations du texte. Les diverses éditions de ces petits livres, avec ou sans vers prophétiques, ont certainement été plus de cinquante, dont très peu se sont conservées. L'analyse des dédicaces et de la prose de Nostradamus en général, que nous publierons postérieurement, permettra de projeter une grande lumière sur la biographie de notre personnage et nous démontrera l'importance bibliographique de ce qui a été perdu. Heureusement, l'œuvre prophétique a été sauvée dans sa quasi-totalité et peut être étudiée à partir des éléments qui sont parvenus jusqu'à nous.

La première « Prognostication », celle qui a été écrite en 1554 pour 1555 (Fiche 1) commence par un quatrain intitulé : « Présage en general. » C'est la première fois que l'auteur utilise ce titre pour un quatrain, déclarant ainsi que c'est par lui que commence son œuvre, et la rédaction confirme elle aussi, ce fait. Nous avons également la déclaration de Chavigny qui, en reproduisant ce quatrain dans la bibliographie du prophète, dit textuellement : « Se mist a escrire ses Centuries, et autres présages commençant ainsi :

D'Esprit Divin l'ame presage atteinte
Trouble, famine, peste, guerres courir,
Eaux, siccitez, terre et mer de sang teinte
Paix, tresve, à naistre, Prelats, Princes mourir. »

Il s'agit évidemment d'une introduction apparente à l'œuvre prophétique, et pas seulement aux Présages. Ce fait confirme notre opinion selon laquelle il n'y a pas eu de Présages publiés antérieurement à 1555.

Chavigny cite, en outre, un quatrain extraordinaire pour 1555, qui ne figure pas dans l'édition que nous connaissons, sous le titre de « Epistre liminaire sur ladite année » :

La mer Tyrrhene, l'Ocean par la garde
Du grand Neptun & ses tridens soldats.
Provence seure par la main du grand Tende.
Plus Mars Narbon l'héroiq de Vilars.

Ce petit quatrain de louanges au Comte de Tende, protecteur de Nostradamus, bien dans le style de l'époque, avec de petites modifications dans l'ordre des paroles et dans leur orthographe que nous avons retrouvées dans les treize présages de 1555, reproduits par Chavigny, nous ont amené à la certitude de l'existence d'au moins une autre édition, que Chavigny a utilisée pour en faire le commentaire.

Il reste cependant une possibilité. Vingt-huit ans se sont écoulés depuis la mort de Nostradamus, et Chavigny est bien décidé à devenir le prophète de Henri IV, même aux dépens de son « maître vénéré ». Il peut donc avoir réalisé lui-même la totalité ou une partie de ces changements. Il peut aussi avoir rédigé lui-même le quatrain louangeur. Nous acceptons cette probabilité, car il n'est pas possible d'expliquer autrement pourquoi Nostradamus l'aurait confectionné avec une partie du quatrain II-59, ni pourquoi il ne l'a pas publié dans la première édition de la « Prognostication » que nous étudions, pour le publier dans une seconde édition. Les rapports que Nostradamus conserva, jusqu'à sa mort, avec le Comte de Tende rendent ce retard inexplicable.

De même que la première édition, en 1554, des vers de Nostradamus est précédée par un quatrain qui n'appartient pas à l'œuvre prophétique, le dernier de ses almanachs, qu'il laissa pratiquement terminé en 1566 et qui fut imprimé pour 1567 après sa mort, comporte un quatrain final. Les présages en prose sont restés inachevés, mais les treize quatrains de l'année sont complets. Ensuite, on trouve le quatrain extraordinaire qui s'intitule « La Fin de l'AN », qui signale apparemment la fin de l'œuvre et qui se réfère à son auteur :

La fin de L'AN
Un triste estat sera, toute stats & des sectes
Entre frères & sœurs inimitié, discorde,
Thresors & libertez, plus apparents les testes
Seicheresse l'Esté, mourir ceci à corde.
NON PLUS.
Mourir celuy qui ceci bien accorde.

Le Testament de Nostradamus nous autorise à ne pas tenir compte ni du quatrain de louanges, intitulé « liminaire », dans l'édition que Chavigny eut sous les yeux, ni de ce quatrain final.

Le nombre des quatrains à prendre en considération pour les premiers calculs est de 169, total des quatrains des Présages dans les treize Almanachs. Le contenu du quatrain final, et la date de la mort du prophète survenue en 1566, nous donnent l'assurance qu'aucun autre Présage ne fut publié, après ceux-ci qui sont pour 1567.

L'édition des Présages pour 1555 consultée par Chavigny n'est sans doute pas celle de Lyon, que nous connaissons, mais un Almanach imprimé à Paris ou en Avignon et qui a disparu. Il est très probable qu'il ait eu pour titre « Almanach pour 1555 » et que son format ait été 75 × 110 mm.

Le seul exemplaire connu de l'édition de Lyon se trouve dans notre bibliothèque. Réalisé par Jean Brotot sous le titre de « Prognostication Nouvelle... », il est d'un format plus grand : 107 × 155 mm. Les gravures sur bois sont de ce format, qui est également celui dans lequel furent imprimées les autres « Prognostications », sans vers, que nous connaissons. Tout cela donne raison à Buget. En étudiant l'Almanach pour 1563, celui-ci fait remarquer qu'on y parle de gravures qui ne se trouvent pas dans le texte. Il avance une hypothèse que nous considérons valable : les gravures étaient réalisées pour les éditions de Lyon, qui étaient les éditions principales, et dont le format était plus grand, et ne pouvaient être insérées dans les éditions à bon marché réalisées à Paris et en Avignon, dont le format est plus petit. Malheureusement, la seule publication annuelle contenant des vers prophétiques qui soit parvenue jusqu'à nous dans son édition principale en grand format, est celle que nous connaissons. Comme c'est le cas pour la première édition des Centuries réalisée par Macé Bonhomme, celle-ci est imprimée plus soigneusement et comporte des mots en majuscules, et les autres détails orthographiques et typographiques qu'on ne retrouve pas dans les éditions postérieures des Almanachs et qui sont autant de points de repère pour guider la mise en ordre définitive des quatrains prophétiques.

Pendant longtemps, nous avons cru que les changements étaient dus à Chavigny, et qu'il arrangeait ses citations en fonction de ses propres interprétations des Prophéties. Depuis, nous sommes arrivé à la conclusion que les versions de Chavigny peuvent être des copies fidèles d'éditions disparues, et que les variations qui apparaissent, aussi bien dans les Présages que dans les Centuries, sont dues à Nostradamus lui-même. Il faut donc les étudier et en tenir compte. Nous étudierons, pour chaque quatrain des treize années d'une part, le texte des éditions du XVIe siècle que nous connaissons, et le texte des Présages reproduits par Chavigny afin de déterminer quels sont les quatrains prophétiques qui ne nous sont pas parvenus.

Chavigny nous permet de comparer notre exemplaire pour 1555 avec les treize quatrains de l'édition qu'il étudie. Nous pouvons également les comparer avec une édition apocryphe en anglais, imprimée à Londres sous le titre : « An Almanach for Yere M. D. LXII » (Fiche 7), qui comprend la traduction de dix quatrains de Nostradamus, pour 1555, les quatrains de janvier à octobre. Une autre édition apocryphe, en français, pour 1563 (Fiche 9), imprimée par le même Barbe Regnault, éditeur des « Prophéties 1560-1561 » et d'autres pronostics non rimés, comporte également cinq quatrains qui appartiennent à la « prognostication pour 1555 », pour les mois d'avril, juin, septembre, octobre et décembre. L'exemplaire de l'édition anglaise se trouve à la Folger Shakespeare Library de Washington, et on n'en connaît aucun autre. L'exemplaire, unique lui aussi, de l'édition française apocryphe pour 1563, se trouve à la bibliothèque de Lille, sous la cote S 1398.

Les treize premiers Présages sont, donc, ceux au sujet desquels nous disposons de la plus vaste documentation : l'édition authentique, dans son grand format, une copie complète, réalisée par Chavigny à partir d'une autre édition de l'époque, aujourd'hui disparue, et deux éditions apocryphes, l'une en anglais, l'autre en français, qui reproduisent quelques quatrains. Les variantes qui apparaissent entre les différentes éditions des quatrains sont, pour la plupart, dues à des erreurs de l'imprimeur ou au désir des éditeurs de rendre le texte nostradamique plus clair. La seule variante dont nous devons tenir compte est celle qui porte sur le nom de Grande Horloge Erain, que Chavigny intitule Airain. L'airain ou bronze, alliage à base de cuivre, est le métal de la cloche qui ordonne les heures.

C'est exactement le contraire qui se produit en ce qui concerne les treize Présages pour 1556 (Fiche 1 A). Une phrase de Nostradamus dans la dédicace à Henri II des « Présages Merveilleux pour l'an 1557 » (Fiche 2) nous permet de croire qu'il y a effectivement eu un Almanach ou Prognostication pour cette année-là. Nostradamus dit textuellement dans cette dédicace, datée du 13 janvier 1556 : « Éstant retourné de voustre court, o serenissime et invictissime roy... et à cause que lannée passée l'air nestait en telle serenité ne les astres disposez, ne me font possible *si amplement* specifier les faicts et predictions futures de l'an mil cinq cens cinquante et six, me sentant aussi presque du tout esblouy comme du ciel frappé d'avoir est veu et touche et parle au premier monarche de ce monde... »

Cette déclaration fixe avec la plus grande exactitude la date de la visite de Nostradamus à la cour de Henri, Second, et de Catherine de Médicis, en 1555, et non en 1556. Cette phrase confirme une autre déclaration de l'auteur, dans sa longue lettre à « Henry, Roy de France, Second », datée de juin 1558 dans laquelle il affirme qu'à cette date, son œuvre comprend déjà mille quatrains. Il dit exactement : « parachevant la milliade » et pour que ce nombre soit exact, il faut que les quatrains Présages pour 1556 aient déjà été publiés. Malheureusement, aucun des treize Présages pour 1556 n'est parvenu jusqu'à nous.

Une Prognostication ou un Almanach pour 1557, avec douze ou treize Présages était entre les mains de Chavigny qui commenta et reproduisit neuf d'entre eux, ceux qui correspondent aux mois de janvier, mai et les suivants jusqu'en décembre. Nous possédons le seul exemplaire connu de l'Almanach, imprimé à Paris par Jacques Kerver, qui comporte seulement douze quatrains, ceux de janvier à décembre, mais qui ne porte pas à son frontispice, le quatrain de l'année. Une traduction en italien de notre almanach, imprimé à Milan par Innocentio Cicognera et dont il existe un seul exemplaire connu, se trouve à la bibliothèque Ambroisiene de cette ville (Fiche

3). Elle comporte douze présages, en omettant le même présage, qui est celui de l'année. L'Almanach apocryphe pour 1563, imprimé par Barbe Regnault, dont nous avons déjà parlé, inclut quelques-uns des Présages pour 1557 : ceux de mars, août et octobre et deux vers du présage de décembre, mais aucune version du Présage concernant l'année 1557. En ce qui concerne les douze autres, nous sommes bien documenté, non seulement grâce à l'édition que nous possédons et à la traduction italienne qui la reproduit, mais aussi par les reproductions de Chavigny, empruntées à une édition différente, qui présente de légères variantes.

Sur les treize quatrains de 1558, dix seulement nous sont parvenus grâce au commentaire qu'en fait Chavigny. Nous ne connaissons pas le quatrain de l'année, mais deux, ceux de février et septembre, ont été découverts par l'abbé Rigaux qui possédait certainement dans sa bibliothèque un exemplaire de l'Almanach original que nous ne sommes pas parvenu à retrouver.

Les treize Présages pour 1559 sont reproduits et commentés par Chavigny. Nous les connaissons car nous possédons une traduction anglaise de l'époque : « An almanach fore the yere of your God, 1559. » (Fiche 4). L'exemplaire unique de cette édition se trouve à la bibliothèque de San Marino en Californie. Cette édition anglaise faite par Lucas Haryson ne reproduit pas la date du faciebat. Mais l'édition en anglais, « The prognostication of Master Michael Nostradamus » – Antwerpiae 1559 – prognostication en 96 pages, sans Présages pour 1559, dont un exemplaire se trouve au British Museum, dit : « Faciebat Michael Nostradamus Salonae Petre Provinciae. 17; aprilis 1558. » D'après Bosanquet dans *English Printed Almanachs*, il s'agit « probably one of the pirated editions printed in London and not in Antwerp ». Nous avons déjà donné la liste des dates des autres faciebat et dédicaces, pour démontrer que Nostradamus terminait ses publications annuelles avec des vers, dans la première moitié de l'année antérieure à celle pour laquelle est censée agir la prévision.

Sur les treize Présages pour 1560, Chavigny n'en reproduit et commente que onze, correspondant à 11 mois. L'édition originale, dont nous possédons le seul exemplaire connu, « Almanach pour l'An 1560 », Paris, Guillaume Lenoir (Fiche 5), reproduit les Présages pour les douze mois, mais ne porte pas en frontispice le quatrain de l'année. Nous pouvons donc étudier et comparer douze Présages, mais le quatrain pour l'année 1560 n'est pas parvenu jusqu'à nous. il devait probablement orner le frontispice de l'édition de Lyon, aujourd'hui perdue.

Nous nous sommes déjà occupé des Présages pour 1561 en étudiant l'édition : « Les Prophéties de 1560-61 par Barbe Regnault ». Chavigny reproduit et commente le quatrain de l'année et sept de ceux qui correspondent aux mois. Dans l'édition des Prophéties sont reproduits onze Présages mensuels dont quatre ne se trouvent donc pas dans Chavigny : il s'agit des quatrains correspondant aux mois de février, septembre, novembre et décembre. Le présage correspondant au mois de janvier 1561 ne nous est pas parvenu.

Les treize Présages pour 1562 sont reproduits et commentés par Chavigny et se trouvent tous dans l'édition dont nous possédons le seul exemplaire connu : « Almanach Nouveau pour l'An 1562 », Paris, Guillaume Lenoir et Iehan Bonsons (Fiche 6). C'est ce qui nous a permis d'établir une comparaison entre les deux versions de tous les présages de cette année-là.

Les treize Présages pour 1563 se trouvent également au complet dans Chavigny et dans l'édition de l' « Almanach pour l'An MDLXIII », imprimé en Avignon par Pierre Roux. Édition dont l'exemplaire unique se trouve à la bibliothèque du musée Paul Arbaud d'Aix-en-Provence. (Fiche 8). Ce petit livre a appartenu à Buget qui en fit une étude complète dans son « Étude sur les Prophéties de Nostradamus », publiée par *le Bulletin du Bibliophile* pendant les années 1860 à 1863. Il appartint ensuite à l'abbé Rigaux et fut reproduit en 1905 par Henri Douchet, dans une édition limitée, soigneusement typographiée, et avec des frontispices en fac-similé.

Les Présages pour 1564 se trouvent complets dans Chavigny mais nous n'avons eu connaissance d'aucune édition de l'époque qui nous permette d'établir une comparaison.

Les Présages pour 1565 se présentent au complet dans *La Première Face du Janus François*, de Chavigny, et il est possible d'établir une comparaison puisqu'il existe un exemplaire de l'édition de l' « Almanach pour l'an MDLXV », à Lyon par Benoist Odo, que nous avons découvert à la bibliothèque de Pérouse, sous le sigle II.38.6. (Fiche 10).

Les Présages pour 1566 ne sont pas complets chez Chavigny qui a omis le Présage de décembre. Il existe, à la bibliothèque de Naples, un exemplaire de l'édition de l' « Almanach pour l'an 1566 », à Lyon, par Anthoine Volant et Pierre Brotot (Fiche 11), ce qui nous a permis d'établir une comparaison avec les douze quatrains reproduits par Chavigny et de compléter ces derniers avec le quatrain du mois de décembre.

C'est la même chose en ce qui concerne les Présages pour 1567. Chavigny en reproduit et commente douze et omet le mois de décembre et le quatrain extraordinaire, « la fin de l'An », dont nous nous sommes déjà occupé. Il existe un exemplaire de l' « Almanach pour l'An MDLXVII », Lyon, Benoist Odo, ayant appartenu à l'abbé Rigaux et dont Henri Douchet réalisa une copie typographique très soignée en 1904. Nous possédons un exemplaire de cette copie (Fiche 12). Les frontispices sont des reproductions photographiques des originaux. Nous avons pu établir une comparaison entre cette édition et les quatrains que cite Chavigny, en les complétant avec le Présage correspondant au mois de décembre. Cet Almanach se compose de trois parties dont chacune contient les Présages, ce qui permet, en corrigeant les trois versions, d'éliminer les erreurs typographiques. Nous ne savons pas dans quelle bibliothèque privée se trouve actuellement ce petit livre, qui a été, par alleurs, traduit en italien et édité en 1566 à Monte Regale. Un exemplaire de cette traduction se trouve à la bibliothèque de Cracovie, Mathesis n° 1397. (Fiche 13).

En résumé, nous pensons qu'il faut considérer comme définitivement perdue la « Grande Prognostication pour 1556 », qui contient treize quatrains prophétiques, ainsi que les quatrains correspondant aux années 1557, 1558 et 1560, et le quatrain de janvier 1561. Soit un total de 17 quatrains dont nous ne connaissons pas le texte, mais que nous pouvons situer par rapport à l'ensemble de l'œuvre prophétique, puisque nous connaissons l'ordre de celle-ci en fonction des mois et des années. De plus, comme quatre de ces dix-sept quatrains correspondent aux années 1556, 1557, 1558 et 1560, et comme nous avons démontré que ces quatrains-là ne font pas partie de l'œuvre prophétique, c'est seulement treize quatrains de celle-ci que nous ignorons.

Par contre, nous possédons le texte de 152 quatrains que, dans la plupart des cas, nous pouvons comparer dans deux publications différentes du XVIe siècle, ou davantage.

Exception faite des deux réimpressions exécutées par Douchet au XXe siècle, les treize publications annuelles à travers lesquelles Nostradamus nous a légué cent quarante-neuf Présages, qui sont partie intégrante de son œuvre prophétique, n'ont fait l'objet d'aucune réédition après la mort du prophète. Seuls, cent quarante de ces Présages, accompagnés du quatrain de louanges de 1555, sont inclus, dans un chapitre à part, dans les éditions des Centuries, de 1643 à nos jours. Ces cent quarante et un quatrains ont été repris de *La Première Face du Janus François*, Lyon, par les héritiers de Pierre Roussin, 1594, œuvre de Jean Aymé de Chavigny, beaunois, premier biographe et commentateur de Nostradamus. (Fiche 15.) Nous retenons la date de 1643 comme date limite des éditions apocryphes publiées pendant le règne de Louis XIII. C'est dans ces éditions que firent, pour la première fois, leur apparition, ceux des Présages qui ont continué, par la suite, à être édités avec les Centuries.

Les exemplaires des Prognostications et des Almanachs édités à Lyon, à Paris et en Avignon pendant la vie de Nostradamus disparurent rapidement. Déjà, en 1594, Chavigny ne s'occupe plus des quatrains de 1556 : il y a tout lieu de penser que c'est parce qu'il n'existait plus aucun exemplaire des Présages pour cette année-là. Malheureusement, Chavigny n'a pas cité tous les quatrains des douze Almanachs ou Prognostications qu'il a eu sous les yeux.

Henri Douchet a réédité, pendant les premières années de ce siècle, les Almanachs pour 1563 et 1567, dont nous nous sommes déjà occupé. Ils constituent, avec les deux Almanachs pour 1565 et

1566 que nous avons découvert dans les bibliothèques de Pérouse et de Naples, les Almanachs de 1557, 1560 et 1562 et la « Prognostication pour 1555 », qui se trouvent dans notre bibliothèque, les huit uniques éditions authentiques, qui nous sont parvenues, de ces treize petits livres dans lesquels les 169 Présages furent insérés pour leur publication entre 1555 et 1567 [1].

NOTE

1. Les quatrains des Présages non transcrits par Chavigny sont les suivants :

Almanach pour l'année	*Mois*	*Source*
1556	Janvier à décembre	Exemplaire disparu
1557	Février	Exemplaire se trouvant dans la bibliothèque de l'auteur (Fiche 2). *Sénat et peuple, n'est content chef délaisse* *La cité en arme, le palais on menace,* *Les exilés, des exilés ont dressé,* *Suyvant le lynx, la nuict mort sus la glace.*
	Mars	*Fort est a craindre celle expedition,* *Celebres morts fuitif est reprins :* *Ne sera, vaine, la grande esmotion,* *Point n'entrera, qui doutoit d'estre prins*
	Avril	*Fait desloyal, mis en mains d'ennemys,* *Prins, de nuit, entre, sort, sinistres intrudes* *Monstre, du grand conseil bon, l'enfant mis* *L'embusche a Siene, et aux Isles stecades.*
1558	Février	Communication de l'abbé Rigaux. Manuscrit se trouvant dans la bibliothèque de l'auteur. *Latins esmeux, Gallots dans Rome entrez* *Mars par trois pars fureur ouvrira veine* *Gennes a faim, ligueurs mal accoustrés* *Trembler l'Insubre, Nive et la demi-laine*
	Septembre	Communication de l'abbé Rigaux. Manuscrit se trouvant dans la bibliothèque de l'auteur. *Fait descouvert, prins captif, mer passer* *Paix non Paix, traité rompu, non mariage* *Camp cité neufve, mylayne, fort dresser* *La pointe et corne courra sus au forage.*

1560	Juin	Exemplaire se trouvant dans la bibliothèque de l'auteur (Fiche 5). *Feu viril chassé par la nouvelle flamme,* *A la parfin sera ce qu'il estoit* *Peur, hors du siege, en ioye la grand Dame* *Et non tenu tout ce qu'il prometoit.*
1561	Janvier Février Septembre Novembre Décembre	Exemplaire disparu; édition 1560-61, Paris, Barbe Regnault. Fiche n° 38. Voir reproduction dans le chapitre IV, des quatrains de février, septembre, novembre et décembre; janvier étant définitivement perdu.
1565	Décembre	Exemplaire se trouvant à la bibliothèque de Pérouse (Fiche 10). *Gellee, classe plus que concorde :* *Vesves matrones feu, deploration :* *deux esbats ioye, Mars citera discorde :* *Par mariages bonne expectation.*
1566	Décembre	Exemplaire se trouvant à la bibliothèque de Naples (Fiche 11). *Mars posera les armes : prestres non trop contens.* *Malheur surgens deglise tant du presche que messe :* *La Messe au sus sera. Dieu seul omnipotent.* *Appaisera le tout, mais non sans grand destresse.*
1567	Décembre	Reproduction typographique de Douchet (Fiche 12). *Enfans, freres & sœurs, amis thresor trouvé :* *Le ieune le Prélat, le Legat & voyage,* *La maladie, la femme aura prouvé* *Que pour la mort changera de visage.*

VI

LES QUATRAINS PROPHÉTIQUES DES CENTURIES DANS LES ÉDITIONS D'AVIGNON ET DANS LEURS REPRODUCTIONS

Les éditions d'Avignon ont paru parallèlement à celles de Lyon, avec un titre différent. Malheureusement, la totalité des exemplaires de ces éditions, publiées du vivant de Nostradamus, a disparu. Nous sommes obligé d'en chercher les traces dans des éditions très postérieures à leur première publication. C'est dans ces reproductions que nous avons trouvé le titre que portaient les deux plus anciennes de ces éditions d'Avignon : *Les Grandes et Merveilleuses Predictions de M. Michel Nostradamus.*

Ces éditions d'Avignon reproduisaient, avec des sous-titres et un titre différents, le même texte que celles de Lyon, avec, toutefois, de légères variations qui permettent de les distinguer et qui nous servent de guide, aussi bien pour établir l'existence de ces éditions que pour authentifier des quatrains ou des variantes des Centuries, qui ne se trouvent pas dans les éditions de Lyon.

Nous n'avons connaissance que de deux de ces éditions d'Avignon : celle de 1555 (Fiche 44), qui doublait l'édition de Lyon réalisée par Macé Bonhomme, et celle de 1556 (Fiche 45), parallèle à l'édition réalisée à Lyon par Sixte Denise. Nous pouvons attribuer la première de ces éditions à Bartholomé Bonhomme ou à son successeur, Pierre Roux. Baudrier nous fait connaître, dans la dixième série, page 246, une nouvelle très importante qui concerne l'édition de Macé Bonhomme : « C'est sur la base de cette édition qu'a été faite celle d'Avignon 1555, petite in-8°. » Nous ne connaissons pas la date exacte à laquelle Bartholomé Bonhomme céda son affaire d'imprimerie à Pierre Roux, en Avignon. D'après Lioni, c'est en 1557.

L'existence de la seconde édition d'Avignon, attribuée depuis 1590 à Pierre Roux, est prouvée bibliographiquement. Cette édition a pu être réalisée en 1557, mais nous nous inclinons à donner 1556 comme date de l'édition et du changement de propriétaire de l'imprimerie. Les éditions du XVIIe siècle la citent, en la datant, de 1556.

Les variations subies par la lettre de Dédicace au Roi, publiée dans l'édition de Lyon de 1558, tant dans le titre que dans le texte, nous obligent à accepter l'existence d'une troisième édition, en Avignon, à cette date ou à une date postérieure. Nous ne possédons pas la moindre donnée bibliographique concernant cette édition (Fiche 46).

Nous connaissons quatre des éditions qui reproduisent ces deux premières éditions d'Avignon. Elles comportent la lettre de dédicace à César Nostredame, et les premières Centuries.

La première de ces éditions est réalisée par Raphaël du Petit Val, de Rouen, en 1588 (Fiche 47). Le seul exemplaire connu de cette édition figure dans notre bibliothèque. Elle reproduit la première édition d'Avignon, en 1555, nous apportant ainsi la preuve de l'existence de cette édition; elle nous apprend aussi l'extension de cette édition – la même que celle que Macé Bonhomme a réalisée à Lyon – et son titre, qui est différent, ainsi que le sous-titre. Ce dernier se répète, identique, dans les quatre éditions que nous étudions.

La seconde est aussi l'œuvre de Raphaël du Petit Val (Fiche 48). Elle a été imprimée en 1589, avec le même titre et le même sous-titre que la première. Elle porte un deuxième sous-titre, qui reproduit celui de l'édition d'Antoine de Rosne (Lyon, 1557) : « dont il y en a trois cens qui n'ont encores iamais esté imprimées ». Cette édition nous aurait fourni des renseignements importants sur les éditions d'Avignon dans les Sixième et Septième Centuries si, malheureusement, le seul exemplaire connu, qui se trouve dans notre bibliothèque, n'était pas incomplet. Son texte ne va que jusqu'au quatrain XCVI de la Sixième Centurie. Cette édition de Rouen nous permet de prouver l'existence de la deuxième des éditions d'Avignon, probablement datée de 1556, qui comportait sept Centuries et les mêmes titres et sous-titres.

La troisième date de 1590 et nous la devons à François de Saint Jaure (Fiche 49). Elle reproduit, mais à Anvers cette fois, la même deuxième édition d'Avignon que la copie précédente. Nous en connaissons un seul exemplaire qui se trouve actuellement à la bibliothèque de l'Arsenal. Elle porte le même titre et les mêmes sous-titres que la précédente et reproduit la lettre à César. Elle dit reproduire une édition de Pierre Roux, Avignon, 1555. Cette date ne nous semble pas exacte. En 1555, avaient été publiées seulement, et à Lyon, les quatre premières Centuries. La première édition à comporter sept Centuries est celle de Sixte Denise, en 1556, à Lyon. Cette édition de Sixte Denise fut reproduite, au cours de la même année ou pendant les premiers mois de 1557, par Pierre Roux, en Avignon. Par la suite, cette édition de Pierre Roux fut reproduite par Raphaël du Petit Val, de Rouen, en 1589, et par François de Saint Jaure, d'Anvers, en 1590.

La quatrième et dernière de ces éditions d'Avignon, et dont le seul exemplaire connu se trouve dans notre bibliothèque, a été réalisée à Rouen par Pierre Valentin (Fiche 50), très probablement en 1611, date que porte la « permission ». Il s'agit également d'une copie de la deuxième des éditions d'Avignon, de Pierre Roux, ou le Roux, nom sous lequel il figure dans cette édition. Valentin a ajouté à l'envers du frontispice un quatrain de son invention. Il s'est également permis de modifier le titre et le sous-titre. « L'extrait des Registres de la Cour de Parlement », qu'il a lui-même inséré, après la lettre à César, nous autorise à l'affirmer. En effet le titre de sa publication est : « Les Centuries et les Merveilleuses Predictions de M. Michel Nostradamus », alors que la « permission » fait mention de : « Les Grandes et Merveilleuses Prédictions... », c'est-à-dire, du même titre que portaient les trois copies que nous avons étudiées précédemment. Les mots ajoutés au sous-titre : « contenant sept Centuries », doivent donc être également de l'invention de l'imprimeur, de même que les changements à la fin et au début de la lettre à César, et la suppression de la date et de deux phrases à la fin de cette lettre, pour pouvoir insérer à la suite l' « Extrait des Registres de la Cour de Parlement » que nous avons mentionné. On doit aussi à l'imprimeur l'insertion, comme quatrain VI-100, du premier quatrain de la Septième Centurie; la suppression des quatrains 33 et 35 de cette même Septième Centurie, réduite ainsi à 32 quatrains dans le but de pouvoir terminer le livre au folio 56 et, enfin, la phrase finale : « Avec privilège dudit sieur », affirmation difficile à croire, puisque cinquante-cinq ans se sont écoulés depuis 1556, date de l'édition de Pierre Roux. L'éditeur ne nous donne pas la date de l'édition qu'il prétend copier et avant de nous faire part de son privilège très discutable, il imprime cette note : « Fin des Centuries et Merveilleuses Predictions de Maistre Michel Nostradamus, de nouveau reproduite à partir de l'ancienne édition, premièrement imprimée en Avignon, par Pierre le Roux, imprimeur du Legat. » Ainsi, il change jusqu'au nom de Pierre Roux! En réalité, Pierre Valentin reproduit l'édition de François de Saint Jaure qui fait aussi figurer dans son livre, en se référant à Pierre Roux : « avec privilège dudit sieur », et ce, trente-quatre ans après 1556.

L'existence des deux éditions d'Avignon imprimées en 1555 et en 1556 est donc prouvée. Nous pouvons être sûr des frontispices qu'elles portaient, de leurs titres et de leurs sous-titres; nous savons qu'en elles, la Sixième Centurie se terminait par le quatrain 99, qu'elles ne comportaient pas le quatrain en latin, et que la date de la lettre-préface à César, qui y figurait, est le 22 juin 1555, au lieu du 1er mars de cette même année dans les éditions de Lyon. Cette dernière donnée nous permet de considérer que l'édition des Centuries réalisée à Lyon par Macé Bonhome et terminée le 4 mai de cette même année est bien la première édition des Centuries.

Dans l'édition de Raphaël du Petit Val (Rouen, 1588), les quatrains ne sont pas séparés en Centuries. Les trois cent quarante-neuf quatrains sont précédés non seulement de l'en-tête : « Prophéties de Maistre Michel Nostradamus », mais encore par un autre titre, antérieur : « La Prophétie de Nostradamus. » Cette édition comporte 349 quatrains. L'éditeur voulant finir son livre dans cette même page supprima les quatrains 44, 45, 46 et 47 de la Quatrième Centurie. Dans les trois dernières éditions que nous étudions, chaque Centurie est précédée du sous-titre : « Prophéties de Maistre Michel Nostradamus. » Ces sous-titres nous permettront de retrouver la trace des éditions d'Avignon dans toutes les éditions du XVIIe siècle. En effet, les Centuries portent toutes, dans les éditions de Lyon, un en-tête plus simple : « Prophéties de M. Nostradamus. » Les modifications introduites dans le texte des préfaces, et du quatrain en latin, dont nous traiterons dans le prochain chapitre, nous aideront dans cette recherche.

La première édition de Lyon en 1555, au mois de mai, fut suivie par la première édition d'Avignon dans le courant de la même année, la preuve en étant le changement de la date de la préface : 22 juin 1555 en Avignon, au lieu du 1er mars 1555. La seconde édition de Lyon, celle de Sixte Denise, fut suivie, dans le courant de la même année 1556, de la seconde édition d'Avignon, comme en témoignent les faits bibliographiques que nous avons cités. Il est très probable que la troisième édition de Lyon ait été suivie, en 1558, d'une troisième édition en Avignon. Mais non seulement nous ne connaissons aucun exemplaire de cette édition, mais il ne nous a pas été permis de rencontrer une seule citation sérieuse qui nous permette d'accorder une réalité bibliographique à cette édition. Et pourtant, le frontispice de certaines éditions du XVIIe siècle, et surtout les deux versions de la préface dans laquelle, apparemment, Nostradamus dédie au Roi ses trois dernières Centuries, nous donnent la certitude que cette troisième édition d'Avignon a bien été imprimée. Nous avons déjà noté jusqu'à huit changements entre ce texte et celui de l'édition de Lyon, ce qui est une preuve de plus de l'existence de cette édition d'Avignon, qui les a reproduits.

Quatre des éditions du XVIIe siècle nous permettent d'assurer qu'une troisième édition a bien été réalisée en Avignon : celle de 1649, Rouen, Caillove, Viret et Besogne; 1650, Leyde, Pierre Leffen; 1667, Amsterdam, Daniel Winkeermans; et 1668, Amsterdam, Jean Jansson. Les éditions de Paris réalisées en 1668 par Jean Ribou et en 1669 par Pierre Promé disent : « iouxte la copie d'Amsterdam ». Ce qu'elles copient est, en réalité, l'édition de Jean Jansson. Nous nous baserons, pour nos conclusions, sur ces quatre éditions.

L'édition imprimée à Rouen en 1649, par Jacques Caillove, Jean Viret et Jacques Besogne (Fiche 78) est la première à présenter les nouveaux titres et sous-titres; elle porte un seul frontispice. Le titre, « Les vrayes Centuries de Me Michel Nostradamus » est repris et complété en tête de chaque Centurie : « Les Vrayes Centuries et Prophéties de Me Michel de Nostradamus. » C'est sous cette forme que nous le retrouvons dans les versions suivantes, de 1650, 1667 et 1668. Les sous-titres de ces trois éditions répètent ceux de la première : « Où se voit représenté tout ce qui s'est passé, tant en France, Espagne, Italie, Allemagne, Angleterre, qu'autres parties du monde. » Ce sous-titre se réfère à l'Italie et à l'Allemagne, élargissant ainsi celui que nous connaissons par les copies des sept premières Centuries, telles qu'elles étaient imprimées dans les éditions d'Avignon. Ce changement, et le nouveau titre de « Vrayes Centuries » ont certainement été inventés en 1649. Pierre Valentin, avait déjà en 1611, commencé à modifier l'ancien titre. Nous savons que c'est lui l'auteur du titre qu'il attribua à son édition : « Les Centuries et Merveilleuses Predictions »... parce que le privilège d'imprimer l'autorise à rééditer « Les Grandes et Merveilleuses prédictions... ». Au bout de trente-quatre ans, ce titre devait à son tour se transformer en : « Les vrayes Centuries... »

Un nouveau sous-titre nous donne l'assurance que ces éditions reproduisent bien les éditions d'Avignon et de Lyon : « Reveües et corrigées suivant les premières Éditions imprimées à Avignon en l'an 1556, & à Lyon en l'an 1558. » Avec la Vie de l'Auteur, l'édition de 1667 ajoute : « & des Observations sur ses Prophéties », observations qui occupent quatre pages de texte. L'édition de 1668 ne contient pas ces observations et n'ajoute que deux mots : « et autres » laissant ainsi, entendre que d'autres éditions ont également été consultées.

L'édition de Rouen contient : la vie de Nostradamus, selon Chavigny; les six premières Centuries complètes, avec le quatrain VI-100 fourni par Chavigny; le quatrain latin dans sa rédaction d'Avignon, et la Septième Centurie en quarante-deux quatrains. Nous faisons remarquer que, bien que reproduisant les éditions d'Avignon, elle ne contient pas les quatrains VII-43 et VII-44. A la suite des sept Centuries, elle comporte quatre quatrains dont nous avons démontré qu'ils appartiennent aux Présages. Vient ensuite la Huitième Centurie et, à sa suite, les six quatrains publiés dans un but politique auquel nous avons déjà fait allusion; puis les Centuries IX et X et le quatrain de Louanges, écrit pour Louis XIII et adjugé à Louis XIV, qui est inclus sans numéro sous le titre : « Adjousté depuis l'impression de 1568. » Après la Dixième Centurie, on trouve encore les quatrains écartés par Nostradamus et publiés par Chavigny : deux quatrains faisant figure de Centurie XI et onze quatrains figurant comme Centurie XII, numérotage arbitraire. A la suite des Centuries se trouvent les cent quarante et un Présages commentés par Chavigny et les cinquante-huit sextains faussement attribués à Nostradamus. Cette édition ne contient pas les préfaces.

L'édition de Leffen (Fiche 79) répète le texte de l'édition antérieure. Seule différence : la Septième Centurie, qui présente quarante-quatre quatrains.

L'édition de Winkeermans (Fiche 80) reproduit le texte de l'édition antérieure en y ajoutant la première préface ou Dédicace à César, qu'elle reprend d'une édition de Lyon, les quatre pages d'observations à propos des prophéties et la seconde préface avec la dédicace au Roi. Cette édition emprunte donc à la fois aux éditions de Lyon et d'Avignon.

L'édition de Jean Jansson (Fiche 81), Amsterdam 1668, reproduit le texte de l'édition antérieure en supprimant les observations à propos des prophéties, et la première préface, de dédicace à César. Elle y ajoute un « Avertissment au Lecteur » et un portrait de Nostradamus. Nous avons complété notre étude bibliographique de cette édition par une étude des différentes éditions réalisées au cours des années précédentes et suivantes par les imprimeurs Jean Jansson, Elizee Weyerstraet et, après sa mort, par sa veuve. Nous pouvons assurer que tout ce qui a été dit par Piobb au sujet de cette édition n'est que pure fantaisie. La seule chose qui donne à cette édition un intérêt exceptionnel est le fait qu'elle copie assez fidèlement une édition d'Avignon, plus particulièrement en ce qui concerne le texte de la dédicace des trois dernières Centuries. Elle ne contient pas la première préface mais c'est sans grande importance pour notre étude puisque nous possédons d'autres copies de ces premières éditions d'Avignon qui la contiennent. Par contre, elle reproduit fidèlement le texte de la seconde préface tel qu'il était publié dans les éditions d'Avignon; toutes les autres éditions que nous avons consultées, y compris celles qui, postérieures à celle-ci, ne copient pas celle de 1668, mélangent les textes de Lyon et d'Avignon de telle sorte qu'il n'est plus possible d'en établir la provenance, même en observant les premiers mots de la dédicace au Roi.

Sans la perte de ces trois premières éditions d'Avignon, ou au moins des deux dernières, celles de 1556 et 1558, et des cinq Almanachs contenant des vers prophétiques pour 1556, 1558, 1559, 1561 et 1564, notre bibliographie aurait pu se terminer un siècle plus tôt, en 1568. Il a été nécessaire de l'étendre sur cent ans de plus, jusqu'en 1668, et les faiblesses que cette étude présente encore, ne pourront être surmontées qu'avec la contribution de tous les bibliophiles, de tous les bibliothécaires et de tous les libraires de France.

VII

LES DEUX VERSIONS DONNÉES PAR NOSTRADAMUS DU QUATRAIN EN LATIN ET DES DEUX PRÉFACES OU DÉDICACES QUI COMPLÈTENT L'ŒUVRE

Nous reproduisons ci-dessous, et sans commentaire, le quatrain en latin dans ses deux versions; toutes les éditions de Lyon reproduisent invariablement la première; la seconde se retrouve dans toutes les éditions qui reproduisent les éditions d'Avignon. Les différences entre les deux textes peuvent sembler de simples erreurs. Pourtant, chacune des deux versions a son importance et sa signification :

Éditions de Lyon

Legis Cantio contra ineptos criticos.
Quos legent hosce versus maturè censunto,
Profanum vulgus, & inscium ne attrectato :
Omnesque; Astrologi Blenni, Barbari procul sunto,
Qui aliter facit, is ritè, sacer esto.

Éditions d'Avignon

Legis Cautio contra ineptos criticos.
Qui legent hosce versus, maturé censunto :
Prophanum vulgus & inscium ne attrectato :
Omnesque Astrologi, Blenni, Barbari, procul sunto,
Qui aliter facit, is rité sacer esto.

Certaines éditions d'Avignon portent, au lieu de « is rité », « irrite ». La rédaction de Piobb est la suivante : « Qui aliter facitis rité Sacer esto ». Ces deux variantes attribueraient six mots à chacun des quatre vers latins, donnant ainsi raison à ceux des commentateurs qui pensent que les quatrains doivent, dans leur totalité ou en partie, être traduits en vers latins de six mots.

En ce cas, les nombres de l'œuvre seraient très significatifs, puisqu'ils correspondraient aux nombres de secteurs de l'écliptique dans sa projection circulaire :

Nombre de quatrains	1 080 =	1/2 période zodiacale.
Nombre de vers	4 320 =	2 périodes zodiacales.
Nombre de mots	25 920 =	1 tour de l'écliptique ou 12 périodes zodiacales.

Mais la technique de Nostradamus de répéter plusieurs fois certains mots, certains nombres et certaines dates importants produit deux versions différentes. Il ne s'agit pas pour nous de choisir entre l'une et l'autre : les deux sont de l'auteur et chacune répond à une finalité.

Nous reproduisons également, ci-après, les variations des deux préfaces : la dédicace des sept premières Centuries, à César, fils de Nostradamus; la dédicace des trois dernières Centuries, à Henry, Roy de France, Second.

Nous avons précédemment établi la division de l'œuvre de Nostradamus en trois parties, divisions qui est restée longtemps cachée sous la fausse division en trois parties des Centuries et par l'oubli des Présages.

La première partie de l'œuvre comprend les deux premières parties des Centuries. La dédicace « au César » ne peut, en aucun cas, s'adresser au fils de Nostradamus, qui n'avait alors pas encore atteint ses quinze mois. Tout comme celle de Jean Trithème, elle s'adresse au véritable « fils » de Nostradamus, le César du siècle prochain.

La seconde partie, les Présages, est plus particulièrement consacrée à la cryptographie.

La troisième partie de l'œuvre, les trois dernières Centuries, est dédiée à « Henry, roy de France, Second », c'est-à-dire au Monarque du XXIe siècle, elle aussi.

Ce personnage qui entreprendra ses activités entre 2047 et 2057 sera la gloire de son siècle. Il est très possible qu'on ne doive pas donner au mot gloire le sens que lui accordent la plupart des gens. S'il naît à la date prophétisée, il aura atteint quatre-vingts ans au moment de la catastrophe que Nostradamus prédit.

Nous citons, ci-dessous les variations entre les deux versions des deux préfaces, en éliminant les changements qui sont dus à des erreurs de typographie. Ces variations sont au nombre de six dans la première préface et de huit dans la deuxième. Elles sont de deux sortes. Les unes permettent deux interprétations différentes, en ce cas elles complètent la pensée de l'auteur ou fournissent une réponse devant une possible intervention du Saint Office. Les autres consistent en des dates et des nombres qui, publiés en deux versions, permettent d'utiliser les deux versions pour l'élaboration des multiples problèmes cryptographiques introduits par le prophète. Les deux versions contribuent aussi au but le plus important : ôter toute apparence d'importance à l'auteur et à son œuvre, afin que l'un et l'autre puissent accomplir leur destin.

VARIATIONS IMPORTANTES

LYON Édition de 1555, Macé Bonhomme.	AVIGNON Édition de 1588, Petit Val.
Lettre à César	
1. Page 1, ligne 10 : « ce que la Divine essence par astronomiques révolutions m'*ont* donné cognoissance... »	1. Page 1, ligne 9 : « ce que la divine essence par astronomiques révolutions m'*a* donné coignoissance... »
2. Page 2, ligne 23 : « adventures de accelere promptitude *prononces*... »	2. Page 2, ligne 8 : « adventures de acceleree promptitude *prenoncees*... »
3. Page 3, ligne 13 : « nec mittatis *margaritas* ante porcos... »	3. Page 2, ligne 21 : « nec mittatis *uniones* ante porcos... »
4. Page 9, ligne 21 : « d'icy à l'*année 3797*... »	4. Page 7, ligne 16 : « d'icy à l'*an 3767*... »
5. Page 13, ligne 19 : « que par *diurne* certitude prophétise... »	5. Page 10, ligne 19 : « que par *divine* certitude prophétise... »
6. Page 14, fin. « De Salon, ce *1 de mars* 1555 »	6. Page 11, fin. « De Salon, le *vingt-deuxiesme jour de Iuin*, Mil cinq cens cinquante cinq »

LYON Édition de 1568, Benoist Rigaud.	AVIGNON Édition de 1668, Jan Jeansson.

Lettre à Henri II

1. Page 3, titre : « Henry *Roy de France second* (favorable) »	1. Page 1, titre : « *Henry Second,* Roy de France... »
2. Page 5, ligne 12 : « qui est le 14 de *Mars 1557* »	2. Page 2, ligne 34 : « qui est le 14. de *Mars 1547* »
3. Page 7, ligne 2 : « la correction du plus *sain* iugement... »	3. Page 4, ligne 1 : « La correction du plus *saint* jugement... »
4. Page 10, ligne 27 : « dans la *Atile & Zerfes*... »	4. Page 6, ligne 27 : « dans la *Arda & Zerfas*... »
5. Page 10, ligne 29 : « procedant du *48.degrez*... »	5. Page 6, ligne 29 : « procedant du *24.degré*... »
6. Page 13, ligne 19 : « naistre le plus grand *Dog & Doham* »	6. Page 8, ligne 24 : « naistre le plus grand *Gog & Magoh* »
7. Page 17, ligne 15 : « *25.* d'Aoust... »	7. Page 11, ligne 8 : « *15.* d'Aoust... »
8. Page 20, ligne 15 : « la seduction *apostatique* »	8. Page 13, ligne 13 : « la séduction *Apostolique*... »

MICHAËL NOSTRADAMVS REGIVS CONSILIARIVS ET MEDICVS ANNVM AGENS LXII. CLARISSIMVS
Lud. David delineavit et Sculpsit.
Pinxit Filius Ejus
Auenione. 1716
D. O. M.
CLARISSIMI OSSA MICHAËLIS NOSTRADAMI, VNIVS OMNIVM MORTALIVM IVDICIO DIGNI CVIVS PENE DIVINO CALAMO TOTIVS ORBIS EX ASTRORVM IN FLVXV FVTVRI EVENTVS CONSCRIBERENTVR; VIXIT ANNOS LXII. MENSES VI. DIES XVII. OBIIT SALLONE ANNO MDLXVI. QVIETEM POSTERI NE INVIDETE. ANNA PONTIA GEMELLA SALLONIA CONIVGI OPT. V. FELICIT.
Icy Reposent les Os de Lillustre Michel Nostradamus, de qui la Divine Plume fût Seule au Sentiment de tous Jugée digne Descrire Selon la direction des Astres Tous les Euenemens qui Arriueront Sur la Terre. il a vécu 62 Ans 6 mois 17 Jours, il Mourut à Sallon le 2 Juillet 1566. Posterité ne luy enviez pas Son repos. Anne ponce Gemelle Sou haite à Son Epoux la Veritable felicité.

LES

PROPHETIES DE M. MICHEL NOSTRADAMVS.

A LYON,

Chés Macé Bonhomme.

M. D. LV.

La permission est inserée à la page suiuante.

AVEC PRIVILEGE.

PROGNOSTICATION

nouuelle, & prediction portenteuſe, pour Lan M. D. LV.

Compoſee par maiſtre Michel Noſtradamus, docteur en medicine, de Salon de Craux en Prouence, nommee par Ammianus Marcelinus SALVVIVM.

Dicata Heroico præſuli D. IOSEPHO des Panißes, Caualißenſi præpoſito.

A Lyon, par Iean Brotot.

ALMANACH POVR L'AN M. D. LXVI.

auec ſes amples ſignifications & explications, composé par Maiſtre Michel de Noſtradame Docteur en medicine, Conſeiller ET Medecin ordinaire du Roy, de Salon de Craux en Prouence.

A LYON.

Par Anthoine Volant, & Pierre Brotot.

LES PRESAGES MERVEILLEVX

pour lan. 1557. Dediés au Roy treschrestien, Henri deuxiesme de ce nom,

Composez par maistre Michel Nostradamus, Docteur en medecine de Salõ de Craux en Prouence.

Contre ceulx qui tant de foys m'ont fait mort.

Immortalis ero viuus, moriẽsq; magisq;
Post mortẽ nomẽ viuet in orbe meum.

A PARIS,
Par Iaques Keruer, rue S. Iaques aux deux Cochetz.
1557.
Auec priuilege du Roy.

LES GRANDES
ET MERVEILLEV-
SES PREDICTIONS DE M.
MICHEL NOSTRADAMVS
diuisees en quatre Centuries.

Esquelles se voit representé vne partie de ce qui se passe en ce temps, tant en France, Espaigne, Angleterre, que autres parties du monde.

A ROVEN,
Chez RAPHAEL DV PETIT VAL,
deuant la grand' porte du Palais.
1588.

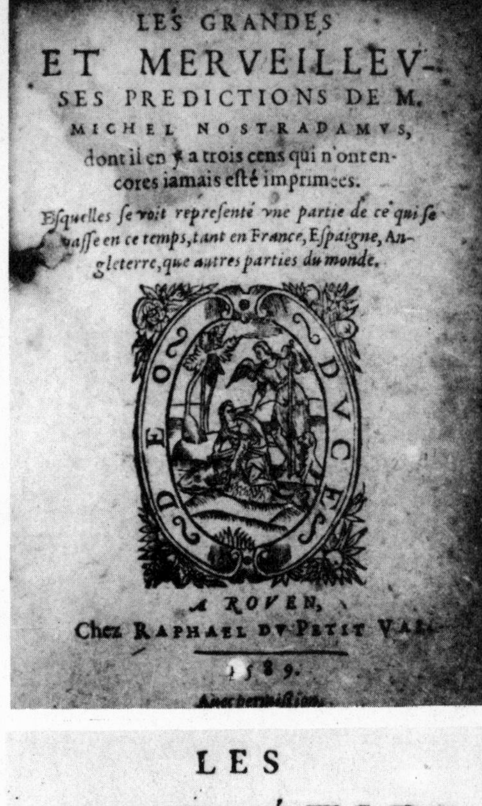

LES GRANDES
ET MERVEILLEV-
SES PREDICTIONS DE M.
MICHEL NOSTRADAMVS,
dont il en y a trois cens qui n'ont encores iamais esté imprimees.

Esquelles se voit representé vne partie de ce qui se passe en ce temps, tant en France, Espaigne, Angleterre, que autres parties du monde.

A ROVEN,
Chez RAPHAEL DV PETIT VAL.
1589.
Auec permission.

LES
PROPHETIES
DE M. MICHEL
NOSTRADAMUS
Dont il y en a trois qui n'ont jamais été imprimées. Ajoûtées de nouveau par l'Auteur.

Imprimées par les soins du Fr. JEAN VALLIER du Convent de Salon des Mineurs Conventuels de saint François.

Nouvelle Edition.

Imprimé à Lyon & ce vandent

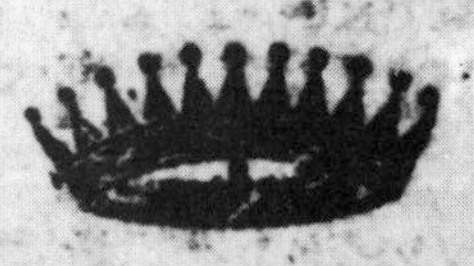

A AVIGNON.

Chez FRANÇOIS JOSEPH [illegible]
[illegible]

LES
PROPHÉTIES
DE M. MICHEL
NOSTRADAMUS,

Nouvelle Édition imprimée d'après la copie de la premiere édition faite sous les yeux de César Nostradame son fils en 1568.

DIVISÉES EN DIX CENTURIES.

A AVIGNON,
Chez TOUSSAINT DOMERGUE, Imprimeur Libraire, près le College.

M. DCC. LXXII.

PREFACE

DE M. MICHEL NOSTRADAMVS

à ses Propheties.

Ad Cæsarem Nostradamum filium

VIE ET FELICITÉ.

ON TARD aduenement CESAR NOSTRADAME mon filz, m'a faict mettre mon long temps par continuelles vigilations nocturnes reserer par escript, toy delaisser memoire, apres la corporelle extinction de ton progeniteur, au commun profit des humains de ce que la Diuine essence par Astronomiques reuolutions m'ont donne congnoissance. Et depuis qu'il a pleu au Dieu immortel

AV TRESINVINcible, & trespuissant Roy, Henry, second de ce nom, Michel de Nostradame souhaite victoire & felicité.

Stant retourné de vostre court ô Serenissime & inuictissime roy non sans ample remuneration de vostre maiesté, & puis retourné a m solitaire estude, me cõfiant de vostre bonté immense, non moins Imperialle que Royalle: laquelle ma faict prendre ceste licencieuse audace vous consacrer les presages de lan mil cinq cens cinquante & sept, & a cause que lannee passee l'air nestoit en telle serenité ne les astres disposez, ne me fut possible si amplement specifier les faictz & predictions futures de lan cinq cens cinquante & six, me jettãt aussi presque du tout esblouy, comme du Ciel frappé dauoir esté veu & touché, & parle au premier monarche de ce monde, au premier Roy des Roys, au bras dextre de toute la chrestienté & a ses armoyz considerant de quelle heureuse feli-

A L'INVICTISSIME,

TRES-PVISSANT, ET tres-chrestien Henry Roy de France second; Michel Nostradamus son tres-humble, & tres-obeissant serui-teur. & subiect, victoire & felicité.

POVR icelle souueraine obseruation que i'ay eu, ô tres Chrestien & tres victorieux Roy, depuis que ma face estant long temps obnubilee se presente au deuant de la deité de vostre maiesté immesuree, depuis en ça i'ay esté perpetuellement esblouy, ne desistant de honorer & dignement venerer iceluy iour que premierement deuant icelle ie me presentay, comme à vne singuliere maiesté tant humaine. Or cherchant quelque occasion par laquelle ie peusse manifester le bon cœur & franc courage que moyennant iceluy mon pouuoir eusse faict ample extension de cognoissance enuers vostre serenissime maiesté. Or voyant que par effects le declairer ne m'estoit possible, ioint auec mon singulier desir de ma tant longue obtenebratiõ & obscurité, estre subitement esclarcie & trans-

PREDICTION DE NRADAMVS,

AV ROY HENRI IV.

1609. 14 octob.

Le Roy, souppant un soir chez Zamet, avec la Reine, mad.e de Guerceville, M.r le Duc d'Esguillon, m.r d'Esdiguieres, Bassompiere &c.

Sur le discours qui fut meu, de la prediction qui avoit esté faicte à la Reine en Italie du Royaulme de France.

S. M.té protesta de se ressouvenir tresbien, que lors du voyage du feu Roy Charles IX en Provence, en passant par Sallon de Crau Nostradamus voulut voir led. Roy, et Henry monsieur son frere. ausquels il predit le Royaulme &c.

Et demanda de voir aussy le Roy de Navarre, Et de le voir tout nud. Ce qui luy fut accordé par son gouverneur, mais luy n'y vouloit jamais consentir, (dit il.) d'aprehension, d'estre foitté, par ce vieillard, qui portoit une longue barbe blanche fort venerable.

Enfin, il s'y resolut, Et aprez avoir esté diligemment consideré de tous costez, par led. Nostradamus. Il se souvient tresbien dict il, que le viellard, luy predict, qu'aprez plusieurs traverses il seroit enfin Roy de France, et regneroit long temps.

M.rs du Puget de Clapiers, et m.r Sigalas estoient presents à ce discours. Et exposoient leur depputation de la Ville, touchant l'entreprinse de Gien.

Prediction de Mr Michel Nostradamus pour l'autre
le siecle de l'an 1600 presenté au Roy Henry 4e au
Commencement de l'année par Vincent Seve Beaucaire
de Languedoc

1
Siecle nouveau, alliance nouvelle
Un Marquisat mis dedans la Nasselle.
A qui plus fort des deux l'emportera
D'un duc, d'un Roy, gallere de Florance.
Port a Marseille Pucelle dans la France
De Catherine fort chef on rasera.

Que d'or d'argent en fera l'on despendre
Quand Comte voudra ville prendre.
Tant de mille et mille soldatz.
Tuez noyez sans y rien faire.
Dans plus forte mettra pied a terre.
Pigmée ayde des Censuars.

La ville sans dessus dessoubz.
Renversée de mille coups.
De Canons et fortz dessous terre
Cinq ans tiendra, le tout remis
Et laschée a ses ennemis.
L'eau leur fera apres la guerre

D'un rond, d'un lis, naistra un si grand
Prince
Bien tost et tard venu en sa province
Saturne en libra en exaltation
Maison de Venus en descroissante force.
Dame en apres masculin soubz l'escorce.
Pour maintenir l'heureux sang de Bourbon.

5
Quand de Robin la traistreuse entre=
prise
Mettra Seigneurs et en peine un
grand Prince
Sceu par la Fin, chef on luy tran=
chera.
La plume au vent amye dans
l'Espagne.
Poste attrapé estant a la campagne
Et l'escrivain dans l'eau se jettera.

6
Celuy qui la principaulté.
Tiendra par grande cruaulté.
A la fin verra grand phalange.
Par coup de feu tres dangereux.
Par accord pourroit faire mieux
Autrement boira suc d'Orange.

7
La sangsue au loup se joindra
Lors qu'en mer le bled defaudra
Mais le grand Prince sans envie
Par ambassade luy donra
De son bled pour luy donner vie
Pour un besoin s'en pourvoira

Un peu devant l'ouvert commerce
Ambassadeur viendra de Perse
Nouvelle au franc pays porter
Mais non receu vaine esperance
A son grand dieu sera l'offence
Feignant de le vouloir quitter

Deux estendars du costé de l'Auvergne
Senestre pris pour un temps prison regne
Et une dame enfans voudra mettre
Au Censuart, mais descouvert l'affaire
Danger de mort murmure sur la terre
Germain Bastille, frere & soeur prisonniers

Ambassadeur pour une dame
A son vaisseau mettra la rame
Pour prier le grand medecin
Que de l'oster de telle peine
Mais en ce s'opposera Royne
Grand peine avant qu'en voir la fin

L'aventurier six cens cinq ou neuf
Sera surpris par fiel mis en un oeuf
Et peu apres sera hors de puissance
Par le grand Empereur general
Qu'au monde n'est son pareil ny egal
Dont un chascun luy rend obeissance

Nouveau esleu patron du grand vaisseau
Verra long temps briller le clair flambeau
Qui sert de lampe a ces grandz territoires
Et auquel temps armes soubz son nom
Joinctes a celles de l'heureux de Bourbon
Levant Ponant & Couchant sa memoire

En Octob. six cens cinq
Pourvoieur du monstre marin
Prendra du souverain le cresme
Ou en six cens six en Juing
Grand joye aux grands & au commun
Grans faictz apres le grand baptesme

Au mesme temps un grand endurera
Joieux mal sain, l'an complet ne verra
Et quelques uns qui seront de la feste
Feste pour un seullement a ce jour
Mais peu apres sans faire long sejour
Deux se donneront l'un l'autre de la teste

Considerant la triste Philomelle
Qu'en pleurs & cris sa peine renouvelle
Racoursissant par tel moien ses jours
Six cens & cinq elle en verra l'issue
De son tourment ja la toille tissue
Par son moien senestre aura secours

Six cens cinq six cens six ou sept
Nous monstrera jusques l'an dix sept
Du boutefeu l'ire hayne & envie
Soubz l'olivier assez long temps caché
Le Crocodril sur la terre a caché
Ce qu'estoit mort sera pour lors en vie

Celuy qui a par plusieurs fois
Tenu la cage & puis les bois
Rentrera a son premier estre
Vie sauve peu apres sortir
Ne sachant encor conoistre
Cherchera subject pour mourir.

L'autheur des maux commencera a regner
en l'an six cens sept sans espargner
Tous les subiectz qui sont a la sangsue
et puis apres s'en viendra peu a peu
au franc pays r'allumer son feu
s'en retournant dont elle est issue

Cil qui dira en descouvrant l'affaire
comme du mort, la mort pourra bien faire
Coups de poignard par un qu'auront induit
sa fin sera pis qu'il n'aura fait faire
La fin conduit les hommes sur la terre
guetté par tout tant le iour que la nuict

Quant la grand nef, la proue et gouvernal
du franc pays et son esprit vital
d'escueilz et flotz par la mer secouée
six cens sept et dix coeur assiegé
et du reflux de son corps affligé
sa vie estant sur ce mal renouée

Le Mercurial non de trop longue vie
six cens & huict et vingt grand maladie
et encor pis danger de feu & d'eau
son grand amy lors luy sera contraire
de telz hazards se pourroit bien distraire
Mais bref le fer luy fera son tombeau

22

Six cens & six ou six cens & neuf
Un Chancellier gros comme un boeuf
et vieil comme un ? du monde
en ce terroir plus ne luira
de la nef d'oubly passera
aux champs Elysees faire ronde.

23

Deux freres sont de l'ordre ecclesiastique
Dont l'un prendra pour la france la picque
Encores un coup si l'an six cens & six
N'est affligé d'une grand maladie
Armes en main iusques six cens & dix
Gueres plus loing ne s'estendra sa vie

24

L'an mil six cens & dix au quatorze [illegible]
Le vieil Charon fera Pasques en Caresme
Six cens & six par escript le mettra
Le Medecin de tout cecy s'estonne
Au mesme temps assigné en personne
Mais pour certain l'un d'eux comparoistra

25

Le buffon se peult aprester
Pour a l'aveuglement resister
et renforcer bien son armee
Au temps que l'elephant viendra
qu'un abord le surprendra
Six cens & huict mer enflammee

Dans peu de temps medecin du grand mal
et la sangsue d'ordre & rang inegal
mettront le feu a la branche d'olive
Poste courir d'un & d'autre costé
et par tel feu leur empire accosté
se rallumant du franc finy la vie

Celuy qui a les hazards surmonté
qui fer feu eau n'a iamais redoubté
et du pays bien proche du Bazacle
D'un coup de fer tout le monde estonné
par Crocodil estrangement donné
Peuple ravy de voir un tel spectacle

29

Jusques a ce [illegible] par les grands armes
Pleure e [illegible] planeta [illegible] alarma
Le Ciel sera [illegible]
Sera d'eau e sang [illegible]
Le Ciel tiendra & le Soleil [illegible]
Tremant n'a eu a qui [illegible]

30

Bien peu apres sera un grand [illegible]
Du peu de bled qui sera sur la terre
Du Dauphiné provence & vivarais
Au vivarais est ung pauvre passage
Pere du fils sera anthropophage
Et mangeront racines & gland des bois

31

Prince & Seigneurs [illegible] la bouche
Comme Romains [illegible] aura le feux
Faiz [illegible] de l'Hieraux de Bourbon
D'Hierusalem les princes tant aymables
Du fait commis enorme & execrable
Se ressentiront sur la bourse sans faim

32

Dame par mort grandement attristee
Mere & tutrice au sang qui l'a quitte
Dame & seigneurs faictz enfants orphelins
Par les aspics & par les crocodilles
Seront surpris forts, Chasteaux villes
Dieu tout puissant les garde des malins

La grand' rumeur qui sera par la France
Les Impuissans voudront avoir puissance

34

Langue d'un miel & vrais semblables
Et bout sera allumera de Chandelles
L'ire [illegible] Taya [illegible] de [illegible]
Droit la mort semblera [illegible]

Fortz & puissant seront [illegible] de [illegible]
Plus mourront avant si la mort
Faible au puissant vainqueur se fera du

35

Le plus puissant au Jeune cedera
Et le plus vieux des deux decedera
Lors que l'un deux dominera l'an [illegible]

Par mer parfite & par grand maladie
L'aparition au hazard de [illegible]

36

Saura combien vault le metal de [illegible]
Servira [illegible] ou le [illegible]
En grandeur d'un grand prince cinquieme
L'immortel nom sur le pied de la Croix

Le Pedonnome du Monde sera pareil
Sera a tous ainsi que le Soleil
Montant le long la ligne meridienne

37

Et poursuivant [illegible] & le coup
Nul Empereur ne fist iamais tel coup
Et rien plus pire a ce prince Mahumetiens

38

Ce qu'on vivant le pere n'avoit sceu
Il acquerra ou par fils ou par force
Et combatra la Censur' [illegible]
Et sera de son bien [illegible]
Et sauroy du grand dieu eternel
Aura bien tost sa prouesse [illegible]

39

Vasseaux, gallères avec leur estendart
S'entrebattront pres du mont Gibraltar
Et lors seront faictz [illegible] a pampelune
Qui pour son bien souffrira mille maux
Par plusieurs fois souffriront deux assaux
Mais a la fin unia a la couronne

[illegible]

Las quand Cité mesle le premier semblant
Bien amplifiée la belle de bois nommée
Toute en alarmes le soldat aux champs
Par feu & eau grandement affligée
Et à la fin des François soulagée
Mais ce sera de six ans en dix ans.

[illegible]

Le petit coing provinces mutinées
Par forts chasteaux se verront dominées
Encores un coup par la gent militaire
Dans bref seront fortement assiegez
Mais ils seront d'un tresgrand soulagez
Qui aura fait entrée dans Beaucaire.

42

La belle Rose dans la France admirée
D'un tresgrand Prince à la fin desirée
Six cens & dix lors naistront ses amours
Cinq ans apres sera d'un grand blessée
D'un trait d'Amour elle sera enlassée
Si a quinze ans du Ciel reçoit secours.

43

De coup de fer tout le monde estonné
Par Crocodil estrangement donné
A un bien grand parent de la Sangsue
Et peu apres sera un autre coup
De guet à pens commis contre le Loup
Et de tels faicts on en verra l'issue.

44

Le pourvoyeur mettra tout en desroute
Sangsue & Loup en mon dire n'escoute
Quand Mars sera au signe du Mouton
Joint a Saturne, et Saturne a la Lune
Alors sera ta plus grande infortune
Le Soleil lors en exaltation.

45

Le grand d'Hongrie ira dans la nacelle
Le nouveau nay fera guerre nouvelle
A son voisin le tenant assiegé
Et le noireau avec son altesse
Ne souffrira que par trop on le presse
Durant trois ans ses gens tiendra rangez.

46

Du vieil Caron on verra le Phenix
Estre premier & dernier de ses fils
Reluire en France & d'un chacun aymable
Regner longtemps avec tous les honneurs
Qu'auront jamais eu ses predecesseurs
Dont il rendra sa gloire memorable.

47

Venus & Sol Jupiter & Mercure
Augmenteront le genre de Nature
Grande alliance en France se fera
Et du Midy la Sangsue de mesme
Le feu esteint par ce remede extreme
En terre ferme l'Olivier plantera.

48

Un peu devant ou apres l'Angleterre
Par mort de Loup mise aussi bas que terre
Verra le feu resister contre l'eau
Se rallumant avec telle force
Du sang humain dessus l'humaine escorce
Faute de pain bondance de cousteau.

49

La ville qu'a en ses ans
Combatu l'injure du temps
Qui de son vainqueur tient la vie
Celuy qui premier la surprist
Que peu apres François reprist
Par combats encores affoiblie.

La grand cité qui n'a pain a demy
Encore un coup la S. Berthelemy
Engravera au profond de son ame
Nismes, Rochelle, Geneve, Montpellier
Castres, Lyon, Mars entrant au Belier
S'entrebattront le tout pour une Dame

Plus ne mourront avant le Roy [illegible]
Jusques a ce que sera septante et de deux ans
passés quinze ans vingt et huit neuf
Le premier est subiect a Maladie
Et le second aussi danger de vie
Au feu et l'eau est subiect [illegible]

Six ans et six une Dame mourra
Et peu apres il fera long temps plorer
Plusieurs pais et Flandres et Angleterre
Seront par feu et par fer affligés
De leurs voisins longuement assiegés
Contraincts seront de leur faire la guerre.

Peu apres [illegible] grande Dame
Son ame au ciel et son corps soubs la lame
De plusieurs gens regrettée sera
Tous ses parens seront en grand tristesse
Pleurs et souspirs d'une dame [illegible]
Et a deux grans le dueil delaissera.

[illegible] viendra de toutes pars
Grand pourvoyeur aux griffons se joindra
Sa [illegible] proche et Mars [illegible] grand
Fera grand fait proche de [illegible]
Grans estandars sur [illegible] et sur [illegible]
Et la [illegible] de deux freres [illegible]

55 Peu apres l'alliance faicte
Avant que solennise la feste
L'empereur le tout troublera
Et la nouvelle mariée
Au franc pays par sort liée
Dans peu de temps apres elle mourra

56 Sera en peu de temps mourra
Sa mort bon signe donnera
Pour l'accroissement de la France
Allemans se tiendront
Deux grands Royaumes se joindront
Francois aura sur tout puissance.

Fin au [illegible] Prophetie

VIII

LES AUTRES QUATRAINS PROPHÉTIQUES APPARUS DANS DES PUBLICATIONS OU DES MANUSCRITS DU XVIe SIÈCLE

D'après l'étude bibliographique que nous avons réalisée, Nostradamus a écrit et publié 1 114 quatrains, dont un en latin.

Notre étude cryptographique, et en particulier la première des clefs découvertes dans le Testament, indique que l'œuvre prophétique se compose de 1 085 de ces quatrains et que 29 des Présages n'en font pas partie. Après une seconde réduction réalisée à l'aide de la seconde des clefs du Testament, le nombre des quatrains de l'œuvre prophétique se trouve réduit à 1 080.

Ces réductions, ordonnées par l'auteur, ne signifient en aucun cas qu'il soit nécessaire de rejeter complètement les 34 quatrains restants et n'excluent pas qu'ils puissent, eux aussi, avoir une valeur prophétique et même cryptographique. Ils pourraient renfermer des prophéties et même des indications nécessaires au déchiffrage de cette cryptographie tellement complexe.

Nostradamus n'a pas pu écrire 1 114 quatrains sans que quelques-uns, incomplets, ou écartés, ne soient restés à l'état de brouillon, sans que le prophète veuille les détruire. Le seul fait de les avoir conservés indique qu'il leur accordait de la valeur.

Ces brouillons et manuscrits furent légués à son fils César en décembre 1578, quand celui-ci atteignit sa majorité. Vingt-trois des quatrains contenus dans ces papiers sont parvenus jusqu'à nous. Il s'agit des treize quatrains publiés par Chavigny en 1594 et de onze quatrains conservés en un manuscrit déposé à la bibliothèque de Carpentras (Fiche 14). Un des quatrains se trouvant répété dans les deux groupes, le total est de vingt-trois. L'une de ces strophes se compose d'un seul vers prophétique :

Corduba encor recouvrera son siège.

Au sens politique, « siège » signifie la « capitale », le centre d'un pouvoir, comme dans « Saint-Siège ».

Nous nous étions déjà référé à Jean Aimé de Chavigny, que nous avons présenté comme le premier biographe et commentateur de Nostradamus. Il a sa place également dans ce chapitre. Convaincu d'être capable d'interpréter les prophéties de Nostradamus, et de pouvoir, sur cette base, réaliser à son tour des prophéties pour le service de Henri IV, il incorpore à son commentaire, *La Première Face du Janus* publié en 1594, treize des quatrains inédits du prophète dont il s'intitule le disciple. Cela n'a rien d'étonnant quand on sait que Nostradamus a écrit plus de 1 100 quatrains : il est tout à fait naturel qu'il soit resté, d'un travail d'une telle envergure, des quatrains inachevés et d'autres mis au rebut.

L'œuvre de Chavigny nous semble mériter une étude approfondie, bien que ses affirmations nous inclinent à penser qu'il a interprété à sa manière les révélations que Nostradamus peut lui avoir faites concernant ses prophéties. Il est évident que le prophète ne s'est non plus jamais complètement confié à lui, ni à personne d'autre, il ne se souciait que d'être compris et expliqué plusieurs siècles plus tard. Nous allons examiner d'abord les interprétations de Chavigny, puis les treize quatrains inédits qui nous sont parvenus grâce à lui.

Chavigny traduit en latin tous les quatrains qu'il commente soit 141 des Présages, 112 quatrains des Centuries et les 13 quatrains inédits (Fiche 15). Nostradamus lui a certainement parlé, en une occasion, de la version latine d'une partie ou de la totalité de son œuvre. Le disciple a pris la peine de réaliser cette traduction en latin des 256 quatrains, sans autre indication du prophète.

Nous n'exposerons pas ici nos conclusions, mais nous recommandons au lecteur deux ouvrages qui se réfèrent à la version latine. Il s'agit de *La clef de Nostradamus, pour un Solitaire* publiée en 1712. Son auteur affirme que toute l'œuvre de Nostradamus est écrite en suivant strictement les règles de la grammaire latine et que celles-ci constituent la seule base philologique qui permette la compréhension des Prophéties. Pour appuyer son affirmation, il cite un ouvrage sur la grammaire latine, du XVIe siècle, divisé en Centuries : « Progymnasmatum In Artem Oratoriam... Francisci Silvii... Centuriae Tres... Maguntiae MDXL. » Selon lui, Nostradamus a étudié cette grammaire et, guidé par elle, est parvenu à donner à ses vers une construction latine parfaite, tout en les rédigeant en mots français. Le second de ces ouvrages est *Le Secret de Nostradamus*, par P.-V. Piobb, publié en 1927. Piobb affirme que toutes les strophes doivent être traduites en vers latins de six mots, comme le ferait un étudiant qui ne maîtrise pas très bien cette langue, puis être retraduites en français pour découvrir le texte définitif. Cette méthode permet une liberté dans l'interprétation que nous considérons excessive et, d'ailleurs, souvent inutile.

L'exactitude philologique des mots employés par Nostradamus suffit pour l'interprétation d'un très grand nombre de quatrains. Cependant, les exemples de double traduction fournis par Piobb sont très intéressants. Il fait aussi remarquer que le seul quatrain en latin que contient l'œuvre éloigne d'elle, comme étant incapables de la comprendre, tous les « barbari », c'est-à-dire, suivant le sens que les Romains donnaient à ce mot, tous ceux qui n'ont pas pour langue le latin.

Il faut tenir compte de toutes ces observations. Nous pensons, comme nous l'avons déjà exposé, que le noyau de l'œuvre est constitué par 1 080 quatrains, c'est-à-dire 4 320 vers. Ce nombre et ses multiples se retrouvent souvent dans les chronologies que nous avons étudiées. Si les vers sont de six mots, le nombre total de ceux-ci s'élève à 25 920, soit le nombre de périodes ou de divisions du grand cercle astronomique de l'écliptique. La durée de cette période, qui est proche de celle de notre année solaire, a été mesurée exactement par Nostradamus, comme nous l'exposons dans notre chronologie.

Chavigny reproduit également, sous le numéro VI-100, c'est-à-dire comme le dernier quatrain de la Sixième Centurie, un quatrain qui ne figurait dans aucune des éditions de Lyon et qu'il a dû retrouver dans l'une des éditions d'Avignon disparues. Ce quatrain, portant le numéro VI-100, se retrouve également dans les éditions apocryphes du XVIIe siècle dont les éditeurs n'ont pas suivi la tradition de Lyon, en copiant Benoist Rigaud, de 1568, et qui ont publié les 141 Présages en les empruntant à Chavigny et non aux Almanachs originaux alors disparus. Nous ne pouvons pas savoir si tous ces éditeurs ont trouvé ce quatrain seulement chez Chavigny; ou s'ils l'ont copié dans une quelconque édition d'Avignon. Nous devons remarquer que la première des éditions qui copie de la sorte Chavigny et qui porte une date n'apparaît qu'après 1627 : c'est-à-dire plus de soixante ans après la mort de l'auteur des Prophéties. Les éditions qui semblent antérieures ne portent pas de date ou portent une date fausse.

Chavigny reproduit et commente 140 Présages. Il s'agit en réalité de 141, mais nous ne tenons pas compte du quatrain de louanges au Comte de Tende, parce que Nostradamus ne le prend pas non plus en considération pour ses calculs et parce qu'il n'apparaît pas dans l'exemplaire original de la « Prognostication pour 1555 » qui est dans notre bibliothèque.

Il est possible qu'en une certaine occasion, Nostradamus ait fait allusion, en présence de son secrétaire, à douze Centuries, en basant son calcul sur les sept Centuries publiées avant 1558, les trois publiées à cette date, et les deux Centuries que formaient les 169 Présages. Il s'agit bien en effet de douze Centuries, dont deux sont incomplètes. Il est également possible qu'il ait parlé de 140 Présages qui feraient réellement partie de son œuvre prophétique. Trompé par ces données, Chavigny traduisit en latin et commenta les 140 Présages qui lui semblaient prophétiques et assura qu'il publierait deux Centuries complètes encore inédites. Peut-être croyait-il que César Nostradamus en conservait les manuscrits originaux. Il espérait que le succès qu'il escomptait de son premier livre lui vaudrait de se voir remettre ces manuscrits pour leur étude et leur publication.

Il est encore possible que Nostradamus ait prévu l'erreur et compté sur elle pour créer des difficultés encore plus grandes autour de son message.

Pour donner une plus grande valeur à son œuvre en se présentant comme le dépositaire des secrets de son maître, Chavigny nous donne treize quatrains inédits en les numérotant XI, 91 et 92, et XII, 4, 24, 36, 52, 55, 56, 59, 62, 65, 69 et 71. Il annonce, par la même occasion la publication de deux Centuries inédites complètes : d'après lui, la Centurie XI et la Centure XII sont entre ses mains et il compte les publier sous peu.

Rien ne nous autorise à ajouter foi à cette affirmation de Chavigny. Les treize quatrains sont, de toute évidence, authentiques, mais ils ont pu être écartés par Nostradamus. L'un d'eux, XII-69, est incomplet et un autre, XII-4, est le seul dans lequel Nostradamus a formé deux vers, chacun avec six mots qui commencent tous par un F. Étant donné que le vers suivant commence aussi par un F, nous avons treize fois F comme première lettre de treize mots consécutifs. Les quatre vers de ce quatrain se composent chacun de six mots.

Notre opinion est que les Centuries XI et XII n'ont jamais existé. César Nostradamus, homme de lettres, qui avait hérité des manuscrits, les auraient publiées ou les aurait fait inclure dans les éditions de Benoist Rigaud, ou dans les éditions postérieures réalisées par le fils de celui-ci, Pierre Rigaud. Il se serait occupé de ces Centuries en leur consacrant ne serait-ce qu'une ligne dans l'une des nombreuses publications qu'il fit paraître au cours des premières années du XVIIe siècle. Au lieu de cela, nous devrions croire qu'il les a confiées à Chavigny en 1594 sans jamais chercher à les récupérer, ni pendant la vie de cet écrivain, ni après sa mort ? Chavigny lui-même a rendu public en 1603 un ouvrage intitulé *Les Pléiades*. C'est un livre de 666 pages, imprimé par Pierre Rigaud lui-même. Chavigny y interprète pour Henri IV les prophéties de Nostradamus. Il réédita cet ouvrage en 1606 et en 1607 en y ajoutant un commentaire sur la dernière Pléiade, la septième, un long discours sur les affaires turques et un traité sur la Comète. Si les Centuries XI et XII avaient été en son pouvoir, il les aurait publiées. Le soi-disant petit-fils de Nostradamus, le fantastique ami de Seve, qui patronne la publication, sans date certaine, des 58 sextains faussement attribués à Nostradamus aurait, à plus forte raison, publié ces deux Centuries si elles avaient existé. Chavigny n'aurait pu refuser de remettre le texte original du prophète à son fils ni à son petit-fils.

Les quatrains inédits que publie Chavigny sont au nombre de treize, dont l'un est incomplet. Un autre de ces quatrains est celui qui contient les treize F. Nous allons nous-même en publier onze qui nous semblent avoir la même origine : cinq sont incomplets, un autre est le même quatrain aux treize F.

Les onze quatrains que nous publions ici proviennent d'un manuscrit qui les conservait inédits depuis le XVIIe siècle. Ils ont été copiés dans un manuscrit du XVIe siècle, écrit de la main de Nostradamus, qui avait été remis par Gallaup au roi Louis XIII et qui était resté dans les papiers de celui-ci, sans jamais parvenir jusqu'à la bibliothèque du Roi et ne se trouve donc pas à la Bibliothèque Nationale.

Ce chapitre a été écrit il y a quelques années, alors que les onze quatrains étaient encore inédits. Les copies photographiques des manuscrits de Gallaup se trouvent dans notre collection depuis 1947. Pierre Rollet les a publiés en 1968 en les numérotant de I à XI, ce qui ne manquera pas de créer une certaine confusion chez ceux qui étudient l'œuvre de Nostradamus [1]. Rollet ne dit pas d'où ils proviennent et il ne semble pas qu'il ait comparé les deux manuscrits dans lesquels Gallaup a copié les onze quatrains. C'est dommage car cette comparaison lui aurait permis d'éviter certaines petites erreurs. Nous transcrivons le manuscrit, avec le commentaire de Gallaup à la fin de ce chapitre.

Le quatrain aux treize F, qui se trouve parmi les treize quatrains publiés par Chavigny et parmi ceux que renferme le manuscrit de Gallaup, est le seul dans lequel Nostradamus se soit imposé cette sorte de contrainte pour s'exercer. Peut-être l'a-t-il écrit pour attirer une fois de plus l'attention sur le nombre 13, tant de fois utilisé dans son Testament et sur les six mots pour chaque vers qui unissent son œuvre prophétique à son exposé astronomique et chronologique.

Le groupe de quatrains de Chavigny, et celui que vient de publier Rollet prouvent :

– que Nostradamus a laissé parmi ses papiers, des quatrains inachevés et d'autres qu'il a écartés;

– que ces deux groupes de quatrains ont la même origine;

– que Nostradamus n'avait donné de numéro à aucun de ces quatrains, ce qui indique qu'il n'avait à aucun moment décidé de les inclure dans son œuvre prophétique;

– que s'il avait existé d'autres quatrains authentiques de Nostradamus ils auraient été publiés par Chavigny, qui est mort avant 1610, ou par César Nostredame, qui avait hérité de tous les livres, papiers et documents de son père qu'il eut soin de laisser en bonnes mains, et qui, entre 1595 et 1614, publia de nombreux livres, préfaces et poèmes. A cette date, il fit paraître *Histoire et Chronique de Provence* et il mourut en 1630, plus de vingt ans après Jean Aimé de Chavigny.

Nous insistons sur le fait que, dans la copie de Gallaup, le quatrain aux treize F ne porte pas de numéro et présente une rédaction améliorée du quatrième vers qui dit « Sang » et non plus « sans ». Il s'agit d'un manuscrit de Nostradamus, ce qui prouve que, parmi les papiers de celui-ci, étaient restés des quatrains inachevés ou des strophes qu'il n'avait pas voulu inclure dans son œuvre, même s'il s'agissait de quatrains prophétiques.

Le manuscrit date du XVIIe siècle et se trouve à la bibliothèque de Carpentras : Manuscrit 385 et 386, Carpentras, folios 1,2 et 1/*bis*, catalogue tome I, page 192. C'est un autographe de Louis Gallaup de Chasteuil, poète provençal d'Aix, ami de Malherbe (1555-1628), qui copia des papiers de famille du XVIe siècle, dont il ne met pas en doute l'authenticité. Nous n'en doutons pas non plus, parce que le style de Nostradamus est impossible à confondre. Les papiers, envoyés au Roy Louis ne se trouvent pas, aujourd'hui, à la Bibliothèque Nationale. Le document en question appelle les quatrains « Centuries » et en copie onze. Il est probable, comme le fait remarquer la transcription, que ces quatrains aient été plus nombreux. Et il est également probable que ces quatrains, tout comme ceux que reproduit Chavigny, proviennent des mêmes brouillons où Nostradamus avait laissé les quatrains non achevés et ceux qui ne font pas partie de son œuvre prophétique. Une partie de ces quatrains s'est perdue (Fiche 14).

Ces onze quatrains sont tellement intéressants que nous les reproduisons ici. Ils sont, de toute évidence, des quatrains écartés de l'œuvre par Nostradamus lui-même, et qui confirment notre théorie. C'est pourquoi leur publication par Rollet, au bout de quatre siècles, est de toute façon, très importante.

Il est, d'autre part, naturel, que le père de Louis Gallaup ait eu en sa possession certains manuscrits de Nostradamus. François Gallaup de Chasteuil, contemporain et ami du prophète, prophétisa les « troubles de Cascavaux » et fit connaître à ses amis les fléaux qui allaient frapper la Provence. Il se mit lui-même en sécurité au Mont Liban où il passa le reste de sa vie en contemplation et en prières. (Détails empruntés à l'*Histoire de la Provence* de Jean-François Graufridi, Aix, Charles David, 1694.)

Aucun des rares manuscrits de la main de Nostradamus qui sont parvenus jusqu'à nous ne contient des vers prophétiques. Nous laissons pour une autre occasion la publication de l'étude de son manuscrit « Orus apollo », que se trouve à la Bibliothèque Nationale de Paris, sous la cote Fr. 2594, reproduit typographiquement au commencement de notre siècle par Douchet. Le manuscrit de Gallaup est donc le seul à nous offrir une copie manuscrite de quatrains conservant tous les détails de l'original du XVIe siècle qu'elle reproduit. Nous pouvons en apprécier l'orthographe et surtout la ponctuation, et dans l'un des quatrains nous pouvons observer comment Nostradamus utilisait des lettres majuscules à l'intérieur de son texte. Ces détails caractéristiques, qui connaissent parfois des altérations et qui ne sont pas les mêmes dans les éditions de Lyon et dans celles d'Avignon, n'ont pas été respectés dans les éditions plus tardives des Centuries et des Présages.

TRANSCRIPTION DU MANUSCRIT ORIGINAL DE LA BIBLIOTHÈQUE DE CARPENTRAS

« Fou mon pére avoir entre ses mains quelques centuries de Michel de Nostradamus escrites de sa main & que le fou roy Louis le husse volues avoir. Il les luy remis volontiers entre ses mains et sont à présent en la Bibliothèque Royalle en voicy quelques centuries dont on aurai gardé la copie le restans esttant egaré. »

Par les espaignes SILEDMCV retourner
Passer les Gades et les monts Pyrénées
D'Arno punique le Calpre destourner
Guilhac carcas a Toulouse emmenées.

Deux cens soisante en Espaigne regner
De partira son etat deux grands parts
Part en Afrique Romanie Seigner
le Mauritain afoibly par departs.

Corduba encor recouvrera son siegge
...
...
...

Changer le siege du sceptre monarchique
Ne se pouvant de ....éloigner
Proche Avignon Lyon, aygle ....
Non loin des Alpes un peu l'aigle reigner.

De la champaigne a Rome grand regner
Et les obstacles du millan tous tollus
Auànd grand monde de toutes parts singler
Hais de venus de tous biens........

FEU, flame faim furt farouche fumée
Faira faillir froissant fort foy faulcher
Fils de dente toute Provence humée
Chasse de regne enrayge sang cracher.

Dedans Tolose se faira l'assamblèe
Trois fois seront deschassés de leur fort
Apparants ....maison accablée.
...

Du lieu non loin de fantastique secte
Ce qui sera acquis de loin labeur
Gaulle braccasa par la Belgique beste
Corps bien en proye du Larron et robeur.

Non loin du port pillerie et naufrage
De la cieudad frappe isles stecades
De St troppe grand marchandise nage
Classe barbare au rivage et bourgades.

Unis en temple conseil spatieux
Toies.Arch.Dessus en misere et conflict
Plus apparens. Ornements precieux
Tous tous les crisnes de femmes...

En Syracuse nouveau fis figurer
Qui plus sera inhumain et cruel
De non latin en françois singulier
Noir et farouche et plus sec que gruel.

NOTE

1. Il y a, à la bibliothèque de Carpentras, un autre manuscrit que l'on peut consulter à la cote 1881, et qui a été publié par Pierre Rollet sous le titre de : *Consultation de Nostradamus sur le Trésor de Constantine*, sans que l'origine de cet ouvrage soit mentionnée. Rollet, qui le publie, assure que le texte est de Nostradamus et les commentaires de Peiresc. Dans une des notes que nous avons prises il y a plus de vingt ans nous écrivions : « *Le manuscrit 1881 de la bibliothèque de Carpentras n'est pas écrit de la main de Peiresc, mais de celle de l'un de ses informateurs ou secrétaires, probablement aixois.* »

La copie photographique du manuscrit présente, en un seul document, et avec la même calligraphie, le texte sur le Trésor de Constantine que Rollet attribue à Nostradamus et les commentaires, qui sont de l'auteur du manuscrit, et non de Peiresc.

C'est à ce même secrétaire ou informateur que nous devons la note qui signale que le quatrains I-21 et 27, et V-7 et 57 sont conformes au texte de Nostradamus, ainsi que les commentaires et les *sept* quatrains de Nostradamus rédigés de sa main, et accompagnés d'une série de signes qui se terminent par le dessin d'une porte. Chaque signe s'accompagne de son explication.

Il s'agit, à notre avis, d'un commentaire des quatrains de Nostradamus.

auquel on n'a pas donné la forme d'un rapport, mais qu'on a laissé à l'état de schéma, de plan. Ce document se trouve placé dans une « Collection de divers écrits se référant à l'Histoire de la Provence » et porte une date : 20 décembre 1619. Le manuscrit ne mentionne pas Nostradamus comme auteur et n'indique pas que celui-ci ait été consulté. Celui qui l'écrit dit simplement : « Qui semble concorder avec les quatrains de Nostradamus. » Il cite ensuite les quatrains, fait des commentaires et copie les dessins sans se référer une seconde fois au prophète.

IX

VERS APOCRYPHES PARUS SOUS LE RÈGNE DE LOUIS XIII (1627-1643)

Les « éditions de Lyon » continuent à paraître sans modifications au cours des vingt-sept premières années du XVIIe siècle. Nous en connaissons quelques-unes comme, par exemple, les trois éditions non datées réalisées par Pierre Rigaud, et les deux éditions de Jean Didier et Jean Poyet, qui répètent le même texte. Ces dernières se distinguent seulement par le fait que toutes les pages du volume sont numérotées ensemble, même quand le volume comporte deux frontispices. Ces derniers éditeurs rompent ainsi avec la tradition maintenue par les Rigaud, qui numérotaient séparément les sept premières Centuries et les trois dernières.

Si l'on excepte l'édition de Valentin, réalisée à Rouen en 1611, nous ne rencontrons, pendant plus d'un quart de siècle, aucune reproduction nouvelle des « éditions d'Avignon ». Les Présages ne sont pas réédités non plus : on ne retrouve aucune publication ni des cent soixante-neuf quatrains publiés par les soins de Nostradamus, ni des cent quarante et un quatrains de ce total que Chavigny avait commentés en 1594.

Mais bientôt, on voit apparaître deux groupes d'éditions. Le premier groupe, celui de Troyes, revendique une ancienneté inacceptable. Son éditeur n'ose pas mettre une date fausse, toujours difficile à prouver, mais il écrit tout un roman pour démontrer que cette édition a vu le jour en 1611. Le second groupe, édité à Lyon, porte la date de 1627. Or, il s'agit, dans les deux cas, d'éditions apocryphes réalisées à une date postérieure à la dernière invoquée, c'est-à-dire 1627.

Trois siècles et demi se sont écoulés et il nous est difficile aujourd'hui de dire avec exactitude en quelle année elles ont été imprimées, si ce n'est en nous appuyant sur une étude sommaire des événements historiques qui ont marqué le règne de Louis XIII. En effet, il est certain que ces éditions ont été fabriquées dans l'intention d'influencer l'esprit de ce monarque superstitieux et instable. Le prestige de Nostradamus, l'exactitude des prophéties qu'il avait formulées à propos de Henri II, de François II, de Charles IX, de Henri III et de Henri IV, conféraient une autorité et une valeur exceptionnelles à un livre qui prétendait contenir ses prédictions concernant les événements du XVIIe siècle. L'étude bibliographique nous donne la totale certitude du caractère apocryphe de ces éditions : nous ne devons donc ajouter foi, ni à l'ancienneté à laquelle elles prétendent, ni aux noms d'éditeurs qui figurent sur leurs frontispices.

L'étude de leur texte, dont les conclusions peuvent être vérifiées à l'aide des clefs contenues dans le Testament de Nostradamus permet d'affirmer que les sizains et certains des quatrains qu'elles contiennent sont apocryphes et ont été écrits par un ou plusieurs poètes au service de la maison de Montmorency.

En dressant le tableau historique de l'époque, nous pourrons situer dans le temps et avec assez de précision, la date à laquelle ces éditions furent réalisées, le but politique qu'elles poursuivaient et le fait évident qu'elles ont été fabriquées par des ennemis de Richelieu et plus particulièrement par des poètes proches de la maison de Montmorency.

Louis XIII est né le 27 septembre 1601. Il a pris la place, sur le trône, de Henri IV assassiné le 14 mai 1610. Cette année 1610 voit donc le commencement de la Régence de Marie de Médicis. Sept ans plus tard, l'enfant-roi, qui n'a pas encore seize ans révolus, réalise son premier acte politique : en accord avec Luynes, il ordonne et fait exécuter par Vitri, capitaine de ses gardes, l'assassinat de Concini, favori de Marie de Médicis. L'assassinat a lieu le 24 avril 1617. Le traité de paix avec sa mère n'intervient qu'en 1620 et c'est seulement en avril 1624, alors que Luynes est déjà mort, que Richelieu franchit avec la plus grande prudence, les premiers pas, vers une dictature qui ne prendra fin qu'avec sa mort, le 4 décembre 1642.

Introduit au Conseil du Roy par Marie de Médicis, le Cardinal avait immédiatement mis en œuvre une politique que seul un homme génial et sans scrupules pouvait mener à bon terme. Pour cela, il lui fallait s'attirer l'inimitié de sa protectrice et du groupe italien qui l'entourait; brouiller les relations avec l'Espagne qui, parvenue à l'apogée de son pouvoir, et maîtresse de l'or d'Amérique, prétendait dominer l'Europe, et avec l'Angleterre qui, sous le prétexte de protéger la Réforme cherchait à s'établir définitivement sur le sol de France. Il faut encore ajouter à ce tableau le chaos de la politique intérieure et des finances, résultat de l'incapacité de la reine, qui avait exercé la régence pendant quatorze ans, et par l'arrogance féodale des grandes familles. Mais la détermination de Richelieu était au-dessus de tous ces obstacles.

Pendant dix-huit ans, malgré ses maladies, et les intriguants dont il était entouré et qui prétendaient détruire son œuvre pendant sa vie et après sa mort, Richelieu utilisa la force que lui prêtait un roi indécis et méfiant, pour réaliser une tâche d'une ampleur incroyable.

Les éditions de l'œuvre de Nostradamus, lancées par les ennemis de Richelieu ne peuvent donc dater d'avant 1627 : elles sont nécessairement postérieures. La maison de Montmorency, indiscutablement liée à ces éditions et aux sizains inédits qu'elles renferment, occupaient une place de premier ordre dans l'aristocratie française. Richelieu ne put asseoir définitivement son autorité qu'après avoir fait monter Henri II de Montmorency sur l'échafaud, huit ans après 1624. Le 30 octobre 1632, en effet, Henri de Montmorency (1595-1632) mourait décapité, sans laisser de descendance.

De 1622 à 1632, la Cour est le théâtre de perpétuelles conspirations. Il y a les intrigues de ceux qui briguent la succession de Luynes comme favori; celles de Marie de Médicis, cherchant à récupérer son pouvoir politique; celle du frère unique du Roi, toujours entouré par ceux qui prétendent, par son intermédiaire, s'imposer à Louis XIII ou qui aspirent à gouverner avec lui, comme successeur ou comme régent.

Une de ces factions utilisait, depuis 1630, Nostradamus, pour le faire servir à ses conspirations en lançant des prophéties apocryphes sous son nom. Il est peu probable que les ennemis de Richelieu aient osé le faire du vivant de César Nostredame, qui, totalement étranger aux intrigues, aurait pu les démasquer.

Jusqu'en 1624, Louis XIII veut régner, et ses proches l'y poussent, mais il est timide et superstitieux. A partir de cette date, l'emprise de Richelieu – qui est suffisamment habile pour savoir faire prendre au roi les déterminations qui l'intéressent, tout en lui faisant croire que c'est lui qui gouverne – gagne du terrain de jour en jour.

L'interprétation discutable de certains quatrains anciens, la fabrication de vers nouveaux, imprimés sans date ou avec une date fausse, devaient probablement constituer un élément d'intrigue, qui ne devait manquer de produire ses effets, d'autant plus que leur rédacteur avait pris soin d'y mêler une adulation qui, pour être excessive, n'en était pas moins efficace. Mais il faut reconnaître que seuls des buts politiques peuvent justifier une œuvre apocryphe d'une telle envergure.

Le fameux cardinal va encore continuer à diriger la politique internationale de la France pendant dix ans, en mettant à profit toutes les occasions qui se présentent pour unifier le pays sous l'autorité de la couronne et en détruisant le pouvoir local des grandes familles de la féodalité française. En 1642, il tombe en disgrâce, mais son organisation, qui est entre les mains de son favori, le Père Capucin Joseph, « l'éminence grise », est tellement efficace qu'elle lui permet de présenter au Roi les preuves d'une conspiration, de regagner sa confiance et d'envoyer ses ennemis à l'échafaud. Le 1 septembre 1642, Cinq-Mars et de Thou sont exécutés, à la suite d'un procès dont l'instruction a été dirigée par Richelieu. Celui-ci meurt le 4 décembre de cette même année, à l'âge de cinquante-huit ans. Il confiait en mourant sa famille et son œuvre à la protection de Louis XIII, tandis qu'il remettait la direction de l'État entre les mains de Mazarin, une de ses créatures qui, poussée par ses propres ambitions, continuerait sa politique et renforcerait son pouvoir jusqu'à la mort du roi le 14 mai 1643. Mazarin saurait ensuite se rendre irremplaçable auprès d'Anne d'Autriche qu'il aurait aidée à établir sa Régence. Louis XIII mourut, à trente-trois ans d'intervalle, le même jour que Henri IV.

On peut trouver à la Bibliothèque Nationale de Paris : F.F. 4744, folios 76 à 78, un document manuscrit de six pages [1]. Il s'agit d'une copie extrêmement intéressante des sizains attribués à Nostradamus. Ces sizains sont numérotés, mais ils ne portent pas les numéros qui sont les leurs dans toutes les publications postérieures, c'est-à-dire 11, 12, 14 et 27. Le manuscrit indique la présentation de ces sizains à Henri IV, non pas en 1605, mais au commencement du siècle, en 1600. Il ne mentionne pas non plus le nom de Vincent Sève de Beaucaire, de la famille de Nostradamus, mais celui de M. Vincent Aucane, de Languedoc. Tout montre qu'il s'agit d'une copie antérieure mais très proche de la première publication des sizains. Il est probable que deux poètes aient participé à leur rédaction et que le second ait pensé qu'en élevant à 58 le nombre des sizains, il conduirait le lecteur à les ajouter mentalement aux 42 quatrains de la Septième Centurie, qui de ce fait apparaissait complète [2].

Nous avons été amené à penser que l'auteur des 54 sizains du manuscrit pourrait bien être Théophile de Viau (1590-1626). Poète depuis son enfance, diplômé de philosophie à Saumur, Théophile fixe sa résidence à Paris à partir de 1610. Dès 1615, il est attaché à la maison du duc de Montmorency. Il mène la vie libertine qui est l'apanage de toute la jeunesse aristocratique de son temps, et ses succès, la verve de ses écrits, mais surtout son appartenance à la religion protestante, qu'il abjura trop tard, c'est-à-dire alors qu'il s'était déjà fait de puissants ennemis, lui aliénèrent le Parlement. Poursuivi, il fut condamné à mourir sur le bûcher, sentence qui ne fut exécutée qu'en effigie.

En 1619 déjà, des lettres de cachet du roi lui ordonnaient de quitter le royaume. Il partit pour le sud et s'arrêta pendant dix-huit mois dans le Languedoc. La protection du Duc lui permit d'y rester. Il est très probable que ce voyage et ce séjour aient exercé leur influence sur le « roman » qu'il devait ensuite mettre au point pour présenter, au Roi Louis XIII, les sizains apocryphes. C'est également au cours de ce voyage qu'il a pu faire la connaissance de ce Monsieur Vincent Aucane de Beaucaire.

Après la publication en 1622 de son *Parnasse Satyrique,* de Viau est une nouvelle fois poursuivi et jeté en prison. Condamné le 1er septembre 1625 à l'exil et à la perte de tous ses biens, il put se réfugier chez le duc de Montmorency qui lui offrit asile et obtint qu'il puisse rester en son château sans être inquiété. Il passa alors quelques mois dans les châteaux de Chantilly et de Seller dans le Berry. Il revint avec le Duc à Paris en 1626 où il mourut bientôt au terme d'une brève maladie.

Dans la bibliothèque du château de Chantilly [3], Théophile eut tout le loisir d'étudier la bibliographie de Nostradamus. En effet, on pouvait alors y trouver les Centuries dans les éditions de Lyon, et dans celles d'Avignon; l'œuvre de Chavigny : *La Première Face du Janus François,* parue à Paris en 1594, l'édition 1560/61 ou ses reproductions de 1588 et 1589. C'est ainsi qu'il eut connaissance des quatrains et des présages qui n'étaient plus reproduits dans les éditions postérieures à ces dates. Il envisagea alors une édition nouvelle des Centuries, dans laquelle tous ces quatrains et Présages seraient incorporés. Puis il se mit à écrire, sous forme de sizains, des prophéties apocryphes sur les « années courantes de ce siècle », qui pourraient être utiles plus tard.

Il connaissait bien la Cour de Louis XIII; lui-même s'était déjà, dans le passé, attiré la faveur du Roi grâce à une ode écrite durant son exil en Angleterre. Aussi écrit-il un texte capable d'influencer le souverain dans le sens désiré. Le prestige de Nostradamus, prophète et médecin de trois rois, la clairvoyance démontrée par celui-ci en annonçant, dès 1555, l'avènement des Bourbons, sont des bases solides sur lesquelles Théophile peut asseoir les prophéties inventées par lui, et ajoutées à l'œuvre.

Dans ces strophes apocryphes, il expose avec assez de clarté des faits politiques bien connus de ceux qui y avaient pris part dans ce premier quart du XVIIe siècle. C'est ce qui lui permet de jouer avec tous les sous-entendus nécessaires pour introduire, dans l'esprit du roi, tout ce que le duc de Montmorency et Monsieur, Frère du Roi, considéraient comme avantageux pour la France et pour leurs propres intérêts.

Nous joignons à ce chapitre, à l'intention des bibliophiles de France, qui s'occuperont de cette affaire avec plus d'autorité, une reproduction photographique de ce manuscrit.

Qu'il soit, ou non, écrit de la main de Théophile, il nous permet de connaître le commencement de l'histoire de cette prophétie apocryphe, dont les sizains n'ont pas été écrits pour paraître, ni pour être présentés à Henri IV, en 1605. Le texte comporte trop de prophéties pour les cinq années antérieures à cette date. Le titre, qui s'est conservé sans modification, fait commencer cette prophétie en 1600 et le manuscrit signale la date du début de cette même année 1600 comme étant celle de sa présentation au Roi.

Puis quelques années s'écoulèrent. Théophile est mort et il n'est pas facile de faire accepter comme authentiques par Louis XIII, les sizains ajoutés. D'où la nécessité de « bâtir » le roman dans lequel interviennent Vincent Sève de Beaucaire, le Château de Chantilly et une date à laquelle Henri IV aurait réellement habité cette résidence. Il convient encore d'y ajouter le témoignage du duc de Montmorency : âgé de dix ans en 1605, il a très bien pu être témoin de la scène ou au moins en avoir entendu parler.

Henri Ier de Montmorency, né en 1534 et nommé Connétable en 1593 était mort en 1614. Henri II de Montmorency, né en 1595 avait alors hérité du titre et du Château.

Théophile fut en butte, toute sa vie aux persécutions de la camarilla qui entourait Louis XIII, non pas à cause de ses péchés, qui étaient les mêmes que ceux de la société qu'il fréquentait, mais en raison de ses vers satiriques, qui fustigeaient impitoyablement la vie licencieuse des courtisans.

Le Connétable fut toujours ennemi de l'absolutisme royal et, surtout, l'ennemi de Richelieu. Malgré ses triomphes militaires, et bien qu'il fût le dernier descendant d'une grande famille et le principal personnage du monde féodal et chevaleresque de son époque, il fut décapité à Toulouse en 1632.

Ce sont ces deux hommes, le premier au moyen de sa plume, le second grâce à sa situation et à sa fortune, qui préparèrent dès avant 1626 les fameux sizains qui devaient donner naissance, probablement en 1630, aux éditions de Troyes. Cette édition dûment remaniée devait parvenir aux mains de Louis XIII, et, sous le couvert de l'autorité de Nostradamus le prédisposer contre la politique de son Premier ministre.

Trois poètes du début du XVIIe siècle nous permettent de fixer la date à laquelle furent imprimés les sizains apocryphes. Nous venons de nous occuper du premier, Théophile de Viau, mort en 1626. Le second est César Nostredame (1553-1630). Il avait déjà quarante-sept ans à la fin du XVIe siècle, mais la quasi-totalité de son œuvre littéraire et historique appartient au XVIIe siècle. Le Testament de son père nous permet d'avoir la complète assurance que tous les livres, manuscrits et brouillons du prophète ont été remis entre ses mains le 18 décembre 1578, quand il eut atteint la majorité de vingt-cinq ans, ou quelques années plus tard, lorsque le plus jeune de ses frères atteignit à son tour cette majorité. A partir de cette date, les papiers en question furent sa propriété exclusive. Il avait donc la certitude absolue de ce que Nostradamus avait bien publié, de son vivant, la totalité de son œuvre. En outre, il connaissait tous ses manuscrits et brouillons.

Si les sizains avaient existé, il les aurait publiés ou Chavigny s'en serait chargé. Dans le cas, fort improbable où, effectivement, les sizains seraient restés inédits pendant un demi-siècle, il les aurait présentés lui-même à Louis XIII. Il est absolument certain qu'il connaissait l'intérêt que le roi portait aux papiers inédits de Nostradamus, intérêt dont le souverain s'était ouvert à François Gallaup de Chasteuil. (Nous renvoyons le lecteur au chapitre VIII de cette bibliographie.)

La publication, sans son consentement, des sizains apocryphes aurait soulevé ses protestations, et il les aurait exprimées dans l'une de ses nombreuses publications; il aurait également pu les adresser directement au Roi par l'intermédiaire des amis de Peiresc ou des représentants de la Couronne en Provence. Les rois le connaissaient et l'estimaient. Une de ses œuvres : *L'entrée de la reyne en sa ville de Sallon,* datée du 10 décembre 1600 et publiée en 1602 avait été présentée à la reine Marie de Médicis en 1600. Par cette œuvre, nous savons que César Nostredame est intervenu dans la préparation de la réception, que son nom figura sur l'un des arcs de triomphe, et que ses vers et ceux de son père ornèrent le chemin de la reine. Nous savons aussi que, non content de participer à la délégation qui reçut la reine, il accompagna Marie de Médicis, aux côtés des personnalités les plus en vue de la ville, jusque dans ses appartements privés, afin de graver dans sa mémoire les traits du portrait qu'il projetait de faire d'elle.

Durant le banquet, le gentilhomme de service le plaça hors de la table royale, mais en face de la reine. Celle-ci demanda à Monsieur de Guise qui il était. César faisait partie de la maison du duc de Guise et celui-ci, de même que Messieurs de Gondy et de Lussan, fit de grands éloges de ses mérites. Il est vrai qu'il avait eu pour maître des peintres célèbres et que son œuvre de miniaturiste méritait ces louanges. Nous savons, par sa correspondance, qu'il avait étudié à Rome.

Le genou en terre, il présenta à la reine un petit boîtier d'ivoire, merveilleusement ouvragé par Perrier, de la taille d'une grande pièce de monnaie, et dans lequel il avait peint à l'huile le portrait de leurs majestés, complétant le décor avec des fleurs de lis et huit vers de sa composition. Il offrit encore à la reine des vers et des anagrammes, composés pour elle et calligraphiés de sa main.

Au lendemain, Marie de Médicis l'invita à s'approcher d'elle et l'assura de son appui auprès du roi en toutes circonstances. On ne parla plus du portrait projeté, mais sans doute César l'envoya-t-il postérieurement à la Cour.

A travers la correspondance avec Peiresc, nous savons qu'en avril 1629, il écrivait une troisième pièce, qu'il espérait terminer bientôt pour l'offrir à Louis XIII, fils de Marie de Médicis, qui venait de lui accorder le titre de Gentilhomme de chambre.

Il n'est pas nécessaire d'en dire davantage sur les relations personnelles de César Nostredame avec Marie de Médicis et

Henri IV, puis avec Louis XIII. Cette relation ne faisait, d'ailleurs que perpétuer le lien étroit qui unissait son père à Catherine de Médicis, Henri II, François II, Henri III et Henri IV. Ce que nous en avons dit suffit à démontrer que César de Nostredame n'eut jamais connaissance des sizains apocryphes, et que, par conséquent, ceux-ci ne furent pas publiés avant la date de son dernier testament, signé le 23 janvier 1630 dans le réfectoire du couvent des Révérends Pères Capucins de Salon, couvent où il avait probablement été recueilli pendant sa dernière maladie. Dans la lettre datée du 18 décembre 1629 qu'il adresse à d'Hozier, il dit en parlant de lui-même, qu'il est un vieillard de soixante-seize ans et que, justement, le 18 décembre est son anniversaire. Dans une autre lettre, César s'occupe de trois *errata* qu'il s'agit de corriger dans sa dernière œuvre, dédiée à Louis XIII et dont nous avons déjà parlé [4].

Le troisième des poètes en relation avec les sizains est Jean Mairet (1604-1686). Il appartenait à une famille de gentilshommes allemands qui, par haine de la Réforme, s'était installée en Franche-Comté, alors tenue par l'Espagne. Attaché à la maison de Montmorency dès 1621, il accompagna le Duc dans son expédition contre les protestants en 1625. Bien qu'il ait reçu une pension de Richelieu, Mairet resta fidèle à la famille de Montmorency, à son parti et au roi d'Espagne quand le Duc tomba en disgrâce.

Fervent admirateur de Madame la duchesse de Montmorency, à l'égal de Théophile de Viau, puisque tous deux l'avaient prise pour muse, Mairet peut être considéré comme l'auteur, le co-auteur ou le continuateur des sizains attribués à Nostradamus, et dont nous supposons qu'ils ont été écrits par Théophile de Viau. De toute façon et quelle qu'ait été son intervention antérieure, c'est lui qui, à la mort de Théophile, continue à s'occuper de la publication de ces sizains, sous le règne de Louis XIII et de Louis XIV.

Nous avons retrouvé parmi l'abondante production littéraire de Mairet, des pièces qui par leurs thèmes et leur versification, s'apparentent à l'œuvre apocryphe attribuée au prophète provençal.

Dans l'un de ses écrits, qui traite de la différence entre le prophète et le poète, Mairet dit textuellement : « Les oracles et les prophéties, rendoi le plus souvent en vers, venoyent immédiatement de l'esprit divin. » On croirait entendre parler Nostradamus et celui-ci aurait fort bien pu prononcer cette phrase.

En effet, dans l'une des éditions de ses Centuries, Nostradamus dit, très exactement : « Que la Divine essence, par astronomiques révolutions, m'a fait connaître. » Mais une telle affirmation pouvait lui créer des difficultés avec le Saint-Office; aussi, dans d'autres éditions, il en change le sens en écrivant : « Que la Divine essence par astronomiques revolutions m'ont fait connaître. » Ailleurs, il exprime sa véritable pensée par les mots suivants : « ... que par divine certitude prophétise. » Pour les mêmes raisons que nous signalions plus haut, Nostradamus se corrige et écrit, dans d'autres éditions « que par diurne certitude prophétise ».

En outre, Mairet a écrit des dizains intitulés : *Le pêcheur ou la prophétie de Neptune sur la ruine de La Rochelle.*

Le style « XVIIe siècle » de ces vers permet de les rapprocher des vers des sizains; le titre paraît également avoir été écrit par le même auteur. Une autre publication de Mairet comporte un poème intitulé : « Les premières amours de l'auteur », stances écrites en sizains octosyllabiques.

Toutes ces ressemblances ne constituent évidemment pas une preuve documentée, mais elles sont plus que suffisantes pour mettre en évidence tout un concours de circonstances autour d'un fait qui devait rester caché et qui s'est produit il y a plus de trois siècles. Si ce livre était tombé aux mains de Richelieu ou de Mazarin, nul doute que la biographie de Mairet aurait souffert quelques modifications. En effet, se trouver mêlé à une affaire d'édition apocryphe payée pour tromper le roi de France n'était pas une bagatelle et les risques courus par l'auteur étaient grands.

Il peut sembler incroyable que plus de trois siècles se soient écoulés sans qu'un seul bibliophile de France découvre et dénonce la supercherie : cinquante-huit sizains attribués à Nostradamus et introduits dans son œuvre au début du XVIIe siècle ne sont pourtant pas une mince escroquerie!

Un fait bibliographique aurait pourtant dû faire naître le premier soupçon : que penser de la publication, un demi-siècle après la mort de leur auteur supposé, de vers auxquels il n'est pas fait la moindre allusion dans les œuvres du premier commentateur et biographe du prophète, ni dans les nombreuses publications de son fils César?

Certains commentateurs se sont prononcés pour l'authenticité des sizains. D'autres ont déclaré qu'ils n'étaient qu'une grossière falsification [5]. Les premiers n'ont donc tenu aucun compte des considérations suivantes, pourtant évidentes :

1. – Le mètre des vers de ces sizains n'est pas le même que celui que Nostradamus emploie constamment. De plus, la présence même de ces sizains contredit les déclarations formelles du prophète, qui a affirmé que son œuvre se compose de *quatrains.*

2. – Le style des sizains est typique du XVIIe siècle. On ne peut le comparer avec celui d'aucune œuvre datant du milieu du siècle précédent. Le style de Nostradamus, réellement original, équivaut à une signature apposée à la fin de chacun de ses vers.

3. – L'œuvre de Nostradamus est celle d'un philologue qui se sert de toutes les langues qui existaient bien avant la langue française

et qui lui ont donné naissance. Par contre, les sizains sont écrits dans le français du XVIIe siècle, et n'ont pas la concision philologique des écrits du prophète provençal. Ils sont, sans doute possible, l'œuvre d'un auteur français du XVIIe siècle, pour qui il était impossible d'écrire des « quatrains nostradamiques ».

4. – Nostradamus prophétise chaque fait historique en l'entourant de la description de tous les détails dont il sera accompagné. C'est le style du visionnaire, qui décrit ce qu'il voit. Dans les sizains, au contraire, le récit se limite à énoncer un fait historique connu et les efforts pour imiter la manière d'écrire de Nostradamus sont visibles.

5. – Nostradamus a mélangé les quatrains de l'œuvre prophétique. On ne trouve jamais, les uns à la suite des autres, de quatrains qui se réfèrent aux mêmes faits, aux mêmes endroits ou aux mêmes événements historiques. Or, non seulement les cinquante-huit sizains s'occupent de la même époque, mais, de plus, ils sont groupés et munis d'un sous-titre qui est la négation même de la manière d'agir de Nostradamus : « Pour les années courantes de ce siècle en commençant en l'an 1600. »

Ces quelques considérations suffisent pour dénier toute authenticité aux sizains.

Ajoutons, une fois encore, que ces vers étaient ignorés du secrétaire du prophète aussi bien que de son fils, qui avait pourtant hérité de tous ses livres, manuscrits et brouillons. On n'a pas la moindre nouvelle de l'existence de ces sizains avant leur publication. Chavigny avait bien promis la publication de deux nouvelles Centuries de quatrains qui ne virent jamais le jour, mais à aucun moment il ne fut question de l'existence de sizains.

Enfin : le manuscrit aurait dû être présenté au Roi en 1600. Les éditions sans date de Troyes et la fausse date de 1627 pour les éditions de Lyon constituent une véritable escroquerie bibliographique. Il faudrait encore ajouter à cette liste, les explications insérées dans une édition de Marseille de 1643 par son éditeur, tendant elles aussi à créditer le texte imprimé d'une ancienneté qui n'est pas la sienne. Nous examinerons ces diverses éditions du point de vue strictement bibliographique.

C'est dans les éditions de Troyes qu'apparaissent pour la première fois les cinquante-huit sizains. On les entoure, au moment de leur parution, d'un véritable roman policier. On prétend que les sizains étaient, en réalité au nombre de cent trente-deux. La police intervint dans la recherche du manuscrit, mais finalement, les soixante-quatre sizains manquants disparaissent sans laisser la moindre trace. Un procès-verbal de la police atteste la véracité de ces faits.

Nous devons reconnaître le labeur réalisé par le poète : pour que les vers apocryphes qu'il a écrit bénéficient de l'autorité de Nostradamus il les fait connaître du public en les incorporant à une publication qui inclut tous les quatrains prophétiques connus jusqu'à cette date, qu'il fait suivre d'un volume d'anciennes prophéties, dont l'une des reproductions apparaît avec une date très ancienne et, comme auteur : « Nostradamus le Jeune. » Les éditions de Troyes sont donc le produit du travail d'un érudit, qui réunit en une seule publication tout ce qui s'était publié à cette date comme faisant partie de l'œuvre de Nostradamus.

Nous étudions ce texte frauduleux de trois points de vue : bibliographique, historique et littéraire, sans perdre de vue qu'il a été écrit dans un but politique. Il est, évidemment, impossible d'obtenir, sur cette question, des preuves matérielles. Mais l'étude parallèle des éditions elles-mêmes, des événements auxquels elles sont liées et du texte prophétique nous conduit à des conclusions qui, s'étayant mutuellement, susciteront probablement chez le lecteur la même conviction que celle qui est la nôtre.

Pour que le texte offre plus d'intérêt, et aussi pour qu'il apparaisse comme ayant réellement été présenté au roi en 1600, les sizains prophétisent une série d'événements survenus entre 1600 et 1605. Étant donné qu'un long temps s'était écoulé et qu'il n'y avait plus de témoins, il n'était plus possible de maintenir la date de présentation signalée. Il fallait faire disparaître le Sieur Aucane de Languedoc, et qui était sans doute un ami de Théophile de Viau mort en 1626. César Nostredame est mort en 1630 : le moment est venu d'utiliser les sizains. D'où la nécessité de tisser une nouvelle intrigue romanesque : tout à coup, surgit un certain Henry de Nostradamus, neveu du prophète, dont on n'avait eu jusque-là aucune nouvelle. C'est lui qui, sur son lit de mort, remet le manuscrit à un autre personnage, Vincent Sève de Beaucaire, qui est, lui aussi, lié à la famille du prophète. C'est ce Beaucaire qui aurait présenté le manuscrit à Henri IV au château de Chantilly en 1605, c'est-à-dire, alors que Henri de Montmorency, né en 1595, avait déjà dix ans. Cet arrangement rend tout à fait plausible que Henri de Montmorency ait été présent pendant la cérémonie ou, tout au moins, qu'il en ait entendu parler. Il devient du même coup vraisemblable que le manuscrit des sizains ait été déposé alors dans la bibliothèque du château. L'authenticité et l'ancienneté du manuscrit étaient ainsi démontrées.

NOTES

1. Le frontispice et la première page des présages pour 1557, que nous reproduisons hors texte constituent la preuve documentaire de ce que la visite de Nostradamus à la Cour eut lieu en 1555 et non en 1556. Ils démontrent également que Nostradamus s'adressait à Henri II comme « Henry, Second de ce nom » quand il lui dédiait une publication. Quand il dédie ses trois dernières Centuries au Grand Monarque, sa rédaction est différente : « A Henry, Roy de France, favorable. »

2. Pour plus d'exactitude, nous avons envoyé à notre ami Édouard Baratier, aujourd'hui décédé, et qui était alors directeur des Archives départementales des Bouches-du-Rhône à Marseille, une copie photographique de l'en-tête du manuscrit auquel nous nous sommes référé. Il nous en fit parvenir la transcription suivante :

> *Predictions de Maitre Michel Nostradamus pour le siècle de l'an 1600, presentées au roy Henri 4° au commencement de l'année par Vincent Aucane de Languedoc.*

3. Le château de Chantilly a été construit au Xe siècle. Marguerite d'Orgemont l'apporta en dot lors de son mariage avec Jean II de Montmorency (1402-1477). Celui-ci le légua à son fils Guillaume qui lui-même le transmit à sa petite fille Anne (1492-1567), qui le fit reconstruire tel qu'on peut le voir maintenant, aux côtés de la maison féodale qui lui a donné son nom. François et Henri Ier, fils d'Anne, en héritèrent à leur tour. Henri, duc de Montmorency, fut nommé Connétable en 1593 (Anne avait reçu la dignité de Connétable en 1537). Né en 1534, il mourut en 1614.

4. Le 23 août 1639, César Nostredame écrivait dans une lettre à Peiresc : « le Sieur Galloup, mon cousin.. » Nous disposons de plus d'une lettre à Peiresc ou à d'Hozier dans laquelle César Nostredame fixe son âge. Ce nom – César Nostredame – c'est celui que lui-même emploie quand il signe, c'est aussi sous ce nom que son père le désigne quand il lui dédie ses prophéties en 1555. Il nous répète plusieurs fois son âge. A propos du mercredi des Cendres de 1628 il dit : « de mon âge le LXXVe », c'est-à-dire soixante-quinze ans. Il a soixante-seize ans en décembre 1629. Il répète à nouveau son âge dans une lettre du 21 juin 1628. Il fait son testament le 23 janvier 1630 et après cette date on ne connaît plus aucune lettre de lui à Peiresc, à qui il avait écrit au moins une vingtaine de fois en 1629 et qui faisait des démarches pour qu'il reçoive une pension comme gentilhomme de la Chambre du roi. En relisant le testament nous y avons lu : « ... et qu'à l'âge de soixante-dix-sept ans accomplis et révolus... » Il n'y a pas lieu au moindre doute.

5. Certains commentateurs ont déclaré que les sizains étaient apocryphes en se basant simplement sur l'étude de leur style, très

différent de celui de Nostradamus. La forme de leurs récits prophétiques, les différences philologiques et littéraires qu'ils présentent et la qualité de la typographie des éditions sont telles qu'il est impossible de les confondre avec des œuvres du XVIe siècle. Nous espérons que le faisceau de preuves historiques et bibliographiques que nous avons réunies sera suffisant pour dissiper les doutes qui pouvaient subsister non seulement au sujet des sizains, mais encore de l'édition multiple de Troyes qui les rendit publics pour la première fois.

X

ÉDITIONS APOCRYPHES PARUES SOUS LE RÈGNE DE LOUIS XIII (1627-1643)

On était parvenu à donner une réalité historique à la fraude littéraire. Il fallait maintenant disposer de deux groupes d'éditions : les unes, anciennes, auxquelles on donnerait une valeur bibliographique puisqu'elles réuniraient toute l'œuvre du prophète; les autres, modernes, bien que datées d'avant le moment dans lequel se trame l'intrigue. C'est ainsi que voient le jour les éditions de Troyes, non datées, et celles de Lyon, datées de 1627.

Les recherches bibliographiques étaient terminées. On prit pour base les éditions de Lyon, réalisées par Benoist Rigaud en y ajoutant : tous les vers cités par Chavigny en 1594 dans *La Première Face du Janus François*, les vers de l'édition réalisée à Paris en 1561 par Barbe Regnault et reproduits en 1588 et 1589, et deux quatrains de louanges destinés à Louis XIII. Le compilateur devait, de plus, avoir sous les yeux, l'une des éditions d'Avignon.

Le travail poétique et bibliographique réalisé était solide et la base historique sur laquelle il s'appuyait lui permettait de supporter sans danger une enquête. Par contre, le travail de typographie fut confié à un débutant. L'organisation policière mise sur pied par le Cardinal de Richelieu aurait eu beau jeu de démontrer qu'il y avait fraude [1]. En effet :

I. On réalisa une seule édition, avec le même papier, le même caractère typographique pour les vers et dans le même format, en introduisant en cours de route quelques changements pour faire croire à l'existence d'au moins cinq éditions différentes.

II. Toutes ces éditions furent commercialisées sous le nom de deux imprimeurs de Troyes. Les éditions attribuées à Pierre du

Ruau (fiches 51 et 52) sont en réalité une seule, avec seulement quelques petites modifications. Celles qui paraissent sous le nom de Pierre Chevillot (fiches 53, 54 et 55), non seulement sont imprimées sur le même papier et avec les mêmes caractères que les deux autres, mais encore présentent un texte des quatrains rigoureusement identique, dans lequel on retrouve jusqu'aux errata des éditions de Ruau, qui sont les mêmes chez les deux éditeurs.

Aucun bibliophile ne pourrait admettre que deux éditions différentes, réalisées par des éditeurs différents, offrent des pages rigoureusement identiques : même papier, même typographie, même format et... mêmes erreurs. Il peut se produire que deux ou plusieurs éditeurs commercialisent ensemble une même édition. Mais quand il s'agit de plusieurs éditeurs patronnant de leur nom cinq éditions sorties des mêmes ateliers et qui prétendent passer pour des éditions différentes alors qu'elles ne le sont pas, n'importe quel éditeur, n'importe quel bibliophile se rend immédiatement compte qu'il est en présence d'une fraude réalisée dans un but inavouable.

III. L'étude des éditions attribuées à Pierre Chevillot conduit à la même conclusion. Beaucoup de changements ont été introduits, mais le papier, les caractères typographiques, le format et les errata sont les mêmes!

IV. Pour garantir la fausse ancienneté de ces éditions non datées, on leur adjoignit une autre œuvre, présentée avec un numérotage des pages séparé, et dont on fit également une seule édition avec de petites retouches. Il s'agit d'un « Recueil de prophéties de sainte Brigitte, de saint Cirile et d'autres saints et religieux personnages ». Ce Recueil est daté de 1611 ce qui permet d'attribuer aussi, mais indirectement, cette date au volume des prophéties qui se trouve juste avant. Le Recueil paraît quelques fois sans date. Ce livre a été, lui aussi imprimé sur le même papier, dans le même format et avec la même typographie que tous les autres. Le livre tout entier se compose de 64 folios pour la Première partie des Centuries, 64 folios pour la Seconde partie et les vers qui y sont ajoutés, et 64 folios également pour le Recueil. Cette distribution est la même dans toutes les éditions, bien que dans certaines, le Recueil manque; dans d'autres, ce sont les Présages.

V. Il existe une édition séparée du « Recueil », de petit format qui se prétend imprimée à Venise, en 1575 par Nostradamus le Jeune, et en français, chez le Seigneur Castavino, rue Samaritaine. Nous pouvons considérer qu'il s'agit d'une édition apocryphe, probablement réalisée en France au XVIIe siècle, de manière à lier, à partir de cette date, le nom de Nostradamus à ce recueil qui accompagnait les éditions de Troyes et qui, dans certaines pages, chante les louanges des rois de France. Nous ne pensons pas que ce recueil ait été écrit par Nostradamus le Jeune.

VI. Nous avons comparé entre eux de nombreux exemplaires des éditions de Troyes et notre opinion à leur sujet est largement fondée. Nous invitons le lecteur à procéder lui-même à cette comparaison car un récit incomplet de nos travaux ne suffirait pas, tandis qu'un rapport complet occuperait des pages et des pages et serait difficile à lire.

Dans certains exemplaires, les Présages ne figurent pas. Dans d'autres, c'est le Recueil qui manque. Certains comportent le quatrain panégyrique : « au juste juge », dans d'autres il est absent. Les uns font se terminer la Sixième Centurie au quatrain VI-99, d'autres incluent le quatrain VI-100 cité par Chavigny en 1594 et qui semble avoir fait partie des éditions d'Avignon. Tantôt, on donne du quatrain en latin la version des éditions d'Avignon qui commence par LEGIS CAUTIO et tantôt le texte dit LEGIS CANTIO comme dans les éditions de Lyon. Les deux lettres-préfaces sont présentées dans des typographies différentes. Le numérotage que portent les quatrains change de dimension. Le texte typographique des vers reste le plus stable, encore que ce soit dans ce texte qu'on rencontre les mêmes errata, aux endroits où on s'y attend le moins. L'une des éditions de Chevillot modifie le frontispice et dit, des sept premières Centuries : « trouvés dans une bibliothèque et délaissés par l'auteur » et des trois dernières : « où se reconnaît le passé et l'avenir ». Dans certains exemplaires, le second frontispice a même complètement disparu.

Quant aux sizains, ils apparaissent tantôt comme onzième Centurie, tantôt comme « Autres Prophéties », tandis que les Centuries XI et XII se composent des treize quatrains que Chavigny a repris des brouillons de Nostradamus qui les avait écartés.

Le manque de sérieux bibliographique est tel que nous-même, nous avons parlé de cinq éditions en divisant les exemplaires que nous connaissons d'après notre critère personnel. Parmi les éditions qui apparaissent comme éditées par du Ruau, nous avons séparé celles qui portent Nostradamus au premier frontispice et qui ne comportent pas le quatrain : « un juste juge... », de celles qui portent au frontispice Nostadamus *(sic)* et qui comportent ce quatrain apocryphe. Mais nous ne pouvons pas exclure qu'il existe des exemplaires qu'il soit impossible de ranger dans l'une ou l'autre catégorie. Parmi les éditions qui apparaissent comme éditées chez Chevillot, on peut établir des divisions entre celles qui incluent les Présages et celles qui les omettent et d'après les changements apportés aux frontispices. Là non plus, nous ne pouvons assurer que les différences que nous avons retenues s'appliquent à tous les cas, étant donné que nous n'avons pu examiner qu'un petit nombre d'exemplaires. Celui qui a fait les changements n'était en tout cas pas bibliophile!

VII. Il faut citer cependant les caractéristiques communes que présentent, en plus de l'identité du papier et du format, tous les exemplaires que nous connaissons de cette édition unique de Troyes. Malgré les nombreux changements, certains traits se trouvent invariablement dans tous : tous les exemplaires connus comportent les cinquante-huit sizains et le quatrain X-101 : « Quand le Fourcheu... » qui est une strophe de louanges à Louis XIII. Dans aucun ne figurent les quatrains VII-43 et VII-44, des éditions d'Avignon [2]. Certains comportent le deuxième quatrain de louanges : « un juste juge » avec le nom de quatrain VII-43.

VIII. L'intention politique que poursuit cette édition de Troyes est d'ailleurs confirmée par les deux quatrains d'adulation que nous avons précédemment cités. Dans certains exemplaires ce quatrain apocryphe se trouve à la fin de la Septième Centurie, au numéro VII-43 :

Un Juste Roy de trois lis gaignera
Dessus le Pau une palme nouvelle
Au mesme temps que chacun marchera
Sur le clocher de la Saincte Chapelle.

Le second quatrain se trouve à la fin de la Dixième Centurie, portant le numéro 101 – ce qui est absurde puisqu'il s'agit de centuries :

Quand le fourcheu sera soustenu de deux paux
Auec six demy cors, & six siceaux ouuers :
Le tres puissant Seigneur, heritier des crapaux
Alors subiuguera, sous soy tout l'univers.

Louis XIII est mort à l'âge de quarante-et-un ans, en 1643. Ce faux quatrain lui prédisait les plus grands triomphes quand il aurait atteint l'âge de cinquante-neuf ans, en 1660. Personne ne pensait à Louis XIV, né en 1638 et qui ne put gouverner qu'à partir de 1661. Cette fraude a eu beaucoup d'influence sur le problème nostradamique. Sans cette édition apocryphe, on aurait continué à réimprimer les vieilles éditions de Lyon et d'Avignon. Par contre les Présages qui, dans le passé n'avaient été réimprimés qu'une seule fois, et encore de manière incomplète par Chavigny en 1594, seraient tombés complètement dans l'oubli.

Dans les éditions de Troyes, réalisées seulement pour servir de cadre aux cinquante-huit sizains apocryphes, apparaissent également pour la première fois, les deux quatrains adulateurs à l'intention de Louis XIII, qui sont une preuve de plus du but poursuivi par ceux qui ont mis au point cette escroquerie à des fins politiques.

Nous avons pensé pendant longtemps que celle des éditions de Troyes, que nous avons arbitrairement appelée la cinquième, et qui a été publiée sous le nom de Chevillot, mais avec des frontispices différents de ceux que portent les autres exemplaires, était, en fait, une édition postérieure, qui n'avait pas été imprimée en même temps que les autres. Ces frontispices portent des légendes inventées, qu'on avait jamais vues avant dans aucune édition de Nostradamus, mais qui par la suite furent copiées par des éditeurs peu scrupuleux. C'est ce qui nous a trompé. Mais, après, nous avons retrouvé dans le texte des quatrains des errata qui confirment notre théorie d'une édition unique, mais qui a souffert de nombreuses modifications. En voici un exemple. Le vers : « Vicaire au Rosne, prinscité, ceux d'Ausone » figure dans les éditions de Troyes-Chevillot avec un mot de plus et avec une lettre majuscule d'une taille plus petite au mot Ausone : « Vicaire au Rosne, prinscité, ceux de l'Ausone. »

IX. L'édition multiple de Troyes copie les éditions de Benoist Rigaud et y ajoute :

a) Quatre ou cinq quatrains des Présages, publiés comme appartenant à la Septième Centurie, par l'éditeur de Paris, Barbe Regnault, dans l'édition de 1560-61.

b) Les six quatrains, numérotés de 1 à 6 que cette même édition de 1560-61 a publié comme Centurie VIII.

c) Les treize quatrains mis au rebut par Nostradamus, que Chavigny a repris des brouillons et publié comme appartenant aux Centuries XI et XII, qui n'ont jamais existé.

d) Pour la première fois et sous le titre pompeux de « Prédictions admirables pour les années courantes de ce siècle », ces éditions présentent les cinquante-huit sizains précédés d'une note qui explique qu'ils ont été recueillis dans les Mémoires de feu Maître Michel Nostradamus. Aucun bibliophile ne connaît ces Mémoires ni n'en a entendu parler. Il n'en est question, ni dans l'œuvre de Chavigny mort en 1606, ni dans la correspondance du fils de leur auteur, mort au début de 1630. Une seconde note assure que ces vers ont été présentés au roi Henri IV au château de Chantilly le 19 mars 1605, par Vincent Sève de Beaucaire de Languedoc.

Il est impossible que Chavigny, premier commentateur de l'œuvre de Nostradamus et César, le fils du prophète, l'héritier de ses manuscrits et de ses livres, aient ignoré ces vers qui, s'ils avaient existé, se seraient trouvés entre leurs mains. En 1605, Chavigny aspirait encore à être le prophète de Henri IV dont, cinq ans avant 1589, il avait prophétisé devant Alphonse d'Ornano l'avènement, pourtant fort problématique à ce moment-là. Après la publication de son livre en 1594, Chavigny avait regroupé toutes les prophéties qui, selon lui, promettaient à Henri IV des triomphes extraordinaires, en un seul manuscrit, de 132 pages, relié et orné des armes du roi. Ce manuscrit qui se terminait par l'horoscope de Henri IV lui fut présenté de la part de l'auteur. Il se trouve actuellement à la bibliothèque Méjanes, à Aix-en-Provence. Si ces sizains avaient existé, on peut être certain que c'est Chavigny qui les aurait présentés au roi, en admettant que César Nostredame, propriétaire par testament de tous les manuscrits de son père et connaissant l'intérêt du roi pour d'éventuels vers inédits du prophète, ne l'ait pas fait lui-même.

Pour présenter les sizains et les quatrains apocryphes à Louis XIII, il fallait disposer de deux groupes d'éditions : les unes, anciennes, ce qui était un gage de leur authenticité, les autres modernes, pour démontrer la continuité de la réimpression de ce texte.

L'opinion des Rois de France vis-à-vis du prophète et de ses prophéties était déjà faite. Il avait prophétisé, sans le moindre doute, tous les événements importants qui s'étaient produits dans la vie de la famille royale. Valois et Bourbons n'avaient pas pu changer le cours de ces événements, mais, une fois que ceux-ci avaient eu lieu, il était possible de lire les prophéties comme une sorte d'histoire synthétique du passé de la famille royale. Il était donc on ne peut plus facile d'influencer Louis XIII en lui laissant croire qu'il était possible d'utiliser les prophéties pour changer le cours du destin, et en lui remettant, dans des éditions dignes de foi, des prophéties apocryphes.

Nous nous sommes déjà occupé du premier groupe de ces éditions, que nous avons appelé « éditions de Troyes », et qui furent publiées sans date. Le second groupe a été imprimé en 1627. Réalisées avec la même technique que celles de Troyes, elles présentent les mêmes erreurs. Nous avons eu l'occasion d'étudier des exemplaires de cette édition qui portent, à leur frontispice, les noms de quatre imprimeurs de Lyon. Mais ces noms ne sont pas imprimés ensemble, comme ce serait le cas si ces imprimeurs avaient créé entre eux une société pour réaliser une édition commune et la vendre dans leurs imprimeries et librairies respectives. On a imprimé des frontispices qui portent le nom de l'un des éditeurs cités : Didier (Fiche 57), Castellard (Fiche 56), Marniolles et Tantillon (Fiche 58).

Nous sommes arrivé à la conclusion que les éditions connues sous les noms de Didier et de Castellard n'en sont qu'une, dans laquelle on a changé le nom inscrit au frontispice. De même pour les éditions de Marniolles et de Tantillon. Après avoir découvert les mêmes errata d'imprimerie entre toutes les éditions de Troyes, nous avons observé le même phénomène dans ce que nous supposions être deux éditions différentes de 1627. Nous en avons conclu que nous nous étions laissé tromper par les vignettes. Tout lecteur qui veut procéder à une vérification peut comparer les versions que donnent les quatre éditeurs des quatrains 8, 9, 12, 22, 33, 39 et 42 de la Septième Centurie qui n'en comporte que 44 : il y découvrira les mêmes errata.

L'étude des quatrains nous permit une vérification : nous avons retrouvé dans les exemplaires attribués à Marniolles et à Tantillon, une vignette qui a été utilisée, dans des éditions beaucoup plus anciennes, par l'imprimeur Didier. Il est probable que c'est celui-ci, ou son successeur, qui fut chargé d'imprimer cette édition frauduleuse.

Ces éditions de 1627 présentent par rapport aux éditions de Troyes les différences suivantes :

1. Elles ne comportent pas le quatrain « au juste juge ».
2. Elles ne comportent pas les quatre quatrains placés à la suite de la Centurie VII, ni les six quatrains qui suivent la Centurie VIII.
3. Elles ne comportent pas les Présages commentés par Chavigny.
4. Elles ne sont pas accompagnées, dans un seul volume, par le « Recueil de prophéties de Sainte Brigitte ».
5. Elles ne comportent que 12 des 13 quatrains que Chavigny avait présentés comme faisant partie des Centuries XI et XII.
6. Elles comportent deux quatrains : VII-43 et VII-44, que nous n'avions jamais rencontré dans aucune édition connue ni dans les commentaires de Chavigny et que nous acceptons comme faisant partie de l'œuvre prophétique de Nostradamus parce que les clefs testamentaires semblent les inclure.

Les éditions apocryphes de 1627 ont été constituées en mélangeant le texte des quatrains des Centuries et le quatrain en latin tel qu'il apparaît dans les éditions de Lyon et d'Avignon. Elles comportent, en plus, les quatrains VII-43 et VII-44 des éditions d'Avignon et le quatrain adulateur « Quand le fourcheu... » des éditions de Troyes. Enfin, elles nous présentent pour la deuxième fois les cinquante-huit sizains, accompagnés des mêmes notes et du même récit de la présentation à Henri IV qui composent le « roman » inventé pour faire croire à Louis XIII leur authenticité. Le groupe des sizains porte le nom de « Onzième Centurie », bien qu'immédiatement après, et terminant le livre, on trouve douze des treize quatrains que Chavigny s'était permis d'exhumer des brouillons de Nostradamus. Suivant les indications de Chavigny, l'éditeur de 1627 présente deux de ces quatrains comme appartenant à la Onzième Centurie et dix comme faisant partie de la Douzième Centurie. Chavigny a toujours affirmé que ces deux Centuries inédites existaient mais nous sommes arrivé à la conclusion qu'il s'est contenté de prendre ces quatrains parmi les brouillons du prophète. Les Centuries XI et XII n'ont jamais existé. C'est ce que confirment les clefs du Testament. Pour ce qui est de la dédicace à Henry Second, les éditions datées de 1627 copient le texte des éditions d'Avignon.

Entre la date de la mort de Richelieu (le 4 décembre 1642) et celle de la mort de Louis XIII (le 14 mai 1643) les auteurs de la falsification de Troyes font paraître pour la troisième fois, les sizains apocryphes et pour la seconde fois, les quatrains VII-43 et VI-44 dans une édition réalisée à Marseille (Fiche 59). La version primitive de cette édition, dont un exemplaire se trouve actuellement à la bibliothèque de Marseille, et la seconde version de la même édition, augmentée postérieurement, constituent une preuve documentaire – qui date très certainement de 1643 – de ce fait : l'imprimeur avait considéré peu honnête d'inclure les sizains dans un livre de prophéties de Nostradamus; néanmoins, il le fait.

Après la disparition du roi, les intrigues de la Cour avaient pris un tour particulièrement violent. Grâce à son dernier triomphe, en conduisant à l'échafaud Cinq-Mars et de Thou, le 12 septembre 1642, Richelieu était parvenu à vaincre la résistance du roi et lui faire accepter définitivement sa politique. Jusqu'à sa mort, Louis XIII respecte Richelieu et sa famille et accepte en Mazarin le continuateur des projets du Cardinal [3].

L'éditeur de Marseille modifie son édition alors qu'il en a déjà vendu quelques exemplaires. sa crainte le pousse à se dénoncer lui-même dans une préface intitulée : « L'imprimeur au lecteur. » Nous reproduisons intégralement le texte de cette préface parce qu'elle aide à faire comprendre aux lecteurs l'intrigue et l'escroquerie des sizains, qui prend fin avec la mort de Louis XIII mais dont nous verrons ensuite qu'elle se renouvelle sous Louis XIV. Cette escroquerie est perpétuée jusqu'à nos jours dans toutes les éditions réalisées sans l'appui d'une étude bibliographique.

L'exemplaire que nous possédons de cette édition de Marseille, d'ailleurs très soignée, porte à son frontispice (Fiche 60) : « Les Propheties de M. Michel Nostradamus Provençal Par Claude Garcin, Imprimeur du Roy et de la Ville. M. DC. XXXXIII. »

Ce frontispice n'est pas l'original parce qu'il est lié au livret de huit pages par six pages d'une préface intitulée : « L'Imprimeur Au Lecteur » :

« Ne vous estonnez point (AMY LECTEUR) si vous ne trouvez pas dans ces Prophéties de Nostradamus que ie vous donne, celles qui ont esté mises dans les impressions qui se sont faites après celles de l'année 1568, sur laquelle i'ay fait celle-cy; cette obmition ne procède ny de malice ny de négligence, puis ie ne les ay pas retranchees sans cause; l'avantage que i'ay de les avoir imprimées en un lieu où i'ay peu estre parfaictement instruit de tout ce qu'a fait cet Autheur, m'empeche de tomber dans la faute qu'ont commise ceux qui ont imprimé plus que ie ne vous donne en cette matière; Car outre qu'ils ont imposé au fils de ce Grand Astronome, la composition de quelques Prophéties, qu'il n'a iamais faites; Pour authoriser celles qu'ils ont composees pour plaisir. Quand il seroit vray qu'il eut fait quelques predictions, ne seroit ce pas vouloir surprendre vostre credulité, que de débiter pour un mesme alloy celles du Fils que celles du Pere; puis qu'il est constant, que quoy qu'il ayt esté habile homme & versé en beuacoup de sciences, il a eu tres peu de part en l'advenir, & ses connoissances ont esté si foibles, que l'on a veu en luy ce qu'on remarquoit anciennement parmy les Hebrieux, que tous les enfans des Prophetes ne prophetisoient pas. Sçachez moy donc bon gré si ie n'ay pas fait comme ceux qui reimprimant les ouvrages des Autheurs y font des additions qu'ils veulent faire passer pour de decouvertes des nouvelles Indes; & abusent du temps & de la bource de ceux qui les acheptent, & qui les lisent. Ce desordre en a causé un bien plus grand : on a grossy les volumes de beaucoup de pieces qui n'estoient point aux Autheurs dont on imprimoit les ouvrages : De sorte que ce n'est pas maintenant une petite connoissance, que de sçavoir quels sont leurs véritables escrits ou ceux qui sont supposez : Mais ce n'est pas à moy à corriger cet abus, c'est assez que je ne le commette pas, quoy que la coustume semble l'authoriser; & que ie vous prie (AMY LECTEUR) de jouyr de ce travail sans murmurer, & de ne vous plaindre pas si ie ne vous ay point trompé. »

A la suite de ce préambule, on trouve une copie des dix premières Centuries de Nostradamus et du quatrain en latin, fidèlement repris de l'édition réalisée par Benoist Rigaud à Lyon en 1568. On en a seulement supprimé les deux préfaces tandis qu'on ajoutait les deux quatrains VII-43 et VII-44, qui n'ont jamais été publiés par Benoist Rigaud. La Centurie X se termine à la page 168. Le livre comprend donc dix feuillets de 16 pages et un de huit. La reliure permet de voir que le premier feuillet a été amputé du premier folio qui portait probablement le frontispice original. Ce feuillet est remplacé par un pli de quatre feuilles dont la première porte le nouveau frontispice – qui qualifie Nostradamus de « provençal » – et dont les trois autres sont consacrées à l'« Avertissement » que nous venons de reproduire.

Le mot Fin est écrit à la page 168, à la fin du centième quatrain de la Dixième Centurie. Nous avons donc la complète certitude que c'est là que prend fin la copie fidèle que l'imprimeur avait eu l'intention de faire. Ce qui ne s'explique pas, c'est qu'il ait supprimé le frontispice antérieur et ajouté une préface dans laquelle il fait l'éloge de son honnêteté tandis qu'il inclut, à la suite de la page 168, 16 pages qui sont la négation de ses paroles elles-mêmes. De la page 169 à 181, il imprime, sous le nom de Onzième Centurie, cinquante-et-un des cinquante-huit sizains apocryphes. Manquent les sizains numéro 12, 16, 19, 24, 25, 54 et 55. Les pages 181 à 184 portent les deux quatrains que Chavigny avait intitulé Centurie XI, et les dix quatrains empruntés aux éditions de Troyes, qui les copient elles-mêmes de Chavigny, sous le nom de Centurie XII. Cette fois, ces douze quatrains sont appelés Centuries XII et XIII. Nous ne retrouvons pas le quatrain auquel Chavigny donne le numéro VI-100 et qui avait été omis dans les éditions de Troyes. Par contre à la fin, on retrouve le quatrain : de louanges à Louis XIII : « Quand le fourcheux... »

L'exemplaire que nous possédons a 184 pages, dont six non numérotées pour la préface, tout comme celui qui se trouve à la bibliothèque de l'Université Harvard. (Fiches 59 et 60). L'exemplaire qui se trouve à la bibliothèque de Marseille est différent : il recopie avec la fidélité la plus absolue le texte de l'édition de Lyon de 1568, réalisée par Benoist Rigaud; il ne comporte pas l'« Avertissement de l'imprimeur au Lecteur » et se termine à la page 168. Il porte également le frontispice primitif, qui ne traite pas Nostradamus de « provençal ». C'est donc un exemplaire de l'édition « honorable », celle dont l'imprimeur n'avait pas à se justifier par une préface, si ce n'est pour les quatrains VII-43 et VII-44, qui n'ont jamais paru dans les éditions de Lyon.

En étudiant les éditions de Troyes et de 1627, nous sommes conduit à formuler une supposition : les auteurs des deux groupes d'éditions apocryphes ont obtenu de l'éditeur de Marseille qu'il inclue dans son livre les sizains apocryphes, au moment où son édition était déjà en vente. Sans doute, pour le convaincre, ont-ils raconté à cette fin une histoire concernant un fils de Nostradamus. L'imprimeur, Claude Garcin, accepta et fit placer devant le texte une préface dans laquelle il déclare authentique tout ce qu'il publie, et apocryphes d'autres vers auxquels il ne fait qu'une vague allusion.

Il faut retenir, avec la plus grande attention, que les quatrains VII-43 et VII-44 n'ont été finalement publiés que dans les éditions de 1627 et dans ces éditions de Marseille de 1643. Si celles-ci copiaient le texte des éditions d'Avignon, il serait logique qu'elles incluent ces quatrains, mais dans la mesure où elles copient le texte de l'édition de Lyon et ne s'en séparent que pour reproduire ces deux quatrains, ceux-ci deviennent, par conséquent, très suspects.

La déclaration de l'éditeur tend à légaliser la fraude en faisant croire que les sizains qu'il inclut dans son livre ont été publiés à partir de 1568, ce qui est absolument faux. La date de l'édition – 1643 – nous permet d'affirmer qu'il s'agit d'un ouvrage truqué pour influencer Louis XIII et le pousser à abandonner la politique du Cardinal et à retirer sa protection à la famille de Richelieu [4]. Tout cela dans les cinq mois écoulés entre la mort de Richelieu et celle de Louis XIII.

NOTES

1. Nous connaissons un curieux document qui prouve que Nostradamus était un sujet de conversation courant entre Richelieu et Louis XIII. Dans une lettre adressée au roi, le Cardinal écrit : « ... comme dit Nostradamus, Dieu est au-dessus de tout et il le laisse entendre très bien... » (Manuscrit de Richelieu et Louis XIII, annoté de la main du roi, le 4 décembre 1636.) La présence de Nostradamus dans une conversation intime entre le roi et son cardinal, nous rappelle que Catherine de Médicis s'était déjà servie en 1561 d'une édition de Nostradamus pour donner un conseil – qui était doublé d'une menace – aux rebelles qui, cette année-là, mettaient en danger sa Régence à la mort de François II. Henri III s'était servi du même procédé pour s'adresser aux rebelles de 1588. Mais les années ont passé, Henri IV et Louis XIII ont oublié cette sage habitude, à tel point que ce sont les ennemis de Richelieu qui utilisent Nostradamus. Cela ne nous étonne pas de Louis XIII, par contre, nous sommes un peu surpris que cela ait pu échapper à Richelieu, qui avait mis sur pied un réseau d'espionnage qui s'est presque toujours révélé parfaitement efficace. Il est possible que Richelieu ait profité aussi de la crédulité du Roi et qu'il ait même connu l'intrigue des éditions apocryphes.

2. Ici se pose un autre problème bibliographique que nous ne sommes pas en mesure d'expliquer. Les auteurs des fameuses éditions de Troyes pouvaient avoir emprunté le texte du quatrain VI-100 à Chavigny. Mais en ce qui concerne le quatrain en latin, LEGIS CAUTIO CONTRA INEPTOS CRITICOS, ils n'ont pu le trouver que dans les éditions d'Avignon. Pourquoi, alors ne pas avoir également inclus dans ces éditions de Troyes, les quatrains VII-43 et VII-44 qui apparaissent pour la première fois dans les éditions de 1630, faussement datées de 1627? Ces quatrains nous ont toujours inspiré un doute profond. Ils apparaissent pour la première fois dans une édition apocryphe et nous ne les retrouvons pas dans l'édition de Rouen de Caillove, Viret, et Besogne de 1649; nous les retrouvons dans l'édition de Leyde de 1650 et dans des éditions postérieures.

Pendant de nombreuses années nous avons cru que les éditions datées de 1627 étaient en réalité de 1643 comme celle de Marseille et qu'on y avait ajouté ces deux quatrains pour prédisposer Louis XIII contre le neveu de Richelieu, en espérant que celui-ci s'éloignerait de la cour si un changement intervenait dans la politique du roi après la mort du Cardinal. Les clefs découvertes dans le Testament et qui semblent inclure ces quatrains, nous ont fait revenir sur notre première opinion. Leur texte est le suivant :

VII-43. – *Lors qu'on verra les deux licornes*
L'une baiffant, l'autre abaiffant,
Monde au milieu, pilier aux bornes
S'en fuira le neveu riant.

VII-44. – *Alors qu'un bour sera fort bon,*
Portant en soy les marques de justice
De son sang lors portant son nom
Par fuite injuste recevra son supplice.

Nous avons également beaucoup douté de l'authenticité du quatrain VI-100 jusqu'à ce que nous ayons découvert les clefs du Testament. Nous avons lu et relu Nostradamus pendant plus de quarante ans et nous trouvons qu'il n'est pas dans son style d'écrire : « Fille de l'Aure » pour se référer à la petite ville d'Aurange, ni de parler de « mal sain » pour désigner les protestants auxquels elle servit d'asile, ni « Ou jusqu'au ciel se void l'amphithéâtre », expressions qui toutes, manquent de la concision propre à notre prophète dont chaque quatrain est une synthèse philologique :

VI-100. – *Fille de l'Aure, asyle du mal sain,*
Ou jusqu'au ciel se void l'amphithéatre,
Prodige veu ton mal est fort prochain,
Seras captive et deux fois plus de quatre.

3. Louis XIII savait que le Cardinal le tenait à sa merci et il le haïssait. L'histoire ne saura jamais quelle documentation Richelieu était parvenu à réunir au long de ces dix-huit années. Cette documentation se trouvait très certainement à Rome. Elle seule pourrait permettre d'expliquer l'attitude du roi : il commence par comploter avec Cinq-Mars pour préparer l'assassinat du Cardinal; puis livre ses complices à la vengeance du ministre. La sentence de Cinq-Mars prévoyait que le condamné serait soumis à la question ordinaire et extraordinaire. Pour échapper à la torture, Cinq-Mars menaça certainement de faire une confession qui aurait compromis le roi. Richelieu l'avait prévu. Il n'était pas présent et il n'était pas possible de le consulter sur ce point, mais ses hommes de confiance se trouvaient sur les lieux. Ils avaient probablement reçu comme instruction de se contenter d'une telle confession, rédigée de la main de Cinq-Mars. En effet, tous les récits historiques confirment que malgré la sentence, Cinq-Mars ne fut pas soumis à la torture. Ce document, aux mains de Richelieu, celui-ci était assuré de pouvoir rester en fonction. Transmis à sa famille, il la protégeait. De plus, Louis XIII n'avait personne à qui se confier. A ce moment précis, le Premier ministre et Mazarin étaient en pourparlers avec le duc de Bouillon qui, pour sauver sa tête, leur livra la place de Sedan. En ce qui concerne ce document et cette négociation, qui rendaient Richelieu tout-puissant, nous avons une certitude complète; mais de combien d'autres documents compromettants pour Louis XIII, son éminence grise ne s'était-elle pas emparée pendant les dix-huit ans de sa gestion?

4. Nous donnons ci-dessous au lecteur un échantillon des quatrains apocryphes attribués à Nostradamus :

Quand robe rouge aura passe fenestre
Fort malingreux, mais non pas de la toux;
A quarante onces on tranchera la teste;
Et de trop près le suivra de Thou.

La fenêtre, c'est aussi le canal, l'ouverture. L'habit rouge c'est le Cardinal de Richelieu qui, en 1642 ne voyageait plus qu'en litière, cloué par la maladie. Seize serviteurs, la tête découverte, portaient la litière qui, ne pouvant entrer par les portes, devait emprunter le « canal » des fenêtres. Quarante onces valaient cinq marcs. Cinq-Mars et de Thou furent exécutés.

Et pour pouvoir établir une comparaison, citons ce quatrain authentique de Nostradamus, publié en 1558; c'est-à-dire, au moment où aucun des protagonistes du drame qui allait se produire quatre-vingt-quatre ans plus tard n'était encore né :

VIII-68. – *Vieux Cardinal par le jeune deceu,*
Hors de sa charge se verra desarmé,
Arles ne monstres double soit aperceu
Et liqueduct & le prince enbaumé.

Le vieux cardinal trompé par le jeune ne peut être que Richelieu. D'ailleurs, dans l'histoire de France, Richelieu est LE cardinal par excellence. Nostradamus renforce encore l'allusion en l'appelant Liqueduct : de la même manière qu'aqueduc signifie porteur d'eau, liqueduct signifie porteur de lumière (lique, du grec lic, lumière) autrement dit, Lucifer. S'agissant de Richelieu, l'image n'est pas excessive. Il est d'ailleurs historiquement vrai qu'à un moment, il se retrouva désarmé, après que le roi lui eut retiré sa charge de Premier ministre. Sa ruine était assurée si, en Arles, Richelieu n'avait pas été en mesure de présenter au roi Louis XIII le double du traité conclu entre son frère et le roi d'Espagne. Le quatrième vers est encore plus remarquable. Richelieu meurt et son corps est embaumé, trois mois plus tard, le 12 décembre. Louis XIII, le « prince » meurt et son corps est embaumé aussi le 14 mai de l'année suivante. Liqueduct, Lucifer, qui avait éclairé son chemin pendant dix-huit ans, le précède dans la tombe. Richelieu avait cinquante-huit ans au moment de sa mort, Cinq-Mars en avait vingt et un. Mais ne critiquons pas ce quatrain pour ce qu'il ne nous dit pas. Voyons plutôt ce qu'il nous dit et nous constaterons qu'il n'emploie pas un seul mot en vain : la situation du Vieux Cardinal, la présentation à Louis XIII, à Arles, du double d'un document important, la mort et l'embaumement des deux protagonistes peu de temps plus tard. (H. Torné Chavigny, *L'histoire prédite et jugée par Nostradamus*, Bordeaux, 1862).

XI

ÉDITIONS ET VERS APOCRYPHES PARUS SOUS LE RÈGNE DE LOUIS XIV

En 1649, six ans après la mort de Louis XIII, la politique internationale de la France dirigée par Mazarin était toujours la continuation de la politique de Richelieu. La situation intérieure n'avait pas changé, elle non plus. Les intrigues de l'Espagne dans tous les domaines de la politique européenne, et les conspirations des grandes familles féodales françaises, en province et à la Cour, convergeaient en un point : la lutte contre la couronne de France, qui trouvait sa meilleure expression dans l'opposition au Premier ministre. Le roi avait alors onze ans, Anne d'Autriche assumait la Régence depuis six ans.

On voit se développer, entre 1649 et 1652, toute une littérature pamphlétaire inspirée par la lutte contre Mazarin. Les « Mazarinades » – comme on les appelle – se multiplient. Certaines s'ornent d'interprétations de quatrains de Nostradamus [1].

A l'origine des attaques contre Mazarin, on voit paraître en 1649 une édition des « Prophéties de M. Michel de Nostradamus » à laquelle on a ajouté, à la fin de la Septième Centurie, deux quatrains apocryphes, clairement dirigés contre le ministre. Le nom de celui-ci s'y trouve même en anagramme : NIZARAM.

Cette édition présente les mêmes caractéristiques que celles de Troyes. Elle est présentée au public avec quatre dates : 1649 (Fiche 64), 1611 (Fiche 63), 1605 (Fiche 62) et 1568 (Fiche 61); mais il s'agit d'une seule et même édition avec quelques changements dans la typographie mais qui ne sauraient tromper le bibliophile. Les caractères sont les mêmes que dans les éditions de Troyes. Dans ce cas, comme dans les éditions apocryphes publiées sous Louis XIII, personne ne s'est préoccupé d'en faire une étude et de dénoncer la fraude.

Klinckowstroëm avait bien remarqué la ressemblance entre les éditions de 1649 et celles de Troyes, mais il avança pour l'expliquer une hypothèse impossible à défendre. Il soutient en effet que, tant en 1627 qu'en 1649, ces éditions seraient sorties des mêmes ateliers : ceux de du Ruau, à Troyes. Ce n'est pas le cas. Le dernier ouvrage imprimé par du Ruau qu'on connaisse l'a été en 1629. Ce qui s'est passé réellement est tout différent. La conspiration contre Richelieu échoua et Montmorency alla finir ses jours sur l'échafaud. Mais le secret avait été bien gardé et les mêmes caractères qui avaient servi contre Richelieu étaient encore prêts, quelques années plus tard, pour servir contre Mazarin. Aucun libraire n'aurait osé imprimer de tels vers apocryphes. Le fait que les éditions truquées de Troyes se répètent contre Mazarin avec à peine quelques changements, nous conduit à penser que les conspirateurs étaient allés jusqu'à monter une petite imprimerie pour les réaliser.

Avec ce troisième groupe d'éditions apocryphes à objectifs politiques, nous en finissons avec la série exposée au chapitre précédent. Nous répétons qu'il s'agit, une fois encore, d'une seule édition portant des dates différentes : 1568, 1605, 1611 et 1649. La seule date qui soit vraie est, évidemment, la dernière. Les anagrammes de Mazarin – Nizaram – sont puériles et il y a un contraste évident entre le style des quatrains introduits en fraude et celui des quatrains de Nostradamus. En voici le texte :

VII-42. – *Quant Innocent tiendra le lieu de Pierre*
Le Nizaram Cicilien (se verra
En grands honneurs) mais apres il cherra,
Dans le bourbier d'une civille guerre.

VII-43. – *Lutèce en Mars, Senateurs en credit,*
Par une nuict Gaule sera troublée,
Du grand Croesus l'Horoscope prédit
Par Saturnus, sa puissance exillée.

L'édition datée de 1605 est réalisée avec le même caractère, le même papier et le même format que celle datée de 1568. Dans l'édition datée de 1568, on a seulement changé quelques numéros et quelques vignettes, et corrigé certaines erreurs pour faire croire qu'il s'agit d'une édition différente. Deux quatrains contre Mazarin sont ajoutés à la Septième Centurie. Mais certaines erreurs sont restées identiques dans les « deux » éditions par exemple « Eamine » au lieu de « Famine » dans II-96.

Étant donné que l'édition de 1568 est identique à celle de 1649, et que celle de 1611 est la reproduction de celle de 1605 avec seulement quelques modifications dans le frontispice, nous pouvons en conclure qu'il s'agit bien d'une seule édition frauduleuse réalisée en 1649. Pour achever de s'en convaincre il suffit d'observer, dans les « quatre » éditions, le folio 63 : il porte le numéro 93 dans les quatre, ce qui montre bien qu'il a été fait un seul tirage de ce livret. L'édition de 1611 que Brunet décrit porte, elle aussi, le faux numéro de 93 à l'avant-dernier folio de la deuxième partie. Dans *toutes* les éditions, également, le folio suivant ne porte pas de numéro. La description de Brunet le confirme.

La même édition, sans aucune différence porte deux dates : 1605 et 1611. Une autre édition, sans variations elle non plus, porte les dates de 1568 et 1649. Entre les deux groupes de deux, il y a quelques changements typographiques très importants, mais le format, le papier, la typographie et surtout les nombreuses erreurs qui se répètent invariablement, confirment l'existence d'une seule édition. La fraude a pour but de donner une certaine vraisemblance à une prophétie apocryphe contre Mazarin, attribuée à Nostradamus. Son libellé est si gauche que nous en sommes venu à penser qu'elle a été composée de cette façon de manière à faire passer le livre tout entier pour ancien et donc authentique.

Cette édition multiple reprend le texte de celle de Troyes : les Préfaces et les Centuries telles qu'elles apparaissent dans les éditions de Lyon, c'est-à-dire avec quarante-deux quatrains à la Septième Centurie, le quatrain VI-100 et le quatrain en latin d'après les éditions d'Avignon, puis les quatre quatrains placés à la fin de la Centurie VII, et les six placés après la Centurie VIII, les treize quatrains présentés comme appartenant aux Centuries XI et XII, les 141 Présages retenus par Chavigny et les « Prédictions Admirables pour les années courantes de ce siècle », empruntées à des « Mémoires » de Nostradamus qui n'ont jamais existé, et présentées par Vincent Sève de Beaucaire au roi Henri IV au château de Chantilly en 1605. Elle ne comporte ni les quatrains VII-43 et VII-44, apparus dans les éditions de 1627 et 1643, ni le quatrain « au plus juste juge ».

Par contre, on y trouve, après la Centurie X, et portant le numéro 101, le quatrain adulateur composé à l'intention de Louis XIII et qui servit à aduler Louis XIV pendant tout son règne.

Personne n'est en mesure d'affirmer que ce quatrain, dont nous avons donné le texte au chapitre IX, appartient bien à l'œuvre prophétique de Nostradamus. Écrit à l'intention de Louis XIII, il a continué à paraître dans les éditions postérieures et fut alors attribué à Louis XIV. La prophétie qu'il renferme et qui concerne Louis XIII devait se réaliser en 1660, alors que ce monarque est mort en 1643. Quant à Louis XIV, il était, à cette date, fort loin d'avoir subjugué l'univers. Cependant, il semble que Louis XIV, reconnaissant, visita la tombe de Nostradamus en 1660.

Une autre édition commence à circuler sous le règne de Louis XIV, à la date de 1644 cette fois. Elle continuera à être rééditée jusqu'en 1665, et nous connaissons plus de douze variantes de cette édition, qui reproduit les sizains, les quatrains 43 et 44 de la Septième Centurie et les deux lettres-préfaces. Là encore, le texte est un mélange de celui des éditions de Lyon et d'Avignon. Elle comporte, sous le numéro 101 de la Dixième Centurie, le quatrain adulateur adressé à Louis XIV, et se présente avec un nouveau portrait de Nostradamus; le prophète y porte un chapeau du XVIIe siècle. Il faut compter cette nouvelle édition au nombre des pamphlets contre Mazarin. Les quelques exemplaires qui étaient restés, furent vendus plus tard, avec la date de 1665, que nous avons retrouvée deux fois associée au nom de Jean Balam, sur le deuxième Frontispice. (Fiches 65 à 76).

NOTE

1. La littérature pamphlétaire contre Mazarin (1649-1652) regroupe une grande quantité de petites brochures qu'on a appelées du nom d'ensemble de « Mazarinade ». Beaucoup de ces publications contiennent des références à Nostradamus et présentent différents portraits du prophète à leur frontispice, mais aucune ne publie ses vers. Quelques-unes attribuent au prophète des pages en vers qui ne sont pas de lui.

L'une de ces brochures, l'horoscope de Jules Mazarin, dont on connaît deux éditions, commente seulement les deux quatrains apocryphes qui se trouvent à la fin de la Septième Centurie et qui s'en prennent au Cardinal sous l'anagramme de Nizaram. Ce pamphlet semble dû à la plume de l'auteur qui rédigea les quatrains apocryphes; il ne dit rien des vers de Nostradamus.

Il nous faut encore mentionner Jacques Mengau. Il est l'un des rares auteurs à commenter Nostradamus au cours de cette période de cent quatorze ans à laquelle nous avons décidé de limiter notre bibliographie des vers prophétiques. Les douze pamphlets qu'il a écrit, commentent des vers authentiques de Nostradamus. Neuf de ces pamphlets furent réunis en un livre dont nous rendrons compte au chapitre suivant. (Fiche 77). Les trois autres, qui ne furent pas inclus dans le livre, sont : *L'Horoscope Impérial de Louis XIV*, *La Révolution Impériale de Louis XIV* et un *Avertissement à Messieurs les Bourgeois Notables de Paris*. Chacun des douze pamphlets fit l'objet d'éditions séparées, portant des frontispices différents et le portrait du prophète.

XII

ÉDITIONS APOCRYPHES DES CENTURIES PUBLIÉES À DES FINS COMMERCIALES

Ces éditions sont au nombre de huit : trois sont attribuées à Pierre Rigaud et datées de 1566; une est attribuée à Benoist Rigaud, portant la vignette (JU)PI-TER, elle est datée de 1568; et deux éditions sans date et portant des bandes parlantes à leurs frontispices qui sont également attribuées à Pierre Rigaud. Toutes reproduisent les éditions de Lyon authentiques et paraissent, beaucoup plus tard, en usurpant la signature des Rigaud. Les deux dernières de ces éditions reproduisent quelques pages des éditions d'Avignon. Deux petites éditions de Sylvestre Moreau, comportant l'une 56 et l'autre 40 pages, et portant les dates, fausses, de 1603 et 1650, complètent ce chapitre.

Nous traiterons d'abord des trois éditions attribuées à Pierre Rigaud et datées de 1566. (Fiches 82, 83 et 84). Elles reproduisent fidèlement les éditions de Lyon, publiées à partir de 1568 par Benoist Rigaud. Elles figurent comme ayant été imprimées à Lyon, rue Mercière, à l'angle de la rue Ferrandière, grâce à l'intervention de frère Jean Vallier, du Couvent des Frères mineurs réguliers de Saint-François, de la ville de Salon [1].

La date figurant sur ces éditions, le nom de l'éditeur supposé, l'intervention d'un frère du couvent de Salon et le petit format, qui donnent l'impression d'un ouvrage du XVIe siècle ont abusé, pendant deux siècles, certains commentateurs du prophète qui sont allés jusqu'à reproduire leur texte [2].

Or, tout est faux dans ces trois éditions. Elles ont été imprimées à Avignon, par François-Joseph Domergue, au début du XVIIIe siècle et le frère Jean Vallier, qui n'a sans doute jamais existé, n'y a pris aucune part. Le frère, gardien du couvent de Saint-François, qui fut l'ami de Nostradamus et qui figure comme témoin dans son testament a signé, en 1566, devant notaire, du nom de Vidal de Vidal.

Pierre Rigaud, fils de Benoist Rigaud, commence sa carrière d'imprimeur en 1600, soit trente-quatre ans après la date supposée de 1566. A la mort de son père, qui survient probablement en 1597, il prend en charge la succession au nom des héritiers. Jusqu'à 1600, les éditions des Centuries figurent comme réalisées par « les héritiers de Benoist Rigaud ». C'est seulement après cette date que l'affaire reste au nom de Pierre. Nous connaissons trois éditions authentiques, non datées, publiées par Pierre Rigaud au cours des premières années du XVIIe siècle. Deux portent, à leur frontispice « par Pierre Rigaud »; la troisième dit : « chez Pierre Rigaud ». Ceci prouve que Pierre Rigaud commence par travailler en utilisant l'imprimerie familiale, et que celle-ci devient sienne par la suite.

L'impossibilité de son intervention dans les éditions de 1566 est donc prouvée sans laisser l'ombre d'un doute. Mais il semblait impossible de découvrir le véritable éditeur et de préciser la date de la réalisation de ces éditions. La reproduction d'une gravure de notre collection de photographies allait nous fournir une piste : il s'agissait du portrait de Nostradamus par son fils César, qui se trouvait alors à l'église de Salon, détruite en 1790. Cette gravure portait l'inscription suivante : « Pinxit Filius Ejus-lud*David. Delineavit et sculpsit, Frère Jean Vallier du convent de Salon des Mineurs Conventuel. Avenione 1716. » Il s'agissait donc d'un imprimeur d'Avignon, qui avait fait une bonne affaire en vendant trois éditions apocryphes des Centuries et une gravure de Nostradamus, dont nous avons retrouvé l'original en 1947, au musée Arbaud d'Aix-en-Provence.

Plusieurs années plus tard, en 1959, tout en poursuivant nos investigations, nous avons trouvé, pour notre collection, un original de cette gravure et, à la bibliothèque Saint-Marc de Venise, nous avons découvert une édition des Prophéties qui portait, à son frontispice, la même indication que nous connaissions déjà : « Imprimée par les soins du Fr. Jean Vallier, du Couvent de Salon des Mineurs Conventuel de Saint-François. » L'inscription disait encore : « Imprimée à Lyon et en vente... en Avignon par François-Joseph Domergue. Imprimeur de son excellence Monseigneur l'Archevêque de l'Université. 1731. »

Les deux frontispices indiquent également : « Nouvelle édition ». Ceci prouve que les Domergue sont bien les auteurs des trois éditions apocryphes datées de 1566 et qui ont été éditées, en réalité, aux alentours de 1716, date de la gravure, et, en toute sécurité, avant 1731, date de la « nouvelle édition ».

Aucune des trois éditions apocryphes que nous étudions n'a été imprimée à Lyon. Toutes sont sorties de l'imprimerie de François-Joseph Domergue. La preuve en est faite par la typographie, que nous avons étudiée et comparée avec la plus grande minutie dans les trois éditions, et, également, par la répétition de certaines des vignettes. Éditeur peu scrupuleux, Domergue a certainement réalisé une édition présentant l'aspect d'une édition ancienne afin de la vendre plus facilement. Il a dû rencontrer un grand succès puisqu'il renouvelle l'exploit deux fois, édite une gravure et lance postérieurement au moins une « nouvelle édition », sur laquelle son nom apparaît de nouveau, comme vendeur cette fois, en Avignon.

Nous pouvons donc supposer que Louis Domergue, imprimeur lettré, et qui connaissait le Testament du Prophète dans lequel figure, comme témoin, « Frère Vidal de Vidal, Gardien du Couvent de St François du dit Sallon », et qui contient un legs pour ce même couvent, a inventé de toutes pièces le frère Jean Vallier, afin de donner à ses œuvres apocryphes un plus grand air d'authenticité.

J. Thiébaud nous indiqua l'existence d'un ancien imprimeur d'Avignon, Anselme Domergue, prédécesseur probable de François-Joseph Domergue, et nous mit également en contact avec « Aubanel Frères », éditeurs en Avignon de l'œuvre du Docteur P. Pansier [3]. Nous avons également effectué des recherches à la bibliothèque de Carpentras. C'est ainsi que nous avons pu réunir, au sujet du premier personnage que nous citerons dans ce chapitre, les données suivantes :

« Domergue (François-Joseph), imprimeur d'Avignon, cité par M. Moutte en 1695. Frère de Louis Domergue, mort à l'âge de quatre-vingt-quatre ans, le 12 mars 1755 (Registre de St-Didier), qualifié de « dominus » dans l'acte de décès, ce qui permet de supposer que la famille occupait une bonne position au sein de la bourgeoisie d'Avignon; marié à Benoîte Nanty, probablement belle-sœur de Charles Chastanier. »

« Domergue (François-Joseph), baptisé à Saint-Agricol le 6 octobre 1695, très probablement neveu du précédent, fils de Louis et de Benoîte Nanty. Le 16 août 1721, il célèbre, en l'église Saint-Didier, son mariage avec Marguerite Mallard, fille de l'imprimeur François Mallard et de Jeanne la Veuve. Ils eurent de nombreux enfants; deux d'entre eux leur succédèrent en qualité d'imprimeurs. Il mourut – plus tard que sa femme – le 29 août 1773 et fut enseveli à Saint-Didier.

« Sa carrière d'imprimeur fut longue et accidentée. Le 30 mai 1773, F.-J. Domergue fut condamné aux dépens et à verser une amende de trente livres aux Pénitents de la Miséricorde pour avoir imprimé une brochure diffamatoire et des lettres sans licence des supérieurs. Convaincu d'avoir vendu des livres de sortilèges comme la Clavicule de Salomon, il fut condamné le 19 février 1746 à assister, le dimanche de Quadragésime, à la messe conventuelle des Dominicains, à genoux et tenant un cierge allumé à la main; il devait en outre payer une amende de trente livres, admettre qu'il avait agi avec légèreté, recevoir une admonestation et promettre de ne pas récidiver. Joseph Villiers, orfèvre, qui avait échangé une bague contre un des exemplaires de l'œuvre citée fut condamné le 27 mai 1746 à faire une confession publique et à la perte de sa bague qui fut vendue au bénéfice de la maison de la Propagande. Domergue fit partie de la Corporation des Imprimeurs à partir de 1754. Il avait été, antérieurement, imprimeur et libraire de l'Université et du Collège des Jésuites. En 1729 son imprimerie était « proche du collège des Jésuites » et, en 1743, proche du Collège Saint-Martial. A partir de 1767 il prit pour associé l'un de ses fils, Joseph-Thomas Domergue l'aîné. »

Le premier des deux François-Joseph Domergue que nous venons de citer est probablement le responsable des trois éditions apocryphes et l'éditeur de la gravure parue en 1716, mais il est certain que c'est le second qui lança le livre daté en 1731 et dans lequel son nom apparaît comme celui du vendeur, en Avignon, d'une œuvre imprimée à Lyon.

Jusqu'à 1789, le Comtat Venaissin, et par conséquent la ville d'Avignon, faisait partie des États Pontificaux et ses imprimeurs n'étaient pas soumis aux lois du Royaume de France. Vendre des livres anciens, apocryphes, soi-disant imprimés en 1566 à Lyon, ou tout au moins, hors d'Avignon en 1731 était faire preuve d'une sage prudence. D'ailleurs, il est établi que Nostradamus était une des affaires permanentes de l'imprimerie Domergue : la typographie des trois éditions apocryphes est la même que celle de l'édition de 1731, qui porte en frontispice, le nom du vendeur, François-Joseph Domergue.

Toussaint-François Domergue le Jeune exerça la profession en même temps que son frère Joseph. Il est probable que tous deux réalisaient leurs travaux dans la même imprimerie, celle de leur père, mort en 1773, comme nous l'avons déjà indiqué. Nous avons retrouvé une autre édition des « Prophéties de Nostradamus, à Avignon, chez Toussaint Domergue, Imprimeur Libraire, près du Collège, 1772 » à la bibliothèque de Milan et dont nous avons des copies photographiques de la page de titre [4].

L'édition apocryphe attribuée à Benoist Rigaud et portant la fausse date de 1568, aurait échappé à nos investigations si elle n'avait porté, en frontispice, une vignette représentant Jupiter. (Fiche 87).

Nous possédons, dans notre bibliothèque nostradamique deux ouvrages qui allaient nous conduire à découvrir l'éditeur responsable du livre en question. Le premier est une édition des Centuries datant des dernières années du XVIIIe siècle, ornée d'une vignette, de la même forme et représentant Saturne; cette édition ne porte pas de date mais dit : « A Salon, chez l'imprimeur de Nostradavus. » Le second est un livre intitulé « Nouveaux et vrais Pronostics de Michel de Nostradamus. Pour huit ans, A Salon, en Provence, 1792. » Le livre porte la même vignette de Jupiter que l'ouvrage apocryphe que nous étudions. La seule différence vient de ce que, dans l'ouvrage apocryphe, le nom de Jupiter qui figure au-dessus de la vignette est brisé; on ne peut en lire que cinq lettres : deux sur le côté gauche de la vignette, trois sur le côté droit : PI – TER. Dans les « Nouveaux et vrais Pronostics » toutes les lettres ont disparu, ce qui signifie que cette dernière édition est postérieure. Puisqu'elle est datée de 1792 et que, contenant des prédictions pour huit années elle ne peut indiquer une date fausse, elle nous permet de situer dans le temps l'imprimeur de Salon et d'attribuer à l'édition apocryphe la date de peu avant 1792. Cette édition devait se vendre facilement au cours de ces années, en raison de la phrase de Nostradamus dans la Lettre-Préface de 1558 : « Sera faite plus grande persécution de l'Église chrétienne que na esté faicte en Afrique, et durera ceste icy jusques a l'an mil sept cens nonante deux que lou cuydera estre une rénovation de siècle. » C'est effectivement cette année-là que la Révolution changea le calendrier et marqua l'an premier de la République. Pendant quelques années tout fut daté, en France, en fonction des années de la République. Cette prophétie, qui s'était accomplie avec exactitude, mit une fois de plus Nostradamus à la mode [5].

Le XVIIIe siècle avait également vu la publication de deux éditions apocryphes, non datées et attribuées à Pierre Rigaud. Un des exemplaires de la première de ces éditions se trouve dans la bibliothèque de l'auteur tandis que la bibliothèque de l'Université Harvard et celle du musée Arbaud d'Aix-en-Provence en possèdent un de la deuxième (Fiches 85 et 86). Elles commencent en copiant les éditions de Lyon. La vignette du premier frontispice porte deux bandes avec légendes : l'une dit : « ASTRA/REGURT/ORBEM/ », l'autre : « SA/PIENS/DOMI/NABITUR/ASTRIS/ ». La septième Centurie se compose de quarante-quatre quatrains. Sur ce point, ces éditions se séparent des éditions de Lyon, montrant ainsi qu'on ne peut les attribuer à Pierre Rigaud qui a toujours reproduit – au cours des premières années du XVIIe siècle – les éditions réalisées par son père. Nous ne trouvons pas, à la fin de la sixième Centurie, le quatrain VI-100 et le quatrain latin se présente dans la rédaction qui est la sienne dans les éditions de Lyon [6]. La dédicace à Henri Second reproduit également certains nombres empruntés au texte des éditions d'Avignon. A la suite de la Dixième Centurie, cette édition inclut les sizains et les 13 quatrains publiés par Chavigny et repris des brouillons écartés par le prophète.

Au XVIIe siècle, les dix-huit années du règne de Richelieu au temps de Louis XIII, ont vu fleurir les écrits nostradamiques apocryphes, écrits, fabriqués dans une intention politique. Ces publications se renouvelèrent entre 1649 et 1652, contre Mazarin. Elles ont publié un faux texte nostradamique composé de : ses authentiques centuries – composées de 944 quatrains, les présages incomplets commentés par Chavigny en 1594, 13 quatrains exhumés par ce même commentateur des brouillons du prophète, et 58 sizains apocryphes qui, d'après les données que nous connaissons, ont été fabriqués après 1624, à l'intention de Louis XIII, par un poète attaché à la maison de Montmorency, qui connaissait les éditions de Lyon constituées de 942 quatrains et qui a voulu légitimer son escroquerie en faisant passer les 58 strophes de sa composition comme le complément de la Septième Centurie.

Il nous reste encore à citer dans ce chapitre, deux éditions. Toutes deux sont de Silvestre Moreau, Libraire, et faussement datées de 1603, l'une, (Fiche 88) et de 1650 l'autre (Fiche 89), sans que l'imprimeur se soit soucié du fait que ces deux dates le font apparaître comme éditeur pendant un demi-siècle. Tout dans ces éditions, nous permet de les inclure parmi les éditions apocryphes, imprimées probablement dans le courant du XVIIIe siècle. La date exacte nous sera fournie par le nom de l'éditeur, que nous espérons découvrir parmi la liste des imprimeurs de Paris. La première de ces éditions, de 56 pages, fut ensuite reproduite en supprimant les 16 pages de la dédicace, ce qui la réduisait à 40 pages. Klinckowstroëm et Le Pelletier, qui ont eu connaissance de ces deux éditions, les ont considérées comme authentiques, malgré la distance de cinquante ans entre les deux dates et l'identité de la typographie. (Fiches 88 et 89).

Ces huit éditions apocryphes du XVIIIe siècle n'ont rien ajouté à l'œuvre nostradamique et constituent seulement une curiosité bibliographique qui a trompé certains commentateurs du XIXe et du XXe siècle. Cette circonstance nous oblige à ne citer que deux bibliophiles sérieux parmi ceux qui se sont occupés de Nostradamus au cours des quatre siècles écoulés : Carl Von Klinckowstroëm, qui s'est limité aux premières éditions des Centuries, et Buget, dont nous pouvons apprécier l'œuvre, malheureusement incomplète, dans le *Bulletin du Bibliophile*, de 1860 à 1863.

NOTES

1. Le 17 juin 1931, fut vendu à l'Hôtel Drouot un exemplaire de l'une de ces trois éditions apocryphes. (Celle qui présente la sphère dans le titre.) Ce livre était annoncé au Catalogue de la manière suivante, au numéro 42 :

« 42. – NOSTRADAMUS. Les Prophéties de M. Michel Nostradamus, dont il en a trois cents qui n'ont jamais été imprimées. Ajoutées de nouveau par l'auteur. Imprimées par les soins du Fr. Jean Vallier du couvent de Salon des Mineurs Conventuels de Saint François. Lyon, P. Rigaud, 1566; in-12, mar. rouge, dos à nerfs, dent. int., tr. dor. (Rel. mod.) » « Cette édition, peu commune, comprend 68 pp. et 2 titres (à la sphère) dont celui reproduit ci-dessus et un autre pour les Centuries VIII, IX et X. Avec une planche repliée : le portrait de Nostradamus par son fils (pnxit filius ejus) gravé par I. David, et son épitaphe (cette pl. est réparée) Exemplaire un peu court de marges. »

A toutes les preuves que nous allons présenter de cette fraude bibliographique, il faut encore ajouter celle-ci. Les exemplaires que nous connaissons ne s'accompagnent d'aucune gravure hors-texte. L'exemplaire vendu à l'Hôtel Drouot comportait une gravure de David. Il s'agit d'une gravure qui porte la note : « Avenione, 1716 » et qui indique également, comme les trois éditions apocryphes « Frère Jean Vallier du couvent de Salon, des Mineurs conventuels... » Le même éditeur est donc responsable des éditions datées de 1566 et de la gravure, réalisée en 1716. L'heureux propriétaire de ces deux pièces dont l'une porte une date fausse et l'autre la date qui lui correspond, les a réunies dans une même reliure.

Klinckowstroëm, Leipzig 1913, dans ses essais sur la bibliographie des Centuries, s'occupe de l'une de ces éditions, celle qui porte un soleil dans son frontispice, sous le N° 22 : (Fiches 82, 83 et 84. Voir également Le Pelletier. 1er Volume, pp. 37/38).

2. Notre bibliographie se termine en 1668 et n'inclut donc pas les commentateurs qui ont travaillé sur ces éditions apocryphes datées de 1566, ni la liste des éditions des XIX et XXe siècles qui ont reproduit l'une d'elles en les considérant comme anciennes et authentiques.

3. *Histoire du Livre et de l'Imprimerie en Avignon, du XIVe au XVe siècle*, Aubanel Frères, 1922, 3 vol. grand In-8°, par le Dr. P. Pansier.

Pallechet (M.) Notes sur les imprimeurs du Comtat Venaissin et de la Principauté d'Orange et Catalogne, des livres imprimés par eux qui se trouvent à la bibliothèque de Carpentras. Paris, Picard, 1887, in-8°, 171 pp. Tiré à 100 exemplaires.

4. Toussaint-François Domergue le Jeune. – En 1773, il assiste comme maître aux réunions de la corporation, en 1777, on lui impose la cotisation des imprimeurs de quatrième classe, il est nommé à la commission des comptes en 1784 et adjoint en 1790. Ses ateliers se trouvaient situés près du collège des Jésuites et le recensement de 1795 le cite comme habitant rue Saint-Marc îlot 127, 17 et 18.

La comparaison des typographies des trois éditions apocryphes et de celle de l'édition de 1731, où le nom de François-Joseph Domergue apparaît en qualité de vendeur en Avignon, ne laisse pas subsister de doute. La date de la gravure – 1716 – et celle de la « Nouvelle édition » 1731, s'accordent avec l'orthographe et la typographie des trois éditions apocryphes qui ont certainement été imprimées vers cette date elles aussi. Page 13, nous trouvons une nouvelle preuve que la fraude a bien été commise par l'imprimeur Domergue d'Avignon : la vignette est identique à celle qui apparaît dans les éditions datées de 1566. A la page 42, le A majuscule qui commence le premier quatrain de la troisième Centurie est le même que celui des éditions apocryphes. Nous pouvons en être sûr, non seulement en raison du dessin de cette lettre, mais à cause d'un défaut que celle-ci présente, qui est apparu en cours d'impression et qui est reproduite de la même façon dans l'édition de 1731 et dans une des éditions apocryphes. Le deuxième frontispice reproduit la note « Nouvelle Édition » inexplicable, sauf si l'on tient compte du fait que c'est le même imprimeur qui a réalisé la série d'éditions que nous comparons entre elles.

La comparaison typographique avec l'édition réalisée par Toussaint-François Domergue complète notre enquête et confirme nos conclusions. Cette édition porte à son frontispice « Nouvelle édition, imprimée d'après la copie de la première édition faite sous les yeux de César Nostradamus, son fils, en 1568. A Avignon, chez Toussaint Domergue, imprimeur libraire, près le Collège, 1772, Avec permission des supérieurs. » Toussaint continue donc la tradition de la maison, mais en prenant maintenant et pour la première fois, la responsabilité de présenter l'édition qu'il réalise avec sa date véritable, en ajoutant toutefois une nouvelle donnée fausse : César Nostradamus, né le 18 décembre 1553, n'avait que treize ans quand mourut son père et rien ne nous autorise à admettre qu'il ait pu intervenir dans la réalisation d'une édition des Centuries.

5. Klinckowstroëm traite de cette édition apocryphe sous le numéro 8, et la considère comme une édition authentique de Benoist Rigaud. En effet, deux cent vingt ans plus tard, elle imite le format du XVIe siècle, mais le frontispice et surtout la vignette – qui représente Jupiter – évoquent la typographie du XVIIIe siècle, même avant de découvrir, dans la production de l'époque, d'autres vignettes semblables. (Fiche 87).

6. Klinckowstroëm s'occupe également de ces éditions dans sa bibliographie au numéro 24. Il ne dit pas qu'il s'agit d'éditions apocryphes, ni qu'elles sont du début du XVIIIe siècle : il situe leur impression en 1649, date à laquelle il est impossible qu'elle ait été réalisée par Pierre Rigaud. (Fiches 85 et 86).

XIII

FICHES BIBLIOGRAPHIQUES DES VERS PROPHÉTIQUES DE NOSTRADAMUS 1554-1668

BIBLIOGRAPHIE DES VERS PROPHÉTIQUES		Fiches
I.	Les Prognostiques ou Almanachs avec vers prophétiques : XVIe siècle. Toutes les éditions en français des Prognostiques ou Almanachs de 1556, 1558	1 - 1E
	1559, 1561, 1564, ONT DISPARU	2 - 13
II.	Publications ou manuscrits du XVIe siècle, de vers prophétiques inédits	14 - 15
III.	Éditions des Centuries qui copient le texte des éditions de Lyon	16 - 37
IV.	Éditions des Centuries : Paris 1560-1561 et leurs reproductions	38 - 43
V.	Éditions d'Avignon des Centuries et éditions qui copient le texte des éditions d'Avignon : de 1555 à 1629	44 - 50
VI.	Éditions apocryphes des Centuries sous Louis XIII et Louis XIV – 1630-1649	51 - 77
VII.	Éditions des Centuries : 1630-1668	78 - 81
VIII.	Éditions apocryphes des Centuries datées des XVIe et XVIIe siècles ou faussement attribuées à des éditeurs de ces deux siècles et publiées au XVIIIe siècle à des fins commerciales	82 - 89

I

1554 1. PROGNOSTICATION / nouvelle, & prediction por- / tenteuse, pour Lan / M.D. LV. Composée par maistre Michel Nostradamus, / dosteur en medecine, de Salon de Craux en Pro / vence, nommee par Ammianus Marcelinus / SALUVIUM. / Dicata Heroico prae suli D. IOSEPHO des Panisses, / Cauelissensi prae posito. / (Vign.) / À Lyon par Iean Brotot. /

– Almanach avec vers:

Presage en général. Fol. C 4 v: Presage de Ianvier-Presage de Février; fol. Dr.: Mars, Avril: Fol. Dv: May, Iuing; fol. D2r: Iullet, Aoust, Septembre; fol. D2v: Octobre Novembre; fol. D3r: Decembre.

– Original dans la bibliothèque de l'auteur.

– Première édition réalisée à Lyon, en 1554: Prognostication pour 1555. – Dédié, le 27 janvier 1554 à «MONSEIGNEUR LE REVEREND PRELAT MONSEIGNEUR IOSEPH DES PANISSES». Sans Faciebat.

Les cinq fiches bibliographiques suivantes que nous numérotons 1 A, 1 B, 1 C, 1 D et 1 E se réfèrent aux cinq Almanchs ou Prognostications dont aucun exemplaire n'est parvenu jusqu'à nous. Nous avons la certitude bibliographique qu'ils ont été édités, non seulement en raison des déclarations de leur auteur, mais encore grâce aux vers des quatre derniers recueils, qui ont paru dans des publications ultérieures.

1555 1.A) Prognostication pour 1556. Les déclarations de Nostradamus que nous avons citées ne laissent subsister aucun doute quant à l'existence de cette édition. Nous ne connaissons rien des douze quatrains Présages de cette année-là.

1557 1.B) Prognostication pour 1558. Nous connaissons non seulement les quatrains Présages de cette édition disparue, mais également la transcription manuscrite de deux d'entre eux par l'abbé Rigaux qui a dû en connaître un exemplaire. Les dix autres quatrains ont été réédités par Chavigny en 1594.

1558 1.C) Prognostication pour 1559. Nous connaissons les douze quatrains Présages pour 1559 réédités par Chavigny en 1594. La Fiche 4 décrit une traduction anglaise de cet almanach et les vers de cette Prognostication. Étant donné qu'elle n'a pas été entièrement traduite, nous ne pouvons donner une description de ce petit livre.

1560 1.D) Almanach pour 1561. Nous ne pouvons pas non plus décrire cette édition. Chavigny a conservé sept des quatrains Présages qu'elle contenait. Les publications de 1558 et 1589 nous ont permis d'en situer quatre, correspondant aux mois de février, septembre, novembre et décembre. Le quatrain qui se réfère au mois de janvier est définitivement perdu. La copie de Barbe Regnault a été publiée sans vers et terriblement mutilée. Nous ne pouvons pas décrire cet almanach pour 1561. Étant donné que notre bibliographie se réfère seulement aux vers prophétiques et que ceux-ci ont été supprimés dans la publication de Barbe Regnault, nous n'avons pas rédigé de fiche au sujet de cet ouvrage.

1563 1.E) Almanach pour 1564. Chavigny a reproduit les quatre quatrains Présages que nous n'avons pu comparer avec aucune autre publication du XVIe siècle. Nous ne pouvons pas non plus donner de description de cet exemplaire disparu. Aucune traduction n'en a été retrouvée.

II

1556 2. (Fleurette) *ALMANACH / Pour l'An 1557. /* Composé Maistré Michel / NOSTRADAMUS. / *Docteur en Medecine de / Salon de Craux en puence* / Item la déclaration Lunaire de cha / cun moys, Presageant les choses advenir en ladite Année. / Contre ceulx qui tan de foys / m'ont fait mort. / Immortalis ero vivus, moriénsq; magis'q; Post mortem nomen vivet in örbe meum, / À PARIS, / Par Iaques Keruer, Rue sainct Jacques / aux deux Cochetz. / Avec Privilège du Roy. / Imprimé en noir et *rouge*. / In fine: À Paris, / Pour Iaques Keruer demeu / rant en la rue Sainct Iaques / aux deux Cochetz. / Sceau de l'imprimeur.

– Almanach avec vers:

Fol. AIIIIr: Ianvuer; fol. AVIv: Fevrier; fol. Br: Mars; fol. BIIIr: Avril; fol. B5v: May; fol. B7r: Iuin; fol. Cr: Iuillet; fol. CIIIv: Aoust; fol. CVIr: Septembre; fol. CVIIIv: Octobre; fol. DIIIv: Novembre; fol. DVv: Décembre.

– Original dans la bibliothèque de l'auteur: 82 × 117 mm.

– Copie réalisée à Pàris en 1556: Almanach pour 1557. – Dédié le 13 janvier 1556, «A la christianissime et Sérenissime Catherine Reine de France». Faciebat, non daté.

1556 3. PRONOSTICO / E TACOYNO FRANCESE, / FATTO PER MAESTRO MICHEL / Nostradamus. Con la dechiaratione de giorno, / in giorno, & anchora la dechiratione / delle Lune, de mese in mese. / Con la lettera per la qual esso Taycono è dedicato alla / Christianissima e Serenissima Catarina, / Regina di Franza. Tradutto de lin- / gua Francesa, in lingua Italiana. / (Vign.) IN MILANO / PER INNOCENTIO CICOGNERA. / s.d. (1557) In fine: IN MILANO, / Alla stampa de Innocentio Cicognera, che stá nella contrata / de Santa Margarita, appresso la chiesa / de Santo Prothaso la Rogora. / Al Segno della Cicogna. / Sceau de l'imprimeur.

– Almanach avec vers:

Fol. AIIr: Janvier; fol. AIIv: Fevrier; fol. AIIIr: Mars; fol. AIIIv: Avril; fol. AIVr: Mai; fol. AIVv: Juin; fol. Br: Juillet; fol. Bv: Aout; fol. BIIr: Septembre; fol. BIIv: Octobre; fol. BIIIr: Novembre; fol. BIIIv: Décembre.

– Original dans la bibliothèque Ambroisienne de Milan. Copie photographique dans la bibliothèque de l'auteur.

1558 4. Florcita / *An Alma = / nacke for the years of / oure Lorde God, /* 1559. / Composed by Mayster Mychael / Nostradamus, Doctour / of *Phisike. / Faure Ignes upon all the yeare. /* Feare, yee, greate pillynge, to passe the sea, to en / crease the raygne. / Sectes, holy thinges beyond the sea more polished / Pestylence, hest, fyer, the enseygne of the Kyng / of Aquilon. / To erect a signe of victory, the city Henrispolis. / Imprimé en noir et rouge. / In fine: Imprinted in London / by Henry Sutton, for Lucas / Haryson, dovelling in Poules Church- / yarde, the XX: of February, in / the years of our Lorde, / M.D.LIX.

– Almanach contenant des vers:
Fol. 2r: January; fol. 2v: February; fol. 3r: Marche; fol. 3v: April; fol. 4r: Maie; fol. 4v: June; fol. 5r: July; fol. 5v: August; fol. 6r: September; fol. 6v: October; fol. 7r: November; fol. 7v: December.

– Original se trouvant à la Henry Hungtinton Library, San Marino, Californie 92 × 132 mm. Copie photographique se trouvant dans la bibliothèque de l'auteur.

1599 5. ALMANACH, / Pour l'an 1560. / Composé par Maistre Michel Nostradamus, / Docteur en Medicine, de Salon de / Craux, en Provence / Tuteipsum oblectes, & vulgi verba loquaies. / Sperne, bene hic de te dicet, at ille male. / (Escudo) / À PARIS. / Par Guillaume le Noir, Rue S.Iaques. / a la Rose Blanche Couronnée. / Avec Privilège. /

– Almanach contenant des vers:
Fol. AIIr: Ianvier; fol. AIIv: Fevrier; fol. AIIIr: Mars; fol. AIIIIr: Avril; fol. AIIIIv: May; fol. AVr: Iuing; fol. AVIr: Iuillet; fol. AVIv: Aoust; Fol. AVIIr: Septembre; fol. AVIIIr: Octobre; fol. AVIIIv: Novembre; fol. B: Decembre.

– Original se trouvant dans la bibliothèque de l'auteur: 82 × 117 mm.

– Copie réalisée à Paris en 1559: Almanach pour 1560. – Dédié le 10 mars 1559 à «Monseigneur Messire Claude de Savoye, Comte de Tende». Faciebat del «VII Februarii, 1559».

1561 6. *ALMANACH / NOUVEAU, / Pour l'An. 1562.* / Composé par Maistre Michel Nostradamus, / Docteur en Médecine, de Salon de / Craux, en Provence. / *Quatrain de l'An universel.* / Saison d'hyuerver bon sain mal esté / Pernicieux automn'sec froment rare. / Du vin assez mal yeulx faitz moleste / Guerre mutins séditieuse tare. / (Escudo) / À PARIS, / Par Guillaume le Noir, & Iehans Bonfons. / AVEC PRIVILÈGE. / Imprimé en noir et *rouge.*

– Almanach contenant des vers :
Fol. Av: Ianvier; fol. AIIr: Fevrier; fol. AIIv: Mars; fol. AIIIr : Avril; fol. AIIIv: May; Fol AIVv: Iuin; Fol. AVr: Iuillet; fol. AVv: Aoust; fol. AVIr: Septembre; fol. AVIIr: Octobre; fol. AVIIv: Novembre; fol. AVIIIr: Décembre.

– Original se trouvant dans la bibliothèque de l'auteur: 82 × 117 mm.

– Copie réalisée à Paris, en 1561: Almanach pour 1562. – Dédié, le 17 mars 1561, à «Pie IIII Pontifice Max». – Faciebat, sans date.

1561 7. An Almanach / FOR THE YERE / *M.D.LXII.* / made by maister Michael No- / *stradamus Doctour of phi-* / sike, of Salon of Craux / *in Provence* / 1562 / Imprimé en noir et *rouge.*

– Almanach contenant des vers:
Fol. 2v: January; fol. 3r: February; fol. 3v: Marche; fol. 4v: Aprill; fol. 5r: May; fol. 5v: Iune; fol. 6v: Iuly; fol. 7r: August; fol. 7v: September; fol. 8v: October; Exemplaire incomplet.

– Original se trouvant dans la bibliothèque Folger Shakespeare de Washington. 104 × 155 mm. Copie photographique dans la bibliothèque de l'auteur.

– Cet almanach ne contient pas les Présages pour 1562 mais ceux de l'Almanach pour 1555.

1562 8. 1563. / ALMANACH / POUR L'AN M.D.LXIII. / avec les présages calculé, & expliqué par / M. Michel Nostradamus, Docteur en / medicine, Astrophile de Salon / de Craux en Provence. / (Trois petites étoiles) / Dédié au tresill. Seign. & tresexcellent ca- / pitaine, le S. FRANCOYS FABRICE de / SERBELLON, General pour N.S. Pere aux / choses de la guerre, en la Comté de Venaisein. / Quatrain de l'an universel. / Le ver sain, sang, mais esmeu, rié d'accord, / Infinis meurdres, caprifz, mortz, prevenus, / Tât d'eau & peste, peu de tout fonnes cors, / Prins, morts, fuys, grand devenir, venus. / (Vign.) (Florcita) / Imprimé en Avignon, par Pierre Roux. /

– Almanach contenant des vers:
Fol. a2v: Ianvier; fol. a3r: Fevrier; fol. a4r: Mars; fol. a4v: Avril; fol. a5v: May; fol. a6r: Iuing; fol. a7r: Iuillet; fol. a7v: Aoust; fol. a8v: Septembre; fol. br: Octobre; fol. b2r: Novembre; fol. b2v; Décembre; fol. b2v: autre quatrain.

– Original se trouvant dans la bibliothèque du musée Paul Arbaud d'Aix-en-Provence: 70 × 100 mm. Copie photographique dans la bibliothèque de l'auteur.

– Édition réalisée en Avignon, en 1562: Almanach pour 1563. – Dédié le 20 juillet 1562, «allo ilustrissimo Signore, il S. Fran. Fabritio se Serbelloni». Faciebat du 7 mai 1562.

1562 9. ALMANACH / pour l'An 1563. / Composé par M. Michel Nostradamus / docteur en Medecine, de Salon / de Craux en Provence. / Quant le deffault du Soleil lors sera / Sur le plain iour le monstre sera veu, / Tout autrement on l'interprètera, / Cherté n'a garde, nul n'y aura pourveu. / (Vign.) / Florcita À PARIS. / Pour Barbe Regnault, demourant en la rue / S. Iaques; a l'enseigne de Lelephant. / Avec Privilège. /

– Almanach contenant des vers:
Fol. Av: Ianvier; fol. AIIr: Fevrier; fol. AIIv: Mars; fol. AIIIr: Avril; fol. AIIIv: May; fol. AIVv: Ivin; fol. AVr: Iuillet; fol. AVv: Aoust; fol. AVIr: Septembre; fol. AVIIr: Octobre; fol. AVIIv; Novembre; fol. AVIIIr: Decembre.

– Original se trouvant dans la bibliothèque de Lille. Copie photographique dans la bibliothèque de l'auteur.

– Édition apocryphe réalisée à Paris en 1562: Almanach pour 1563. – Dédié, sans date, «a Monseigneur Françoys de Lorraine, duc de Guise»; la dédicace n'est pas de Nostradamus. Sans Faciebat.

– Les treize quatrains qui se trouvent dans cet Almanach ne sont pas ceux qui correspondent à l'année 1563. Il s'agit des quatrains suivants, dont on a, en outre modifié l'ordre des vers; année: Centurie III, 34; mois: octobre 1557, juin 1562; avril

1555; mars 1557; août 1557; décembre 1557 et novembre 1555 (deux vers de chacun des quatrains); février 1562; juin 1555; septembre 1555; octobre 1555; octobre 1562; décembre 1555.

1564 10. (Sol) AETERNO AC (lune) P.D.O.V.V.S. / ALMANACH / POUR L'AN M.D.LXV / AVECQUES SES TRESAMPLES / significations & presages d'un chacun / moys, / Composé par M. Michel Nostradame, Docteur / en médecine, Medecin du Roy, & A-strophile a Salon de Craux / en Provence / (astérisque) / (Vign.) /À LYON / PAR BENOIST ODO, / M.D.LXV. / Avec Privilège. /

– Almanach comportant des vers:

Fol. A: Ianvier; fol. B5r:Ianvier; fol. Cr. Fevrier; fol. C6r: Mars; fol. D4r: Avril; fol.Er: May; fol. E5r: Iuin; fol Fv: Iuillet; fol. F6r: Aoust; fol. G2v: Septembre; fol. G6v: Octobre; fol. H5r: Novembre; fol. Iv: Décembre.

– Original se trouvant à la bibliothèque de Peruggia. Copie photographique dans la bibliothèque de l'auteur.

– Édition réalisée à Lyon en 1564: Almanach pour 1565. – Dédié, le 14 avril 1564, «a Treschrestien Roy Charles IX. de ce nom». Faciebat du 1er Mai 1564.

1565 11. ALMANACH / POUR L'AN M.D.LXVI. / avec ses amples significations & / explications, composé par / Maistre Michel de No- / stradame Docteur / en medicine, / Conseiller / Medecin ordinaire du Roy, de Salon de / Craux en Provence / (Vign.) À LYON / Par Anthoine Volant, & Pierre Brotot. /

– Almanach comportant des vers:

Fol: Av: Ianvier; fol. AIIr: Fevrier; fol. AIIv: Mars; fol. A3r: Avril; fol. A4r: May; fol. A4v: Iuin; fol. A5r: Iuillet; fol. A5v: Aoust; fol. A6v: Septembre; fol. A7r; Octobre; fol. A7r: Novembre; fol. A8r: Décembre; fol. 11r: Ianvier; fol. 11v: Février; fol. 12r: Mars; fol. 12v: Avril; fol. 13r: May; fol. 13v: Iuin; fol. 14r: Iuillet; fol. 14v: Aoust; fol. 15r: Septembre; fol. 15v: Octobre; fol. 16r: Novembre; fol. 16v: Décembre.

– L'original se trouve à la bibliothèque Victor Emmanuel de Naples. Copie photographique dans la bibliothèque de l'auteur.

– Édition réalisée en 1565: Almanach pour 1566. – Dédiée le 16 octobre 1565 à «Monseigneur Messire Honorat de Savoye Comte de Tande». – Faciebat du 21 avril 1565.

– C'est le seul almanach à fournir une chronologie.

1566 12. *ALMANACH / POUR L'AN M.D.LXVII.* / Composé par feu Maistre Michel / de Nostradame Docteur en medeci- / ne, Conseillier & medecin / ordinaire du / Roy. / Avec ses amples significations, ensemble les explications / de l'Eclypse merveilleux & du tout formidable, qui sera le / IX.d'Avril proche de l'heure de Midy. / (Vign.) / *À LYON Par Benoist Odo,* / Avec privilège, / Imprimé en noir et *rouge.* Cet Almanach porte une deuxième vignette.

– Exemplaire reproduit typographiquement en 1904, par erreur, dans la mise en page originale les folios suivent l'ordre: B.C.D.E.F.G. et A. Nous donnons les quatrains dans l'ordre A.B.C.D.E.F.G. Exemplaire se trouvant dans la bibliothèque de l'auteur.

– Almanach comportant des vers:
Fol. A: frontispice; fol. Av.: Janvier; fol. A2r: Février; fol. A2v: Mars; fol. A3r: Avril; fol. A4r: Mai; fol. A4v: Juin; fol. A5r (B?): Juillet; fol. A5v: Aout; fol. B2v: Septembre; fol. B3r: Octobre; fol. B3v: Novembre; fol. B4r: Décembre; fol. Br: Second frontispice identique au premier; fol. B2r: Janvier; fol. B2v: Février; fol. B3r: Mars; fol. B3v: Avril; fol. B4r: Mai; fol. B4v: Juin; fol. B5r: Juillet; fol. B5v: Aout; fol. B6r: Septembre; fol. B6v: Octobre; fol. B7r: Novembre; fol. B7v: Décembre; fol Cr: Janvier: «Quatrain sur l'An Universel»; fol. Cv: Fevrier; fol. C2r: Mars; fol. C3r: Avril; fol. C4r: Juin; fol. C5r: Juillet; fol. C5v: Aout; fol. C6v: Septembre; C7r: Octobre; C8r: Novembre; C8v: Décembre.

– L'original de la reproduction typographique se trouve dans la bibliothèque de l'auteur.

– Édition réalisée à Lyon en 1566; Almanach pour 1567. Il se compose de trois parties: le pli B qui apparaît en premier lieu, se termine par une dédicace du 15 juin 1566, à «Monseigneur de Birague», les feuillets C.D.E.F. et G forment la deuxième partie, dédié au «Principi Amanuel Philiberto», le 22 avril 1566, pour les années 1567, 1568, 1569 et 1570. A la suite et sous un autre frontispice, se trouve le feuillet A. Sans Faciebat.

1566 13. ALMANACH PER / L'ANNO D.M.LXVII. / COMPOSTO PER M. MI- / CHEL NOSTRADAMO DOT- / TOR IN MEDICINA ET- / CONSIGLIERO DEL RE / CHRISTINISSIMO, / Tradotto fidelmente del Francese nell'Italiano. Con duoi / diuersi Calendarij & molto stupende dichiarationi / dell'Eclisse del Sole del presente anno 1567 / & per duoi altri anni seguenti. / (Vign.) In fine: Stamparo nel Monte Régale. / 1567. /

– Almanach comportant des vers:
Fol. aIIIr: Janvier; fol. aIVr: Fevrier; fol. aIVv: Mars; fol. br: Avril; fol. bIIr: Mai; fol. bIIv: Juin; fol. bIIv: Juillet; fol. bIVr: Aout; fol. cr: Septembre; fol. cIIr: Octobre; fol. cIIIr: Novembre; fol. cIIv: Décembre.

– Original se trouvant à la bibliothèque de Cracovie. Copie photographique se trouvant dans la bibliothèque de l'auteur.

III

XVIe siècle 14. Manuscrit de M. Michel Nostradamus du XVIe siècle, disparu. Reproduit dans le manuscrit 386 de la bibliothèque de Carpentras: Autographe de Louis Gallaup de Chasteuil.

– Ce manuscrit reproduit deux fois le manuscrit de Michel Nostradamus qui fut demandé à son père, D.François Gallaup de Chasteuil, par Louis XIII, roi de France. Il contient onze quatrains que Michel Nostradamus avait laissés parmi ses brouillons. L'un de ces quatrains est reproduit par Chavigny sous le numéro XII, 4. La copie photographique du manuscrit de Carpentras se trouve dans la bibliothèque de l'auteur.

1594 15. LA / PREMIÈRE FACE / DU IANUS / FRANÇOIS, / CONTENANT SOMMAIREMENT LES TROU- / bles, guerres ciuiles & autres choses memorables aduenuës en la / France & ailleurs dès l'an de salut M.D.XXXIIII. / iusques à l'an M.D.LXXXIX. fin de la / maison Valesienne. / EXTRAITE ET COLLIGEE DES CENTU- / RIES ET AUTRES COMMENTAIRES DE M. MICHEL / DE NOSTREDAME, iadis Conseillier & Medecin des Rois Tres-Chrestiens Henry II. / FRANÇOIS II & / CHARLES IX. / À LA FIN EST ADIOUSTÉ UN DISCOURS / de l'aduenement à la Couronne de France, du ROY Tres-Chrestien / à present régnant: ensemble de sa grandeur & / prospérité à venir. / Le tout fait en François & Latin, pour le contentement de plusieurs, / par IEAN AIMES DE CHAVIGNY BEAUNOIS, / & dédie au ROY. / À LYON, / PAR LES HÉRITIERS DE PIERRE ROUSSIN. / M.D.XCIV. / AVEC PRIVILÈGE. /

– Contient: 1) La lettre à Henri II, 2) La Vie de Nostradamus, 3) Au Lecteur, 4) Dialogue Latin avec Jean Dorat, 5) Quatrains en français et latin, 6) De l'Avènement de Henry IV à la couronne de France.

– La section 5 a reproduit les quatrains suivants:

1555:	les 13 quatrains, plus un autre intitulé «Liminaire».	14
1556:	aucun.	0
1557:	le quatrain de l'année, celui de janvier et ceux de mai à décembre.	10
1558:	le quatrain de janvier, ceux de mars à août et ceux d'octobre à décembre.	10
1559:	les treize quatrains.	13
1560:	ceux de janvier à mai, et ceux de juillet à novembre.	10
1561:	le quatrain de l'année, ceux de mars à août et celui d'octobre.	8
1562:	les treize quatrains.	13
1563:	les treize quatrains.	13
1564:	les treize quatrains.	13
1565:	les treize quatrains.	13
1566:	le quatrain de l'année et ceux de janvier à novembre.	12
1567:	le quatrain de l'année, et ceux de janvier à novembre	12
	TOTAL:	141 présages

Centurie I = 26 quatrains; Centurie II = 12; Centurie III = 12; Centurie IV = 14; Centurie V = 6; Centurie X = 6; Centurie XI = 2 inédits et Centurie XII = 11 inédits. Total = 125 quatrains traduits en latin, dont 13 inédits. D'autres sections du livre reproduisent, sans les traduire en latin, 7 quatrains de plus.

– L'original se trouve dans la bibliothèque de l'auteur. 170 × 220 mm.

IV

1555 16. LES / PROPHÉTIES / DE M. MICHEL / NOSTRADAMUS. / A LYON / Chés Macé Bonhomme, / M.D.LV / La permission est insérée à la page suivante. AVEC PRIVILÈGE. / In Fine: Ce présent livre a esté achevé d'imprimer / le IIII. jour de Mai M.D. LV / (Vign.) /

– Fol. Ar: frontispice; fol. Av: «Extraict des registres»; fol.

A2r-B4v: Préface; fol. ar-c3r: Centurie I; fol. c3v-fv: Centurie II; fol. f2r-h4r: Centurie III; fol. h4v-k2r: Centurie IV, 53 quatrains.

– Original se trouvant dans la bibliothèque de Mme Veuve Thiebaud. Copie photographique dans la bibliothèque de l'auteur.

– Première édition. On en connaît deux exemplaires. Bareste parle d'un exemplaire qui appartenait à l'abbé James, rédacteur de «Le propagateur de la foi», auteur sous le pseudonyme de «Henri Dujardin» de *L'oracle pour 1840*. Cet exemplaire qui se trouvait entre les mains de Bareste était exactement identique à celui de Jules Thiebaud, que nous avons décrit, sauf une feuille déchirée.

Cet exemplaire fut acheté le 15 octobre 1889 par l'abbé Hector Rigaux, curé d'Argoeuves, par Amiens (Somme) et vendu à l'Hôtel Drouot le 17 juin 1931. Cet exemplaire se présente sous une belle reliure signée par Thierry, successeur de Petit-Simier. Cette édition présente cinq quatrains par page, numérotés en caractères arabes et en marge, à la différence de toutes les éditions postérieures, dans lesquelles les quatrains sont numérotés en chiffres romains situés au milieu de la page.

1556 17. LES PROTHÉTIES DE M. MICHEL NOSTRADAMUS. Dont il y a trois cents qui n'ont encores iamais esté imprimées. A Lyon 1556 ? Par sixte Denyse. – Édition introuvable. L'unique mention bibliographique de cette édition est celle de la Croix du Maine : « Premier volume de la bibliothèque du Sieur de la Croix du Maine, à Paris, chez Abel l'Angelier, 1584. »

– C'est probablement la première édition authentique de Lyon qui contient pour la première fois la centurie IV en entier, la V, la VI avec quatre-vingt dix-neuf quatrains et la VII avec quarante quatrains : sept Centuries ; la sixième et la septième sont incomplètes.

– L'édition très soignée d'Antoine du Rosne, Lyon, 1557, doit être la reproduction de celle-ci. L'édition de Macé Bonhomme, 1555, et l'édition de la Prognostication pour 1555, imprimées par Jean Brotot, nous permettent d'affirmer que les premières éditions des livrets de Nostradamus ont été très soignées dans leur présentation.

1557 **18. LES / PROPHÉTIES / DE M. MICHEL / NOSTRADAMUS /. Dont il y a trois cents qui / n'ont encores iamais / esté imprimées / (Vign.) / À LYON / Ches Antoine du Rosne. / 1557. / In fine: «Achevé d'imprimer le troisiesme de Novembre».**

– Page 1: frontispice; pp. 3-18: préface; pp. 19-60: Centuries I-VII, la Septième Centurie comporte 40 quatrains.

– L'original se trouve à la bibliothèque Lénine de Moscou. Copie photographique dans la bibliothèque de l'auteur.

– Klinckowstroëm a étudié, à la bibliothèque de Munich, un exemplaire aujourd'hui disparu, de cette même édition.

1558 ? 19. LES PROPHÉTIES DE M. MICHEL NOSTRADAMUS CENTURIES VIII, IX et X Qui n'ont encore iamais esté imprimées. À LYON PAR BENOIST RIGAUD? 1558?

– Page 1: frontispice; page 2: en blanc; pp. 3-23: lettre à Henri II; pp. 25-76: Centuries VIII, IX et X.

– Édition disparue; les données bibliograhiques sont empruntées à des reproductions postérieures.
– Cette édition dont aucun exemplaire ne nous est parvenu a pourtant existé. La preuve en est la dédicace à Henry, roy de France, «Second», datée du 27 juin 1558, et que nous avons comparée à la dédicace à Henri II, roi de France, de l'almanach de 1557. Cette édition est certainement parvenue jusqu'aux mains de Catherine de Médicis et doit avoir été publiée à la date que nous indiquons qui est celle de la dédicace.
– Held cite cette édition. Adelung également. Elle est également citée dans les frontispices des éditions de 1649, 1650, 1667 et 1668.

1568 20. Exemplaire A de Lyon: B. Rigaud. / LES / PROPHÉTIES / DE M. MICHEL / NOSTRADAMUS. / (fleur en bouton) / Dont il y en a trois cents qui / n'ont encores iamais esté / imprimées. / Adioustées de nouveau par / ledict Autheur. / (Vign.) À LYON, / PAR BENOIST RIGAUD. / 1568. / Avec permission. /
LES / PROPHÉTIES / DE M. MICHEL / Nostradamus. / Centuries VIII. IX. X. / Qui n'ont encores iamais esté / Imprimées. / (Vign. differente) / À LYON, / PAR BENOIST RIGAUD.
– 126 p.: Préface et Centuries I à VII; 76 p.: Lettre et Centuries VIII à X.
– L'original se trouve dans la bibliothèque de l'auteur: 74 × 120 mm.
– Caractéristiques de l'exemplaire A:
1. Le premier frontispice porte une fleurette en bouton.
2. Le second frontispice n'en porte pas.
3. À la différence de tous les autres exemplaires étudiés, le cadre de la vignette du premier frontispice n'a pas de brisures.
4. La vignette du second frontispice est différente de celle de tous les autres exemplaires étudiés.
5. Le premier frontispice dit «permission», avec la première lettre minuscule, une «s» ancienne et l'autre moderne.
6. Dans le titre, la phrase: «dont il y en a trois cents qui» est disposée sur une seule ligne.
7. Le titre orthographie «cents», alors que tous les autres exemplaires disent «cens».
8. Le premier frontispice porte une date.
9. Ne comporte pas de fleuron à la fin de la première partie, ni à la fin de la deuxième.

1568 21. Exemplaire B de Lyon: B. Rigaud. / LES / PROPHÉTIES / DE M. MICHEL / NOSTRADAMUS. / (fleur en bouton) / Dont il y en trois cens qui / n'ont encores iamais esté / imprimées. / Adioustées de nouveau par / ledict Autheur. / (Vign.) / À LYON, / PAR BENOIST RIGAUD. / 1568. / Avec permission. /
LES / PROPHÉTIES / DE M. MICHEL / NOSTRADAMUS. / (fleur en bouton) / Centuries VIII. IX. X. / Qui n'ont encores iamais esté / imprimées. / (Vign. Atlas) / À LYON, / PAR BENOIST RIGAUD. /
126 p.: Préface et Centuries I à VII; 76 p.: Lettre et Centuries VIII à X.
– L'original se trouve dans la bibliothèque nationale de Florence; et dans les bibliothèques de Heidelberg, Châteauroux et Wroclaw. Copie dans la bibliothèque de l'auteur.

– Caractéristiques de l'exemplaire B:
1. Semblable à l'exemplaire A.
2. Fleur en bouton au second frontispice.
3. Cadre brisé.
4. Vignette Atlas.
5. «permission» avec «p» minuscule et deux «s» ancienne.
6. Identique à l'exemplaire A.
7. «cens».
8. Identique à l'exemplaire A.
9. Fleuron à la fin de la première partie; pas de fleuron après la deuxième partie.

1568 22. Exemplaire C de Lyon: B. Rigaud. / LES PROPHÉTIES / DE M. MICHEL / NOSTRADAMUS. / (fleur en bouton) / Dont il y en a trois cens qui / n'ont encore iamais esté / imprimées. / Adioustées de nouveau par / ledict Autheur. / (Vign.) / À LYON, / PAR BENOIST RIGAUD. / 1568 / Avec permission. /
LES PROPHÉTIES / DE M. MICHEL / NOSTRADAMUS. / (fleur ouverte) / Centuries VIII. IX. X. / Qui n'ont encores iamais esté / imprimées. / (Vign. Atlas) / À LYON, / PAR BENOIST RIGAUD. /

126 p.: Préface et Centuries I à VII; 76 p.: Lettre et Centuries VIII à X.

– L'original se trouve dans les bibliothèques de Dresde et Schaffhausen. Une copie photographique se trouve dans la bibliothèque de l'auteur.

– Caractéristiques de l'exemplaire C:
1. Identique aux exemplaires A et B.
2. Fleuron ouvert dans le deuxième frontispice.
3. Identique à l'exemplaire B.
4. Identique à l'exemplaire B.
5. Identique à l'exemplaire B.
6. Identique aux exemplaires A et B.
7. Identique à l'exemplaire B.
8. Identique aux exemplaires A et B.
9. Fleuron identique à celui de l'exemplaire B à la fin de la première partie; fleuron différent à la fin de la deuxième partie.

1568 23. Exemplaire D de Lyon: B. Rigaud. / Les / Prophéties / de M. Michel / Nostradamus. / (fleur en bouton) / Dont il y en a trois cens qui / n'ont encores iamais esté / imprimées. / Adioustées de nouveau par / ledict Autheur. / (Vignette). / À Lyon, / par Benoist Rigaud. / 1568. / Avec permission. /
Les / Prophéties / de M. Michel / Nostradamus. / (petit fleur ouverte) / Centuries VIII. IX. X. / Qui n'ont encores iamais esté / imprimées. / (Vignette) / À Lyon, / Par Benoist Rigaud. /

126 p.: Préface et Centuries I à VII; 76 p.: Lettre et Centuries VIII à X.

– Exemplaire décrit par Baudrier, *Bibliographie lyonnaise*, Tome III, p. 257.

– Caractéristiques de l'exemplaire D:
1. Identique aux exemplaires A, B et C.
2. Identique à l'exemplaire C.
3. N'est pas connu.
4. N'est pas connu.
5. Identique à l'exemplaire A.

6. Identique aux exemplaires A, B et C.
7. Identique aux exemplaires B et C.
8. Identique aux exemplaires A, B et C.
9. Un fleuron identique se trouve à la fin de la première et de la deuxième partie; ce fleuron est différent de ceux qu'on trouve dans les exemplaires A, B et C.

1568 24. Exemplaire E de Lyon: B. Rigaud. / LES / PROPHÉTIES / DE M. MICHEL / NOSTRADAMUS. / (fleur en bouton) / Dont il y en a trois cens qui / n'ont encores iamais esté / imprimées. / Adioustées de nouveau par / ledict Autheur. / (Vign.) / A LYON, / PAR BENOIST RIGAUD. / 1568. / Avec permission. /
LES / PROPHÉTIES / DE M. MICHEL / NOSTRADAMUS. / (fleur en bouton) / Centuries VIII, IX. X. / Qui n'ont encores iamais esté imprimées. / (Vign. Atlas) / A LYON, / PAR BENOIST RIGAUD. /

126 p.: Préface et Centuries I à VII; 76 p.: Lettre et Centuries VIII, IX et X.

– L'original se trouve dans la bibliothèque de l'auteur: 72 × 103 mm. Magnifique reliure de maroquin signée: Lemettais.

– Caractéristiques de l'exemplaire E:
1. Identique aux exemplaires A, B, C et D.
2. Identique à l'exemplaire B.
3. Identique aux exemplaires B et C.
4. Identique aux exemplaires B et C.
5. Identique aux exemplaires B et C.
6. Identique aux exemplaires A, B, C et D.
7. Identique aux exemplaires B, C et D.
8. Identique aux exemplaires A, B, C et D.
9. Les deux fleurons, différents entre eux, qui se trouvent à la fin de la première et de la deuxième partie diffèrent également de tous les fleurons figurant dans les exemplaires B, C et D.

1568 25. Exemplaire F de Lyon: B. Rigaud. / Les / Prophéties / de M. Michel / Nostradamus / (fleur ouverte) / Dont il y en a trois cens qui / n'ont encores iamais esté / imprimées / Adioustées de nouveau par / ledict Autheur. / (Vign.) / A Lyon, / Par Benoist Rigaud. / 1568. / Avec Permission. /
Les / Prophéties / de M. Michel / Nostradamus. / (fleur ouverte) / Centuries VIII. IX. X. / Qui n'ont encores iamais esté / imprimées. / (Vign.) / A Lyon, / Par Benoist Rigaud. /

126 p. : Préface et Centuries de I à VII; 76 p. : Lettre et Centuries VIII à X.

– Exemplaire décrit par Baudrier, *Bibliographie lyonnaise*, Tome III, p. 258.

– Caractéristiques de l'exemplaire F :
1. Le premier frontispice comporte une fleur ouverte.
2. Le deuxième frontispice comporte une fleur ouverte.
3. N'est pas connu.
4. N'est pas connu.
5. Comme les exemplaires A et D.
6. Identique aux exemplaires A, B, C, D et E.
7. Identique aux exemplaires B, C, D et E.
8. Identique aux exemplaires A, B, C, D et E.
9. Identique à l'exemplaire A.

1590 26. LES / PROPHÉTIES / DE M. MICHEL / NOSTRADAMUS / * / Dont il y en a trois cens qui n'ont encores iamais / esté imprimées. / Adioustées de nouveau, par ledict / Autheur. / (Vign.) A CAORS, / Par Iaques Rousseau. / 1590. /
LES / PROPHÉTIES / DE M. MICHEL / NOSTRADAMUS. / * / Centuries VIII. IX. X. / Qui n'ont encores iamais esté imprimées. / (Vign.) A CAORS, / Par / Iaques Rousseau. / 1590 /

– L'original se trouve à la Bibliothèque Nationale de Paris. Copie photographique dans la bibliothèque de l'auteur.

– Édition divisée en deux parties: Préface et Centuries I à VII; Lettre et Centuries VIII à X; avec deux numérotations des folios: de A à F pour la première partie et de A à D pour la deuxième, chaque partie comportant 8 folios. Un fleuron se trouve à la fin de la première partie.

– Cette édition reproduit les éditions de Benoist Rigaud.

1591 27. Exemplaire G de Lyon: B. Rigaud. / LES / PROPHÉTIES / DE M. MICHEL / NOSTRADAMUS. / (Fleur en bouton) / Dont il y en a trois cens qui n'ont / encores iamais esté imprimées. / Adioustées de nouveau par / ledict Autheur. / (Vign.) / A LYON, / PAR BENOIST RIGAUD. / Avec Permission / LES / PROPHÉTIES / DE M. MICHEL / NOSTRADAMUS. / (fleur en bouton) / Centuries VIII. IX. X. / Qui n'ont encores iamais esté / imprimées. / (Vign. Atlas) / A LYON, / PAR BENOIST RIGAUD.
126 p.: Préface et Centuries de I à VII; 76 p.: Lettre et Centuries de VIII à X.

– Exemplaire se trouvant à la bibliothèque Arbaud.

– Caractéristiques de l'exemplaire G:

1. Identique aux exemplaires A, B, C, D et E.
2. Identique aux exemplaires B et E.
3. Identique aux exemplaires B, C et E.
4. Identique aux exemplaires B, C et E.
5. Permission avec «P» majuscule, un «s» moderne et l'autre ancien.
6. La distribution de la phrase du titre est la suivante : «Dont il y en a trois cens qui n'ont.»
7. Identique aux exemplaires B, C, D, E et F.
8. Le premier frontispice ne porte pas de date.
9. Identique aux exemplaires A et F.

1593 ? 28. Exemplaire H de Lyon: B. Rigaud. / Les Prophéties / de M. Michel / Nostradamus. / (fleur ouverte) / Dont il y a trois cens qui n'ont / encores iamais esté imprimées. / Adioustées de nouveau par / ledict Autheur. / (Vignette) / A Lyon, / Par Benoist Rigaud. / Avec Permission. Les / Prophéties / de M. Michel / Nostradamus. / Centuries VIII. IX. X. / qui n'ont encores iamais esté / imprimées. / A Lyon, / Par Benoist Rigaud.

126 p.: Préface et Centuries I à VII; 76 p.: Lettre et Centuries VIII à X.

– Exemplaire décrit par Baudrier, *Bibliographie lyonnaise*, Tome III, p. 190.

– Caractéristiques de l'exemplaire H :

1. Identique à l'exemplaire F.
2. Identique à l'exemplaire A.
3. N'est pas connu.
4. Identique aux exemplaires B, C, E et G.

5. Identique à l'exemplaire G.
6. Identique à l'exemplaire G.
7. Identique aux exemplaires B, C, D, E, F et G.
8. Identique à l'exemplaire G.
9. N'est pas connu.

1594-1596 29. Les Prophéties de M. Michel Nostradamus. Dont il y en a trois cens qui n'ont encore iamais esté imprimées. Adioustées de nouveau, par le dict Autheur. (Vign.) A Lyon, Par Benoist Rigaud, 1594.
Les Prophéties de M. Michel de Nostradamus. Centuries VIII. IX. X. Qui n'ont encores iamais esté imprimées. A Lyon, par Benoist Rigaud, 1596.

80 folios sans numérotation: Préface et Centuries I à VII; Lettre et Centuries VIII à X.

– L'original se trouve à la bibliothèque Harry Price, de Londres. Appartint à Klinckowstroëm. Copie dactylographiée de l'article de Klinckowstroëm dans la bibliothèque de l'auteur.

– Note bibliographique de Klinckowstroëm, Carl Graf, dans «Les éditions les plus anciennes des prophéties de Nostradamus», *Aus der Antiquariat,* Franckfurt, 1951, exemplaire N° 7. Cette note dit: «Impression inconnue à cette date, mais actuellement entre les mains de l'auteur. Exemplaire fortement recoupé, rendant impossible reconnaître la pagination et les dimensions originales».

1594-1596 30. Les / Prophéties / de M. Michel / Nostradamus / * / Dont il y en a trois cens qui n'ont encores iamais / esté imprimées. / Adioustées de nouveau, par le dict / Autheur. / (Vign.) / A Lyon, / Par Benoist Rigaud. / 1594 /
Les / Propheties / de M. Michel Nostradamus / * / Qui n'ont encores iamais esté imprimées. / (Vign.) / A Lyon, / Par Benoist Rigaud, / 1596. /

28 folios, sans numérotation: A-G pour 4; 36 folios sans numérotation: H, I, K pour 8 et L pour 4.

– Original ayant appartenu à l'abbé Rigaux, décrit dans la *Bibliographie Lyonnaise* par Baudrier, chaque partie comme un exemplaire séparé : Tome III, pp. 434 à 443.

– Sans aucun doute, il s'agit de deux parties d'une même édition, tant à cause du numérotage suivi que parce que toutes les éditions de Benoist Rigaud portant la date de 1568 ou sans date, ont toujours présenté les deux parties de l'œuvre en un seul volume, avec deux frontispices et le numérotage séparé : la première partie, avec sept centuries et la seconde de trois. Nous ne pouvons pas expliquer la pagination qui apparaît chez Baudrier. Elle ne serait possible qu'en admettant 16 pages par lettres, ce qui donnerait 112 pages pour la première partie et 72 pour la deuxième. Mais même en ce cas, elle ne s'accorderait pas avec les 9 éditions antérieures de Benoist Rigaud, ni avec les 2 réalisées postérieurement par ses héritiers, ni avec les 3 que nous connaissons de son fils Pierre.

Baudrier n'indique pas les Centuries qui composent cette édition et le deuxième frontispice ne dit pas : «Centuries VIII. IX. et X.» comme dans l'exemplaire N° 29.

1597 ? 31. LES / PROPHÉTIES / DE M. MICHEL / NOSTRADAMUS. / (fleur en bouton) / Dont il y en a trois cens qui n'ont / encores iamais esté imprimées. / Adioustées de nouveau par / le dict Autheur. / (Vign.) A LYON, / Par les héritiers de Benoist Rigaud. / Avec Permission.
LES / PROPHÉTIES / DE M. MICHEL / NOSTRADAMUS. / (fleur en bouton) / Centuries VIII. IX. X. / Qui n'ont encores iamais esté / imprimées. / (Vign.) A LYON, / Par les héritiers de Benoist Rigaud.
– Première partie: un folio pour le frontispice; pp. 3-12: Préface; pp. 12-125: Centuries I à VII; un folio blanc. Seconde partie: Un folio pour le frontispice; pp. 3-24: Préface; pp. 25-78: Centuries VIII à X; un folio blanc.
– Original dans la bibliothèque de l'auteur : 112 x 76 mm, recouvert en parchemin.

1599 ? 32. LES / PROPHÉTIES / DE M. MICHEL / NOSTRADAMUS. / (Rosace) / Dont il y en a trois cens qui n'ont / encores iamais esté imprimées. / Adioustées de nouveau par / le dict Autheur / (Vign.) / A LYON, / Par les héritiers de Benoist Rigaud. / Avec Permission. /
LES / PROPHÉTIES / DE M. MICHEL / NOSTRADAMUS. / (Rosace) / Centuries VIII. IX. X. /Qui n'ont encore iamais esté / imprimées. / (Vign.) / A LYON, / Par les héritiers de Benoist Rigaud. /
– Première partie: un folio pour le frontispisce; pp. 3-12: préface; pp. 12-125: Centuries I à VII; un folio blanc. Deuxième partie : un folio pour le frontispice; pp. 3-24: Préface; pp. 25-78: Centuries VIII à X; un folio blanc.
– Original cité par Baudrier dans la *Bibliographie Lyonnaise*, Tome III, p. 448.

1604 ? 33. LES / PROPHÉTIES / DE M. MICHEL / NOSTRADAMUS. / (rosace) / Dont il y en a trois cens qui n'ont / encores iamais esté imprimées. / Adioustées de nouveau par / ledict Autheur. / (Vign.) / A LYON, / PAR PIERRE RIGAUD, en ruë / Merciere au coing de rue Ferrandiere. / Avec Permission. /
LES / PROPHÉTIES / DE M. MICHEL / NOSTRADAMUS / (Rosace) / Centuries VIII. IX. X. / Qui n'ont encores iamais esté / imprimées / (Vign.) / A LYON. / PAR PIERRE RIGAUD, en ruë / Merciere, au coing de ruë Ferrandière. /
– Première partie, 126 p; p. 1: frontispice; pp. 3 à 125: Préface et Centuries I à VII; Seconde partie: 78 p; p. 1: frontispice; pp. 3-78: Préface et Centuries VIII à X.
– Original se trouvant à la bibliothèque Saint-Marc, Venise. Copie photographique dans la bibliothèque de l'auteur.
– Date de parution : aux alentours de 1604.
– «PAR PIERRE RIGAUD» avec «PAR» en majuscule, comme successeur des héritiers de son père.
– Reproduit les éditions de Benoist Rigaud.

1608 ? 34. LES / PROPHÉTIES / DE M. MICHEL / NOSTRADAMUS / ⁂ / Dont il y en a trois cens qui n'ont / encores iamais esté imprimées. / Adioustées de nouveau par / ledict Autheur. /

(Vign.) / A LYON / Par PIERRE RIGAUD, en ruë / Merciere, au coing de ruë Ferrandière / Avec permission. /
LES / PROPHÉTIES / DE M. MICHEL / NOSTRADAMUS. / ⁂ / Centuries VIII. IX. X. / Qui n'ont encores iamais esté / imprimées. / (Vign.) / A LYON, / Par PIERRE RIGAUD, / en ruë / Merciere, au coing de ruë Ferrandiere. /

– Première partie: 126 p; p. 1: frontispice; pp. 3-125: Préface et Centuries I à VII; Deuxième partie: 78 p; p. 1: frontispice; pp. 3-78: Préface et Centuries VIII à X.

– Original se trouvant dans la bibliothèque de l'auteur; 70 × 109 mm.

– Date de parution: aux alentours de 1608.

– «Par PIERRE RIGAUD» avec P en majuscule et «ar» minuscule, successeur des héritiers de son père.

– Reproduit les éditions de Benoist Rigaud.

1611 ? 35. LES / PROPHÉTIES / DE M. MICHEL / NOSTRADAMUS. / ⁂ / Dont il y en a trois cens qui n'ont / encores iamais esté imprimées. / Adioustées de nouveau par / ledict Autheur. / (Vign.) / A LYON, / Chez Pierre Rigaud, ruë / Merciere, au coing de ruë / Ferrandiere. / Avec Permission. /
LES / PROPHÉTIES / DE M. MICHEL / NOSTRADAMUS / ⁂ / Centuries VIII. IX. X. / Qui n'ont encore iamais esté / imprimées. / (Vign.) / A LYON, / Chez Pierre Rigaud, ruë / Merciere, au coing de ruë / Ferrandiere. /

– Première partie: 126 p; p. 1: frontispice; pp. 3-125: Préface et Centuries I à VII; Deuxième partie: 78 p; p. 1: frontispice; pp. 3-78: Préface et Centuries VIII à X.

– Original se trouvant dans la bibliothèque de l'auteur: 68 × 108 mm.

– Date de parution: aux alentours de 1611, avant 1614.

– «Chez» Pierre Rigaud, successeur des héritiers de son père.

– Reproduit les éditions de Benoist Rigaud.

1614 ? 36. LES / PROPHÉTIES / DE M. MICHEL / NOSTRADAMUS / ⁂ / Dont il y en a trois cens qui n'ont iamais esté imprimées. / Adioustées de nouveau par ledict Autheur. / (Vign.) / A LYON, / PAR IEAN POYET. / LES PROPHÉTIES / DE M. MICHEL NOSTRADAMUS. / ⁂ / Centuries VIII. IX. X. / Qui n'ont encores iamais esté / imprimées. / (Vign.) / A LYON, / PAR IEAN POYET.

– Même numérotage que dans le N° 37.

– Original se trouvant à la Bibliothèque Nationale de Paris format: 73 × 121 mm. Copie photographique dans la bibliothèque de l'auteur.

– Exemplaire décrit par Klinckowstroëm avec un seul numérotage pour les deux parties. Identique au N° 37 qui porte au premier frontispice le nom de l'éditeur Jean Didier. Les vignettes et un erratum à la première page de la Centurie I (Nastradamus au lieu de Nostradamus) en témoignent.

– Reproduit les éditions de Benoist Rigaud.

– Date de parution: aux alentours de 1614.

1618 ? 37. LES / PROPHÉTIES / DE M. MICHEL / NOSTRADAMUS. / ⁂ / Dont il y en a trois cents qui n'ont / iamais esté imprimées. /

Adioustées de nouveau par / ledict Autheur / (Vign.) / A LYON. / Par Jean Didier. /
LES / PROPHÉTIES / DE M. MICHEL / NOSTRADAMUS. / ⁂ / Centuries VIII. IX. X. / Qui n'ont encores iamais esté / imprimées. / (Vign.) / A LYON, / Par Iean Poyet. /

– P. 1: frontispice; pp. 3-22: Préface; pp. 23-132: Centuries I à VII; p. 133 : frontispice; pp. 135-155: Lettre; pp. 156-204: Centuries VIII à X.

– Original se trouvant dans la bibliothèque de l'auteur : 74 × 110 mm.

– Exemplaire portant un seul numérotage pour les deux parties.

– Exemplaire identique au N° 36.

– Reproduit les éditions de Benoist Rigaud.

– Date de parution : aux alentours de 1618.

1560-1561

38. LES / PROPHÉTIES DE / M. MICHEL NOSTRA- / damus: Dont il y en a trois cens qui / n'ont encores esté imprimées, lesquelles sont en ceste pre- / sente edition. / Revves & additionees par l'Autheur, / pour l'An mil cinq cens soyxante / & un, de trente neuf articles / à la dernière Centurie. / PARIS, / Pour Barbe Regnault, / 1560 / In fine: 1561.

– Exemplaire disparu, cité par Brunet. Connu par les copies de 1588 et 1589. Il comporte 64 folios non numérotés; fol. 1 : frontispice; folios 2-7: Préface; folios 7-61: Centuries I à VI, avec à la Centuries VI: 74 quatrains; folios 62-63: quatrains 72 à 83 de la Centurie VII; folios 63-64: 6 quatrains de la Centurie VIII. Au folio 64r. la vignette du titre se répète. Au folio 64v. on trouve une marque d'impression.

– Cette édition est semblable aux cinq suivantes qui la reproduisent, qui comportent toutes 128 pages et sont d'une typographie assez négligée. Elles ne diffèrent que pour trois quatrains – 72, 73 et 74 de la Centurie VI – qui apparaissent dans la première de ces éditions (Menier, 1588) et ne se retrouvent plus dans les quatre suivantes. Elles comportent la Première et la Seconde Centuries complètes; elles suppriment douze quatrains de la Troisième: 18, 19, 33, 34, 35, 36, 38, 39, 40, 41, 42 et 49 – qui sont remplacés par des quatrains répétés: onze de la Première Centurie: – 59, 61, 21, 87, 23, 64, 44, 16, 20, 83 et 58 – et un de la Seconde: le quatrain 27. Elles suppriment cinq quatrains de la Cinquième Centurie: 16, 17, 18, 19 et 20 et les remplacent par trois de la Seconde: 24, 40 et 45 et deux de la Troisième: 25 et 30; la Sixième Centurie va, comme nous l'avons dit ci-dessus, jusqu'au quatrain 74 dans une édition et jusqu'au quatrain 71 dans les autres. Dans ces derniers quatrains, on en a supprimé dix-neuf: 27, 28, 29, 43, 44, 45, 46, 47, 48, 49, 50, 51, 52, 53, 65, 66, 67, 68 et 69 et on les a remplacés par trois de la Troisième Centurie: 90, 65 et 71, quinze de la Quatrième Centurie: 29, 28, 31, 95, 64, 68, 67, 66, 65, 13, 14, 15, 35, 36 et 33 et un quatrain de la Cinquième Centurie, le 8. Dans tous ces quatrains répétés, l'ordre des vers a été changé pour dissimuler la répétition. Les quatre quatrains situés après la Centurie VII sont ceux auxquels se réfèrent les éditions de Troyes, « autres quatrains pris parmi douze sous la Centurie VII ». Les six quatrains placés après la Centurie VIII se trouvent dans cette même édition de Troyes, repris de cette édition de 1561 ou de ses reproductions, intitulées «autres quatrains plus avant imprimés sous la Centurie VIII.»

1588 ? 39. LES / PROPHÉTIES DE / M. MICHEL NOSTRA- / damus: Dont il en a trois cens, / qui n'ont encores esté imprimées, / lesquelles sont en ceste presente / edition. / Revues & additionnées par l'Autheur / pour l'An mil cinq cens soixante & / un, de trente neuf articles à la / derniere Centurie. / (Vign.) / Par Pierre Ménier, portier de la porte / Sainct Victor.

– Original à la bibliothèque Mazarine, à Paris. Copie photographique dans la bibliothèque de l'auteur.

– Reproduit l'édition de 1560-1561, dans un but politique.

– Répète toutes les erreurs de l'exemplaire Fiche N° 38.

1589 40. LES / PROPHÉTIES DE / M. MICHEL NOSTRA- / damus: Dont il y en a trois cens qui / n'ont encores esté imprimées, / lesquelles sont en ceste pre- / sente edition. / Reveues & additionnées par l'Autheur, / pour l'An mil cinq cens soixante / & un, de trente neuf articles / à la derniere Centurie. / (Vign.) / PARIS / Par Pierre Ménier, demeurant à la rue / d'Arras, pres la porte S. Victor. / 1598. /

– Original à la Bibliothèque Nationale de Paris: 74 × 121 mm. Copie photographique dans la bibliothèque de l'auteur.

– Reproduit l'édition 1560-1561, dans un but politique.

– Reproduit toutes les erreurs de l'exemplaire Fiche N° 38.

1588 41. LES / PROPHÉTIES D (E? / M. MICHEL NOS (TRA? / damus. Dont il y en a trois (cens, qui? / n'ont encores esté impr (imées? / lesquels sont en cest (e pre? / sente ed (ition? / Revues & additionnées p (ar l'Autheur? / pour l'An mil cinq cens (soixante? / & un, de trente neuf (articles? / a la dernière Centurie / (Vign.) / A PARIS, / Pour la veusve Nicolas Roffet, sur (la porte? / Sainct Michel, à la Rose blanc(he? / Iouxte la coppie imprimee, l'an (1561? / 1588. /

– Les parenthèses indiquent que le frontispice de cette édition est en partie détruit.

– Original à la bibliothèque du Bristish Museum. Copie photographique dans la bibliothèque de l'auteur.

– Reproduit l'édition de 1560-1561 dans un but politique.

– Reproduit toutes les erreurs de l'édition Fiche N° 38.

1588 ? 42. Exemplaire des Prophéties de M. MICHEL NOSTRADAMUS, sans frontispice. 1588?

– Original se trouvant dans la bibliothèque de la ville d'Angers. Copie photographique dans la bibliothèque de l'auteur.

- Reproduit l'édition de 1560-1561 avec un but politique.

– Reproduit toutes les erreurs de l'exemplaire Fiche N° 38.

1589 43. LES / PROPHÉTIES DE / M. MICHEL NOSTRA- / damus. Dont il y en a trois cens qui n'ont encores esté imprimées, / lesquels sont en ceste. / presente edition. / Reveues & addititionnees par l'Autheur, por l'an mil cinq cens soixante & un, de trente neuf ar- / ticles a la derniere Centurie. / (Vign.) / A PARIS, /

Chez Charles Roger Imprimeur, demeu- / rant en la court de Baviere pres / la porte Sainct Marcel / 1589. /

– Original à la bibliothèque du Bristish Museum. Copie photographique dans la bibliothèque de l'auteur.

– Reproduit l'édition de 1560-1561 avec un but politique.

– Reproduit toutes les erreurs de l'exemplaire Fiche N° 38.

V

1555 ? 44. LES GRANDES ET MERVEILLEUSES PRÉDICTIONS DE M. MICHEL NOSTRADAMUS. Divisées en quatre Centuries. À AVIGNON. 1555? Par Pierre Roux?

– Édition disparue; reproduite par Raphaël du Petit Val, Rouen, 1588.

– La lettre-préface, dédicace à César, est datée du 22 juin 1555. L'édition de Lyon, de Macé Bonhomme, indique la date du 1er mars 1555. C'est cette même année que semble avoir été éditée, à Avignon et en en changeant le titre, cette copie de la première édition des Centuries. Elle devait se terminer, comme l'édition de Raphaël du Petit Val, par le quatrain 53 de la quatrième Centurie. Le sous-titre de l'édition de Petit Val doit être emprunté à cette édition. Il dit : « En lesquelles on voit représenté une partie de ce qui est advenu pendant ce temps, tant en France, Espagne, Angleterre, comme en d'autres parties du monde. »

– L'édition de Petit Val ne cite pas Pierre Roux. Il est cité, pour l'édition des sept Centuries, par François de Saint Jaure, Anvers, 1590, et par Pierre Valentin, Rouen, 1611, qui reproduit l'édition antérieure. Il est très possible que Petit Val ait copié les deux éditions de Pierre Roux.

– Baudrier (10e Série, p. 246) commentant l'édition de Lyon, Macé Bonhomme, 1555, dit : « C'est sur cette édition qu'a été faite celle d'Avignon, 1555, petit in-8°. »

1556 ? 45. LES GRANDES ET MERVEILLEUSES PRÉDICTIONS DE M. MICHEL NOSTRADAMUS. Dont il y a trois cens qui n'ont encores iamais esté imprimées. Esquelles se voit représenté une partie de ce qui se passe en ce temps tant en France, Espagne, Angleterre que autres parties du monde. Par Pierre Roux. A Avignon 1556?

– Édition citée par François de Saint Jaure, Anvers, 1590; dont nous reproduisons le frontispice: cet imprimeur assure que son édition est de prophéties «réimprimées de nouveau sur l'ancienne impression premièrement en Avignon par Pierre Roux Imprimeur du Légat en l'an mil cinq cens cinquante cinq». Pierre Valentin, Rouen, 1611? affirme la même chose mais sans donner de date. Nous pensons que cette édition a existé et que Pierre Roux a imprimé la première, de quatre Centuries, en 1555 et la deuxième, qui comportait sept Centuries en 1556. Nous pouvons l'assurer parce que Petit Val les a reproduites toutes les deux trente ans plus tard, bien que sans citer Roux. L'imprimerie existait et elle a appartenu à Macé Bonhomme. Nous n'avons pas de preuve de la date à laquelle

elle est devenue la propriété de Pierre Roux. Le frontispice porte, dans toutes ces éditions, le même titre et les mêmes légendes. Seul Valentin en 1611, introduit de petits changements.

1558 ? 46. LES GRANDES ET MERVEILLEUSES PRÉDICTIONS DE M. MICHEL NOSTRADAMUS Centuries, VIII. IX. X. À AVIGNON? 1558?

– Édition inconnue dont il n'est resté aucune trace. Nous n'en avons trouvé aucune citation bibliographique. Nous l'incluons dans cette bibliographie parce qu'à cette date, ou à une date légèrement postérieure, une édition d'Avignon a dû publier la dédicace à Henri II avec les variations que nous avons étudiées et que nous pouvons, en toute sécurité attribuer au prophète. Ces variations sont utilisées par Nostradamus dans sa cryptographie. Le texte ainsi modifié n'apparaît dans aucune des éditions de Lyon. Il est reproduit par une des éditions apocryphes datées de 1627 et par l'édition d'Amsterdam de 1668 qui le reprend certainement d'une édition d'Avignon qui reproduit les Centuries VIII, IX et X avec la dédicace à Henri II, modifiée par l'auteur.

1588 47. LES / GRANDES / ET MERVEILLEU- / SES PRÉDICTIONS DE M. MICHEL NOSTRADAMUS / divisées en quatre Centuries. / Esquelles se voit représenté une partie de ce qui se / passe en ce temps, tant en France, Espaigne, An- / gleterre, que d'autres parties du monde. / (Vign.) / À ROUEN, / Chez Raphaël Du Petit Val / devant la grand porte du Palais / 1588. / Avec permission. /

– Folio 1r: frontispice; folios 1v-6v: Préface; folios 75-32v: Centuries I à IV; il manque les quatrains 44, 45, 46 et 47 de la Centurie IV qui se termine par le quatrain 53. Elle comporte seulement 349 quatrains pour se terminer typographiquement à la dernière page du quatrième cahier de 16 pages.

– Original se trouvant dans la bibliothèque de l'auteur, dans sa reliure originale de cuir très fin. 71 × 103 mm. Édition rarissime, exemplaire unique, date authentique.

– La Préface, lettre à César est datée du 22 juin au lieu du 1er mars.

– Édition non citée par Brunet. Cette édition, et la suivante de Raphaël du Petit Val, ainsi que celle de François de Saint Jaure, de 1590, témoignent de l'existence de deux éditions antérieures : l'une allant jusqu'à la Centurie IV incomplète, l'autre, jusqu'à la Centurie VII incomplète, éditées à Avignon, du vivant de Nostradamus, éditions dont nous avions des références bibliographiques. L'étude de ces éditions de Petit Val est importante car elle nous fournit les variations des éditions d'Avignon aujourd'hui disparues.

1589 48. LES GRANDES / ET MERVEILLEU- / SES PRÉDICTIONS DE M. / MICHEL NOSTRADAMUS, / dont il y a trois cens qui n'ont en- / cores iamais esté imprimées. / Esquelles se voir représenté une partie de ce qui se / passe en ce temps, tant en France, Espaigne, An- / gleterre, que autres parties du monde. / (Vign.) A ROUEN / Chez Raphaël du Petit Val. / 1589 / Avec Permission /

– Folio 1r: frontispice; folios 2r-8r: Preface; folios 8v-64v: Centuries I à VI jusqu'au quatrain 96.

– Exemplaire incomplet: il se compose de 8 cahiers de 8 folios chacun, il manque certainement un demi-cahier de plus soit 4 folios pour arriver au quatrain VII-36 et 1 folio de plus pour arriver à VII-40, ou bien il en reste à VII-39 et il reste un folio blanc. Notre exemplaire semble prouver l'hypothèse selon laquelle le cahier manquant se serait composé de 6 folios, car la garde du début est double et la garde finale est simple comme cela devrait être si le texte se terminait par un feuillet blanc. Le papier, fait à la main était alors très cher et les livres, pour cette raison, étaient de très petit format et ne portaient que les folios blancs strictement indispensables.

– Original dans la bibliothèque de l'auteur dans sa reliure originale, de parchemin souple : 77 × 108 mm. Exemplaire unique, édition rarissime, date authentique.

– Édition non citée par Brunet. Malheureusement cet exemplaire est incomplet : il lui manque les dernières pages. (Voir catalogue Georges Andireux, Vente 17, décembre 1947, salle 9, p. 26, numéro 173).

1590 49. LES GRANDES / ET MERVEILLEU / SES PRÉDICTIONS / DE M. MICHEL NO- / stradamus, dont il y en a trois cens / qui n'ont encores iamais esté im- / primées. / Esquelles se voit représenté une partie de / ce qui se passe en ce temps, tant en Fran- / ce, Espagne, Angleterre, que autres / parties du monde. / (Vign) / A ANVERS, / Par François de Sainct Iaure. / 1590. / In-fine: Fin des Professies de Nostradamus réimprimées de nouveau sur / l'ancienne impression imprimée premièrement en Avi- / gnon par Pierre Roux Imprimeur du Légat en / l'an mil cinq cens cinquante cinq / Avec privilège dudict Seigneur. / (Vign.) /

– Cette intéressante édition qui nous permet, avec celles de Petit Val, de connaître les éditions d'Avignon des sept premières Centuries, contient : Préface, folios 1 à 4; Centuries I à VII: folios 5-47.

– Original dans la bibliothèque de Klinckowstroëm: 96 × 156 mm. Copie photographique de l'exemplaire de la bibliothèque de l'Arsenal dans la bibliothèque de l'auteur.

– Les cinq premières Centuries sont complètes. La Sixième comprend 99 quatrains et la Septième 35 seulement. Il manque le quatrain latin, et les cinq quatrains 3, 4, 8, 20 et 22, de la Septième Centurie, sur les 40 que comporte l'édition de Lyon de 1557, de telle sorte que le quatrain final, qui est numeroté 35, correspond en réalité au quatrain 40.

1611 ? 50. LES CENTURIES - / ET MERVEILLEUSES / PRÉDICTIONS DE M. / MICHEL NOSTRADAMUS, / Contenant Sept Centuries, dont il en / y a trois cents qui n'ont encore jamais esté imprimées. / Esquelles se voit représenté une partie de ce qui / se passe en ce temps, tant en France, Espagne / Angleterre, qu'autres parties du monde. / (Vign.) À ROUEN / Par Pierre Valentin, Libraire / & Imprimeur pres S. Erblanc. / Iouxte la copie imprimée en Avignon / 1611 (?) / In-Fine: Fin des Centuries et merveilleuses prédictions de Maistre / Michel Nostradamus, de nouveau imprimees sur / l'ancienne impression, premierement imprimee / en Avignon, par Pierre le Roux / Imprimeur du Légat. / Avec privilège dudit Sieur.

– Folio 1v: quatrain de Valentin; folio 2r: Préface, Lettre à César jusqu'au folio 6v; folio 6v: «Extraict des registres de la Cour de Parlement»; folio Br: Centurie I; folio 03v: Fin de la Centurie VI, 99 quatrains; fol. 04r: Centurie VII jusqu'au folio P2v, 32 quatrains. Manquent les quatrains 2, 3, 4, 8, 20, 22, 33, 35. Se termine par un quatrain n° 40.

– Original dans la bibliothèque de l'auteur : 95 × 144 mm; seul exemplaire connu.

VI

1630 ? 51. Les / PROPHÉTIES / DE M. MICHEL / NOSTRADAMUS / Reveuës Et corrigées sur la copie. / Imprimée à Lyon par Benoist / Rigaud en l'an 1568. / (Vign.) / À TROYES / Par Pierre du Ruau, rue nostre Dame. /
Les / PROPHÉTIES / DE M. MICHEL / NOSTRADAMUS. / CENTURIE VIII. IX. X. / Qui n'avoient esté premiere- / ment imprimèz. /
PRESA'GES / TIREZ DE CEUX FAICTS / par M. Nostradamus, és / années 1555. & suivan. / tes iusques en 1567. /
PRÉDICTIONS / ADMIRABLES POUR LES / ans courans en ce siècle / recueillies des Mémoires de feu Maistre / Michel Nostradamus, vivant Mede- / cin du Roy Charles IX. & l'un des / plus excellens Astronomes qui fu -/ rent iamais. / Presentées au tres-grand Invincible / & tres-clement Prince Henry / IIII. vivant Roy de France & / de Navarre / Par Vincent Seve de Beaucaire en Langue- / doc, dès le 19, mars 1605. au Chasteau / de Chantilly, maison de Mon- / seigneur le Connestable / de Montmorency.
RECUEIL DES / PROPHÉTIES / ET RÉVÉLATIONS / TANT ANCIENNES QUE / Modernes. / Contenant un sommaire des Révela / tions de Saincte Brigide, S. Cyril / le, & plusieurs autres Saincts & religieux personnages: nouvelle- / ment reveuës & corrigées. / Et de nouveau augmentées outre les / precedentes impressions / (rosace) / À TROYES, / Par PIERRE DU RUAU demeurant / en la ruë nostre Dame. /

– Première partie: folios 1-64, frontispice, Préface, Centuries I à VII et « Autres Quatrains »; Seconde partie: folios 1-40, frontispice, Lettre, Centuries VIII à X, quatrain «Adiousté pepuis (sic) l'impression de 1568»; Centurie XI deux quatrains, Centurie XII, 11 quatrains; folios 41-54: frontispice, Présages; folios 55-64: Prédictions; Troisième partie: folios 1-64, Recueil.

– Original dans la bibliothèque de l'auteur, 110 × 162 mm.

– Un autre exemplaire, semblable, mais ne comportant pas le Recueil se trouve à la bibliothèque Mazarine. Copie photographique dans la bibliothèque de l'auteur.

– Sa caractéristique est de comporter 43 quatrains à la Centurie VII.

1630 ? 52. LES / PROPHÉTIES DE M. MICHEL / NOSTADAMUS. (sic) / Reveuëes & corrigées sur la copie / Imprimée à Lyon par Benoist Rigaud en l'an 1568. / (Vign.) / À TROYES, / Par Pierre du Ruau, rue nostre Dame, /

LES / PROPHÉTIES / DE M. MICHEL / NOSTRADAMUS. / CENTURIES VIII. IX. X. / Qui n'avoient esté premiérement, / Imprimées: et sont en la mes- / me edition de 1568. /
PRÉSAGE / TIREZ DE CEUX FAICTZ / par M. Nostradamus, és / années 1555 et suivan- / tes iusques en 1567. /
PRÉDICTIONS / ADMIRABLES POUR LES / ans courans en ce siecle. /
Receueillies des Memoires de feu Maistre / Michel Nostradamus, vivant Mede / cin du Roy Charles IX. & l'un des plus excellens Astronomes qui fu- / rent iamais / Presentées au tres-grand Invincible / & tres-clement Prince Henry / IIII. vivant Roy de France Et / de Navarre. / Par Vincent Seve de Beaucaire en Langue- / doc dés le 19 Mars, 1605. au Chasteau / de Chantilly, maison de Mon- / seigneur le Connestable / de Montmorency. /
RECUEIL DES / PROPHÉTIES / ET RÉVÉLATIONS, / TANT ANCIENNES QUE / modernes / Contenant un sommaire des Revela- / tions de Saincte Brigide, S. Cyril- / le, & plusieurs autres Saincts & / religieux personnages: nouvelle- / ment reveuës & corrigées. / Et de nouveau augmentées outre les / precedentes impressions. / (fleuron) / À TROYES / Par PIERRE DU RUAU demeurant / en la ruë nostre Dame. /
Première partie: Fol. 1-64: Frontispice, Préface, Centuries I à VII et «Autres Quatrains»; deuxième partie: Fol 1-40: Frontispice, Lettre, Centuries VIII à X, quatrain «Adiousté pepuis (sic) l'impression de 1568»; Centurie XI, 2 quatrains et Centurie XII, 11 quatrains, fol. 41-54: Frontispice, Présages; fol. 55-64: Prédictions; troisième partie: Fol. 1-64: Recueil.

– Original se trouvant dans la bibliothèque de l'auteur: 110 × 165 mm.

– Autre exemplaire identique, bien que le premier frontispice dise «NOSTRADAMUS» et qu'il ne comporte pas le Recueil, dans la bibliothèque de l'auteur: 113 × 165 mm.

– Se caractérise par le fait qu'il comporte 42 quatrains à la Centurie VII.

1630 ? 53. LES / PROPHÉTIES / DE M. MICHEL / NOSTRADAMUS. / Dont il y en a trois cens qui n'ont encores / iamais este imprimees. / Adioustees de nouveau par ledict / Autheur. / (escudo) / À TROYES, / Par PIERRE CHEVILLOT, l'Imprimeur / ordinaire du Roy. / Avec Permission. /
LES / RPOPHÉTIES (sic) / DE M. MICHEL / NOSTRADAMUS. / CENTURIES VIII. IX. X. / Qui n'ont encores iamais esté / imprimées. / (escudo) / À TROYES, / Par PIERRE CREVILLOT, l'Imprimeur / ordinaire du Roy. / Avec Permission. /
RECUEIL DES / PROPHÉTIES / ET RÉVÉLATIONS, TANT / ANCIENNES QUE MODERNES. / Contenant un sommaire des révelations de Saincte / Brigide, S. Cyrille, & plusieurs autres Saincts & / religieux personnages: nouvellement reveuës & / corrigées. / Et de nouveau augmentées outre les / precedentes impressions. / (escudo) / À TROYES, / Par PIERRE CHEVILLOT, l'Impri- / meur ordinaire du Roy. / 1611. / Avec Permission. /

– Folio 1: frontispice; folios 2-7r: Préface; folios 7v-59v: Centuries I à VI, quatrain XCIX; folio 59v: Legis Cantio; folio 60r-63v: Centuries VII, XLII quatrains; fol; 63v-64r: Autres Prophéties, Centurie Septiesme; folio 1: deuxième frontispice;

folios 2-1Cr: Lettre; fol 10v-37v: Centuries VIII à X, quatrain CI; folio 38r-39r: Prédictions Admirables; folios 39v-46: Autres Prophéties de M. Nostradamus, Centurie XI, Sizains; folio 47r: Autres Prophéties de M. Nostradamus, Centurie XI, quatrains XCI et XCVII; folio 47r-48r: Centurie XII; folio 48v: blanc; folio 1r: troisième frontispice; folios 1v-64 (mal numérotés): texte du Recueil.

– La Préface, la Centurie IIII, la Centurie XI, folio 39v, Centurie XII, folio 47r n'a pas de filet.

– Il y a deux folios 29; le folio 28 manque.

– Original dans la bibliothèque de l'auteur: 110 × 176 mm.

1630 ? 54. LES / PROPHÉTIES / DE M. MICHEL / NOSTRADAMUS / Dont il y en a trois cens qui n'ont encores / iamais este imprimées. / Adioustées de nouveau par ledict / Autheur. / (escudos) / A TROYES, / Par PIERRE CHEVILLOT, l'Imprimeur / ordinaire du Roy. / Avec Permission. /
RECUEIL DES / PROPHÉTIES / ET RÉVÉLATIONS, TANT / ANCIENNES QUE MODERNES. / Contenant un sommaire des revelations de Saincte / Brigide / S. Cyrille, & plusieurs autres Sainct & religieux / personnages: nouvellement reveuës & / corrigées. / (escudo) / À TROYES / Par PIERRE CHEVILLOT, l'Impri- / meur ordinaire du Roy. 1611. Avec Permission. /
PROPHÉTIES / PERPÉTUELLES / TRÈS-CURIEUSES ET TRÈS-CERTAINES / DE THOMAS-JOSEPH MOULT / NATIF DE NAPLES / ASTRONOME ET PHILOSOPHE / Traduits de l'Italien en François / Qui auront cours pour l'an 1269 & qui / dureront jusques à la fin des siecles / Faites à Saint Denis en France, l'An de Notre- / Seigneur 1268, du Règne de Louis IX / (Vign.) À PARIS / Chez PRAULT, Pere, Quay de Gêvres, au / Paradis / Avec Approba- et Privilège du Roi. /

– Numérotage moderne de 1 à 454. Folio 1 (p. 0r): Frontispice; folios 2-7r (pp. 1-9): Préface; folios 7v-59v (pp. 11-112): Centuries I à VI, quatrain XCIX; folio 59v (p. 112): Legis Cantio; folios 60r-63v (pp. 113-120): Centurie VII, XLII quatrains; folios 63v-64r (pp. 120-121): Autres Prophéties, Centurie Septiesme; folio 1 (p. 123): Deuxième frontispice; folios 2-10r (pp. 125-139): Lettre; folios 10v-37v (pp. 141-194): Centuries VIII à X, quatrain CI; folios 38r-39r (pp. 195-198): Predictions Admirables; folios 39v-46v (pp. 199-213): Autres Prophéties de M. Nostradamus, Centurie XI, Sizains; folio 47r (P. 214): Autres propheties de M. Nostradamus, Centurie XI, quatrains XCI et XCVII; folios 47r-48r (pp. 215-217): Centurie XII; folio 48v (p. 218): en blanc, folio 1r (p. 219): troisième frontispice; folios 1v-64 (pp. 220-357): texte du Recueil; p. 358: en blanc; p. 359: frontispice pour MOULT; p. 350: en blanc; pp. 361-454: MOULT.

– Original inconnu – Fac-similé typographique publié à Paris par Delarue au XIXe siècle, dans la bibliothèque de l'auteur.

– Les prophéties de Moult, selon la déclaration de Delarue, ne figuraient pas dans l'original.

1630 ? 55. LES / PROPHÉTIES / DE M. MICHEL / NOSTRADAMUS. / Dont il y en a trois cens qui n'ont encores / iamais esté imprimées / Trouvez en une Bibliotèque delaissez par l'Autheur.

/ (escudo) / À TROYES, / Par PIERRE CHEVILLOT, l'Imprimeur / ordinaire du Roy. / Avec Permission / LES / PROPHÉTIES / DE M. MICHEL / NOSTRADAMUS. / Dont il y en a trois cens qui n'ont este im- / primées, où il se recongnoist le passé, / Et l'advenir. / (Vign.) / À TROYES, / Par PIERRE CHEVILLOT, l'Imprimeur / ordinaire du Roy. / Avec Permission. /

– Folio 1: frontispice; folios 2-7r: Préface; folios 7v-59v: Centuries I à VI, quatrain XCIX; folio 59v: Legis Cantio; folios 60r-63v: Centurie VII, XLII quatrains; folios 63v-64r: Autres prophéties, Centurie Septiesme; folio 1: deuxième frontispice; folios 2-10r: Lettre; folios 10v-37v: Centuries VII-X, quatrain CI; folios 38r-39r: Predictions Admirables; folios 39v-46: Autres Propheties de M. Nostradamus, Centurie XI, Sizains; folio 47r: Autres Propheties de M. Nostradamus, Centurie XI, quatrains XCI et XCVII; folios 47r-48r: Centurie XII; fol 48v: en blanc.

– Original se trouvant dans la bibliothèque de l'auteur: 110 × 175 mm.

1630 ? 56. LES / PROPHÉTIES / DE Me MICHEL / NOSTRADAMUS. / (fleuron) / Dont il y en a trois cens qui n'ont iamais esté imprimées, / Adioustées de nouveau par ledit Autheur- / (Vign.) / À LYON, / Par Claude Castellard, / Avec Permission. /
LES / PROPHÉTIES / DE Me MICHEL / NOSTRADAMUS. / CENTURIES VIII / IX. & X. / Qui n'ont encores iamais / esté Imprimées / (Vign.) / À LION, / M.DC.XXVII. /
LES / PROPHÉTIES / DE Me MICHEL / NOSTRADAMUS. / POUR LES ANS COU- / RANS en ce Siecle. / CENTURIE XI. / Qui n'ont encores iamais / esté Imprimées / (Vign.) / A LYON, M.DC.XXVII. /

– Folio X: frontispice; folio x2r-x7v: Préface; manque folio x8?; folios 1v-9v: barre ourlée, Centurie première; folios 10r-18v: barre ourlée différemment, Centurie Seconde; folios 19r-27v: fleurons en ligne, Centurie troisième; folios 28r-36v: barre ourlée comme pour la Centurie Seconde, Centurie Quatriesme; folios 37r-45v: fleurons en ligne, Centurie Cinquiesme; folios 46r-54v: barre ourlée comme pour la Centurie Seconde, Quatriesme, Sixsiesme, Centurie Septiesme; folio 59r: deuxième frontispice; folio 59v: en blanc, avec vignette; folios 60r-70v: la barre ourlée, Lettre; folios 71r-79v: barre ourlée comme pour l'antérieure, Centurie Huictiesme; folios 80r-88v: barre ourlée comme l'antérieure. Centurie neuffiesme; folios 89r-98r: barre ourlée comme l'antérieure, Centurie dixiesme, vign.; folio 99r: troisième frontispice; folio 99v: blanc; folio 100r-101r: barre ourlée d'une seule ligne, Prédictions; folios 101v-108v: barre ourlée, Autres Prophéties, Sizains; folios 109-110r: barre ourlée large, différente, Autres prophéties, Centurie unzieme; folio 110v: Vignette.

– Original dans la bibliothèque de l'auteur.

1630 ? 57. Les / PROPHÉTIES / DE Me MICHEL / NOSTRADAMUS. / (fleuron) / Dont il y en a trois cens qui n'ont encores iamais esté imprimées, / Adioustées de nouveau par ledit Autheur / (Vign.) / À LYON, / Par Iean Didier / M.DC.XXVII. /
LES / PROPHÉTIES / DE Me MICHEL / NOSTRADAMUS. / CENTURIES VIII / IX. & X. / Qui n'ont encores iamais / esté Imprimées / (Vign.) / À LYON; / M.DC.XXVII. /

LES / PROPHÉTIES / DE Me MICHEL / NOSTRADAMUS. / POUR LES ANS COU-rans en ce Siècle. / CENTURIE XI. / Qui n'ont encores iamais / esté imprimées / (Vign.) À LYON, / M.DC.XXVII. /

– Folio x: frontispice; folios x2r-x7v: Préface; manque folio x8?; folios 1v-9v: barre ourlée, Centurie première; folios 10v-18v: barre ourlée différente, Centurie Seconde; folios 19r-27v: fleurons en ligne, Centurie Troisième; folios 28r-36v: barre ourlée comme Centurie Seconde, Centurie Quatriesme; folios 37r-45v: fleurons en ligne, Centurie Cinquiesme; folios 46r-54v: barre ourlée comme Centurie Seconde, quatriesme, sixsiesme, Centurie Septiesme; folio 59r: deuxième frontispice; folio 59v: en blanc avec vignette; folios 60r-70v: barre ourlée, Lettre; folios 71r-79v: barre ourlée comme l'antérieure, Centurie huictiesme; folios 80r-88v: barre ourlée comme l'antérieure, centurie neufviesme; folios 89r-98r: barre ourlée comme l'antérieure, Centurie Dixième, vign., folio 99r: troisième Frontispice; folio 99v: blanc; folios 101r-108v: barre ourlée, Autres Prophéties Sizains; folios 100r-101r: barre ourlée d'une seule ligne, Prédictions; sizains; folios 109r-110r: barre ourlée large différente; autres Prophéties, Centurie Onzième; folio 110v: vignette.

– Original dans la bibliothèque de Solothurn. Copie photographique dans la bibliothèque de l'auteur.

– Identique à l'édition de Castellard, Fiche 56.

1630 ? 58. LES / PROPHÉTIES / DE Me MICHEL / NOSTRADAMUS. / (Fleuron) / Dont il y en a trois cens qui n'ont encores. / iamais esté imprimees. / Adioustées de nouveau par ledit Auteur. / (Vign.) / À LYON, / Par Pierre Marniolles, / Avec Permission. / LES / PROPHÉTIES, DE Me MICHEL / NOSTRADAMUS / CENTURIES VIII, IX & X / Qui n'ont encores iamais / esté Imprimées. / (Vign.) / A LYON, / Pour Estienne Tantillon. / Avec Permission. / AUTRES / PROPHÉTIES, / DE Me MICHEL / NOSTRADAMUS, / POUR LES ANS / courans en ce Siècle. / CENTURIE XI. / Qui n'ont encores iamais / esté Imprimées. / (Vign.) / À LYON, / par Pierre Marniolles. / Avec Permission. /

– Folio Ar: frontispice; folio Av: blanc; folios A2r-B2v: Préface; folios 1r-9v: Vign., Centurie Première; folios 10r-18v: Centurie II, barre ourlée; folios 19r-27v: barre ourlée, Centurie Troisième; folios 28r-36v: barre ourlée, Centurie Quatrième; folios 37r-45v: barre ourlée, Centurie Cinquiesme; folios 46r-54v: barre ourlée, Centurie Sixsiesme; folios 55r-58v: barre ourlée, Centurie Septiesme; folio 59r: deuxième frontispice; folio 59v: blanc avec vignette; folios 60r-70v: Lettre; folios 71r-79v: barre ourlée, Centurie Huictiesme; folio 80r-88v: barre ourlée différente, Centurie Neufième; folio 89r-98r: barre ourlée, Centurie Dixiesme; folio 98v: portrait; folio 99-r: troisième frontispice; folio 99v: blanc avec vignette; folios 100r-101v: Prédictions Admirables; folios 101v-108v: barre ourlée différente, Autres prophéties, Centurie XI, Sizains; folio 109r: Autres Prophéties, Centurie Unzieme; folio 109v: barre ourlée, Centurie douzième; folio 110v: blanc avec vignette.

– Original dans la bibliothèque de Vienne. Copie photographique dans la bibliothèque de l'auteur.

– Marniolles a probablement copié Castellard avec des

vignettes différentes et la même typographie. Marniolles et Tantillon n'indiquent pas de date, bien que ce soit la même que celle des éditions de Didier et Castellard.

1643 59. LES. PROPHÉTIES / DE M. MICHEL / NOSTRADAMUS / PRINSES SUR LA COPIE IMPRIMÉE / à Lyon, par Benoist Rigaud. 1568 / (Vignette). / À MARSEILLE / Chez CLAUDE GARCIN Imprimeur de / la Ville: à la Loge. / M.D.C.XXXXIII. /

– P. 1: frontispice; p. 2: blanche; pp. 3-168: Centuries I à X.

– Original dans la bibliothèque de Marseille. Copie photographique dans la bibliothèque de l'auteur.

– Centurie VII avec 44 quatrains.

1643 60. LES / PROPHÉTIES / DE M. MICHEL / NOSTRADAMUS / PROVENÇAL / PRINSES SUR LA COPIE IMPRIMÉE / A Lyon, par Benoist Rigaud. 1568. / (Vignette) / À MARSEILLE, / Par CLAUDE GARCIN, Imprimeur du / Roy & de la Ville. / M.DC.XXXXIII.

– 8 pp. non numérotées: «L'Imprimeur au Lecteur»; pp. 3-168: Centuries I à X; pp. 169-181: Centurie XI, Sizains; pp. 181-184 : Centurie XII.

– Original dans la bibliothèque de l'auteur: 100 × 145 mm.

– Centurie VII avec 44 quatrains.

1649 ? 61. LES / PROPHÉTIES / DE M. MICHEL / NOSTRADAMUS. / Medecin du Roy Charles IX & l'un / des plus excellens Astronomes / qui surent iamais. / (Vign.) À. LYON. / 1568. / LES / PROPHÉTIES / DE M. M. NOSTRADAMUS. / CENTURIE VIII, IX, & X. / Qui n'avoeint esté premierement impri- / mées, & sont en la mesme / edition de 1568. / PRÉSAGES / TIREZ DE CEUX FAICTS / par M. Nostradamus, és / années 1555, & suivantes / jusques en 1567. / PRÉDICTIONS / ADMIRABLES POUR LES / ans courans en ce siecle. / Recueillies des Mémoires de Feu M. / Michel Nostradamus vivant, / Medecin du Roy Charles IX & l'un des plus excellens Astrono- / mes qui furent iamais. / Presentées au tres-grand Invincible et tres- / clement Prince Henry IV. vivant Roy / de France & de Navarre. / Par Vincent Seue de Beaucaire en Langedoc, / dès le 19 mars 1605. au Chasteau de Chan- / tilly, maison de Monseigneur le Connesta- / ble Montmorency. /

– Folio Ar: premier frontispice; folios AIIr-AVIIr: barre ourlée, Préface; folios AVIIv-BVIIIr: barre ourlée différente, Centurie I; folios BVIIIr-CVIIIv: ligne horizontale, Centurie II; folios Dr-Ev: barre ourlée comme pour la Centurie I, Centurie III; folios Ev-FIIr: barre ourlée en une seule ligne, Centurie IV; folios FIIv-GIIIr: barre ourlée en une seule ligne, différente, Centurie V; folios GIIIr-HIIIIv: barre ourlée comme pour les Centuries I et III, Centuries V (ce doit être en réalité la VI); folios HIIIr: LEGIS CAUTIO; folios XXIIr-HVIIv: barre ourlée comme pour les Centuries I, III et VI, Centurie VII; folios HVIIIr: barre ourlée comme pour Centurie V, Autres quatrains... Centurie Septiesme, LXXIII-LXXX, LXXXII-LXXXIII; folios HVIIIv: en blanc; folio Ir: deuxième frontispice; folios Iv-KIIIr: barre ourlée différente, Lettre; fol. KIIIv-LIIIIr: barre ourlée comme Centuries I, III, VI, Centurie VIII; folios LIIIIr-LIIIIv: barre ourlée d'une seule ligne, autres quatrains... Centurie huistiesme; folios LVr-MVv: barre ourlée comme pour les Centuries I, III, VI, VIII, Centurie IX; folios MVIr-NVIv: barre ourlée d'une seule ligne, Centurie X; folios NVIv: adiouste depuis l'impression; folios NVIIr: double barre ourlée, Centurie XI; folios NVIIr-NVIIIr: barre ourlée en une seule ligne, Centurie XII, sizains; folio NVIIIv: en blanc; folio Or: troisième frontispice; folio Ov: blanc; fol. OIIr-PVIv: barre ourlée comme pour les Centuries I, III, VI, VIII, IX, Présages; folio PVII: quatrième frontispice; folio PVIIv: blanc; fol. PVIIr-PVIIIv: Au Roy; folios Qr-QVIIIr: Autres Prophéties, Sizains.

– Original se trouvant dans la bibliothèque de l'auteur: 96 × 155 mm.

1649 ? 62. LES / PROPHÉTIES / DE M. MICHEL / NOSTRADAMUS. / Reveuës & corrigées sur la copie Imprimée / à Lyon par Benoist Rigaud. 1568. / (Vign.) M.DCV. /
LES / PROPHÉTIES / DE M. MICHEL / NOSTRADAMUS. / CENTURIE VIII, IX, X. / Qui n'avoient esté premierement Impri- / mées: & sont en la mesme / edition de 1568. /
PRÉSAGES / TIREZ DE CEUX FAICTS / par M. Nostradamus, es année 1555. & suiuan- / tes iusques en 1567. /

– Numérotage identique à celle de l'exemplaire Fiche 61.

– Original dans la bibliothèque de l'auteur: 96 × 150 mm.

1649 ? 63. LES / PROPHÉTIES / DE M. MICHEL / NOSTRADAMUS. / Revevës & corrigées sur la copie Imprimée / à Lyon par Benoist Rigaud. 1568. / (Vign.) 1611?
LES / PROPHÉTIES / DE M. MICHEL / NOSTRADAMUS. / CENTURIE VIII. IX. X. / Qui n'avoient esté premièrement Impri- / mées: & sont en la mesme / édition de 1568. /
PRÉSAGES / TIREZ DE CEUX FAICTS / par M. Nostradamus, ès années 1555. & suiuan-tes / jusques en 1567 /

– Numérotage identique à celui de l'exemplaire fiche 61.

– Original dans la bibliothèque d'Aix-en-Provence. Copie photographique dans la bibliothèque de l'auteur.

1649 ? 64. LES / PROPHÉTIES / DE M. MICHEL / NOSTRADAMUS, / Medecin du Roy Charles IX. & et l'Un / des plus excellens Astronomes / qui furent iamais. / (Vign.) / A LYON. / MDCLIX.
LES / PROPHÉTIES / DE M. M. NOSTRADAMUS. / CENTURIE VIII. IX. & X. / Qui n'auoient este premièrement impri- / mées: & sont en la mesme / edition de 1568 /.
PRÉSAGES / TIREZ DE CEUX FAICTS / par M. Nostradamus, es / années 1555. & suiuan- / tes jusques en 1567. /

– Numérotage identique à celui de l'exemplaire N° 61.

– Original se trouvant dans la bibliothèque de Moscou. Copie photographique dans la bibliothèque de l'auteur.

1644-1665 ? 65. LES / PROPHÉTIES / DE M. MICHEL / NOSTRADAMUS, / Dont il y en a trois cens qui n'ont iamais esté imprimées. / Adioustées de nouveau par ledit Autheur. / (Vign.) / A Lyon /

Pour Iean Hugvetan, en la ruë / Merciere, au plat d'estain. / LES / PROPHÉTIES / DE M. MICHEL / NOSTRADAMUS. / CENTURIES VIII. IX. X. / Qui n'ont encores iamais esté / imprimées. / (Vign.) / À LYON, / Chez Claude de la Rivière, 1644. /

Folio 1: frontispice; 5 folios non numérotés: Préface; pp. 1-97: Centuries I-VII; p. 98: en blanc; p. 99: Centuries VIII-X; p. 160: en blanc; pp. 161-162: «Predictions»; pp. 163-174: Centuries XI, sizains; p. 175: «Autres propheties», Centurie XI; pp. 176-177: Centurie XII; p. 178: en blanc.

– Original se trouvant dans la bibliothèque de l'auteur: 76 × 145 mm.

– Porte le même portrait aux deux frontispices. Barre et lettres ourlées au commencement des Préfaces et des Centuries.

1644-1665 ? 66. Édition identique à celle de l'exemplaire fiche 65 quant au texte, aux vignettes et au numérotage; seul varie l'atelier dans lequel il a été imprimé, en ce qui concerne le premier frontispice; le second est le même:

1er Frontispice: Pour IEAN HUGVETAN, en ruë / Merciere, au Phoenix. /

2e: À. LYON / Chez CLAUDE DE LA RIVIÈRE, 1644. /

– Original se trouvant dans la bibliothèque de l'auteur: 75 × 130 mm.

– Exemplaire dans la bibliothèque de Rochester, probablement identique au précédent; la première vignette manque.

1644-1665 ? 67. Édition identique à celle de l'exemplaire fiche 65 pour le texte, les vignettes et le numérotage. Seules varient les vignettes:

1re: Chez HORACE HUGVETAN, ruë merciere / au Phoenix /

2e: Chez CLAUDE DE LA RIVIÈRE. /

– Original dans la bibliothèque de Nîmes. Copie photographique dans la bibliothèque de l'auteur.

1644-1665 ? 68. Édition identique à celle de l'exemplaire N° 65 en texte, vignette et numérotage. Seules les vignettes varient:

1re vignette: chez HORACE HUGVETAN, ruë merciere /

2e vignette : chez ANTOINE BAUDRAND, en / rue Confort à la Fortune. /

– Original se trouvant dans la bibliothèque de Rochester. Copie photographique dans la bibliothèque de l'auteur.

1644-1665 ? 69. Édition identique à celle du N° 65, pour le texte les vignettes et le numérotage. Seules varient les vignettes:

1re: Chez IEAN HUGVETAN, ruë merciere / à la Providence.

2e: Chez HORACE UGVETAN, ruë merciere / au Phoenix. /

– Original dans la bibliothèque de l'auteur 72 × 135 mms.

1644-1665 ? 70. Édition identique à celle du N° 65, pour le texte, les vignettes et le numérotage. Seules varient les vignettes:

1re: manque.

2e: Chez IEAN HUGVETAN, ruë merciere / à la Providence. /

– Original dans la bibliothèque de l'auteur. 72 × 135 mm.

1644-1665 ? 71. Édition identique à celle du N° 65, par le texte, les vignettes et le numérotage. Seules varient les vignettes:
1re: Chez PIERRE ANDRÉ, ruë / Merciere. /
2e: Chez ANTOINE BAUDRAND, en / ruë Confort à la Fortune.
– Original se trouvant à la bibliothèque de Florence. Copie photographique dans la bibliothèque de l'auteur.

1644-1665 ? 72. Édition identique à celle de l'exemplaire N° 65 pour le texte, les vignettes et le numérotage. Seules varient les vignettes:
1re: Chez IEAN CARTERON, / en ruë Tupin. /
2e: Chez ANTOINE BAUDRAND en / ruë Confort à la Fortune. /
– Original dans la bibliothèque de Padoue. Copie photographique dans la bibliothèque de l'auteur.

1644-1665 ? 73. Édition identique à celle de l'exemplaire fiche 65, pour le texte, les vignettes et le numérotage. Seules varient les vignettes:
1re: Chez NICOLAS GAY, en / ruë TUPIN /
2e: Chez ANTOINE BAUDRAND, en / ruë Confort à la Fortune /
– Original à la bibliothèque de Vienne. Copie photographique dans la bibliothèque de l'auteur.

1644-1665 ? 74. Édition identique à celle de l'exemplaire fiche 65, pour le texte, les vignettes et le numérotage. Seules varient les vignettes:
1re: Chez CLAUDE LA RIVIÈRE, ruë merciere / a la Science / M.DC.LXV. /
2e: Chez CLAUDE DE LA RIVIÈRE.
– Original se trouvant dans la bibliothèque Koninklijke. Copie photographique dans la bibliothèque de l'auteur.

1644-1665 ? 75. Édition identique à celle de l'exemplaire fiche 65, pour le texte, les vignettes et le numérotage. Seules les vignettes varient:
1re: Chez CLAUDE LA RIVIÈRE, ruë Mer- / ciere à la Science. / M.DC.LXV. /
2e: Chez IEAN BALAM, Impr. ruë Merciere, / à la bonne Conduite. / M.DC.LXV. /
– Original se trouvant dans la bibliothèque de l'auteur : 78 × 139 mm.

1644-1665 ? 76. Édition identique à celle de l'exemplaire fiche n° 65 pour le texte les vignettes et le numérotage. Seules les vignettes varient :
1re: M.DC.LXXV.
2e: Chez IEAN BALAM, Impr. ruë Merciere. / à la bonne Conduite. / M.DC.LXV. /
– Original dans la bibliothèque de l'auteur : 78 × 139 mm.

1652 77. MENGAU, Jacques.
LES VRAYES / CENTURIES / DE M. MICHEL / NOSTRADAMUS. / Expliquées sur les affaires de ce temps. / Avec l'Horoscope Imperial de Louys XIV. / (Vign. portrait) / Iouxte la copie Imprimée. / Chez I. Boucher, ruë des Amandiers, / deuant le College des Graisins. / M.DC.LII.

LES / PROPHÉTIES / MAZARINES, / FIDELLEMENT EXTRAICTES / DES VRAYES CENTURIES / DE M. NOSTRADAMUS. / Imprimées en Avignon en l'an 1556. / & a Lion en 1558. Expliquées sur / les affaires du temps present. / Contenant tout ce qui s'est passé en France, tout- / chant le ministere et gouvernement du Cardi- / nal Mazarin, tant de present que l'advenir: / Et autres affaires qui doivent arriver en di- / vers Royaumes, Estats et Provinces de / l'Europe. / (fleuron) / À PARIS. / M.DC.LII.

1° ADVERTISSEMENT / À MESSIEURS / LES PREVOST DES MARCHANDS / ET ESCHEVINS DE PARIS. / ADVERTISSEMENT AUX PARISIENS / Sur la fuite et le retour funeste du Cardinal / Mazarin, Predit par Michel / Nostradamus.

2° SECOND ADVERTISSEMENT / À MESSIEURS / LES PREVOST DES MARCHANDS / ET ESCHEVINS DE PARIS. / SUR LE RETOUR FUNESTE / du Cardinal Mazarin.

3° TROISIESME ADVERTISSEMENT / À MESSIEURS / LES PREVOST DES MARCHANDS / ET ESCHEVINS DE PARIS. / Contenant la Tresve ou Paix généralle predite / par Michel Nostradamus. / Avec tous les avantages / que le Cardinal Mazarin pretend sur les / affaires de France, & sur la Monarchie Chrestienne, / ainsi que l'Autheur vous avoit / promis /

4° CISTEME GENERAL / OU RÉVOLUTION DU MONDE. / Contenant tout ce qui doit arriver en France, / la presente année 1652. / predit par l'Oracle Latin, et l'Oracle François, / Michel Nostradamus. /

5° ADVERTISSEMENT / À MESSIEURS / LES PREVOST DES MARCHANDS / ET ESCHEVINS DE PARIS / Contenant l'explication de l'Eclipse qui se doit faire le / huictiesme jour d'Avril de la presente année, et autre / choses qui doiuent arriver à la poursuite du Cardi- / nal Mazarin, avec le dénombrement des villes / qui seront investies our vexées par les gens / de guerres, prediesme par Michel Nostradamus. /

6° SIXIESME ADVERTISSEMENT / À SON ALTESSE ROYALLE; / Monseigneur le Duc d'Orleans, Ge- / neralissimme des Armées de France / Contenant la fuite Seconde, ou exil perpetuel du Cardinal Mazarin, predit par Michel Nostradamus. /

7° SEPTIE'ME ADVERTISSEMENT / À NOSSEIGNEURS LES / Protecteurs de la Cause Juste, le / Parlement de Paris. / Contenant le changement et renovation de Paix, / predit par Michel Nostradamus. /

8° ADVERTISSEMENT, / AUX BONS FRANÇOIS / Sur ce qui doit arriver devant la ville d'Estampes, / predit par Michel Nostradamus. /

9° ADVERTISSEMENT, / SUR LA SANGLANTE / BATAILLE qui se doit / faire dans peu de temps d'icy, / entre l'Armée Mazarine, et celle de Nossei-gneurs les Princes, predit par Michel / Nostradamus. /

10° Figure generale de la Natiuité de IULE MAZARIN / qui est venu au Monde le 14. Iuillet 1602, enuiron les / fix heures et un quart apres midy, laquelle/figure fert aux pages 5 & 63. /

11° L'HOROSCOPE IMPÉRIAL / DE LOUYS QUATORZE / DIEU DONNE. / Prédit par l'Oracle François et Michel Nostradamus. / Fol. a. et a.1: 2 vignettes; fol. 2-a: dedicace de Mengau;

pp. 1-20: 1a; pp. 21-44: 2°; pp. 45-64:3°; pp. 65-76: 4°; pp. 77-87: 5° pp. 88-96: 6°; pp. 97-110: 7°; pp. 111-114: 8°; pp. 115-120: 9°; hors texte: 10° et 11°.

– Original se trouvant dans la bibliothèque de l'Arsenal, Paris. Copie photographique dans la bibliothèque de l'auteur.

VII

1649 78. LES VRAYES / CENTURIES / DE M. MICHEL / NOSTRADAMUS / Ou se void représenté tout ce qui s'est passe / tant en France, Espagne, Italie, / Allemagne, Angleterre, qu'au / tres parties du monde / Reveuës & corrigées suyvant les premieres Éditions / imprimées en Avignon en l'an 1556. & à Lyon en 1558. avec la vie de l'Autheur. / (Vign.) / A ROVEN, / Chez / IACQUES CAILLOVE, / IEAN VIRET, Imprimeur / Ordinaire du Roy, et / IACQUES BESOGNE. / au Pa- / lais / M.DC.XLIX. /
P. 1: Frontispice; p. 2: blanche, pp. 3-8: la vie de Nostradamus; pp. 1-154: Centuries I à X; pp. 155-157: Centurie XII; p. 158: blanche; pp. 159-183: Presages; pp. 184-198: Autres predictions, 58 sizains, 2 pp. blanches.

– Original se trouvant dans la bibliothèque de l'auteur: 110 × 168 mm.

1650 79. LES VRAYES CENTURIES / ET / *PROPHÉTIES* / DE MAISTRE / *MICHEL NOSTRADAMUS* / Où se void representé tout ce qui s'est passé, / tant en France, Espagne, Italie, Ale- / magne, Angleterre qu'autres parties du monde. / Reveuës & corrigées suyvant les premieres Édi- / tions imprimées en Avignon en l'an *1556.* / & à Lyon en l'an *1558. / Avec la vie de l'Autheur.* / (Vign.) Imprimé à LEYDE, / Chez *PIERRE LEFFEN,* / l'An 1650. /
1 fol. frontispice; 3 fol. La vie de Maistre Michel Nostradamus, pp. 1-167: Centuries I-XII; p. 168 blanche; pp. 169-193: Présages; pp. 194-208: Autres prédictions.

– Original dans la bibliothèque de l'auteur: 83 × 153 mm. Imprimé en noir et *rouge*.

1667 80. LES VRAYES CENTURIES / ET PROPHÉTIES / DE MAISTRE / MICHEL NOSTRADAMUS, / Où l'on voit représenté tout ce qui s'est / passé tant en France, Espagne, Italie, / Allemagne, Angleterre, qu'aux autres / parties du Monde. / Reveues & corrigées suivant les premières éditions / imprimées à Avignon en l'an 1556 & à / Lyon en l'an 1558. / Avec la Vie de l'Auteur & des Observations / sur ses Propheties. / (Vign.) / A AMSTERDAM, / Chez DANIEL WINKERMANS. / M.D.LXVII. /
1 fol. frontispice; 5 fol. Préface; 3 fols. La Vie; 2 fols. Observations; pp. 1 à 95: Centuries I à VII, 8 fols / Lettre; pp. 106 à 152: Centuries VII à XII; pp. 153-174: Présages; pp. 174-186 : Autres prédictions. Le numérotage saute de 95 à 106.

– Original dans la bibliothèque de l'auteur : 82 × 142 mm.

1668 81. LES VRAYES CENTURIES / ET / PROPHÉTIES / DE MAISTRE / MICHEL NOSTRADAMUS. / Où se void representé tout ce qui s'est / passé, tant en France, Espagne, Italie /

Allemagne, Angleterre, qu'autres parties du Monde. / Reveuës & corrigées suyvant les premieres / Éditions imprimées en Avignon en l'an 1556 / à Lyon en l'an 1558 & autres. / Avec la vie de l'Autheur. / (Vign.) / à AMSTERDAM. / Chez JEAN JANSSON à WAES- / BERGE & la vefue de fu ELIZEË / WEYERSTRAET, l'an 1668. /
1 fol. Titre et Incendie de Londres; fol. 2 (n.num): frontispice fol. 2 et fol. 3 r (s.n.) Advertissement; fol. 3 v (non num). Portrait fol. 4-8 r (n.num) La Vie. Lettre pp. 1-128: Centuries I-XII; pp. 129-147; Présages: pp. 148-158: Autres Prédictions.
– Original dans la bibliothèque de l'auteur: 72 × 126 mm.

VIII

1716-1731 ? 82. LES / PROPHÉTIES / DE / M. MICHEL / NOSTRADAMUS, / Dont il y en a trois cents qui n'ont jamais été imprimées. Ajoutées / de nouveau par l'Auteur. / Imprimées par les soins du Fr. JEAN VALLIER / du Convent de Salon des Mineurs Conven- / tuels de Saint François. / (Vignette: Soleil) / A LYON / Par PIERRE RIGAUD, ruë Merciere / au coing de ruë Ferrandiere. 1566; / Avec Permission. /
LES / PROPHÉTIES / DE / M. MICHEL / NOSTRADAMUS, Centuries VIII.IX.X. / Qui n'ont encores jamais été / Imprimées. / Imprimées par les soins du Fr. JEAN VALLIER / du Convent de Salon des Mineurs Conven- / tuels de Saint François. / (Vignette: Soleil) / À LYON, / par PIERRE RIGAUD, en ruë Merciere / au coing de ruë Ferrandiere. 1556. / Avec Permission /
P. 1: Frontispice; p. 2 : Épitaphe; pp. 3-12 Préface; pp. 13-99 Centuries I à VI quatrain 99; Legis Cantio; pp. 99-105, Centuries VII, quatrain 42, p. 106; en blanc; p. 107. Deuxième vignette; p. 108: en blanc: pp. 109-125: Lettre; pp. 126-168: Centuries XIII-X.
– Original se trouvant dans la bibliothèque de l'auteur : 82 × 141 mm.
– Chaque quatrain est numéroté en chiffres romains; vignettes et majuscules ornées au début de chaque chapitre.

1716-1731 83. LES / PROPHÉTIES / DE M. MICHEL / NOSTRADAMUS, / Dont il y en a trois cents qui n'ont ja- / mais esté imprimées. Ajoutées de / nouveau par l'auteur. / Imprimées par les soins du Fr. Jean Vallier / du Convent de Salon des Mineurs Con- / ventuels de Saint François. / (Vign. sphère armilaire) / À LYON / Par Pierre Rigaud, rüe Merciere / au coing de rüe Ferrandiere. 1556. / Avec Permission. /
LES / PROPHÉTIES / DE M. MICHEL NOSTRADAMUS, / CENTURIES VIII.IX.X. / Qui n'ont encore jamais été / Imprimées / Imprimées par les soins du Fr. Jean Vallier / du Convent de Salon des Mineurs Conven- / tuels de Saint François / (Vign. sphère armilaire) / À LYON / Par Pierre Rigaud, en ruë Merciere / au coing de rue Ferrandiere. 1566. / Avec Permission /.
P. 1: Frontispice; p. 2: Épitaphe; pp. 3-12: Préface; 13-99: Centuries I-IV, Legis Cantio; pp. 99-105; Centurie VII, quatrain 42; p. 106 en blanc; p. 107: deuxième frontispice; p. 108: en blanc; pp. 109-125: Lettre; pp. 126-168: Centuries VIII-X.
– Original dans la bibliothèque de l'auteur.

– Quatrains numérotés en chiffres romains; vignettes et majuscules ornées, certaines différentes de celle du nº 80 en début de chapitre.

1716-1731 ? 84. LES / PROPHÉTIES / DE / M. MICHEL / NOSTRADAMUS, Dont il y en a trois cens qui n'ont / jamais été imprimées. Ajoutées / de nouveau par l'auteur / Imprimées par les soins du Fr. Jean Vallier / Du Convent de Salon des Mineurs Conven- / tuels de Saint François. / (Vign. Sanglier) / à LYON, / Par Pierre Rigaud, ruë Merciere / au coing du ruë Ferrandiere. 1566 / Avec Permission /
LES / PROPHÉTIES / DE / M. MICHEL / NOSTRADAMUS, / Centuries VIII.IX.X / Qui n'ont encore jamais été / Imprimées / Imprimées par les soins du Fr. Jean Vallier / du Convent de Salon de Mineurs Conven- / tuels de Saint François. / (Vign. Sanglier) / À LYON / Par Pierre Rigaud, en ruë Merciere; / au coing de ruë Ferrandiere. 1566. / Avec Përmission /
P. 1: Frontispice; p. 2: Épitaphe; pp. 3-12: Préface; pp. 13-99 Centuries I-VI, quatrain 99, Legis Cantio; pp. 99-105: Centurie VII, quatrain 42, pp. 109-125: Lettre; pp. 126-168: Centuries VIII-X.

– Original dans la bibliothèque de l'auteur : 80 × 143 mm.

– Quatrains numérotés en chiffres arabes; vignettes ornées différentes de celles des exemplaires 82 et 83 en début de chaque chapitre. Pas de majuscules ornées. Les textes de la Préface et de la Lettre, bien qu'occupant le même nombre de pages que dans les exemplaires 82 et 83, sont distribués de manière différente.

XVIIIe siècle ? 85. LES / PROPHÉTIES / DE M. MICHEL / NOSTRADAMUS / (fleuron) Dont il y en a trois cens qui n'ont encores / iamais esté imprimées / Adioustées de nouveau par / ledict Autheur. / (Vign. bandes parlantes) / À LYON / Chez Pierre Rigaud, rue Merciere, / au coing de ruë Ferrandiere, à l'enseigne de la Fortune. / Avec Permission. /
LES / PROPHÉTIES / DE M. MICHEL / NOSTRADAMUS. / (fleuron) / CENTURIES VIII.IX.X / Qui n'ont encores iamais esté / imprimées. (Vign.) À LYON / Chez Pierre Rigaud, ruë Merciere / au Coing de ruë Ferrandiere, à l'ensei- / gne de la Fortune. / Avec permission.
Fol. Ar: frontispice: fol. Av: blanc; fol. A2r-A8v: Préface, pp. 1-102: Centuries I-VI, de 99 quatrains cette dernière Legis Cantio, pp. 103-110: Centurie VIIn, 44 quatrains, p. 111: 2e frontispice 112 en blanc, pp. 113-132: Lettre Préface à Henri II, pp. 133-183: Centuries VIII-X, Quatrain X-101, pp. 184-185: «Prédictions» et lettre de Seve; pp. 186-197: Autres Prophéties, Centurie XI Sizains, p. 198: «Autres Prophéties» Centurie XI, pp. 199-200: «Prophéties», Centurie XII.

– Original dans la bibliothèque de l'auteur: 80 × 138 mm.

XVIIe siècle 86. LES / PROPHÉTIES / DE M. MICHEL / NOSTRADAMUS. / (fleuron). / Dont il y en a trois cens qui n'ont encores / iamais esté imprimées / Adioustées de nouveau par / le dict autheur. / (Vign. Bandes parlantes) / À LYON / Chez Pierre Rigaud, rue

Merci- / ere, au coing de rue Ferrandiere, à l'en- / seigne de la Fortune / Avec permission. /
LES / PROPHÉTIES / DE M. MICHEL / NOSTRADAMUS / (fleuron) / Centuries VIII.IX.X / Qui n'ont encores iamais esté / imprimées. / (Vign.) / À LYON / Chez Pierre Rigaud, rue Mercie- / re au coing de ruë Ferrandiere, à l'en- / seigne de la Fortune. / Avec permission. /
Fol. Ar: frontispice, fol. Av: en blanc; fol. A2r-18v: Préface; pp. 1 à 102, Centuries I à VI, cette derniere de 99 quatrains, Legis Cantio; pp. 103-110, Centurie VII; 44 quatrains, p. 11: deuxième frontispice, p. 112: en blanc, pp. 113-132; Lettre Préface à Henri Second; pp. 133-183: Centurie VIII-X, quatrains X-101; pp. 184-185: «Predictions» et lettre de Seve, pp. 186-197: 3 autres Prophéties Centurie XI, pp. 199-200 : «Prophéties», Centurie XII.

– Original dans la bibliothèque de Harvard, USA. Copie photographique dans la bibliothèque de l'auteur.

1792 ? 87. LES / PROPHÉTIES / DE MICHEL / NOSTRADAMUS. / Dont il y en a trois cens qui n'ont encore / jamais esté imprimées. / Ajoutées de nouveau par ledict auteur. / PI / (Vign.) / TER / À LYON, par Benoist Rigaud. / Avec Permission 1568. /
Fol. AIIIr-Br Préface: fol. Bv: D.M. Clarissimmi Ossa; pp. 1-18; Centurie Première. pp. 18-35: barre ourlée de deux lignes: Centurie II; pp. 36-53: barre ourlée différente: Centurie III, pp. 53-70: une barre ourlée divisée en deux parties par Centurie IV, p. 70 (fleuron), pp. 71-88: barre comme pour Centurie III, Centurie V; 88-105: barre ourlée comme pour Centurie IV: Centurie VI; pp. 106-113 barre ornée de petits fleurons en ligne: Centurie VII; pp. 113: fleuron différent; pp. 114-133: barre ornée comme pour Centurie III et V: Lettre; pp. 134-151: barre ornée comme pour Centurie IV, sans division Centurie VIII; pp. 151-169: barre ornée de petits fleurons en ligne, Centurie IX, pp. 169-187: barres ornées de lignes parallèles de petits fleurons, Centurie X.

– Original dans la bibliothèque de l'auteur: 73 × 100 mm.

XVIIIe siècle 88. NOUVELLE / Prophétie de M. Michel Nostradamus, qui / n'ont iamais esté veuës, n'y imprimees, que / en ceste presente annee. / Dedie'au Roy. / (Vign.) À PARIS, / Pour Syluestre Moreau, Libraire, / 1603 / Avec Permission. /
Frontispice; pp. 3-15: Lettre; pp. 16-29: double barre ourlée Centurie VIII, pp. 29-42: Centurie IX, pp. 42-56: Centurie X.

– Original dans la bibliothèque de l'Arsenal, Paris. Copie photographique dans la bibliothèque de l'auteur.

XVIIIe siècle ? 89. NOUVELLE / PROPHÉTIE DE M. / MICHEL NOSTRADAMUS, / qui n'ont jamais esté veuës, ny / imprimées, qu'en ceste / presente Annee. / Dedie'au Roy. / (Vign.) / À PARIS, / Pour Siluestre Moreau, Libraire, / M.DC.L. / Avec Permission.
Frontispice, pp. 2-14: Centurie VIII, pp. 14-27: Centurie IX, pp. 27-40: Centurie X.

– Original à la Bibliothèque Nationale de Paris. Copie photographique dans la bibliothèque de l'auteur.

Achevé d'imprimer
en mai mil neuf cent quatre-vingt-deux
sur les presses de l'Imprimerie Gagné Ltée
Louiseville - Montréal.
Imprimé au Canada

Dépôt légal — 2e trimestre 1982
Bibliothèque Nationale du Québec
Bibliothèque Nationale du Canada